Mona Lisa

Джинн Калогридис

Невеста Борджа

Санкт-Петербург • ИД ДОМИНО
Москва • ЭКСМО
2008

УДК 82(1-87)
ББК 84(7США)
К 17

Jeanne Kalogridis

THE BORGIA BRIDE

Составитель серии *А. Жикаренцев*

Оформление серии *Е. Платоновой* и *С. Шикина*

Калогридис Дж.

К 17   Невеста Борджа / Джинн Калогридис; [пер. с англ.
О. Степашкиной]. — М.: Эксмо; СПб.: Домино,
2008. — 576 с. — (Мона Лиза).

ISBN 978-5-699-26802-3

Принцесса Неаполитанского королевства Санча Арагонская
из политических соображений вынуждена выйти замуж за одного
из представителей семьи Борджа. Глава этого печально знамени-
того семейства отравителей и убийц, папа Александр VI, жаждет
получить власть над всей Италией. Его противники обычно умирают от непонятной болезни, названной в народе «лихорадкой
Борджа». Гордая и своенравная красавица Санча тоже становится
предметом его притязаний. Она с ужасом начинает понимать, что
отношения между ее новыми родственниками замешены на предательстве, разврате и крови.

УДК 82(1-87)
ББК 84(7США)

ISBN 978-5-699-26802-3

Посвящается Джейн Джонсон.
За удачу

АРАГОНСКИЙ ДОМ

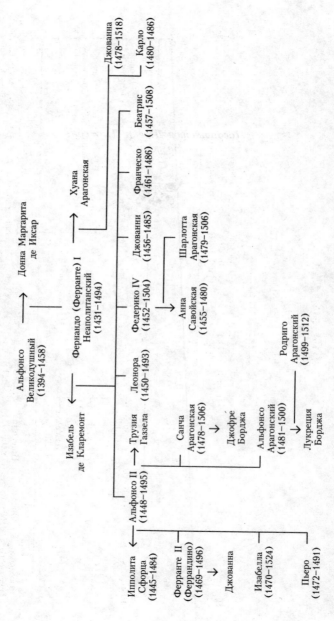

ДОМ БОРДЖА

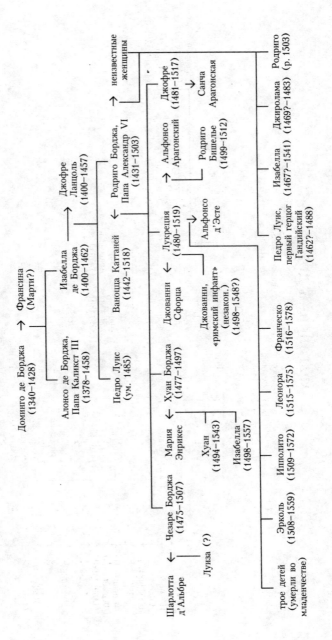

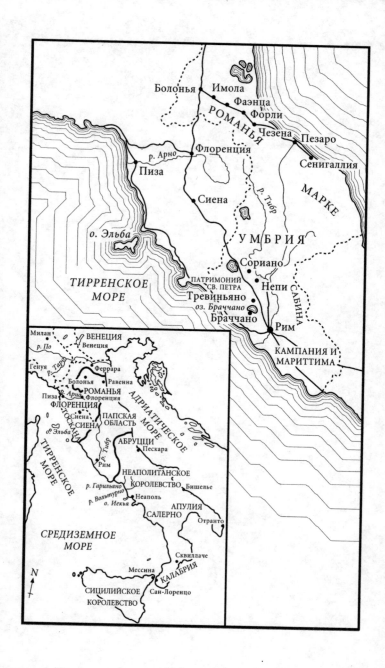

ПРОЛОГ

Кантерелла — вот как это называется: ядовитый порошок, столь смертоносный, что одной его крупинки достаточно, чтобы убить человека, свести его в могилу за считанные дни. Воздействие его ужасно. Голова болит, словно ее сдавливают тисками, перед глазами все расплывается, тело трясет в лихорадке. Начинается кровавый понос, и внутренности скручивает такая боль, что жертва принимается выть.

Слухи твердят, что лишь Борджа знают тайну этого яда: как составлять его, как хранить, как подать, чтобы замаскировать вкус. Родриго Борджа — или, возможно, мне следовало бы сказать, его святейшество Александр VI — узнал эту тайну от своей любовницы, огненноволосой Ваноццы Каттаней, еще когда был простым кардиналом. Старший брат Родриго, Педро Луис, несомненно, был бы избран Папой... если бы не умелое и своевременное применение кантереллы.

Родриго и Ваноцца как любящие родители поделились рецептом со своими отпрысками — во всяком случае, со своей миловидной дочуркой, Лукрецией. Кто лучше сумеет убаюкать настороженность, чем Лукреция с ее застенчивой улыбкой и нежным голоском? Кто успешнее совершит убийство и предательство, чем

Лукреция, которую восхваляют как самую невинную девушку в Риме?

«Лихорадка Борджа» прошлась по Риму, словно чума, прореживая ряды прелатов до тех пор, пока жизнь каждого кардинала, располагающего хоть какими-то средствами, не превратилась в кошмар. В конце концов, ведь когда кардинал умирает, его богатства отходят к Церкви.

Для того чтобы вести войну, нужно много денег. Много денег, чтобы собрать такую большую армию, которая смогла бы захватить все города-государства по всей Италии, чтобы объявить себя главой не только в вопросах духовных, но и в вопросах мирских. А именно этого Папа и его незаконнорожденный сын Чезаре жаждали больше, чем Царствия Небесного. Они желали заполучить сей мир.

Сейчас я сижу в замке Сант-Анджело вместе с другими женщинами. Из окна моей комнаты я вижу неподалеку Ватикан, папские апартаменты и дворец Святой Марии, где я когда-то жила вместе с мужем. Мне позволяют гулять по саду и обращаются со мной учтиво, но это не более чем дань приличиям: я здесь пленница. Я проклинаю тот день, когда впервые услышала имя Борджа. Я молюсь о том дне, когда услышу колокольный звон, возвещающий о смерти старика.

Но для этого нужна свобода. И вот я держу флакон и рассматриваю его на просвет в лучах яркого римского солнца, льющегося в окна. Флакон из изумрудно-зеленого венецианского стекла сияет, словно драгоценный камень; порошок в нем тусклый, непрозрачный, голубовато-серый.

«Кантерелла, — шепчу я. — Милая, милая кантерелла, спаси меня...»

ОСЕНЬ 1488 ГОДА

ГЛАВА 1

Я — Санча Арагонская, внебрачная дочь человека, который на год стал Альфонсо II, королем Неаполя. Как и Борджа, мое семейство явилось на Итальянский полуостров из Испании, и, подобно им, я говорю по-испански дома и по-итальянски в обществе.

Самое яркое воспоминание детства у меня относится к одиннадцатому году жизни, к девятнадцатому сентября 1488 года от Рождества Господа нашего. Это был праздник в честь святого Януария, покровителя Неаполя. Мой дедушка, король Ферранте, выбрал эту дату, дабы отпраздновать тринадцатую годовщину своего восхождения на неаполитанский трон.

Обычно мы, королевская семья, не участвовали в торжествах, проводившихся в огромном кафедральном соборе, построенном в честь святого Януария. Мы предпочитали праздновать в уюте Кьеза Санта Барбара, церкви, расположенной среди садов королевского дворца, Кастель Нуово. Но в том году дедушка решил, что это будет хорошим политическим ходом — провести публичную церемонию в честь годовщины. И поэтому наша огромная процессия двинулась в собор, а с некоторого расстояния на нас глазели зие — тетушки собора Сан Дженнаро, причитающие женщины в черном, молившие святого, чтобы он защитил и благословил Неаполь.

А Неаполь нуждался в благословении. Он побывал ареной множества войн: мое семейство, Арагонская династия, завоевала этот город в кровопролитном сражении всего сорок шесть лет назад. Хотя мой дедушка мирно унаследовал трон от своего отца, Альфонсо Великодушного, самому Альфонсо пришлось бороться за Неаполь с анжуйцами, сторонниками этого француза, Карла Анжуйского. Короля Альфонсо любили за то, что он заново отстроил город, возвел величественные дворцы и базарные площади, укрепил стены, пополнил королевскую библиотеку. Моего дедушку любили меньше. Он стремился укрепить свою власть над местными дворянами, в жилах которых текла анжуйская кровь. Он много лет вел мелочные войны с разнообразными баронами и никогда не доверял собственному народу. А тот, в свою очередь, никогда не доверял ему.

Еще в Неаполе часто случались землетрясения, включая и землетрясение 1343 года, свидетелем которого оказался Петрарка и которое разрушило половину города и потопило все корабли в обычно мирном порту. А еще там есть Везувий, доныне склонный к извержениям.

Потому-то в тот день мы и пришли, дабы обратиться с мольбой к святому Януарию и, если повезет, узреть чудо.

Процессия, направлявшаяся в кафедральный собор, была весьма величественной. Впереди шли мы, женщины и дети, принадлежащие к королевскому семейству, в сопровождении стражников в сине-золотых одеждах; мы прошли к алтарю мимо одетых в черное простолюдинов, склонявшихся перед нами, словно колосья под ветром. Первой шла королева, супруга Ферранте, пышная, цветущая Хуана Арагонская, за ней — мои тетушки Беатриса и Леонора. Следующей шла моя на тот момент незамужняя сводная сестра Изабелла, которой поручено было приглядывать за мной и моим восьмилетним братом Альфонсо, а также за самой младшей дочерью Ферранте, моей тетей Джованной, родившейся в один год со мной.

Старшие женщины были в традиционном наряде неаполитанских дворянок: в черных платьях с пышными юбками, туго зашнурованными корсетами и рукавами, узкими сверху и расходящимися на ширину церковных колоколов к запястью, так что они ниспадали куда ниже бедра. Нам, детям, дозволялись более яркие цвета. На мне было платье из ярко-зеленого шелка с парчовым корсетом, туго затянутым на отсутствующей груди. На шее у меня была нитка морского жемчуга и маленький золотой крестик, а на голове — вуаль из тонкой черной ткани. Альфонсо был в светлоголубом бархатном камзольчике и брюках.

Мы с братом шли, взявшись за руки, следом за нашей сводной сестрой. Я изо всех сил делала гордый и уверенный вид, упорно глядя на подол платья Изабеллы, а мой брат тем временем непринужденно оглядывал собравшихся. Я же позволила себе лишь однажды бросить взгляд в сторону, на трещины в арке между двумя мраморными колоннами и на расколотый надвое круглый портрет святого Доминика над аркой. Прямо под ним были устроены строительные леса, останки ремонта, тянувшегося с землетрясения, которое причинило значительный ущерб собору — еще за два года до прихода Ферранте к власти.

Меня огорчало, что меня сдали на попечение Изабеллы, а не моей матери. Обычно отец всегда пригла-
шал для таких случаев мою мать, восхитительную зо-
лотоволосую красавицу из знатной семьи, мадонну Трузию Газзела. Ее общество доставляло ему удовольствие.
Мне кажется, отец был не способен на любовь, но в
нежных объятиях моей матери он определенно подходил достаточно близко к этому.

Однако король Ферранте заявил, что это неприлич-
но — вести любовницу отца в церковь вместе с королевской семьей. И точно так же решительно дед настоял на том, чтобы взять меня и моего брата Альфонсо.
Мы были детьми, и нас не винили за случайности, со-
путствовавшие нашему рождению. В конце концов,
Ферранте сам был незаконнорожденным.

Потому нас с братом растили как королевских детей, со всеми правами и привилегиями, в королевском
дворце Кастель Нуово. Моя мать могла беспрепятственно приходить и уходить, в соответствии с желаниями
отца, и часто оставалась во дворце вместе с нами. Лишь
тонкие намеки наших единокровных братьев и сестер
и более прямолинейные отцовские напоминали нам,
что мы — существа низшего разряда. Я не играла ни
с законнорожденными детьми моего отца, которые были на несколько лет старше, ни с моей тетей Джованной или дядей Карло, которые были почти одного возраста со мной. Но зато мы с моим младшим братом
Альфонсо были неразлучны. Альфонсо, хоть его и назвали в честь отца, был его полной противоположно-
стью — златокудрый, миловидный, добродушный; его
проницательному уму было совершенно не свойственно коварство. У него были светло-голубые глаза мадонны Трузии, в то время как я поразительно походила на отца, настолько, что, будь я мужчиной, нас с ним

можно было бы назвать близнецами, родившимися с разрывом в поколение.

Изабелла провела нас в боковой придел перед алтарем, отгороженный шнурами; даже после того, как нас поставили на отведенные нам места, мы с Альфонсо продолжали держаться за руки. Огромный собор подавлял нас. Высоко вверху, на расстоянии нескольких небес, располагался массивный позолоченный купол, сверкающий в солнечном свете, что струился через его сводчатые окна.

Следом появились мужчины, принадлежащие к королевской семье. Возглавлял их мой отец — Альфонсо, герцог Калабрии, обширного сельского края, расположенного далеко на юге, на восточном побережье. Наследник трона, он славился своей неукротимостью в битве; в молодости он отбил пролив Отранто у турок, одержав победу, которая принесла ему если не любовь народа, то известность. Каждое его движение, каждый взгляд и жест были властными и угрожающими; это впечатление подчеркивал строгий черно-красный костюм. Он был красивее любой из присутствовавших женщин, с его безукоризненно прямым тонким носом и высокими скулами. У него были красные, полные, чувственные губы и тонкие усики, а под короной блестящих угольно-черных волос приковывали внимание большие темно-голубые глаза.

Лишь одно портило его красоту — холодность выражения лица и глаз. Его жена, Ипполита Сфорца, умерла четыре года назад; прислуга и наши родственницы шептались, что она якобы пошла на это, чтобы избавиться от жестокости мужа. Я плохо помнила эту несчастную, хрупкую женщину с глазами навыкате; отец никогда не упускал случая напомнить ей о ее недостатках или о том факте, что их брак был заключен исключительно ради выгоды, поскольку Ипполита принадлежала к одному из самых древних и влиятельных семейств Италии. Он также уверял несчастную Ипполиту, что получает куда больше удовольствия от объятий моей матери, чем от ее.

Я смотрела, как он прошел мимо женщин и детей, выстроившихся перед алтарем, и встал сбоку от пустого трона, ожидающего появления его отца, короля.

За ним шли мои дяди, Федерико и Франческо. Потом шел старший сын моего отца, названный в честь деда, но обычно его любовно называли Феррандино, «маленький Ферранте». Ему тогда было девятнадцать — второй в линии наследования, второй из красивейших мужчин Неаполя, но более привлекательный благодаря своему доброму и отзывчивому характеру. Когда он прошел мимо молящихся, вслед ему понеслись женские вздохи. За Феррандино следовал его младший брат Пьеро, имевший несчастье походить на свою мать.

Последним вошел король Ферранте, в плаще и штанах из черного бархата, в камзоле из серебристой парчи, красиво расшитой золотым узором. Он был опоясан мечом, изукрашенным драгоценными камнями; этот меч был вручен ему при коронации. Хоть я знала его как старика, хромающего из-за подагры, в тот день он двигался легко и изящно. Его приятная внешность пострадала от возраста и потворства собственным желаниям. Волосы у него были белые и редкие, через них проглядывал порозовевший от солнца череп; аккуратно подстриженная борода скрывала тяжеловесный раздвоенный подбородок. Брови у него были густые и устрашающие, с какого бока ни взгляни, как будто каждый волосок пытался торчать в свою сторону. А под этими бровями прятались глаза, поразительно похожие на мои и отцовские, — ярко-синие с зеленоватым оттенком, меняющие цвет в зависимости от освещения и окружающей обстановки. Нос у него был большой, изрытый оспинами, а щеки были испещрены проступившими сосудами. Но держался он прямо и по-прежнему способен был заставить людей замолчать одним своим появлением. Когда он вошел в собор Сан Дженнаро, на лице его застыло суровое выражение, порожденное свирепостью. Толпа склонилась еще ниже и так и застыла, пока король не уселся на трон перед алтарем.

Лишь после этого люди осмелились выпрямиться. Лишь после этого хор запел.

Я вытянула шею, и мне удалось разглядеть алтарь, где перед рядом свечек стоял серебряный бюст святого Януария в епископской митре. Неподалеку высилась мраморная статуя чуть больше человеческого роста, изображавшая Януария при всех регалиях, с рукой, воздетой для благословения, с епископским посохом на сгибе другой руки.

Как только король занял свое место, а хор смолк, вышел епископ Неаполитанский и прочел молитву. Затем появился его помощник, несущий серебряный реликварий в форме фонаря. За стеклом виднелось что-то маленькое и темное. Мне почти ничего не было видно из-за малого роста — обзор перегораживали спины моих облаченных в черное тетушек и бархатные плащи мужчин, но я выглядывала в щели между ними. Я знала, что это флакон с засохшей кровью святого Януария, которого мучили, а потом обезглавили по приказу императора Диоклетиана больше тысячи лет назад.

Наши епископ и священник читали молитвы. Тетушки Сан Дженнаро звучно причитали, взывая к святому. Священник осторожно, не прикасаясь к стеклу, повернул реликварий — раз, потом другой.

Казалось, будто прошла целая вечность. Стоявшая рядом со мной Изабелла опустила голову и зажмурилась; губы ее шевелились в беззвучной молитве. С другой стороны от меня маленький Альфонсо тоже с серьезным видом опустил голову, но зачарованно поглядывал на священника из-под кудрей.

Я истово верила в силу Господа и святых, вмешивающихся в дела людей. Решив, что безопаснее всего будет последовать примеру Изабеллы, я склонила голову, крепко зажмурилась и зашептала молитву, обращенную к святому покровителю Неаполя. «Благослови наш возлюбленный город и сохрани его. Защити короля, и моего отца, и мою маму, и Альфонсо. Аминь».

По толпе пробежал благоговейный гул. Мне удалось разглядеть алтарь и священника, гордо демонстрирующего присутствующим серебряный реликварий.

— Il miracolo e fatto! — провозгласил он.

«Чудо свершилось».

Хор вместе с прихожанами запел «Те деум», восхваляя Бога за то, что он ниспослал нам это благословение.

Мне с моего места не видно было, что произошло, но Изабелла шепотом сообщила мне на ухо, что темное, сухое вещество во флаконе начало таять, затем запузырилось и древняя кровь снова стала жидкой. Святой Януарий подтвердил, что он услышал наши молитвы и что он доволен: он будет защищать город, как и в годы своей земной жизни, когда он был здесь епископом.

Изабелла сказала, что это добрый знак, особенно для короля в день годовщины его коронации. Святой Януарий будет оберегать его от всех врагов.

Нынешний епископ Неаполитанский взял реликварий у священника и шагнул от алтаря к трону. Он протянул квадратную коробку из серебра и стекла королю Ферранте и остановился, ожидая, что монарх встанет и подойдет.

Но мой дед не встал и не преклонил колени при виде этого чуда. Он так и остался сидеть на троне, и епископу пришлось поднести реликварий к нему. Лишь после этого Ферранте уступил древнему обычаю и коснулся губами стекла, за которым находилась священная кровь.

Епископ вернулся к алтарю. Мужчины Арагонского дома стали подходить к нему по очереди — первым шел мой отец — и целовать священную реликвию. За ними двинулись мы, женщины и дети; мы с братом по-прежнему крепко держались за руки. Я прижалась губами к стеклу, согретому дыханием моих родственников, и взглянула на темную жидкость внутри. Я слыхала о чудесах, но никогда не видела ни одного; я была изумлена.

Я постояла, дожидаясь Альфонсо. Потом мы вместе вернулись на наше место.

Епископ передал реликварий обратно священнику и благословляющим жестом перекрестил сначала моего деда, потом прочих членов королевской семьи.

Хор запел. Старый король встал, немного неловко. Стражники покинули свои места у трона и вместе с королем направились к выходу из церкви, где нас ожидали экипажи. Как всегда, мы двинулись следом.

Обычай требовал, чтобы все прихожане, включая особ королевской крови, оставались на месте до завершения церемонии, пока каждый присутствующий не подойдет и не поцелует реликвию; но Форранте был слишком нетерпелив, чтобы дожидаться простолюдинов.

Мы вернулись в Кастель Нуово, огромное кирпичное здание в форме трапеции, дворец, возведенный двести лет назад Карлом Анжуйским. Он сначала убрал рассыпающиеся останки францисканского монастыря, посвященного Деве Марии. Карл ценил безопасность превыше изящества: на каждом углу замка, который он назвал Мачио Ангиомо (Анжуйская крепость), высилось по массивной круглой башне; их зубчатые вершины врезались в небо.

Дворец стоял прямо над заливом, так близко к берегу, что в детстве я часто высовывала руку в окно и воображала, будто глажу море. С моря дул утренний бриз, и я, сидя в экипаже между Альфонсо и Изабеллой, с удовольствием вдыхала соленый морской ветер. Невозможно жить в Неаполе и не видеть моря, а видя — не полюбить его. Древние греки назвали этот город Партенопеей, в честь сирены, полуженщины, полуптицы, которая от неразделенной любви к Одиссею бросилась в море. Согласно легенде, волны вынесли ее на неаполитанский берег; но я даже в детстве знала, что она кинулась в воду вовсе не из-за любви к мужчине.

Я убрала вуаль, чтобы глубже вдохнуть воздух. Наслаждаясь видом — вогнутым полумесяцем залива с темно-фиолетовым Везувием на востоке и с овальной крепостью Кастель дель Ово на западе, — я встала в экипаже и обернулась. Изабелла мгновенно дернула меня, заставляя сесть. Впрочем, сама она при этом сохраняла невозмутимое, царственное выражение лица, с расчетом на зрителей.

Наш экипаж с грохотом вкатился в главные ворота замка; по бокам от них высились башня Стражи и Средняя башня. Башни соединяла беломраморная триумфальная арка Альфонсо Великодушного, возведенная моим прадедом, дабы увековечить его победоносное вступление в Неаполь в качестве нового правителя. Это было первое из множества новшеств, произведенных им в разрушающемся дворце, и как только арка была завершена, прадед перенес свою резиденцию в Кастель Нуово.

Когда мы проезжали под более низкой из двух арок, я взглянула на барельеф, изображавший Альфонсо в его экипаже и приветствующих его дворян. Высоко наверху — так, что она поднималась выше башен, — статуя Альфонсо вскинула руку к небу; король был полон сил и воодушевления. Я тоже чувствовала воодушевление. Я была в Неаполе, со мной были солнце, море и мой брат, и я была счастлива.

Я и подумать не могла, что меня когда-нибудь лишат этой радости.

Как только мы очутились во внутреннем дворе и главные ворота закрылись, мы вышли из экипажей и направились в Большой зал. Там стоял самый большой стол в мире, накрытый для пира. На нем красовались вазы с оливками и фруктами, всевозможный хлеб, два жареных кабана с апельсинами в пасти, жареная фаршированная птица и разнообразные дары моря, включая сочных маленьких лангустов. Еще там было много вина «Лакрима Кристи», «Слезы Христовы»; это вино делали из греческого винограда, растущего на плодородных склонах Везувия. Нам с Альфонсо вино разбавляли водой. Зал был украшен всяческими цветами. Огромные мраморные колонны были задрапированы полотнищами золотой парчи с отделкой из синего бархата, а по ним вились гирлянды пунцовых роз.

Нас встретила наша мать, мадонна Трузия; мы побежали к ней. Старый Ферранте любил ее, и его нимало не волновало, что она родила моему отцу двоих детей без благословения церкви. Как всегда, она поцеловала нас и обняла. Я подумала, что она — самая красивая женщина здесь. Она прямо-таки сияла, невинная золотоволосая богиня среди стаи коварных ворон. Как и ее сын, она была добра и простодушна и думала не о политических преимуществах, которые она могла бы приобрести, а о любви и утешении, которые она могла дать. Она села между мной и Альфонсо, а Изабелла — справа от меня.

Ферранте сидел во главе стола. На некотором отдалении за ним высилась арка, ведущая в тронный зал, а оттуда — в его личные покои. Над аркой висело огромное полотнище с королевскими знаками Неаполя, золотыми лилиями на темно-синем фоне, — флёр-делис, унаследованный со дней правления анжуйцев.

В тот день эта арка обладала для меня особой притягательностью; она была моей дорогой к открытию.

Когда пир закончился, позвали музыкантов и начались танцы, а старый король наблюдал за ними с трона. Мой отец, даже не взглянув на нас, детей, взял нашу мать за руку и повел танцевать. Я воспользовалась общим весельем, чтобы ускользнуть от утратившей бдительность Изабеллы и доверить брату свою тайну.

— Я собираюсь найти мертвецов Ферранте, — сказала я ему.

Я вознамерилась войти в личные покои короля без его дозволения — непростительное нарушение этикета даже для члена семьи. Для чужого человека это было бы государственной изменой.

Глаза Альфонсо над кубком сделались круглыми и большими.

— Санча, не надо. Если тебя поймают, я даже не знаю, что сделает отец.

Но я уже много дней боролась с нестерпимым любопытством и больше не могла сдерживать его. Я слыхала, как одна служанка говорила донне Эсмеральде, моей няньке, жадно собирающей слухи о королевской семье, что это правда: у старика есть тайная комната с мертвецами, в которую он регулярно наведывается. Служанке было приказано вытирать с них пыль и подметать пол. До этого момента я наряду с прочими членами семьи считала, что все это слухи, распущенные врагами деда.

Я была известна своей дерзостью. В отличие от моего младшего брата, который старался радовать взрослых, я постоянно совершала бесчисленные детские преступления. Я забиралась на деревья, чтобы подглядывать за родственниками, занятыми брачными отношениями, — один раз это было осуществление брака, свидетелями при котором были король и епископ, и оба они увидели, как я глазею на них через окно. Я прятала жаб за пазуху и выпускала их на стол во время королевских трапез. И я же в отместку за предыдущее наказание украла на кухне кувшин оливкового масла и вылила его содержимое на порог отцовской спальни. Но моих родителей обеспокоило не столько само оливковое масло, сколько тот факт, что я в десять лет использовала свои лучшие драгоценности, чтобы подкупить стражника, приставленного ко мне, и ускользнуть.

Меня всякий раз бранили и запирали в детской на срок, который варьировался в зависимости от тяжести проступка. Но мне было все равно. Альфонсо охотно оставался пленником вместе со мной, утешал и развлекал меня. И потому я была совершенно неисправима.

Осанистая донна Эсмеральда, хоть она и была служанкой, не испытывала по отношению ко мне ни страха, ни почтения. На нее королевская кровь впечатления не производила. Хоть она и была простолюдинкой, ее отец и мать служили сначала при дворе Альфонсо Великодушного, потом при дворе Ферранте. Она присматривала еще за моим отцом. В те времена донне Эсмеральде было лет сорок пять, и она представляла собой впечатляющую фигуру: она была ширококостной, крепкой, с массивными бедрами и челюстью. Ее волосы цвета воронова крыла, густо усеянные серебряными нитями, были собраны в тугой пучок и убраны под темную вуаль; она носила черное платье, бесконечный траур, хотя ее муж умер почти четверть века назад — он был солдатом на службе у Ферранте. После этого донна Эсмеральда стала исключительно набожной; на ее высокой груди покоился золотой крестик.

У нее не было детей. И хотя она никогда не любила моего отца — на самом деле она почти не скрывала своего презрения по отношению к нему, — с тех самых пор, как Трузия произвела на свет меня, Эсмеральда обращалась со мной как с родной дочерью.

Хотя она любила меня и изо всех сил старалась оберегать, мое поведение всегда вызывало нарекания с ее стороны. «Ну почему ты не можешь вести себя так, как твой брат?»

Этот вопрос никогда не задевал меня. Я любила своего брата. На самом деле я хотела быть более похожей на него и мою мать, но не могла подавить свою натуру. Тогда Эсмеральда придумала, чем меня уязвить: «Ты такая же противная, как и твой отец в этом возрасте…»

Тогда же, сидя в огромном обеденном зале, я посмотрела на моего младшего брата и сказала:

— Отец никогда не узнает. Взгляни на них… — Я показала на взрослых. Они смеялись и танцевали. — Никто и не заметит, что меня тут нет. — Я помолчала. — Но как ты можешь утерпеть, Альфонсо? Неужели тебе не хочется узнать, правда ли это?

— Нет, — рассудительно ответил он.

— Но почему?

— Потому что это может оказаться правдой.

Лишь позднее я поняла, что он имел в виду. Но в тот момент я раздраженно взглянула на него, а потом развернулась, взметнув зеленую шелковую юбку, и принялась пробираться через толпу.

Никем не замеченная, я проскользнула под аркой и ее великолепным сине-золотым полотнищем. Мне казалось, я единственная, кто бежал с праздника. Я ошибалась.

К моему удивлению, огромная, обшитая панелями дверь, ведущая в тронный зал, была слегка приоткрыта, как будто кто-то хотел затворить ее, но не до конца преуспел. Я осторожно потянула ее ровно настолько, чтобы проскользнуть в образовавшуюся щель, а потом закрыла дверь за собою.

Зал был пуст, поскольку стражники сейчас приглядывали за своими подопечными в Большом зале. Тронный зал значительно уступал Большому в размерах, но внушал почтение. У центральной стены стоял трон

Ферранте: сооружение из темного дерева, покрытое искусной резьбой, с сиденьем из красного бархата, установленное на небольшом помосте высотой в две ступени. Над ним высился балдахин с неаполитанскими лилиями, а с одной стороны от потолка до пола поднимались сводчатые окна, открывая великолепный вид на залив. Сквозь окна, не закрытые ставнями, лился солнечный свет, отражаясь от белого мраморного пола и беленых стен и создавая ощущение сияния и легкости.

Это место казалось слишком светлым, чтобы скрывать какие бы то ни было тайны. Я задержалась на мгновение, оглядываясь по сторонам; мое возбуждение и страх росли. Я боялась, но, как всегда, любопытство превозмогло страх.

Я повернулась к двери, ведущей в личные покои деда.

До сих пор я побывала в них лишь однажды, несколько лет назад, когда Ферранте лежал с сильной лихорадкой. Врачи, убежденные, что он умирает, собрали всю семью попрощаться с ним. Я не была уверена в том, что король вообще помнит меня, но он положил руку мне на голову и одарил меня улыбкой.

Я была поражена. Всю мою жизнь дед небрежно здоровался со мной и братом и тут же отводил взгляд, возвращаясь к более важным делам. Он никогда не стремился общаться с нами, но иногда я замечала, как он внимательно наблюдает за детьми и внуками, оценивая, взвешивая, не пропуская ни единой детали. Он никогда не вел себя недобро или грубо — просто рассеянно. Когда он говорил — даже во время самых многолюдных семейных событий, — то обращался обычно к моему отцу, да и то по вопросам политики. Его поздний брак с Хуаной Арагонской, его третьей женой, был заключен по любви — дед уже не нуждался ни в новых политических преимуществах, ни в новых наследниках. Но его пыл давно угас. Король и королева разошлись по разным покоям и говорили лишь при необходимости.

Когда он, умирающий, как мы думали, положил руку мне на голову и улыбнулся, я решила, что он добрый.

Стоя в тронном зале, я вздохнула поглубже, собираясь с духом, а потом быстро направилась к личным покоям Ферранте. Я не думала, что найду каких-то мертвецов. Меня беспокоило то, что должно было произойти, если меня поймают.

За тяжелой дверью тронного зала шум пира и музыка сделались тише; когда я очутилась здесь, мне стал слышен шорох моей шелковой юбки по каменному полу.

Я нерешительно отворила дверь, ведущую во внешние покои короля. Я узнала эту комнату — мы проходили через нее тогда, во время болезни Ферранте. Здесь находился кабинет: четыре стула, большой стол, столики поменьше, множество канделябров для освещения в позднее время, на стене карта Неаполя и Папской области. Еще там был портрет моего прадеда Альфонсо, изображенного с тем самым мечом, который был сегодня при Ферранте во время церемонии.

Осмелев, я двинулась вдоль стен, выискивая какой-нибудь потайной проход или комнату. Я осмотрела мраморный пол, проверяя, не найдется ли где трещин, намекающих на потайную лестницу, ведущую в подземелье. Но я так ничего и не нашла.

Тогда я направилась во вторую комнату, обставленную для личных трапез. Здесь тоже не было ничего примечательного.

Осталась лишь спальня Ферранте. Проход туда преграждала массивная дверь. Выбросив из головы все мысли о поимке и наказании, я храбро открыла эту дверь и вошла в самый дальний и приватный из королевских покоев.

В отличие от прочих солнечных, жизнерадостных комнат, эта комната была темной и угнетающей. Окна закрывали шторы из темно-зеленого бархата, преграждавшие доступ солнцу и воздуху. Такое же зеленое покрывало закрывало большую часть кровати, вместе с множеством меховых одеял; очевидно, Ферранте сильно мерз.

Комната была украшена на удивление мало для статуса ее владельца. Единственным знаком великолепия был золотой бюст короля Альфонсо Великодушного и золотые канделябры, выстроившиеся по сторонам от кровати.

Мой взгляд тут же скользнул к дальней стене, где находилась еще одна, открытая дверь. За ней обнаружилась маленькая тесная комнатушка без окон, с деревянным алтарем, свечами, четками, статуэткой святого Януария и молитвенной скамеечкой с подушкой.

Однако в этой комнатушке, за скромным алтарем, обнаружилась еще одна дверь, на этот раз закрытая. Она вела еще дальше вглубь, и сквозь щели пробивался тусклый мерцающий свет.

Меня охватило возбуждение, смешанное со страхом. Так что, служанка все-таки сказала правду? Я уже видела смерть. Разветвленная королевская семья несла потери, и меня проводили мимо бледных тел младенцев, детей и взрослых. Но мысль о том, что может находиться за этой дверью, подвергла мое воображение серьезному испытанию. Что я там увижу? Скелеты, сваленные друг на друга? Гору разлагающихся тел? Ряды гробов?

Мое предвкушение сделалось почти нестерпимым. Я быстро прошла через узкую комнатку с алтарем и дрожащей рукой взялась за бронзовую ручку двери, ведущей в неведомое. В отличие от прочих дверей, которые были вдесятеро шире и вчетверо выше меня, эта была такой, что в нее еле мог пройти человек. Я рывком распахнула дверь.

Только холодное высокомерие, унаследованное вместе с отцовской кровью, заставило меня не завизжать от ужаса.

Комната была погружена в полумрак, и трудно было понять, какой величины она на самом деле. Моему детскому взору она показалась огромной и беспредельной — отчасти из-за темноты необработанного камня. Лишь три тонкие свечи освещали стены без окон: одна на некотором расстоянии от меня и еще две на больших железных канделябрах по сторонам от входа.

Прямо за ними стоял приветствующий меня хозяин; лицо его было озарено мерцающим светом свечи. Точнее, он не стоял, а был прислонен к столбу, поднимающемуся из-за его макушки. На нем был синий плащ, прикрепленный на плечах к золотому камзолу, украшенному изображениями флёр-де-лис. Грудь и бедра охватывали веревки, привязывавшие его к столбу. Проволока, соединенная с рукой, подняла ее и заставила согнуться в локте; ладонь была слегка развернута в приглашающем жесте.

«Входите, ваше высочество».

Его кожа напоминала лакированный сиенский пергамент, глянцевый на свету. Она была туго натянута на скулах, обнажая коричневые зубы в ужасной усмешке. Его волосы — возможно, при жизни роскошные — состояли из нескольких тусклых каштановых прядей, свисающих со сморщенного скальпа. А глаза...

О, его глаза! Прочим его чертам дозволили ужасно съежиться. Губы почти исчезли, уши превратились в толстые маленькие валики, торчащие из черепа. Нос, вдвое тоньше моего мизинца, утратил ноздри и теперь заканчивался двумя зияющими дырами, усиливая сходство со скелетом. Но исчезновения глаз не потерпели; в глазницы были вставлены тщательно подогнанные и отполированные глазные яблоки из белого мрамора, с искусно нарисованной зеленой радужкой и черными зрачками. Мрамор поблескивал на свету, создавая у меня ощущение, что за мной наблюдают.

Я сглотнула. Меня била дрожь. До этого момента я была ребенком, увлекшимся дурацкой затеей и думающим, что все это игра, приключение. Но в этом открытии не было ни дрожи восторга, ни безудержной радости, ни веселья непослушания — лишь осознание того, что я влезла во что-то очень взрослое и ужасное.

Я шагнула к стоящему передо мной существу, надеясь, что я чего-то не разглядела, что оно никогда не было человеком. Я нерешительно коснулась бедра в атласных штанах и почувствовала выделанную кожу, а под ней — кость. Ноги заканчивались тонкими икрами, обтянутыми чулками, и красивыми туфлями из стеганого шелка, не несшими никакого веса.

Я отдернула руку. Сомнения рассеялись.

«Как ты можешь утерпеть, Альфонсо? Неужели тебе не хочется узнать, правда ли это?»

«Нет. Потому что это может оказаться правдой».

Как же мудр был мой младший брат! Сейчас я больше всего на свете желала позабыть то, что только что узнала. Все мои представления о деде оказались поколеблены. Я считала его добрым стариком, который вынужден быть суровым из-за бремени правления. Я верила, что бароны, бунтовавшие против него, были плохими людьми, любившими насилие просто потому, что они французы. Я верила, что слуги, говорившие, что люди презирают Ферранте, врут. Я слыхала, как горничная Ферранте шепталась с донной Эсмеральдой о том, что король сходит с ума, и лишь посмеялась над ними.

Теперь же, столкнувшись с немыслимой чудовищностью, я не могла смеяться. Я дрожала, и не из-за представшего моим глазам кошмарного зрелища, а от осознания того, что кровь Ферранте течет в моих жилах.

Спотыкаясь, я прошла в середину комнаты и увидела в тени еще с десяток тел; все — прислоненные к подпоркам и привязанные, мраморноглазые и недвижные. Все, кроме одного.

Одна из фигур, державшая в руках зажженную свечку, повернулась ко мне. Я узнала моего деда, хотя в этом мерцающем свете его лицо с белой бородой сделалось бледным и призрачным.

— Санча, это ты? — Он слабо улыбнулся. — Ага. Значит, мы оба воспользовались случаем, чтобы под шумок ускользнуть от толпы. Добро пожаловать в мой музей мертвецов.

Я ожидала, что дед придет в ярость, но он вел себя так, словно принимал гостей на дружеской вечеринке.

— А ты хорошо держишься, — сказал он. — Не пискнула и даже потрогала старину Роберта. — Он кивком указал на ближайший к входу труп. — Очень храбрая. Твой отец был намного старше тебя, когда впервые попал сюда. Он закричал, а потом разревелся, словно девчонка.

— Кто они? — спросила я.

Мне было противно, но любопытство требовало выяснить все до конца.

Ферранте плюнул на пол.

— Анжуйцы, — ответил он. — Враги. Вот этот, — он указал на Роберта, — был графом, дальним родичем Карла Анжуйского. Он поклялся, что займет мой трон.

Дед испустил довольный смешок.

— Ты сама видишь, кто что занял. — Ферранте тяжело двинулся к бывшему сопернику. — А, Роберт? Кто смеется последним?

Он обвел рукой это жуткое собрание. В голосе его внезапно прорезался пыл.

— Графы и маркизы и даже герцоги. Все они предатели. Все добивались моей смерти. — Он умолк, стараясь успокоиться. — Я прихожу сюда, когда мне нужно вспомнить о моих победах. Вспомнить, что я сильнее моих врагов.

Я оглядела этих людей. Очевидно, музей укомплектовывался на протяжении какого-то срока. У некоторых тел до сих пор были пышные, густые волосы и бороды; другие выглядели несколько потрепанными, как Роберт. Но все они были одеты, в соответствии со своим благородным происхождением, в шелк, парчу и бархат. У некоторых на поясе висели мечи с золотыми рукоятями. На других были плащи с горностаевой опушкой, расшитые драгоценными камнями. На одном была черная бархатная шляпа с белым страусиным пером, игриво сдвинутая набок. Некоторые просто стояли. Другим придали разнообразные позы: один упер руку в бедро, другой положил ее на рукоять меча, третий поднял ладонь, указывая на своих собратьев.

И все смотрели перед собой невидящим взглядом.

— Их глаза, — сказала я.

Это был вопрос.

Ферранте взглянул на меня сверху вниз.

— Жаль, что ты женщина. Из тебя получился бы хороший король. Ты больше всех похожа на своего отца. Ты гордая и безжалостная — в точности как он. Но в отличие от него у тебя достаточно присутствия духа, чтобы поступать так, как нужно королевству. — Он вздохнул. — Не то что этот дурень Феррандино. Все, что ему нужно, — это восхищение красивых девчонок да мягкая постель. Ни хребта, ни мозгов.

— Глаза, — повторила я.

Они беспокоили меня. В них было какое-то извращение, которого я не могла понять. Я слышала, что дед только что сказал мне — слова, которые я не желала слышать. Я хотела отвлечься и забыть про них. Я не желала походить ни на короля, ни на моего отца.

— Упрямая девчонка, — сказал дед. — Глаза вынимают, когда тело мумифицируют, иначе никак нельзя. У первых экспонатов были просто опущенные веки поверх пустых глазниц. У них был такой вид, будто они спят. А я хотел, чтобы они слышали меня, когда я говорю с ними. Я хотел видеть, что они слушают.

Он снова рассмеялся.

— А кроме того, это более эффективно. Мой последний «гость» — в какой ужас он пришел, увидев, как его пропавшие сотоварищи смотрят на него!

Я попыталась отыскать во всем этом смысл со своей наивной точки зрения.

— Бог сделал тебя королем. Значит, если эти люди предатели, они пошли против Бога. Убить их не было грехом.

Мое замечание не понравилось деду.

— Нет такой вещи — грех!

Он помолчал. Затем тон его сделался поучительным.

— Санча, чудо святого Януария… Оно почти всегда случается в мае и сентябре. Но когда священники выносят реликварий в декабре, как ты думаешь, почему чудо зачастую так и не происходит?

Этот вопрос захватил меня врасплох. Я понятия не имела, что на него ответить.

— Думай, девочка!

— Я не знаю, ваше величество…

— Да потому, что в мае и сентябре теплее.

Я по-прежнему не понимала. Замешательство отразилось на моем лице.

— Пора тебе перестать цепляться за эти глупости насчет Бога и святых. На земле есть лишь одна сила, властная над жизнью и смертью. В настоящий момент здесь, в Неаполе, этой силой обладаю я. — Он снова подтолкнул меня. — А теперь думай. Вещество во флаконе сначала твердое. Представь себе свиной или бараний жир. Что происходит с жиром, когда мясо жарят на вертеле, то есть размещают рядом с жаром?

— Он капает в огонь.

— Жар превращает твердое в жидкое. Так что вполне возможно, что если ты вынесешь реликварий из холодного темного чулана в кафедральном соборе на солнце теплым днем и подождешь немного — il miracolo e fatto. Твердое превратилось в жидкое.

Я и без того была потрясена, а еретические речи деда усугубили это чувство. Мне вспомнилось пренебрежительное отношение Ферранте к вопросам религии, его стремление то ли вообще не явиться на мессу, то ли побыстрее с нее уйти. Вряд ли он вообще когда-либо преклонял колени перед маленьким алтарем в соседней комнате, ведущей сюда, в помещение, где хранились его истинные убеждения.

Но вместе с тем меня заинтриговало данное им объяснение чуда. Моя вера была несовершенна, подвержена сомнению. Однако же привычка была сильна. Я поспешно принялась молиться про себя, прося Господа, чтобы он простил короля, и святого Януария — чтобы он защитил его, невзирая на его грехи. Второй уже раз за сегодняшний день я обратилась к святому Януарию с просьбой защитить Неаполь, и не только от бедствий, вызванных буйством природы или неверностью баронов.

Ферранте взял меня за руку; хватка его костлявой руки со вздувшимися синими венами напрочь отбивала всякую мысль о непослушании.

— Идем, дитя. Они начнут думать, куда мы подевались. А кроме того, ты видела уже достаточно.

Я подумала о людях, попавших в этот музей смерти: как мой злорадствующий дед показывал им, какая судьба их ожидает, как слабые плакали и просили пощады. А как их убивали? Наверняка каким-нибудь способом, не оставляющим следов.

Ферранте поднял свечу повыше и вывел меня из этой бездушной галереи. Ожидая в алтарной комнате, пока он запрет дверь, я осознала, что общество жертв доставляло ему несомненное удовольствие. Он способен был убивать без угрызений совести, способен наслаждаться самим этим деянием. Возможно, мне стоило бы бояться за собственную жизнь — ведь я всего лишь женщина, и к тому же ненужная, — но я почему-то не боялась. Он был моим дедом. Я изучала его лицо, освещенное золотистым светом: все то же мягкое выражение, все те же румяные щеки с паутинкой проступивших сосудов, какие я знала всегда. Я искала в его глазах, так похожих на мои, признаки жестокости и безумия, что привели к созданию этого музея.

А его глаза рассматривали меня в ответ, проницательные, пугающе ясные. Дед задул свечу и положил ее на маленький алтарь, потом снова взял меня за руку.

— Я никому не скажу, ваше величество, — пробормотала я, не из страха и не из желания отвести от себя опасность, а из стремления показать Ферранте, что моя верность семейству не имеет границ.

Он испустил негромкий смешок.

— Дорогая, мне это безразлично. Хотя если ты расскажешь, это будет только к лучшему. Мои враги станут бояться меня еще сильнее.

Мы прошли через королевскую спальню, гостиную, кабинет и наконец через тронный зал. Прежде чем отворить дверь, дед обернулся ко мне.

— А ведь нелегко быть сильнее остальных, верно?

Мне пришлось задрать голову, чтобы взглянуть ему в лицо.

— Я стар, и найдутся такие, кто скажет тебе, что я выживаю из ума. Но я до сих пор подмечаю почти все вокруг и знаю, как сильно ты любишь своего брата. — Взгляд его устремился куда-то внутрь. — Я любил Хуану, потому что она была доброй и верной. Я знал, что она никогда не предаст меня. Мне нравится твоя мать по той же самой причине: она добрая женщина. — Теперь он переключил свое внимание на меня. — Твой младший брат пошел в нее — благородная душа. Совершенно бесполезная, когда дело касается политики. Я вижу, насколько ты предана ему. Если ты любишь его, присматривай за ним. Понимаешь, мы, сильные люди, должны заботиться о слабых. У них не хватает духу совершать то, что необходимо, дабы выжить.

Ферранте открыл дверь. Держась за руки, мы вошли в Большой зал, где играли музыканты. Я оглядела толпу, разыскивая Альфонсо, и увидела его в дальнем углу: он смотрел на нас, и глаза у него были круглыми, как у совы. Моя мать и Изабелла танцевали и на время совсем позабыли про нас, детей.

Но мой отец, герцог Калабрийский, явно заметил исчезновение короля. Я в испуге смотрела, как он ступил нам навстречу и задал один-единственный вопрос:

— Ваше величество, девчонка докучает вам?

За всю свою недолгую жизнь я ни разу не слыхала, чтобы герцог обращался к своему отцу как-либо иначе. Он взглянул на меня сверху вниз, враждебно и подозрительно. Я попыталась напустить на себя невинный вид, но после того, что мне довелось повидать, я просто не в силах была скрыть, что потрясена до глубины души.

— Ничуть, — добродушно отозвался Ферранте. — Мы просто занимались исследованиями, только и всего.

В прекрасных, безжалостных глазах отца вспыхнуло понимание, а следом — ярость. Он осознал, где именно были мы с дедом, и, учитывая мою репутацию ходячего бедствия, понял, что меня туда не звали.

— Я с ней разберусь, — угрожающе произнес герцог.

Он прославился жестоким обхождением со своими врагами, турками. Он лично пытал и убил тех, кто был захвачен в сражении при Отранто, и такими бесчеловечными способами, что нам, детям, не дозволялось об этом знать. Я сказала себе, что я не боюсь. Пороть меня не стали бы — это было бы неподобающе, и этого он не допустил бы. Он не понимал, что уже подверг меня наихудшему из всех возможных наказаний: он не любил меня и даже не старался этого скрыть.

А я, столь же гордая, как и он сам, никогда не созналась бы, до чего же мне хочется заслужить его приязнь.

— Не наказывай ее, Альфонсо, — сказал Ферранте. — У нее сильный характер, только и всего.

— Девчонкам сильный характер не полагается, — отрезал отец. — А уж этой — в особенности. Прочие мои дети терпимы, но вот она только и делает, что досаждает мне с самого своего рождения, о котором я глубоко сожалею.

Он смерил меня свирепым взглядом.

— Иди отсюда. Нам с его величеством нужно обсудить важные дела. А с тобой я поговорю позднее.

Ферранте выпустил мою руку. Я сделала реверанс и пробормотала: «Ваше величество». Не будь зал заполнен взрослыми, которые тут же обернулись бы ко мне и потребовали соблюдения приличий, я пустилась бы наутек со всех ног. А так я только пошла, стараясь перемещаться как можно быстрее, к поджидавшему меня брату.

Он лишь взглянул на меня и тут же прижал к себе.

— Ох, Санча! Так значит, это правда... Мне ужасно жаль, что тебе пришлось это увидеть. Ты испугалась?

Мое сердце, заледеневшее в присутствии старших, оттаяло рядом с Альфонсо. Он не хотел знать никаких подробностей о том, что я видела. Он хотел только знать, не испугалась ли я. Я была немного удивлена тем, что мой младший брат нисколько не изумился, узнав, что слухи были правдивы. Возможно, он понимал короля лучше, чем я.

Я отстранилась, но не выпустила рук Альфонсо.

— Да нет, не так уж там и страшно, — соврала я.

— Отец, кажется, сердит. Я боюсь, что он накажет тебя.

Я пожала плечами.

— Может, и не накажет. Форранте было совершенно безразлично, что я туда пробралась. — Я умолкла на миг, потом продолжила с детской бравадой: — А кроме того, что отец мне сделает? Запрет в комнате? Оставит без ужина?

— Если он это сделает, — прошептал Альфонсо, — я приду к тебе и мы во что-нибудь тихонько поиграем. А если ты проголодаешься, я принесу тебе еды.

Я улыбнулась и погладила его по щеке.

— Не волнуйся. Отец не в состоянии сделать ничего такого, отчего мне стало бы плохо.

Как я ошибалась!

Донна Эсмеральда ожидала у входа в Большой зал, чтобы отвести нас в детскую. Мы с Альфонсо были очень веселы, особенно когда нас провели мимо комнаты для уроков, где, если бы не праздник, нам предстояло бы сейчас сидеть и зубрить латынь под бдительным присмотром фра Джузеппе-Марии. Фра Джузеппе был печальным доминиканским монахом из соседнего монастыря Сан Доменико Маджоре, прославленного тем, что здесь два века назад с Фомой Аквинским заговорило распятие. Фра Джузеппе был настолько тучен, что мы с Альфонсо дали ему латинское имя фра Чена, брат Ужин. И теперь, когда нас вели мимо этой комнаты, я с серьезным видом принялась склонять наш любимый глагол.

— Ceno, — сказала я.

«Я ужинаю».

Альфонсо продолжил:

— Cenare. Cenavi. Cenatus.

Донна Эсмеральда закатила глаза, но промолчала.

Шутка над фра Джузеппе заставила меня хихикнуть, но одновременно с этим мне вспомнилась фраза, которую он использовал на последнем нашем уроке, когда объяснял нам дательный падеж. Deo et homnibus peccavit. «Он согрешил против Бога и людей».

Я подумала о глядевших на меня мраморных глазах Роберта. «Я хотел, чтобы они меня слушали».

Когда мы добрались до детской, к Эсмеральде присоединилась горничная, и вдвоем они принялись осторожно снимать с нас наряды, а мы нетерпеливо вертелись. Затем нас переодели в менее стесняющую одежду: меня — в свободное тускло-коричневое платье, а Альфонсо — в простую рубашку и штаны.

Дверь детской отворилась, и, повернувшись, мы увидели нашу мать, мадонну Трузию; ее сопровождала фрейлина, донна Элена, испанская дворянка. Донна Элена привела с собой своего сына, нашего любимого товарища по играм — Артуро, тощего, долговязого озорника, большого любителя побегать и полазить по деревьям; я и сама весьма любила этим заниматься. Мать сменила официальное черное платье на светложелтое. При взгляде на ее улыбающееся лицо мне подумалось о неаполитанском солнышке.

— Малыши, — заявила она, — у меня для вас сюрприз. Мы едем на пикник.

Мы с Альфонсо радостно завопили и ухватились за нежные руки мадонны Трузии. Она повела нас из детской и дальше, по коридорам замка; донна Элена и Артуро двигались следом.

Но прежде, чем мы достигли ворот, произошла несчастливая встреча.

Мы натолкнулись на нашего отца. Его губы под иссиня-черными усами были поджаты, лоб нахмурен. Я заподозрила, что он как раз шел в детскую, дабы наказать меня. Учитывая нынешние обстоятельства, я вполне могла предположить, что это будет за наказание.

Мы резко остановились.

— Ваше высочество, — мелодично произнесла мать и поклонилась.

Донна Элена последовала ее примеру.

Вместо ответа он отрывисто спросил:

— Куда это вы собрались?

— Я веду детей на пикник.

Взгляд герцога скользнул по нашей небольшой группке, затем остановился на мне. Я расправила плечи и дерзко вскинула голову, решив не выказывать ни малейших признаков разочарования, что бы он дальше ни сказал.

— Без нее.

— Но, ваше высочество, сегодня же праздник...

— Без нее. Она сегодня вела себя отвратительно. С этим следует разобраться немедленно. — Он бросил на мою мать такой взгляд, что она увяла, словно цветок на палящем солнце. — Теперь идите.

Мадонна Трузия и Элена еще раз поклонились герцогу. Моя мать и Альфонсо исподтишка, с печалью взглянули на меня, прежде чем двинуться дальше.

— Идем, — приказал отец.

Мы в молчании дошли до детской. Там отец вызвал донну Эсмеральду, дабы она была свидетельницей его официального обращения.

— Мне не полагалось бы тратить ни мгновения своего времени и внимания на бесполезную девчонку, не имеющую ни малейшей надежды унаследовать трон, тем более на бастарда.

Он не договорил, но его слова так уязвили меня, что я не могла упустить такую возможность расквитаться с ним его же монетой.

— А какая разница? — быстро перебила его я. — Король — бастард, а значит, вы — сын бастарда.

Герцог ударил меня по щеке с такой силой, что у меня на глазах выступили слезы, но я не позволила им пролиться. Донна Эсмеральда слегка вздрогнула, когда он ударил меня, но все же сдержалась.

— Ты неисправима, — сказал он. — Но я не допущу, чтобы ты и дальше впустую расходовала мое время. Ты не стоишь ни единой его минуты. О соблюдении дисциплины должны заботиться няньки, а не принцы. Я лишал тебя еды, я запирал тебя в твоей комнате, но это не помогло утихомирить тебя. А ведь ты уже почти достаточно взрослая для замужества. И как мне превратить тебя в добропорядочную молодую женщину?

Он умолк и задумался. Через некоторое время он прищурился, а потом в глазах его вспыхнуло озарение. На губах заиграла холодная усмешка.

— Пожалуй, я лишал тебя не того. Ты упряма. Ты способна обходиться какое-то время без еды и прогулок, поскольку ты их любишь, но не сильнее всего. — Герцог кивнул. Его план явно нравился ему все больше и больше. — Тогда понятно, что мне нужно сделать. Ты не переменишься, пока тебя не лишат того, что ты любишь сильнее всего.

Я ощутила первый укол настоящего страха.

— Две недели, — произнес он, потом повернулся к донне Эсмеральде. — Следующие две недели ей запрещено встречаться с братом. Им не дозволяется вместе есть, вместе играть, разговаривать друг с другом и вообще не дозволено друг друга видеть. От этого зависит твоя дальнейшая судьба. Ты меня поняла?

— Поняла, ваше высочество, — натянуто отозвалась донна Эсмеральда, сузив глаза и отведя взгляд.

— Ты не можешь забрать у меня Альфонсо! — выкрикнула я.

— Могу и сделаю это.

Я заметила на суровом, безжалостном лице отца тень удовольствия. Filius Patri similis est. Каков отец, таков и сын.

Мои мысли заметались в поисках доводов. Слезы, собравшиеся на ресницах, готовы были ручьем хлынуть по щекам.

— Но… но Альфонсо любит меня! Ему же будет плохо, если он не будет видеть меня, а он — хороший сын, безукоризненный сын! Это нечестно: ты наказываешь Альфонсо за то, чего он не делал!

— Ну и каково это, Санча? — ядовито поинтересовался отец. — Каково это — знать, что из-за тебя будет плохо тому, кого ты любишь больше всего на свете?

Я смотрела на человека, породившего меня, — на человека, которому так откровенно нравилось причинять боль ребенку. Если бы я была мужчиной, а не девочкой, если бы я носила оружие, гнев завладел бы мною и я перерезала бы ему глотку на этом самом месте. В тот миг я поняла, каково это: почувствовать безграничную, бесповоротную ненависть к тому, кого прежде так безнадежно любил. Я желала причинить ему такую же боль, какую он причинил мне, и насладиться этим.

Когда он ушел, я все-таки не удержалась и заплакала. Но, глотая гневные слезы, я поклялась, что никогда больше не позволю ни одному человеку, и уж в особенности герцогу Калабрийскому, заставить меня плакать.

Следующие две недели стали для меня мукой. Я видела только слуг. Хотя мне дозволено было выходить на прогулки, если я пожелаю, я отказалась, так же как в раздражении отказывалась от большей части приносимой мне еды. Я плохо спала, и мне снилась призрачная галерея Ферранте.

Я пребывала в таком мрачном расположении духа и была настолько не похожа на себя, что донна Эсмеральда, никогда не трогавшая меня и пальцем, дважды в раздражении отвесила мне оплеуху. Я продолжала размышлять над одолевшим меня тогда импульсивным желанием убить отца. Оно пугало меня. Я начала думать, что без облагораживающего влияния Альфонсо я стану жестоким, полубезумным тираном, подобным отцу и деду, на которых я так походила.

Когда две недели наконец-то миновали, я отыскала своего младшего брата и обняла его с такой силой, что у нас обоих перехватило дыхание.

Снова обретя дар речи, я сказала:

— Альфонсо, давай поклянемся, что никогда больше не расстанемся. Даже когда ты женишься, а я выйду замуж, мы должны остаться в Неаполе, рядом друг с другом, потому что без тебя я сойду с ума.

— Клянусь, — отозвался Альфонсо. — Но, Санча, у тебя крепкий и здоровый разум. Со мной или без меня, но ты можешь не страшиться безумия.

— Я слишком похожа на отца, — ответила я. У меня дрожала нижняя губа. — Такая же хладнокровная и жестокая. Даже дедушка говорит, что я безжалостная, как он.

Впервые я увидела, что глаза моего брата вспыхнули гневом.

— Ничего ты не жестокая! Ты добрая и хорошая. А король ошибается. Ты не безжалостная, ты просто... упрямая.

— Я хочу быть такой, как ты, — сказала я. — Ты — единственный человек, с которым я счастлива.

С этого времени я никогда не давала отцу повода наказать меня.

ПОЗДНЯЯ ВЕСНА 1492 ГОДА

ГЛАВА 2

Прошло чуть больше трех лет. Настал 1492 год и привел с собой нового Папу, Родриго Борджа, принявшего имя Александра VI. Ферранте не терпелось установить с ним хорошие взаимоотношения, поскольку предыдущие понтифики недоброжелательно относились к Арагонскому дому.

Мы с Альфонсо уже слишком выросли, чтобы делить детскую, и нас развели по разным спальням, но мы разлучались только на время сна и некоторых уроков. Я изучала поэзию и танцы, пока Альфонсо совершенствовался в искусстве фехтования. Мы никогда не говорили о главной нашей причине для тревог: я достигла пятнадцати лет, брачного возраста, и вскоре меня должны были отдать в другую семью. Я утешала себя мыслью, что Альфонсо быстро подружится с моим будущим мужем и будет каждый день навещать нас.

Но вот настал момент, когда рано утром меня вызвали в тронный зал. Донна Эсмеральда, как ни старалась, не могла скрыть своего волнения. Она одела меня в скромное, но изящно сидящее черное платье из прекрасного шелка с парчовым корсажем, зашнурованным так туго, что я едва могла дышать.

В сопровождении донны Эсмеральды, мадонны Трузии и донны Элены я прошла через дворцовый двор. Солнце скрылось в густом тумане; он висел в воздухе, словно мелкий, медленный дождик, покрывая мое платье, лицо и тщательно уложенные волосы мельчайшими капельками воды.

Наконец мы добрались до крыла Ферранте. Когда двери тронного зала распахнулись, я увидела деда, с царственным видом восседающего на своем троне с красной обивкой. Рядом с ним стоял незнакомец — довольно прилично выглядящий, коренастый, мускулистый мужчина. А рядом с ним — мой отец.

Время не пошло на пользу Альфонсо, герцогу Калабрийскому. Как минимум он сделался более неуравновешенным, а точнее сказать, более злобным. Вот недавно он потребовал плетку и лично выпорол повариху за то, что ему подали холодный суп. Он бил несчастную женщину, пока она не упала в обморок. Один лишь Ферранте сумел удержать его. Еще он выгнал с криками и ругательствами постаревшего слугу за то, что тот недостаточно хорошо начистил ему сапоги. Дед как-то сказал: «При виде моего старшего сына солнце в страхе прячется за облака».

Его лицо, все еще красивое, сделалось живым портретом страдания: губы искривились от едва сдерживаемого гнева, готового обрушиться на любого, а глаза излучали несчастье, и он радовался лишь тогда, когда делился им с кем-то. Он теперь не выносил детского смеха, и мы с Альфонсо должны были молчать в его присутствии. Однажды я забылась и хихикнула.

Он ударил меня с такой силой, что я пошатнулась и чуть не упала. Но боль мне причинил не столько сам удар, сколько мысль о том, что он никогда не поднимал руку ни на кого из своих детей — только на меня.

Однажды, когда Трузия думала, что мы заняты своими делами, она призналась Эсмеральде, что как-то раз пришла ночью в спальню моего отца и обнаружила там полную темноту. Когда она принялась искать свечку, из темноты долетел голос отца: «Оставь». Когда мать двинулась к двери, он приказал: «Сядь!» Ей пришлось сесть рядом с ним, на пол. Когда она попыталась что-то сказать, он крикнул: «Придержи язык!»

Ему нужны были лишь тишина и темнота, и еще нужно было знать, что мать здесь.

Я изящно поклонилась королю, понимая, что каждое мое движение сейчас оценивается стоящим у трона темноволосым незнакомцем с заурядной внешностью. Я теперь была женщиной и переплавила свое детское упрямство и озорство в гордость. Прочие могли звать это заносчивостью, но с того дня, как отец нанес мне ту рану, я поклялась, что никогда и никому более не позволю увидеть моей слабости. Я была неизменно хладнокровной, неколебимой, сильной.

— Принцесса Санча Арагонская, — официальным тоном произнес Ферранте. — Это — граф Онорато Каэтани, добрый и благородный дворянин. Он попросил твоей руки, и мы с твоим отцом дали согласие.

Я скромно потупилась и бросила на графа короткий взгляд из-под опущенных ресниц. Обычный мужчина лет тридцати, и всего лишь граф, — а я принцесса. Я приучала себя к мысли, что мне придется покинуть Альфонсо ради мужа, но не ради же такого невзрачного! Мое смятение было слишком велико, и мне никак не шел на ум подобающий и изящный ответ. К счастью, Онорато заговорил первым.

— Вы солгали мне, ваше величество, — произнес он низким, чистым голосом.

Ферранте изумленно повернулся к нему. У моего отца сделался такой вид, будто он сейчас ударит графа. У придворных при виде такой дерзости вырвался потрясенный вздох, но тут Онорато заговорил снова:

— Вы сказали, что ваша внучка красива. Но это слово недостаточно для того утонченного создания, что стоит сейчас перед нами. Я считал себя счастливцем потому, что получил руку принцессы королевства. Но я не понимал, что приобретаю драгоценнейшее из произведений искусства, хранящихся в Неаполе.

Он прижал руку к груди и взглянул мне в глаза.

— Ваше высочество, — сказал он, — мое сердце принадлежит вам. Молю вас, примите этот скромный дар, хоть он и недостоин вас.

«Возможно, — подумала я, — из этого Каэтани получится не такой уж скверный муж».

Онорато, как я узнала, был довольно богат. Он продолжал петь дифирамбы моей красоте. С Альфонсо он обращался очень дружелюбно, и я не сомневалась, что он рад будет видеть моего брата в нашем доме всякий раз, как я того пожелаю. Ухаживание развивалось стремительно, и Онорато засыпал меня подарками. Однажды утром, когда мы стояли на балконе и любовались зеркальной гладью залива, он потянулся словно бы для того, чтобы обнять меня, но вместо этого надел на меня ожерелье.

Я отстранилась — мне не терпелось взглянуть на новое украшение — и обнаружила прикрепленный к атласной ленте отшлифованный рубин размером в половину моего кулака.

— За огонь твоей души, — сказал Онорато и поцеловал меня.

Всякое сопротивление, еще остававшееся в моем сердце, растаяло в этот момент. Я повидала достаточно драгоценностей и привыкла воспринимать их постоянное присутствие как нечто само собой разумеющееся, потому камень сам по себе не произвел на меня особого впечатления. Ценен был не сам камень, а этот жест.

Я наслаждалась своим первым объятием. Стриженая каштановая бородка Онорато приятно ласкала мою щеку и пахла розмариновой водой и вином, и я ответила на страсть, с которой его сильное тело прижималось к моему.

Онорато знал, как доставить удовольствие женщине. Мы были помолвлены, потому предполагалось, что наедине мы уступим зову природы. Через месяц ухаживания мы так и сделали. Онорато искусно находил дорогу под мои юбки и нижнюю сорочку. Сначала между моих ног проникали лишь его пальцы и поглаживали какое-то местечко, да так, что я поражалась собственной реакции. Он делал это, пока меня не захлестнула волна поразительного наслаждения. Потом он показал мне, как доставить удовольствие ему. Я не испытывала ни смущения, ни стыда. По правде говоря, я решила, что это — одна из величайших радостей жизни. Моя вера в наставления священников ослабела. Как можно считать подобное чудо грехом?

Это повторялось при нескольких встречах, а затем Онорато наконец-то оседлал меня и вошел внутрь. Поскольку я уже была подготовлена, то не почувствовала боли — лишь наслаждение, а Онорато, излившись в меня, позаботился и о том, чтобы доставить удовольствие мне. Мне так понравилось это занятие и я так часто требовала повторить, что Онорато смеялся и называл меня ненасытной.

Должно быть, я — не единственная из юнцов и юниц, кто принял вожделение за любовь, но я так увлеклась своим будущим мужем, что в последние дни лета из прихоти посетила женщину, про которую говорили, что она умеет предсказывать будущее. Стрега — так называли ее люди. Ведьма. Но хотя она вызывала почтение и некую долю страха, ее никогда не обвиняли ни в чем дурном, а при случае она даже творила добро.

В сопровождении двух всадников — для защиты — я выехала в открытом экипаже из Кастель Нуово вместе с тремя моими любимыми фрейлинами: донной Эсмеральдой, вдовой, донной Марией, замужней женщиной, и донной Инес, юной девственницей. Мы с донной Марией шутили насчет занятий любовью и то и дело смеялись, а донна Эсмеральда поджимала губы, недовольная столь возмутительной темой для беседы. Мы проехали под ослепительно белой триумфальной аркой, фоном для которой служила Соколиная гора, Пиццофальконе. Воздух был влажным и свежим, пахло морем; на небе не было ни облачка, и солнышко пригревало. Путь наш лежал мимо порта и дальше по берегу Неаполитанского залива; небо отражалось в ярко-синей воде, и трудно было различить линию горизонта. Мы ехали на восток, к Везувию. За нами, на западе, над водой высилась сторожевая громада Кастель дель Ово.

Чтобы не ехать через городские ворота и не привлекать к себе внимание простонародья, я велела кучеру провезти нас через арсенал с его огромными пушками, а потом вдоль старых, возведенных еще при анжуйцах городских стен, тянущихся параллельно берегу.

Я была пьяна любовью, и у меня от счастья так шла кругом голова, что мой родной Неаполь казался мне еще прекраснее, чем обычно, с его сверкающими на солнце белыми дворцами и маленькими оштукатуренными домиками, поднимающимися по склонам. Хотя дата бракосочетания еще не была назначена, я уже грезила о свадьбе, о том, как войду хозяйкой в дом мужа, как буду сидеть за столом с гостями и улыбаться ему, а дети будут прибегать и звать дядю Альфонсо. Собственно, этого я и хотела от стреги: чтобы она подтвердила, что мои желания сбудутся, сказала мне имена моих сыновей, дала мне и моим фрейлинам новую тему, над которой можно посмеяться и посплетничать. Я была счастлива, поскольку Онорато казался добрым и милым человеком. Вдали от Ферранте и моего отца, в обществе Онорато и моего брата я никогда не уподоблюсь мужчинам, на которых я похожа, — скорее стану похожа на тех, которых я люблю.

Я заливисто смеялась, когда взгляд мой упал на Везувий, погубитель цивилизаций. Огромный, невозмутимый, серо-фиолетовый на фоне неба, он всегда казался кротким и прекрасным. Но сегодня его тень делалась все гуще по мере того, как мы подъезжали к нему.

Налетел холодный ветер. Я умолкла; спутницы последовали моему примеру. Мы выехали из города, миновали виноградники и оливковые сады и теперь ехали среди пологих холмов.

К тому времени, как мы добрались до жилища стреги — разваливающегося дома рядом с пещерой, нас охватило подавленное состояние духа. Один из стражников спешился и объявил о моем прибытии, прооров об этом в открытую дверь, а другой тем временем помог мне и моим спутницам выйти из экипажа. Цыпля-

NEVESTA BORDJA

та прыснули в разные стороны. Осел, привязанный к крыльцу, пронзительно заревел.

Из дома донесся женский голос:

— Пусть она войдет.

К моему удивлению, голос был сильный, а вовсе не старческий и дребезжащий, как я думала.

Мои фрейлины ахнули. Возмущенный стражник схватился за меч и шагнул на порог дома-пещеры.

— Ах ты, наглая карга! Сейчас же выйди и проси ее высочество Санчу Арагонскую о прощении! Ты примешь ее, как подобает!

Я жестом велела стражнику убрать меч в ножны и встала рядом с ним. Но как я ни вглядывалась, мне не удалось разглядеть внутри ничего, кроме теней.

Невидимая женщина заговорила снова:

— Она должна войти одна.

И снова стражник инстинктивно вскинул меч и шагнул вперед. Я поймала его за руку и удержала. Странный страх охватил меня, и по спине побежали мурашки, но я спокойным тоном приказала:

— Возвращайся к экипажу и жди меня там. Я пойду без сопровождения.

Он неодобрительно сощурился, но я была дочерью будущего короля, и стражник не посмел возражать мне. Позади негодующе загомонили мои фрейлины, но я, не обращая на них внимания, вошла в пещеру стреги.

Это было немыслимо — чтобы принцесса пошла куда-то одна. Меня постоянно сопровождали либо мои фрейлины, либо стражники, за исключением тех редких моментов, когда мы с Онорато оставались наедине, но он был дворянином, и мы встречались с ведома семьи. Я ела в обществе родственников и фрейлин. В детстве мы с Альфонсо даже спали в одной кровати. Я не знала, каково это — оставаться одной.

Я помню, во что я была одета в тот день: на мне был темно-синий бархатный плащ, поскольку день выдался прохладный, а под ним — платье с корсажем, нижней юбкой из светлого серо-голубого шелка с отделкой из серебряной тесьмы и верхней юбкой из того же темно-синего бархата, что и плащ. Я подобрала полы одежды, вдохнула поглубже и вошла в дом гадалки.

Я никогда не бывала в крестьянских домах, а этот, наверное, был хуже прочих. Потолок был низким, осыпающиеся стены все в пятнах, грязный пол вонял куриным пометом — факты, предсказывавшие гибель моим шелковым туфелькам и подолу. Весь дом состоял из одной крохотной комнатушки, а единственным источником света служило солнце, светящее через окна без ставен. Вся обстановка состояла из маленького грубо сколоченного стола, табуретки, кувшина, очага с висящим в нем котелком и груды соломы в углу.

Но в комнате никого не было.

— Проходи, — сказала стрега голосом прекрасным и мелодичным, словно у одной из сирен Одиссея.

Только теперь я увидела ее: она стояла в дальнем, темном углу лачуги, в узком проеме, за которым лежала тьма. Стрега была с ног до головы одета в черное, лицо ее скрывала темная вуаль. Она была высокой для женщины и стройной, и жест, которым она поманила меня, был полон изящества.

Я подчинилась, слишком удивленная, чтобы сделать ей замечание насчет того, что с особой королевской крови следует обращаться почтительнее. Я ожидала, что встречу здесь горбатую, беззубую каргу, а не эту женщину, державшуюся как высокородная дама.

Миновав темный проход, мы со стрегой очутились в пещере с высоким потолком. Воздух был пронизывающе сырым, и я порадовалась, что на мне плащ; здесь не было ни очага, ни даже кострища. Единственный факел, закрепленный на стене, — тряпка, пропитанная оливковым маслом, — давал ровно столько света, чтобы я кое-как видела, куда иду. Ведьма на миг задержалась у факела, чтобы зажечь лампу, затем мы двинулись дальше, мимо кровати, застеленной зеленым бархатом, мимо красивого кресла, мимо алтаря с большой, раскрашенной статуей Девы с полевыми цветами в руках.

Стрега жестом велела мне садиться к столу, куда более удобному, чем столик в комнате у входа. Стол был накрыт большим отрезом черного шелка. Я уселась на прочный стул, искусно вырезанный каким-то ремесленником, а не сколоченный крестьянином, и старательно расправила юбки. Стрега поставила масляную лампу между нами, потом уселась сама. Лицо ее по-прежнему было скрыто за темной вуалью, но я разглядела его черты. Это была матрона лет сорока, черноволосая и белокожая; годы не умалили ее красоты. Когда она заговорила, виден стал красивый изгиб верхней губы и приятная полнота нижней.

— Санча, — сказала стрега.

Это была фамильярность самого оскорбительного толка — обратиться ко мне без титула, заговорить прежде, чем я заговорила с ней, усесться без моего дозволения, даже не преклонив колени. И все же я была польщена: она произнесла мое имя, словно бы лаская его. Она не говорила со мной — скорее уж выпустила имя ввысь, изучая исходящие от него эманации. Она пробовала его на вкус, наслаждалась им; она запрокинула голову, словно бы следя, как имя тает в воздухе.

Потом она взглянула на меня; сквозь вуаль видны были янтарно-карие глаза, в которых отражался свет лампы.

— Ваше высочество, — сказала стрега, наконец-то обратившись ко мне. — Вы пришли сюда, дабы узнать что-то о своем будущем.

— Да, — нетерпеливо откликнулась я.

Стрега ответила серьезным, степенным кивком. Достав из ящичка стола колоду карт, она положила их на черный шелк между нами, опустила поверх них руки и принялась негромко молиться на языке, которого я не понимала. Затем она одним отработанным движением развернула их веером.

— Давай, юная Санча. Выбирай свою судьбу.

Меня затопило веселое возбуждение, смешанное со страхом. Я с трепетом взглянула на карты, протянула дрожащую руку, потом коснулась пальцем одной из карт и тут же отдернула руку, словно ошпаренная.

Я не хотела выбирать именно эту карту, однако знала, что судьба выбрала ее за меня. Моя рука на мгновение нерешительно зависла в воздухе, потом я сдалась, взяла карту со стола и перевернула.

Изображение на ней заполнило меня ужасом: мне хотелось зажмуриться, стереть это изображение, но при этом я не могла оторвать от него глаз. Это было сердце, пронзенное двумя мечами, которые вдвоем образовывали большую серебряную букву X.

Ведьма спокойно взглянула на карту.

— Сердце, пронзенное двумя мечами.

Я задрожала.

Стрега взяла карту, собрала колоду и убрала ее в ящик стола.

— Дай мне руку, — велела она. — Нет, левую. Она ближе к сердцу.

Она взяла мою ладонь обеими руками. Ее прикосновение было приятным, пальцы — теплыми, несмотря на царящий здесь холод, и я начала расслабляться.

Некоторое время стрега напевала себе под нос какую-то мелодию без слов, устремив взгляд на мою ладонь.

Внезапно она выпрямилась, все еще продолжая сжимать мою руку, и взглянула мне в глаза.

— Большинство людей в основном добрые или в основном злые, но ты наделена обеими силами. Ты хочешь говорить со мной о незначительных вещах, о браке и детях. Я же теперь скажу тебе о вещах куда более великих. В твоих руках судьба людей и целых народов. С оружием, заключенным в тебе — с добром и злом, — нужно уметь обращаться, и каждое из них следует применить в должный срок, ибо они изменят ход событий.

Пока она говорила, перед моими глазами пронеслись пугающие видения: мой отец, в одиночестве сидящий в темноте; старый Ферранте, что-то нашептывающий в сморщенные уши анжуйцев в своем музее, смотрящий в их незрячие глаза... и его лицо, его фигура превратились в мои. Это я стояла на цыпочках, прижимаясь телом к мумифицированной коже, и шептала...

Я вспомнила о том мгновении, когда мне страстно хотелось заполучить меч, чтобы перерезать горло отцу. Я не хотела власти. Я боялась того, что могу натворить, располагая ею.

— Я никогда не прибегну к злу! — возмутилась я.

В голосе стреги прорезались жесткие нотки.

— Тогда ты обречешь на смерть тех, кого любишь сильнее всего.

Я отказывалась воспринимать это чудовищное заявление. Вместо этого я вцепилась в свою маленькую наивную мечту.

— Но как же насчет брака? Буду ли я счастлива с моим мужем, Онорато?

— Ты никогда не выйдешь замуж за Онорато.

Увидев, как задрожали мои губы, ведьма добавила:

— Ты сочетаешься браком с сыном самого могущественного человека в Италии.

Мой разум лихорадочно заработал. Кто это может быть? В Италии нет короля; страна разделена на множество группировок, и ни один человек не обладает достаточной властью над всеми городами-государствами. Венеция? Милан? Не имеющая себе равных Флоренция? Союз между этими государствами и Неаполем казался маловероятным...

— Но я буду любить его? — не унималась я. — У нас будет много детей?

— Ни то, ни другое, — ответила стрега со страстностью, доходящей до жестокости. — Будь очень осторожна, Санча, или твое сердце уничтожит все, что ты любишь.

Я ехала обратно в замок в молчании, потрясенная и оцепеневшая, словно жертва, захваченная врасплох и в мгновение ока погребенная под пеплом Везувия.

ГЛАВА 3

Через неделю после моего визита к стреге меня оторвали от завтрака ради аудиенции у короля. Настойчивое повеление было столь внезапным, что донна Эсмеральда одевала меня в большой спешке, хотя я настояла на том, чтобы надеть подаренный Онорато рубин, штрих великолепия на фоне общей растрепанности. И вот мы предстали перед моим дедом. Свет утреннего солнца лился через сводчатое окно, расположенное сбоку от трона Ферранте; мраморный пол сверкал столь ослепительно, что я заметила моего отца лишь тогда, когда он сделал шаг вперед. Рядом с королем находился лишь он один; более в тронном зале никого не было.

В последнее время здоровье Ферранте пошатнулось, и его обычный румянец приобрел темно-красный оттенок, приводя его в дурное расположение духа. Но этим утром, когда я поклонилась ему, он улыбался.

— Санча, у меня замечательные новости. — Его слова эхом отразились от сводчатого потолка. — Тебе известно, что мы с твоим отцом уже некоторое время пытались укрепить связь между Неаполем и папским престолом...

Я знала. Мне с детства твердили, что Папа — наша лучшая защита против французов, которые никогда не простят моему прадеду поражения, нанесенного им Карлу Анжуйскому.

— Проблема заключалась в том, что его святейшество, Папа Александр, предназначил обоим своим сыновьям судьбу священников... как там их зовут?

Ферранте нахмурился и повернулся к моему отцу. Я знала эти имена еще до того, как герцог успел хотя бы открыть рот. Я даже знала имя Папы, который до его избрания звался кардиналом Родриго Борджа.

— Чезаре шестнадцати лет от роду и Джофре одиннадцати лет.

— Да, Чезаре и Джофре. — Лицо короля просветлело. — Итак, нам наконец-то удалось убедить его святейшество, что с его стороны будет мудро связать себя определенными узами с Неаполем. — Он с гордостью провозгласил: — Ты обручена с сыном Папы.

Я побледнела и невольно приоткрыла рот. Пока я изо всех сил старалась взять себя в руки, мой отец с жестокой радостью заметил:

— Она огорчена. Она думает, что любит этого типа, Каэтани.

— Санча, Санча, — довольно мягко произнес дед. — Мы уже сообщили Каэтани о достигнутой договоренности. Мы даже нашли ему подходящую жену. Но ты должна поступать в интересах короны. И кроме того, это намного более выгодная партия. Борджа так богаты, что ты даже не в силах этого вообразить. И что самое лучшее, согласно брачному контракту вы оба будете жить в Неаполе.

Он слегка подмигнул, дабы продемонстрировать, что он сделал это ради меня. Он не забыл о моей привязанности к Альфонсо.

Я гневно уставилась на отца; мое горе выплеснулось наружу яростью.

— Это ты подстроил, — бросила я ему в лицо, — потому что знал, что я люблю Онорато! Ты не мог стерпеть, что я буду счастлива. Я не пойду замуж за вашего Чезаре Борджа! Плевать я на него хотела!

Поступившись изяществом ради гнева, Ферранте вскочил на ноги со стремительностью сокола, пикирующего на добычу.

— Санча Арагонская! Не смей разговаривать с герцогом Калабрийским таким тоном!

Я опустила голову и уставилась в пол; щеки мои горели.

Мой отец расхохотался.

— Можешь плевать на Чезаре Борджа, сколько захочешь, — сказал он. — Ты выйдешь замуж за младшего сына, Джофре.

Не в силах больше сдерживаться, я выскочила из тронного зала и отправилась в свои покои. Я неслась столь стремительно, что донна Эсмеральда, ждавшая меня снаружи, безнадежно отстала.

Именно этого я и хотела. Добравшись до балкона, на котором Онорато некогда подарил мне рубин, я сорвала драгоценный камень с шеи. На миг я подняла его к небу. На миг мой мир окрасился в красное.

Я зажала камень в кулаке и швырнула его в безмятежные воды залива.

У меня за спиной донна Эсмеральда издала испуганный вопль.

— Мадонна!

Мне это было безразлично. Я двинулась прочь, надменная и измученная. Сейчас я способна была думать лишь об Онорато и о том, что он так быстро согласился на другую невесту. Я позволила себе полюбить его, поверить какому-то другому мужчине помимо моего брата, — но мое сердце не имело ни малейшего значения ни для него, ни для Ферранте, ни для моего отца. Для них я была имуществом, пешкой, которую можно использовать в политических играх.

Лишь добравшись до спальни и выгнав всех фрейлин, я кинулась ничком на кровать. Но я не позволила себе заплакать.

Альфонсо пришел сразу же, как только у него закончились уроки. Донна Эсмеральда беспрекословно впустила его, зная, что он один способен утешить меня. Я лежала лицом к стене, угрюмая и исполненная жалости к себе.

Но когда я почувствовала, как Альфонсо ласково дотронулся до моего плеча, я повернулась.

Он все еще был мальчиком — ему исполнилось только двенадцать, — но уже заметны были признаки приближающегося взросления. За последние три с половиной года он вытянулся на добрый локоть и теперь был немного выше меня. Голос его еще не изменился полностью, но уже утратил всякие следы детского фальцета. В его лице соединились лучшие черты отца и матери; из него должен был вырасти поразительно красивый мужчина. Несмотря на усилившееся внимание со стороны отца и его уроки политики, глаза Альфонсо по-прежнему оставались добрыми, без следа себялюбия или коварства. Я взглянула в эти глаза.

— Долг — тяжелая штука, — мягко произнес он. — Санча, мне ужасно жаль.

— Я люблю Онорато, — пробормотала я.

— Я знаю. Но тут ничего не поделаешь. Король уже принял решение. И он прав, когда говорит, что это будет на пользу Неаполю.

Отчего-то слышать эти слова от брата было не так больно, как от Ферранте. Альфонсо всегда говорил мне только правду, и притом с любовью. Он помолчал.

— Они сделали это не ради того, чтобы намеренно причинить тебе боль, Санча.

Итак, мой гневный выпад против отца не остался в секрете. Я нахмурилась. Я не могла согласиться с последним утверждением — слишком уж сильно было переполнявшее меня озлобление.

— Но, Альфонсо, Джоффре Борджа всего одиннадцать лет! Он же ребенок!

— Всего на год младше меня, — мгновенно отозвался Альфонсо. — И потом, он ведь вырастет.

— Онорато был мужчиной. Он знал, как надо обращаться с женщиной.

Мой маленький брат покраснел. Наверное, ему неловко было представлять меня в объятиях супруга. Но он взял себя в руки и ответил:

— Может, Джоффре и молод, но его можно научить. И, судя по всему, он довольно хорош собой. Будем надеяться, что он тебе понравится. А я сделаю все, что смогу, чтобы подружиться с ним.

Я фыркнула.

— Как он может мне понравиться? Он же Борджа!

Поговаривали, будто его отец, Родриго Борджа, получил папский престол не благодаря своему благочестию, а при помощи коварства и подкупа. Его старания, направленные на приобретение тиары, были столь вопиющими, что вскоре после его избрания некоторые члены конклава кардиналов потребовали расследования. Но затем их возражения каким-то загадочным образом растаяли, и ныне человек, принявший при восхождении на папский престол имя Александра VI, пользовался безоговорочной поддержкой князей церкви. Но все равно поговаривали, будто Родриго отравил наиболее вероятного кандидата на тиару — своего родного брата.

Альфонсо хмуро взглянул на меня.

— Мы никогда не встречались с Борджа и потому не можем их судить. И даже если все, что говорят про его святейшество, — правда, ты несправедлива к Джофре. Сыновья не всегда похожи на отцов.

Последние его слова заставили меня проглотить возражения. Однако я все же спросила самым скорбным тоном:

— Зачем только придумали брак? Он отнимает у нас всех, кого мы любим.

Но я дала себе обещание, что не буду эгоистичной — ради Альфонсо. Я постараюсь стать такой, как он, — храброй и доброй, и сделать все, что смогу, ради блага королевства.

Прошло несколько месяцев, и наступил 1493 год. Чем больше я размышляла о предстоящем браке с Борджа, тем сильнее делалось мое беспокойство. Король Ферранте мог настаивать на том, чтобы мы с Джофре жили в Неаполе, и мог добиться включения этого пункта в брачный договор. Но слово Папы обладало куда большей силой, чем слово короля. А вдруг Александр передумает и призовет своего сына обратно в Рим? Вдруг он потребует, чтобы для Джофре выделили отдельное королевство? А я буду вынуждена сопровождать мужа. Лишь у мужа-неаполитанца никогда не появилось бы причины увозить меня из родного города.

С того дня, когда я обнаружила музей Ферранте, моя вера сделалась вялой, лишенной всякого рвения. Теперь же я ринулась в религию с неистовой силой, отчаянно испытывая ее. Однажды утром я потребовала экипаж и выскользнула из дворца в сопровождении кучера и всего одного стражника.

Я направилась в собор Сан Дженнаро, напугав случайных молящихся, которых погнал прочь мой стражник.

Преклонив колени перед алтарем, на котором происходило чудо, я со всей искренностью принялась молиться святому Януарию. Я просила его освободить меня от помолвки с Джофре Борджа и найти мне в мужья неаполитанца. Я пообещала, что мы с ним будем щедро жертвовать на ремонт собора и на бедных.

Вернувшись в замок, я попросила икону святого, и мне ее принесли. Я устроила у себя в спальне небольшой алтарь святого Януария и по утрам и вечерам повторяла перед ним свое обещание. Раз в неделю я посещала собор. Эсмеральда была довольна.

«Как хорошо, — говорили все, — что Санча успокоилась и сделалась набожной. Несомненно, это потому, что в следующем году она должна выйти замуж за сына Папы».

Я продолжала молиться и старалась не падать духом. Молитва сама по себе на время давала мне успокоение, и постепенно я отошла от моей первоначальной, эгоистичной просьбы. Я просила здоровья для Альфонсо, моей матери и донны Эсмеральды. Я просила, чтобы Ферранте, здоровье которого пошатнулось, выздоровел. Я даже молилась о чуде столь великом, что я не смела верить в то, что оно и вправду возможно, — чтобы сердце моего отца смягчилось, чтобы он стал добрым и счастливым.

Как-то в конце лета за мной явился королевский слуга. Я пришла в замешательство и повернулась к донне Эсмеральде в поисках поддержки. В последнее время я не делала ничего такого, что могло бы вызвать неудовольствие старших; я вела себя очень осмотрительно. Сейчас в руках у меня был сборник латинских пословиц, и перед появлением слуги я как раз прочла вот эту: «Идеальная жена — кто найдет такую? Она ценнее жемчугов. Сердце мужа уверено в ней, он получает от нее немалую выгоду. Всю жизнь она приносит ему одну лишь пользу, и никакого вреда».

«Святой Януарий, — взмолилась я, — исполни мою просьбу, и я стану именно такой женой!»

Я была одета в черное платье с длинными рукавами, наряд знатной южанки; после объявления о моей второй помолвке я не носила ярких одежд. Прежде чем уйти, я положила книжицу, коснулась маленького золотого крестика, висящего у меня на шее, и лишь потом последовала за слугой. Эсмеральда шла за мной по пятам.

Дверь в тронный зал была открыта нараспашку; сам зал был пуст. Но когда мы вступили на мраморный пол, я услышала доносящиеся из королевского кабинета гневные голоса.

Слуга отворил дверь и ввел нас внутрь.

Ферранте сидел за столом; его лицо было пугающе багровым, особенно по сравнению с белой бородой. Рядом с ним сидела королева Хуана и пыталась его успокоить, время от времени ловя и поглаживая руку бурно жестикулирующего Ферранте. Но ее бормотание тонуло в возгласах деда. Рядом с ними с угрюмым видом стоял мой отец.

— Римский сукин сын! — Тут Ферранте заметил меня и в порядке объяснения взмахом руки указал на лежащее на столе письмо. — Этот ублюдок назначил новый состав конклава кардиналов. И среди них — ни единой живой души из Неаполя, хотя у нас есть несколько достойных кандидатов. Зато он назначил двух французов. Да он насмехается надо мной!

Дед грохнул кулаком по столу. Хуана попыталась поймать его руку, но Ферранте ее выдернул.

— Этот лживый сукин сын надо мной насмехается!

Он вдруг тяжело задышал и приложил руку ко лбу, словно у него закружилась голова.

— Успокойся сейчас же, — сказала Хуана с не свойственной ей твердостью, — или я пошлю за врачом.

Ферранте ненадолго умолк и заставил себя дышать медленнее. Когда он заговорил снова, его слова звучали уже более обдуманно.

— Я сделаю лучше. — Он взглянул на меня. — Санча. Я не допущу свадьбы до тех пор, пока эта ситуация не будет исправлена. Я не допущу, чтобы принцесса королевства вышла замуж за сына человека, который насмехается над нами. — Он бросил гневный взгляд на лежащее на столе письмо. — Александру придется усвоить, что нельзя протягивать нам одну руку, а другой нас предавать.

Мой дед не забыл преступления, которое много лет назад совершил против него дядя Александра, Альфонсо, он же Папа Римский Каликст III. Каликст, которому не хотелось, чтобы неаполитанский трон занял незаконнорожденный, то есть Ферранте, поддержал анжуйцев.

И как бы сильно Ферранте ни нуждался в поддержке нового Папы, он так никогда до конца и не простил Борджа.

— Ваше величество, вы совершаете прискорбную ошибку, — настойчиво произнес мой отец. — Многие кардиналы стары. Они скоро поумирают, и мы сумеем добиться, чтобы их заменили верными нам неаполитанцами. Но тот факт, что у французов теперь есть свои люди в Ватикане, лишь усиливает необходимость установить связь с Папой.

Ферранте повернулся к нему и с прямотой, порожденной преклонным возрастом и ухудшением здоровья, сказал:

— Ты всегда был трусом, Альфонсо. Ты мне никогда не нравился.

Воцарилась неприятная тишина. В конце концов дед снова взглянул на меня и отрывисто произнес:

— Это все. Можешь идти.

Я присела в реверансе и поспешила удалиться, пока не расплылась в улыбке и не выдала своей радости.

На протяжении четырех месяцев, до самой зимы, я блаженствовала. Я возносила благодарности во время ежедневных молитв. Я была уверена, что святой Януарий счел мое благочестие заслуживающим того, чтобы дать мне возможность остаться с братом.

А потом произошло то, чего ожидали все, кроме меня.

Зима и лето в Неаполе одинаково умеренны, но в конце января 1494 года одна ночь выдалась настолько холодной, что я позвала донну Эсмеральду и еще одну фрейлину к себе в кровать; мы укрылись целой грудой меховых одеял и все равно дрожали.

Из-за холода я спала плохо. А может, я чувствовала, что приближается нечто недоброе, потому что не удивилась, как должна была бы, заслышав громкий стук в дверь. Чей-то мужской голос позвал:

— Ваше высочество! Ваше высочество, срочное дело!

Донна Эсмеральда встала. Свет камина окружил ее мягким коралловым сиянием, подчеркнув плавные изгибы тела в белой шерстяной ночной рубашке. Она дрожала от холода и куталась в меховое покрывало. Толстая коса, переброшенная через плечо, спускалась по груди к тонкой талии. Лицо у донны Эсмеральды было встревоженное. Вторжение в столь поздний час не сулило никаких радостных вестей.

Я встала с кровати и зажгла свечу. Из соседней комнаты, от входа, доносились приглушенные голоса. Эсмеральда вернулась почти сразу же; у нее был настолько потрясенный вид, что я все поняла еще до того, как она открыла рот.

— Его величество очень болен. Он зовет вас.

Одеться как следует не было времени. Донна Эсмеральда принесла черный шерстяной плащ, помогла мне его надеть и заколола на груди брошью. Вкупе с моей шелковой длинной рубахой этого должно было хватить. Я подождала, пока донна Эсмеральда уложит мою косу узлом на затылке и закрепит шпильками.

Я пошла следом за мрачным молодым стражником, который нес фонарь, освещая нам дорогу. В молчании он привел меня к спальне короля.

Дверь была распахнута. Хотя стояла ночь и тяжелые шторы были опущены, я никогда еще не видела, чтобы в этой комнате было настолько светло. Все свечи в большом канделябре были зажжены, а на ночном столике горели три масляные лампы. Под позолоченной каминной полкой пылал яркий огонь, распространяя вокруг себя сильный жар и бросая отблески на золотой бюст короля Альфонсо.

В углу негромко совещались два молодых врача. Я узнала докторов Галеано и Клементе — они считались лучшими целителями в Неаполе.

Полог кровати был поднят; в центре кровати лежал мой дед. Лицо у него было темно-багровое, цвета «Лакрима Кристи». Глаза превратились в узкие щелочки, губы были приоткрыты, дыхание сделалось коротким и прерывистым.

Хуана сидела на кровати рядом с королем, ничуть не стыдясь своих босых ног и ночной рубашки. Волосы ее были распущены, и темная вьющаяся прядь упала на лицо. Она смотрела на супруга с такой нежностью и состраданием, какие я прежде видела лишь на изображениях святых. Левая рука короля покоилась в ее руках. Я поразилась тому, что этот человек, совершивший столько жестокостей, способен был внушить такую любовь к себе.

В кресле, стоящем в некотором отдалении, сидел мой отец. Он сидел, подавшись вперед, глядя на Ферранте и прижимая пальцы ко лбу и вискам; на лице его было написано совершенно нормальное человеческое смятение. В глазах, блестящих от невыплаканных слез, отражались бессчетные язычки пламени. Когда я вошла, отец взглянул на меня, потом быстро отвел взгляд.

Рядом с ним стояли его братья, Федерико и Франческо, не скрывавшие своего горя; Федерико даже не пытался сдержать слезы.

Наконец-то врачи обратили на меня внимание.

— Ваше высочество, — сказал Клементе. — Мы полагаем, что у его величества произошло кровоизлияние в мозг.

— Неужели ничего нельзя сделать? — спросила я. Доктор Клементе неохотно покачал головой.

— Простите, ваше высочество. — Он помолчал. — Прежде чем потерять дар речи, он звал вас.

Я была слишком ошеломлена, чтобы понять, как на это реагировать, настолько ошеломлена, что даже не могла заплакать, хотя и понимала, что король умирает.

Хуана подняла безмятежное лицо.

— Подойди сюда, — сказала она. — Он хотел видеть тебя. Подойди и сядь рядом с ним.

Я подошла к кровати, взобралась на нее с помощью одного из врачей и села справа от деда — Хуана сидела слева.

Я осторожно взяла обмякшую руку Ферранте и сжала ее.

И ахнула, когда его костлявые пальцы вцепились в мою руку, словно когти.

— Вот видишь, — прошептала Хуана. — Он узнает тебя. Он знает, что ты пришла.

На протяжении следующих нескольких часов мы с Хуаной сидели в тишине, нарушаемой лишь всхлипами Федерико. Я понимала, почему Ферранте, умирая, цеплялся за свою жену: несомненно, ее доброта приносила ему утешение. Но в тот момент я совершенно не понимала, почему он послал за мной.

Дыхание короля постепенно делалось все слабее и реже. Должно быть, лишь через несколько минут после его кончины Хуана осознала, что он уже не дышит, и позвала врачей, дабы те установили факт смерти.

Даже в смерти он продолжал цепляться за нас. Мне стоило немалого труда высвободить руку.

Я соскользнула с кровати и оказалась лицом к лицу с отцом. Всякие следы горя и тревоги исчезли с его лица. Он стоял передо мной — сдержанный, властный, царственный.

Теперь он был королем.

Тело моего деда в течение дня было выставлено для торжественного прощания в соборе Санта Кьяра: королевская семья предпочитала для официальных церемоний использовать именно этот собор, из-за его величины и пышности. Его же всегда использовали для погребений, и в его приделах и нефах располагались склепы королевской семьи. За алтарем находилась гробница Роберта Мудрого, первого анжуйского правителя Неаполя. Над могилой высился памятник. Верхняя его часть изображала короля Роберта при жизни, увенчанного короной, восседающего на троне. Ниже находилось изваяние короля, упокоившегося в смерти, с руками, благочестиво сложенными поверх скипетра. Справа от алтаря располагалась гробница Карла, герцога Калабрийского, единственного сына Роберта.

В предрассветные часы, еще до того, как город был разбужен вестью о кончине короля, члены семьи прошли мимо тела Ферранте, омытого и уложенного в гроб.

Лицо его было заострившимся и суровым, а тело — ссохшимся и хрупким; от некогда обитавшего в нем львиного духа не осталось и следа. Наконец-то он сделался таким же, как и люди в его музее, — полностью бессильным.

Всю ту ночь я размышляла над тем, почему я нравилась деду, почему он послал за мной в час смерти. «Сильная и жестокая», — с гордостью говорил он обо мне, словно бы восхищаясь этими качествами.

Возможно, он нуждался в утешении, которое давала ему доброта Хуаны. Возможно, он также нуждался в моей силе.

Я сразу же поняла, что теперь мой брак с Джофре Борджа сделался неизбежен. Мой отец совершенно недвусмысленно высказался по этому поводу. Отныне свадьба была лишь вопросом времени. Не было никакого смысла вести себя словно ребенок и демонстрировать, какой гнев вызывает у меня подобная участь. Настало время принять свою судьбу и быть сильной. Я не могла рассчитывать ни на кого, кроме себя: если Бог и святые существуют, им нет дела до каких-то маловажных просьб молодой женщины с разбитым сердцем.

После того как семья попрощалась с Ферранте, в Большом зале были устроены поминки. В тот день не было ни музыки, ни танцев, лишь много разговоров и смятение.

Никем не замеченная, я проскользнула в спальню Ферранте. Полог кровати по-прежнему был подобран, а балдахин занавешен черным. Зеленые бархатные портьеры тоже были закрыты траурной тканью.

В одной из масляных ламп, стоявших на ночном столике, все еще мерцал слабый синеватый огонек. Я взяла лампу, отворила дверь в узкую комнату с алтарем, а оттуда прошла в царство мертвых.

Здесь все осталось почти таким же, как запомнилось мне; покойный анжуец по имени Роберт все так же приветствовал меня взмахом костлявой руки. На этот раз я не испугалась. Я сказала себе, что здесь нечего бояться. Это всего лишь сборище выделанной кожи и костей, насаженных на железные шесты.

Но за четыре года со времени моего прошлого визита к коллекции добавилось еще два трупа. Я подошла к ближайшему и поднесла лампу к лицу мумии. На его мраморных глазах была нарисована темно-карая радужка; борода и усы были густыми, а блестящие черные волосы — пышными и вьющимися. Это был не светловолосый анжуец, а испанец или итальянец. В его чертах до сих пор сохранялась легкая полнота, свидетельствовавшая о том, что кончина произошла не так давно. Несомненно, при жизни он был красивым мужчиной, он смеялся и плакал и, возможно, тоже разочаровался в любви. Он тоже знал, каково это — стать жертвой неумолимой жестокости.

Я бесстрашно коснулась пальцами блестящей, словно бы лакированной смуглой щеки.

Она была холодной и твердой, как мои дед и отец.

Как я сама.

ЗИМА – ВЕСНА 1494 ГОДА

ГЛАВА 4

Восстановление испортившихся отношений между Неаполем и папским престолом требовало времени. Потому меня не удивило, что прошел целый месяц, прежде чем отец вызвал меня к себе.

Я приготовилась к этой встрече и смирилась с мыслью о браке с Джофре Борджа. Это наполняло меня странной гордостью: отец будет ожидать, что его известия ранят меня, и разочаруется, когда этого не произойдет.

Явившийся за мной стражник провел меня в королевские покои. Трон был задрапирован черной тканью; отец не взойдет на него до официальной коронации, которая должна будет состояться несколько месяцев спустя.

В бывшем кабинете Ферранте уже чувствовалось присутствие моего отца: мраморный пол покрывал красивый ковер, трофей, захваченный в битве при Отранто; на стенах — мавританские изразцы. Я слыхала, что отец обезглавил множество турок. Интересно, скольких он убил, дабы завладеть именно этими трофеями? Я взглянула на красно-золотой узорчатый ковер, выискивая пятна крови; мне хотелось отвлечься какими-нибудь сторонними мыслями, чтобы легче было сохранять самообладание во время неприятной встречи.

Новый король занимался делами в окружении советников; когда я вошла, он рассматривал несколько документов, разложенных на темном столе. В это мгновение я осознала, что мы, неаполитанцы, больше не можем просто сказать «король Альфонсо», имея в виду Альфонсо Великодушного. Теперь были короли Альфонсо I и Альфонсо II.

Я смотрела мимо Альфонсо II в открытые окна, выходящие на запад, на Кастель дель Ово и водную гладь за ним. Про эту огромную каменную крепость, якобы построенную Вергилием, рассказывали, будто она стоит на огромном волшебном яйце, спрятанном на морском дне. Если это яйцо треснет, Неаполь рухнет в море.

Я молча ждала, и наконец отец поднял на меня хмурый взгляд; я была для него запоздалой мыслью, явившейся среди полного хлопот дня. Его сын Феррандино, отныне фактически являвшийся герцогом Калабрийским, наклонился у него над плечом, опершись рукой на стол. Феррандино поднял голову одновременно с отцом и кивнул мне, вежливо, но сдержанно. Подтекст был совершенно ясен: «Я — следующий в роду, законный наследник трона, а ты — нет».

— Ты выйдешь замуж за Джофре Борджа в начале мая, — отрывисто произнес отец.

Я грациозно поклонилась в ответ, думая лишь об одном: «Ты не можешь причинить мне боль».

Король снова перенес внимание на Феррандино и одного из своих советников; после нескольких негромко произнесенных фраз он опять взглянул на меня, словно бы удивляясь, что я все еще стою тут.

— Это все, — сказал он.

Я присела в реверансе, гордясь своим самообладанием. Но в то же время я была разочарована, поскольку отец, похоже, был слишком занят и ничего не заметил. Я уже повернулась, чтобы уйти, но прежде, чем стражник вывел меня из комнаты, король заговорил снова.

— А, да. Чтобы ублаготворить его святейшество, я согласился дать его сыну Джофре титул принца, что лишь уместно, если учесть твой статус. Отныне вы будете править княжеством Сквиллаче, где тебе и предстоит жить.

Он коротко кивнул, давая понять, чтобы я удалилась, и вернулся к работе.

Я быстро двинулась прочь, ослепленная болью.

Сквиллаче находилось в нескольких днях пути на юг от Неаполя, на противоположном берегу. От Сквиллаче до Неаполя было куда дальше, чем от Рима.

Вернувшись к себе в покои, я сорвала икону святого Януария с алтаря и швырнула об стену. Она грохнулась на пол. Донна Эсмеральда пронзительно вскрикнула и перекрестилась, потом развернулась и последовала за мной на балкон. Я стояла, охваченная смятением, и мое горе перерождалось в гнев.

— Да как ты смеешь?! Это непростительное святотатство! — принялась браниться она, гневно сверкая глазами.

— Ты не понимаешь! — огрызнулась я. — Мы с Джофре Борджа будем жить в Сквиллаче!

Ее лицо мгновенно смягчилось. На миг она умолкла, потом спросила:

— Ты думаешь, Альфонсо будет легче, чем тебе? Неужто ты снова заставишь его утешать тебя, когда его собственное сердце тоже разбито? Ты, быть может, чаще выказываешь свой норов, донна Санча, но не обманывайся. У него куда более чувствительная душа.

Я обернулась и посмотрела на мудрое морщинистое лицо Эсмеральды. Обхватив себя руками, я судорожно вздохнула и заставила бушевавшую во мне бурю уняться.

— Я должна сдерживать свои чувства, — сказала я, — пока Альфонсо об этом не узнал.

Тем вечером я ужинала наедине с братом. Он оживленно рассказывал о своих уроках фехтования и о прекрасной лошади, которую отец недавно купил для него. Я улыбалась и слушала, мало участвуя в разговоре. Потом мы пошли пройтись по двору замка; за нами издали присматривал стражник. Стояло начало марта, и вечерний воздух был бодрящим, но приятным.

Альфонсо заговорил первым.

— Ты сегодня какая-то очень сдержанная, Санча. Что тебя тревожит?

Я поколебалась, потом отозвалась:

— Я думаю, слыхал ли ты уже новости…

Мой брат взял себя в руки и ответил с деланной небрежностью:

— Ну да, что ты выходишь замуж за Джофре Борджа. — Небрежность тут же сменилась ласковыми, утешающими нотками. — Но это не так уж плохо, Санча. Как я и говорил, Джофре может оказаться достойным молодым человеком. По крайней мере, ты будешь жить в Неаполе и мы с тобой сможем видеться…

Я остановилась на полушаге, повернулась к нему и осторожно коснулась пальцами его губ.

— Милый брат. — Я изо всех сил старалась, чтобы голос мой звучал ровно и непринужденно. — Папе

Александру мало получить принцессу в жены для сына. Он хочет, чтобы его сын тоже был принцем. Мы с Джофре отправимся править Сквиллаче.

Альфонсо потрясенно уставился на меня.

— Но брачный договор...— начал было он и тут же осекся. — Но отец...

Он умолк. Впервые я сосредоточилась не на своих чувствах, а на его. И когда я увидела, как прекрасное юное лицо Альфонсо исказилось от боли, мне показалось, что мое сердце разорвется.

Я обняла его и увлекла за собой.

— Я всегда могу приехать погостить в Неаполь. А ты можешь приехать в Сквиллаче.

Альфонсо привык утешать, а не принимать утешения.

— Я буду скучать по тебе.

— И я. — Я заставила себя улыбнуться. — Ты сам когда-то сказал мне, что долг не всегда приятен. Это правда. Но мы будем писать и навещать друг друга.

Альфонсо остановился и прижался ко мне.

— Санча, — произнес он. — Ах, Санча...

Он был выше меня, и ему пришлось наклониться, чтобы прижаться щекой к моей щеке.

Я погладила его по голове.

— Все будет хорошо, братик.

Я крепко обняла его и запретила себе плакать. Я подумала, что Ферранте гордился бы мною.

Май пришел слишком скоро, а с ним и Джофре Борджа. Он приехал в Неаполь с большой свитой и вошел в Большой зал Кастель Нуово в сопровождении моего дяди, принца Федерико, и моего брата Альфонсо. Сразу же после прибытия мужчин в зал торжественно вступила я, спустившись по лестнице; на мне было парчовое платье цвета морской волны и изумрудное колье.

По разинутому рту моего жениха я сразу же поняла, что произвела на него сильное впечатление. А вот он на меня — отнюдь.

Мне говорили, что Джофре Борджа «уже почти тринадцать», и я ожидала, что встречу юношу наподобие моего брата. За короткий промежуток, прошедший с того момента, как я сказала Альфонсо о моей помолвке, его голос сделался более низким, а сам он раздался в плечах и нарастил мускулы. Он был на целую ладонь выше меня.

Но Джофре был ребенком. После визита к стреге мне успело исполниться шестнадцать, и я была женщиной с высокой грудью и крутыми бедрами. Я познала плотское наслаждение, познала прикосновение опытной мужской руки.

Что же касается младшего из Борджа, то он был на голову ниже меня. Его лицо до сих пор было по-детски пухлым, голос — тоньше, чем у меня, и вообще он отличался такой хрупкостью, что я могла бы его поднять. В довершение всего у него еще и прическа была как у девчонки: медно-рыжие локоны спускались на плечи.

Я, как и все в Италии, слыхала о безудержном пристрастии Александра к красивым женщинам. Еще в молодости, в бытность свою кардиналом, Родриго Борджа шокировал своего дядю, Папу Каликста, тем, что однажды, проведя обряд крещения, завел всех присутствовавших женщин в обнесенный стеной двор церкви и запер ворота, на несколько часов оставив взбешенных мужчин снаружи — слушать доносящееся из-за стены хихиканье и звуки, какие бывают при занятии любовью. Даже теперь Папа Александр забрал свою нынешнюю любовницу, шестнадцатилетнюю Джулию Орсини, в Ватикан и совершенно вопиющим образом прилюдно демонстрировал свою пылкую привязанность к ней. Говорили, что ни одна женщина не застрахована от его приставаний.

Просто не верилось, что Джофре — сын такого человека.

Я подумала о сильных руках Онорато, скользящих по моему телу. Я подумала о том, как он оседлывал меня, как я вцеплялась в его спину, когда он скакал на мне верхом, ведя к вершинам наслаждения.

А потом я посмотрела на этого тощего мальчишку и внутренне съежилась от отвращения при мысли о супружеском ложе. Онорато знал мое тело лучше меня самой. Как я смогу научить это женственное малолетнее создание всему, что следовало бы знать мужчине об искусстве любви?

Сердце мое преисполнилось отчаяния. Следующие несколько дней я пребывала в мучительном оцепенении, изо всех сил изображая из себя счастливую невесту. Джофре проводил время в обществе своей свиты и даже не пытался поухаживать за мной; это был не Онорато, которого волновали мои чувства. Джофре приехал в Неаполь с одной-единственной целью: получить корону принца.

Первой состоялась гражданская церемония. Прошла она в Кастель Нуово, руководил ею епископ Тропейский, а свидетелями были мой отец и принц Федерико. Разнервничавшись, Джофре выкрикнул ответ на вопрос епископа прежде, чем старик успел его договорить, и толпа весело загудела. Я же не смогла даже улыбнуться.

Затем состоялось преподнесение подарков, привезенных моим новоиспеченным супругом: рубины, жемчуга, алмазы, парча, затканная нитями из чистого золота, шелк и бархат — все это должно было пойти на украшения и платья для меня.

Но наш союз еще не был благословлен церковью, и потому не могло идти речи о его физическом осуществлении. Я получила отсрочку на четыре дня, до мессы.

На следующий день было Вознесение и празднество в честь явления архангела Михаила; в Неаполитанском королевстве его тоже считали праздничным днем.

С темного утреннего неба лил проливной дождь; дул пронизывающий ветер. Невзирая на зловещую погоду, наше семейство проследовало за моим отцом и его баронами в огромный собор Санта Кьяра, где всего лишь несколько месяцев назад был похоронен Ферранте. Алтарь был тщательно подготовлен церемониймейстером Папы Александра; на нем были разложены регалии правителя Неаполя, в том порядке, в каком их надлежало вручать новому королю: корона, усыпанная драгоценными камнями и жемчугами; королевский меч в драгоценных ножнах; серебряный скипетр, увенчанный анжуйской золотой лилией, и держава.

Мой отец ввел нас в собор. Никогда еще он не казался таким красивым и таким царственным, как в этот момент. Он смотрелся очень величественно в облегающем камзоле и штанах из черного атласа, поверх которых была надета мантия из ярко-красной парчи, подбитая горностаевым мехом. Наши родственники и придворные остановились на отведенных им местах, а отец продолжал идти вперед по широкому проходу.

Я стояла рядом с братом, крепко сжимая его руку. Мы не смотрели друг на друга. Я знала, что если только взгляну в глаза Альфонсо, то невольно выдам, насколько я несчастна — в тот самый момент, когда мне следовало бы быть счастливой.

Вскоре после того, как моя помолвка с Джофре была возобновлена, я узнала, на каких условиях новый король договорился с Папой Александром. Альфонсо II должен был даровать Джофре Борджа княжество Сквиллаче. Взамен его святейшество должен был прислать папского легата, дабы тот лично короновал отца. Тем самым Александр в открытую, бесповоротно признавал и одобрял царствование Альфонсо.

Как мне сказал отец, эта идея принадлежала не Папе, а королю.

Он целенаправленно добился радости для себя ценою моей печали.

Человек, который вскоре должен был стать известен под именем Альфонсо II, остановился под пение канона; его приветствовали архиепископ неаполитанский и патриарх антиохийский. Они провели его на сиденье перед алтарем, где он вместе с остальными выслушал папскую буллу, объявляющую его неоспоримым правителем Неаполя.

Отец встал на колени на подушечку перед кардиналом Джованни Борджа, папским легатом, и старательно повторил за ним слова клятвы.

Я слушала ее и размышляла над своей судьбой.

Почему отец настолько ненавидит меня? Он был совершенно равнодушен к прочим своим детям, за исключением наследного принца, Феррандино; но он выказывал своему старшему сыну ровно столько внимания, сколько было необходимо, дабы подготовить его к отведенной ему роли. Может, это потому, что я причиняла больше хлопот, чем все прочие?

Возможно. Но, возможно, ответ крылся в словах старого Ферранте: «Из всех его детей ты больше всего похожа на своего отца».

Но мой отец завопил, когда увидел мумии анжуйцев. А я — нет.

«Ты всегда был трусом, Альфонсо».

Не может ли быть такого, что жестокость моего отца порождена страхом? И он озлоблен на меня потому, что я обладаю единственным качеством, которого он лишен, — мужеством?

У алтаря отец закончил произносить свою клятву. Кардинал протянул ему пергаментный свиток, тем самым возводя его в королевский сан, и произнес:

— Силою апостольской власти.

Потом Джофре Борджа, маленький и серьезный, ставший посредством брака принцем королевства, выступил вперед, держа в руках корону. Кардинал взял у него корону и возложил на голову отца. Корона была тяжелая и немного соскользнула. Прелат придерживал ее одной рукой, пока они с архиепископом застегивали ремешок под подбородком отца, чтобы закрепить корону.

Затем новому королю передали королевские регалии: меч, скипетр и державу. Потом, в соответствии с требованиями церемонии, все папские прелаты должны были встать полукругом у отца за спиной, но тут его братья, сыновья и бароны во внезапном порыве ринулись к нему, демонстрируя свою поддержку.

Смеясь, отец уселся на трон под ликующие вопли собравшихся.

— Viva Re Alfonso! Да здравствует король Альфонсо!

Невзирая на весь гнев и негодование, которые я испытывала к нему из-за того, что он превратил меня в свое орудие, я посмотрела на него, увенчанного короной, величественного, и, к великому моему удивлению, меня захлестнула волна гордости и верноподданнических чувств. И я срывающимся голосом закричала вместе с остальными:

— Viva Re Alfonso!

Следующие три дня я занималась примеркой роскошного свадебного платья. Корсаж был сшит из золотой парчи, преподнесенной моим супругом, само платье — из черного бархата с атласными лентами, а нижнее платье — из золотого шелка. Корсаж и платье были усыпаны жемчугами Джофре, и еще больше его жемчугов и алмазов были аккуратно вставлены в сеточку для волос, сплетенную из тончайших золотых нитей. Рукава, привязывавшиеся к платью, тоже были из черного бархата и атласа, и их сделали такими пышными, что я свободно могла бы посадить в рукав собственного мужа. Мне бы полагалось гордиться своим платьем, проявлять к нему живейший интерес и восхищаться тем, как оно подчеркивает мою красоту. Но все было не так. Я смотрела на платье, как узник — на свои цепи.

В день моей свадьбы заря выдалась красной, а солнце было скрыто за облаками. Я стояла на своем балконе в Кастель Нуово, после ночи, в которую мне так и не удалось заснуть; я знала, что мне предстоит лишиться дома и всего, что я знаю, и жить в чужом городе. Я дышала полной грудью и наслаждалась прохладным морским воздухом. Будет ли в Сквиллаче он пахнуть так же приятно? Я смотрела на серо-зеленый залив и возвышающийся за ним Везувий и понимала, что воспоминания об этом моменте не смогут поддержать меня. Моя жизнь вращалась вокруг моего брата, а его жизнь — вокруг меня. Я разговаривала с ним каждое утро, каждый вечер ужинала с ним, встречалась с ним на протяжении дня. Он знал меня лучше, чем родная мать, и любил сильнее. Джофре казался неплохим мальчиком, но он был чужим. Как я смогу бодро смотреть в лицо жизни, если со мной не будет Альфонсо?

И лишь одно беспокоило меня сильнее: я понимала, что мой младший брат точно так же будет страдать от одиночества, а может, и сильнее, поскольку донна Эсмеральда говорит, что он более впечатлителен, чем я. И это было труднее всего вынести.

В конце концов я вернулась внутрь, к своим фрейлинам, чтобы подготовиться к свадебной церемонии, которая должна была состояться в полдень.

Время шло, а небо становилось все более темным и хмурым, прекрасно отражая состояние моего духа. Но ради Альфонсо я скрывала свою печаль и оставалась любезной и хладнокровной.

В новом платье я смотрелась великолепно. Когда я вошла в Королевскую часовню, по рядам присутствующих прокатился восторженный гул, окрашенный благоговейным трепетом. Но это восхищение не доставило мне ни малейшего удовольствия. Я была слишком занята тем, что избегала взгляда брата, и позволила себе лишь краем глаза взглянуть на него, когда проходила мимо. Альфонсо выглядел царственным и взрослым в своем темно-синем камзоле, с висящим на поясе мечом с золотой рукоятью. Лицо его было напряженным и сдержанным, без малейшего следа того сияния, которое он унаследовал от нашей матери. Он старательно смотрел вперед, в сторону алтаря.

Про само венчание я могу сказать лишь, что тянулось оно бесконечно и что бедный Джофре вел себя со всем достоинством, какое только смог в себе отыскать. Но когда ему подошел момент передать мне поцелуй епископа, Джофре пришлось встать на цыпочки, и губы его дрожали.

Потом последовала служба, а за ней — званый обед, растянувшийся на несколько часов, с изобилием вина и тостов в честь молодоженов. Когда спустились сумерки, Джофре удалился в соседний, приготовленный для нас дворец. Закат полностью спрятался за огромными, темными тучами, собравшимися над заливом.

Я прибыла во дворец одновременно с наступлением вечера и первыми раскатами грома, в сопровождении короля, моего отца, и кардинала монреальского Джованни Борджа. Кардинал был невзрачным мужчиной средних лет, с грубыми губами и такими же манерами. Выбритую на макушке тонзуру прикрывала красная атласная шапочка, а тучное тело — белый атласный подрясник и пурпурная бархатная сутана; на толстых пальцах сверкали алмазы и рубины.

Мужчины остались в коридоре, а я вошла в спальню, которую приготовили для нас мои фрейлины. Донна Эсмеральда раздела меня, сняв не только роскошное свадебное платье, но даже шелковую нижнюю рубашку. Нагую, меня провели к брачной постели, где уже лежал в ожидании Джофре. Когда он увидел меня, глаза его округлились; он с наивным бесстыдством смотрел, как одна из моих фрейлин стащила с меня простыню, подождала, пока я лягу рядом с супругом, и накрыла меня, но лишь до талии. Так я и осталась лежать, с грудью, открытой напоказ.

Джофре был слишком робок, а я пребывала в слишком сильном унынии, чтобы поддерживать непринужденную беседу во время этого смущающего ритуала — одного из самых неприятных требований, предъявляемых к знати, и ничто не могло избавить нас от него.

Когда король и кардинал Борджа, в чьи обязанности входило официально засвидетельствовать осуществление брака, вошли в комнату, Джофре встретил их любезной улыбкой.

Не приходилось сомневаться, что кардинал Борджа разделяет тягу своего кузена Родриго к молодым женщинам. Он тут же уставился на мою грудь и вздохнул:

— До чего же они хороши. Прямо как розы.

Я едва сдержалась, чтобы не подтянуть простыню повыше. Меня переполняло негодование при мысли о том, что этот старик явно получает плотское удовольствие за мой счет; а тот факт, что отец никогда не видел меня раздетой, тоже не придавал мне спокойствия.

Взгляд короля скользнул по моей наготе с такой беспристрастностью, что меня передернуло; отец холодно усмехнулся.

— И, как все цветы, они достаточно быстро увянут.

В глазах его больше не было беспокойства; сегодня вечером они ярко сверкали. Он добился всего, чего желал: он стал королем, причем с благословения Папы, и это делалось еще слаще оттого, что он избавился от своей дочери, причиняющей столько беспокойства. Настал момент его величайшего торжества надо мною. Момент моего величайшего поражения.

Никогда еще моя ненависть к отцу не пылала так ярко, как в это мгновение; никогда еще мое унижение не было таким всеобъемлющим. Я отвернулась, чтобы Джофре и кардинал не увидели эту ненависть в моих глазах. Мне отчаянно хотелось схватить простыню и вскочить с кровати, но гнев был так силен, что я окостенела, не в силах шелохнуться.

Молчание нарушил Джофре, с обезоруживающей честностью произнесший:

— Ваше величество, ваше преосвященство, прошу меня простить, если я вдруг окажусь во власти волнения.

Кардинал развратно рассмеялся.

— Ты молод, мой мальчик. В твоем возрасте никакое волнение не в силах помешать исполнению этого долга.

— Надежду на успех мне дает отнюдь не возраст, — сказал Джофре, — а ослепительная красота моей супруги.

Произнесенные любым другим человеком, кроме Альфонсо, эти слова стали бы лишь милым образчиком придворного красноречия. Но Джофре произнес их совершенно искренне и робко, искоса взглянув на меня.

Мужчины расхохотались: мой отец — насмешливо, кардинал — понимающе. Кардинал хлопнул себя по ноге.

— Ну так возьми ее, парень. Возьми ее! Я вижу по бугру под простыней, что ты готов!

Джофре неуклюже повернулся в мою сторону. С этого мгновения его внимание было полностью сосредоточено на мне; он не видел, как два свидетеля подались вперед на своих стульях, бдительно следя за каждым его движением.

С моей помощью Джофре кое-как сумел взобраться на меня. Он был тоньше и ниже меня, и потому, когда он прижался губами к моим губам, его напрягшийся член уткнулся мне в живот. Он снова принялся дрожать, но на этот раз уже не от волнения. Из-за его женственной внешности я прежде опасалась, что Джофре относится к тому типу людей, которые предпочитают женщинам мальчиков, но теперь стало ясно, что это не тот случай.

Изо всех сил стараясь игнорировать неприятную ситуацию, я успокоила его и раздвинула ноги; он устремился к своей цели. К несчастью, он слишком рано начал толчки, попадая в мое бедро. В отличие от старшего Борджа младший был абсолютно несведущ в искусстве любви. Я протянула руку, намереваясь направить его, но стоило мне к нему прикоснуться, как он вскрикнул и моя ладонь наполнилась семенем.

Я инстинктивно извлекла эту улику из-под простыней, сделав произошедшую неудачу достоянием наших свидетелей. Джофре снова застонал, на этот раз разочарованно, и перекатился на спину.

Мой отец расплылся в улыбке — я никогда не видела, чтобы он улыбался так широко. Он протянул руку к хихикающему кардиналу и сказал:

— Ваш кошелек, ваше преосвященство.

Кардинал, сразу лишившийся изрядной доли добродушия, покачал головой и извлек из-под сутаны небольшую бархатную сумочку, набитую монетами. Он опустил кошелек в подставленную ладонь короля.

— Вам просто повезло, ваше величество. Чистой воды везение, не более того.

Когда одна из моих фрейлин быстро прошла через спальню и вытерла мне руку влажной тканью, Джофре приподнялся на локте и посмотрел на мужчин. Он залился краской, осознав, что его успех или неудача стали предметом пари.

Кардинал заметил охватившую его неловкость и рассмеялся.

— Да не смущайся ты так, мальчик. Я проиграл потому, что мне не верилось, что ты зайдешь так далеко. Ты продержался дольше, чем большинство твоих ровесников. Ну а теперь мы можем перейти к настоящему делу.

Но глаза моего мужа налились слезами. Он отодвинулся от меня и скорчился на своей половине кровати.

Его страдания помогли мне преодолеть собственный стыд. Мои действия были продиктованы не стремлением поскорее покончить с этой омерзительной процедурой, а желанием избавить Джофре от терзаний. Похоже, у него было доброе сердце. Он не заслужил подобной жестокости.

Я придвинулась к нему и зашептала ему на ухо:

— Они смеются над нами потому, что они завидуют нам, Джофре. Ты только глянь на них: они же старые. Их время прошло. А мы молоды. — Я положила его ладонь себе на грудь. — Здесь никого нет. Только ты и я, в нашей брачной постели.

Движимая жалостью, я поцеловала его — осторожно, нежно, как когда-то целовал меня Онорато. Я закрыла глаза, чтобы не видеть наших мучителей, и представила, что лежу в объятиях своего бывшего возлюбленного. Я провела руками по узкой, худой спине Джофре, потом между его бедрами. Он задрожал и застонал, когда я принялась ласкать его мужское достоинство, как меня учили; вскоре его член затвердел настолько, чтобы войти в меня, и на этот раз успешно.

Я так и не открыла глаз. Перед моим внутренним взором не было ничего, кроме меня, моего мужа и надвигающейся грозы.

Джофре было далеко до Онорато. Он был мал, и я получила мало удовольствия; если бы не его неистовые толчки да еще то, что я сама помогала ему войти, я вряд ли осознала бы, что он проник в меня.

И все же я держалась; от давления на грудь у меня вырвалось несколько судорожных вздохов. Я лишь надеялась, что Джофре истолковал их как вздохи удовольствия.

Примерно через минуту мышцы его ног напряглись и он, вскрикнув, приподнялся. Я открыла глаза и увидела, что глаза Джофре широко раскрыты и полны изумления; потом он качнулся вперед, и я поняла, что он достиг вершины.

Он упал на меня, тяжело дыша. Я почувствовала, как его мужской орган съежился во мне, потом выскользнул наружу; вместе с ним вышла теплая жидкость.

Я понимала, что на этот раз мне не приходится ожидать никакого плотского удовольствия. Онорато позаботился бы о том, чтобы удовлетворить мои желания, но ни одного из троих мужчин, присутствовавших здесь, они не волновали.

— Неплохо, неплохо, — проговорил кардинал.

Судя по легкой нотке неудовольствия, он сожалел о том, что его задача так быстро оказалась выполнена. Он благословил нас и ложе.

Отец встал рядом с ним. Джофре все еще лежал поверх меня, а я взглянула на человека, который предал меня. Взгляд мой был холоден и бестрепетен. Я не хотела, чтобы он видел мое несчастье, которому сам же и был причиной, не хотела доставлять ему удовольствие.

Король улыбался, небрежно и победно. Моя ненависть была ему безразлична. Он радовался тому, что со мной сделали, и еще более радовался тому, что получил взамен.

Свидетели вышли, и мы с моим новоявленным мужем наконец-то остались одни. Мои фрейлины не должны были беспокоить нас до самого утра; поутру им следовало забрать простыни, которые выставят напоказ как еще одно свидетельство осуществления брака.

Несколько долгих мгновений Джофре молча лежал на мне. Я ничего не делала. В конце концов, он теперь был моим супругом и господином, и было бы невежливо перебивать его. Потом он откинул волосы с моего уха и прошептал:

— Ты такая красивая. Они описывали тебя мне, но слова не воздают тебе должного. Я не видел никого прекраснее тебя.

— Ты очень любезен, Джофре, — совершенно искренне откликнулась я.

Он, конечно, был еще мальчик, но очень милый и невинный, даже если ему и не хватало сообразительности. Я могу привязаться к нему… но никогда не полюблю его. Не полюблю той любовью, какой любила Онорато.

— Прости! — произнес он с неожиданной горячностью. — Мне так жаль… я… я…

И внезапно он разрыдался.

— Ох, Джофре… — Я обняла его. — Мне очень жаль, что для тебя все это было так ужасно. Они вели себя отвратительно. А ты… ты проявил себя очень хорошо.

— Нет, — возразил он. — Дело не в пари. Да, это было нехорошо с их стороны, но я и вправду отвратительный любовник. Я ничего не знаю о том, как доставить удовольствие женщине. Я понимаю, что должен был разочаровать тебя.

— Ну, будет, — сказала я.

Он попытался отстраниться, приподняться на локтях, но я прижала его к себе, к своей груди.

— Ты просто молод. Все мы неопытны вначале... а потом мы учимся.

— Тогда я научусь, Санча, — пообещал он. — Я научусь — ради тебя.

— Ну, будет, — повторила я, прижимая его к себе, как ребенка — да он и был ребенком, — и принялась гладить его длинные, мягкие волосы.

Снаружи наконец-то разразилась буря, и по ставням забарабанил дождь.

ЛЕТО 1494 ГОДА — ЗИМА 1495 ГОДА

ГЛАВА 5

Ранним утром следующего дня мы с Джофре отправились в путь к нашему новому дому, в самую южную часть Калабрии. Я сдержала клятву, которую дала себе, — беречь сердце Альфонсо. Я обняла мать и брата и расцеловала их на прощание, не залившись слезами. Мы несколько раз пообещали друг другу, что непременно будем писать и приезжать в гости. Король Альфонсо II, конечно же, не потрудился попрощаться с нами.

Сквиллаче представлял собою камень, выжженный солнцем. Сам город примостился на высоком, крутом мысе. Наш дворец, по неаполитанским меркам безнадежно деревенский, располагался вдалеке от моря, и даже вид на него отчасти закрывал древний монастырь, основанный ученым Кассиодором. Берег был пустынным и скудным, лишенным изящных изгибов Неаполитанского залива, а единственной зеленью здесь были чахлые оливковые рощи. Величайшим вкладом этого края в искусство, которым местное население чрезвычайно гордилось, была здешняя красно-коричневая керамика.

Дворец же был сущим бедствием: мебель и ставни были поломаны, подушки и гобелены изорваны, стены и потолки в трещинах. Меня терзало немалое искушение сдаться, приняться жалеть себя и слать проклятия отцу за то, что он отослал меня в такой унылый край. Вместо этого я занялась тем, что принялась превращать дворец в место, подобающее особам королевской крови. Я заказала хороший бархат, чтобы сменить изъеденную молью обивку дряхлых тронов, велела заново отполировать истертое дерево и послала за мрамором, чтобы заменить покрытый выбоинами терракотовый пол тронного зала. Личные покои царственной четы — покои принца располагались справа от тронного зала, покои принцессы слева — пребывали в еще более скверном состоянии. Мне нужно было заказать еще больше тканей и нанять дополнительных ремесленников, чтобы привести их в пристойный вид.

Джофре же нашел себе занятия совершенно иного рода. Он был молод и впервые оказался вдали от своей деспотичной семьи. Теперь, когда он сделался хозяином собственного княжества, он просто не представлял, как ему надлежит себя вести, и вел себя, как получится. Вскоре после нашего приезда в Сквиллаче сюда явилась компания римских приятелей Джофре. Всем им не терпелось отпраздновать удачу, выпавшую на долю новоявленного принца.

Первые несколько дней после нашей свадьбы, включая время, проведенное в удобной карете во время переезда на юг, Джофре робко пытался выполнить обещание и усовершенствоваться как любовник. Но он был неопытен и нетерпелив; собственные желания быстро завладевали им, и он удовлетворял их, не заботясь о моих. После тех слез и той нежности, которую он проявил в брачную ночь, я надеялась было, что обрела в его лице человека столь же доброго, как и мой брат. Но вскоре я обнаружила, что приятные слова Джофре были продиктованы не столько состраданием, сколько стремлением порисоваться. Между добротой и слабостью — огромная разница, а стремление Джофре угождать проистекало именно из слабости.

Это стало особенно наглядно через неделю после нашего прибытия в Сквиллаче, после появления приятелей Джофре. Это были молодые дворяне, некоторые из них были женаты, но большая часть холосты, и все они были не старше меня. Среди них оказалось два родственника Джофре, недавно явившихся в Рим для установления связей с его святейшеством: граф Ипполито Борха из Испании, чье имя еще не переделали на итальянский лад, и молодой, пятнадцатилетний кардинал Луис Борджа, чей самодовольный вид тут же вызвал у меня неприязнь. Во дворце все еще царил хаос: повсюду стояли леса, под ногами хрустела растрескавшаяся терракота, и даже в тронном зале еще не уложили мрамор. Дон Луис не упустил возможности высказать несколько замечаний касательно жалкого состояния нашего жилища и наших владений, особенно в сравнении с великолепием Рима.

Когда эта толпа заявилась к нам, я принялась изображать из себя гостеприимную хозяйку, насколько это было возможно в наших обстоятельствах. Я устроила пир и наливала им наше лучшее «Лакрима Кристи», привезенное из Неаполя, поскольку местные вина были довольно скверными. Я скромно оделась в черное, как и надлежит добропорядочной супруге, и на пиру Джофре с гордостью демонстрировал меня друзьям; мужчины подняли бесчисленное количество тостов за мою красоту.

Я улыбалась. Я была весела, очаровательна и внимательна к мужчинам, которые старались произвести на меня впечатление рассказами о своей доблести и богатстве. Когда наступила ночь и все опьянели, я удалилась в свои покои, оставив Джофре и его друзей развлекаться, как им будет угодно.

Перед рассветом меня разбудили приглушенные детские крики. Донна Эсмеральда, спавшая рядом со мной, тоже услышала их. Встревожившись, мы несколько мгновений смотрели друг на друга, потом набросили накидки и поспешили на крик. Ни один нормальный человек не смог бы остаться равнодушен к таким жалобным, душераздирающим крикам.

Нам не пришлось далеко идти. В тот самый миг, как я распахнула дверь своих покоев, передо мной предстала сцена вакханалии, превосходящей всякое мое воображение.

Недоделанный пол был усеян сплетенными телами людей; некоторые из них корчились в пьяной страсти, другие же были неподвижны и лишь похрапывали после избытка вина. Я с отвращением осознала, что это были друзья Джофре и шлюхи — хотя мне как женщине не полагалось комментировать грешки гостей моего мужа.

Но когда я взглянула в сторону тронов, во мне вспыхнула ярость, которую уже нельзя было заглушить.

На троне принца криво сидел Джофре, совершенно голый ниже пояса, а его туфли, штаны и чулки грудой валялись на ступеньке трона. Его бледные голые ноги крепко обвивали женщину, сидящую у него на коленях. Это была не куртизанка благородного происхождения, а обычнейшая местная шлюха самого вульгарного пошиба, вдвое старше Джофре, с неестественно яркими губами и глазами, густо подведенными сурьмой, тощая и некрасивая. Под дешевым красным платьем, задранным до пояса, не было никакого белья, а маленькая обвисшая грудь была извлечена из корсажа, чтобы мой молодой супруг мог мять ее.

Он был настолько пьян, что даже не заметил моего появления и продолжал скакать на своей кобылице, а она с каждым толчком преувеличенно вскрикивала.

От особ королевской крови ждут, что они будут предаваться развлечениям, и я не имела права жаловаться — разве что на то, что Джофре выказал подобное неуважение к символу власти. И все же, хотя я пыталась смириться с мыслью о неизбежных изменах Джофре, я ощутила укол ревности.

Но рядом с моим мужем происходило кощунство, которого я не могла стерпеть.

Кардинал Луис Борджа, так почитавший все римское, восседал на моем троне — совершенно голый, его красная сутана и кардинальская шапочка затерялись где-то посреди этой оргии. На коленях у него сидел один из наших поварят, Маттео, мальчик лет девяти, чьи штаны были неаккуратно стянуты до колен. По лицу Маттео катились слезы. Это его крики разбудили нас, но теперь они сменились стонами боли, потому что молодой кардинал вошел в него, сильно и грубо, крепко ухватив за пояс, чтобы мальчик не полетел от толчков на пол. Сам мальчик пытался удержаться от падения, хватаясь за недавно отполированные подлокотники трона.

— Прекратите! — крикнула я.

Жестокость и непочтительность кардинала настолько взбесили меня, что я позабыла обо всякой скромности и выпустила накидку; та упала на пол. Оставшись в одной лишь нижней рубашке, я решительно подошла к Маттео и попыталась сдернуть его с колен кардинала.

Кардинал же, с лицом, искаженным пьяной яростью, вцепился в мальчика.

— Пусть кричит! Я заплатил маленькому ублюдку!

Мне было на это наплевать. Мальчик был слишком мал, чтобы понимать, что ему предлагают. Я дернула еще раз, посильнее. Трезвость придала мне решимости, которой недоставало Луису. Его хватка ослабела, и я передала всхлипывающего мальчика исполненной негодования донне Эсмеральде. Она тут же унесла его, чтобы осмотреть без помех.

Возмущенный Луис Борджа вскочил, но слишком быстро для столь сильного опьянения. Он рухнул, быстро сел на ступеньку перед моим троном, потом положил руку и голову на новую обивку трона, испачканную кровью Маттео.

— Как ты посмел! — произнесла я. Голос мой дрожал от гнева. — Как ты посмел причинить вред ребенку, платил ты ему или нет, и как ты посмел проявить такое неуважение ко мне, занимаясь этим на моем троне! Ты больше не считаешься желанным гостем в этом дворце. Ты уедешь сегодня же утром.

— Я — гость твоего мужа, — невнятно произнес он, — а не твой, и тебе лучше бы запомнить, что здесь правит он.

Он повернулся к моему мужу. Глаза Джофре все еще были крепко зажмурены, а рот приоткрыт; он прижимался к шлюхе.

— Джофре! Эй, ваше высочество, отвлекись! Твоя жена — противная мегера!

Джофре заморгал; его толчки прекратились.

— Санча?

Он неуверенно взглянул на меня. Он был слишком пьян, чтобы осознать подтекст ситуации и устыдиться.

— Эти люди должны уехать, — сказала я громко и отчетливо, чтобы он наверняка услышал. — Все, сегодня же утром, а шлюхи пускай убираются немедленно.

— Сука, — произнес кардинал, а потом склонился над новой бархатной обивкой моего трона, и его вырвало.

По моему настоянию гостям Джофре пришлось-таки уехать на следующий день. Мой муж почти весь день плохо себя чувствовал, и мне лишь вечером удалось поговорить с ним о событиях прошедшей ночи. Его воспоминания были полны пробелов. Он помнил лишь, как друзья убеждали его пить. Он утверждал, что совершенно не помнит никаких шлюх, и уж конечно же он никогда не запятнал бы честь трона, по собственной воле предприняв подобные действия. Должно быть, его спровоцировали друзья.

— Это что, в Риме так принято себя вести? — негодующе спросила я. — Ну да неважно. Здесь и везде, где я буду жить, такого не будет!

— Что ты, что ты! — поспешил успокоить меня Джофре. — Это все Луис, мой кузен, — он распутник. Но я тоже виноват, мне не следовало напиваться до потери соображения. — Он умолк. — Санча... Я не понимаю, почему я искал утешения в объятиях шлюхи, когда моя жена — прекраснейшая женщина во всей Италии. Я хочу, чтобы ты знала... ты — любовь всей моей жизни. Я понимаю, что я неловкий и невнимательный; я понимаю, что я — не самый искусный из мужчин. Я не надеюсь, что ты ответишь на мою любовь. Я прошу лишь милосердия...

Потом он долго просил прощения, так жалобно, что я его даровала: не было никакого смысла допускать, чтобы возмущение и дальше отравляло нам жизнь.

Но я запомнила его слабость и сделала себе заметку на память о том, что мой муж легко поддается чужому влиянию. Он — не тот человек, на которого можно положиться.

Не прошло и двух недель, как к нам явился новый посетитель, на этот раз — ни больше ни меньше как посланец его святейшества, граф Марильяно. Он был человеком более зрелых лет, строгим и величавым, с сединой в волосах, в неброском, но элегантном наряде. Я устроила в его честь хороший ужин, радуясь тому, что он явно не интересуется разгульными попойками.

Однако, выяснив, что его интересует, я была потрясена.

— Мадонна Санча, — твердо произнес он после того, как мы завершили ужин последней бутылкой «Лакрима Кристи» (приятели Джофре выпили почти весь наш запас, привезенный из Неаполя). — Теперь я должен перейти к самой трудной теме. Мне очень жаль, что я вынужден говорить о подобных вещах с вами в присутствии вашего мужа, но вам обоим следует знать об обвинениях, выдвинутых против вас.

— Обвинениях? — Я уставилась на нашего гостя, не веря своим ушам. Джофре тоже был изумлен. — Боюсь, я вас не понимаю.

Тон графа представлял собою безукоризненное сочетание твердости и деликатности.

— Некоторые... посетители, побывавшие в вашем дворце, сообщили, что стали свидетелями неподобающего поведения.

Я взглянула на мужа; тот с виноватым видом разглядывал свой кубок, вертя его в руках и созерцая игру света в гранях украшающих его драгоценных камней.

— Здесь действительно имело место неподобающее поведение, — сказала я, — но отнюдь не с моей стороны.

Мне не хотелось впутывать в это дело Джофре, но точно так же мне не хотелось, чтобы мой обвинитель добился успеха со своей местью.

— Скажите, пожалуйста, а не был ли одним из этих свидетелей кардинал Луис Борджа?

Граф едва заметно кивнул.

— А могу я, в свою очередь, спросить, откуда вы об этом узнали?

— Я застала кардинала в компрометирующей ситуации, — ответила я. — Ситуация была такова, что я потребовала, чтобы он как можно быстрее покинул дворец. Он был недоволен.

И снова наш гость слегка кивнул, выслушав эту информацию.

Джофре тем временем залился краской — судя по всему, от смеси гнева и смущения.

— Моя жена не сделала ничего дурного. Она — особа самых высоких моральных устоев. Какие обвинения были выдвинуты против нее?

Граф потупил взгляд, демонстрируя свою скромность и нежелание говорить о подобных вещах.

— Что в ее личные покои входил не один, а несколько мужчин, в разное время.

Я недоверчиво рассмеялась.

— Но это же чушь!

Граф Марильяно пожал плечами.

— И тем не менее эти вести вывели его святейшество из душевного равновесия — настолько, что он отзывает вас обоих в Рим.

Хоть я и не была счастлива в Сквиллаче, я не имела ни малейшего желания жить среди Борджа. Здесь, в Сквиллаче, я хотя бы была рядом с морем. Джофре при мысли о возвращении в родной город тоже сделался мрачен. Он упоминал о своих родственниках исключительно мимоходом и никогда ничего толком не рассказывал; но из его немногочисленных обмолвок мне стало ясно, что он их откровенно боится.

— Как мы можем доказать лживость этих обвинений? — спросила я.

— Меня прислали сюда провести официальное расследование, — сказал Марильяно. Хотя от мысли о том, что папский посланец примется въедливо изучать меня, мне сделалось неуютно, прямота и откровенность старого графа мне понравились. Он был любезен, но решителен — одним словом, честный человек. — Мне необходимо получить возможность поговорить со всеми дворцовыми слугами, дабы допросить их.

— Говорите с кем хотите, — тут же сказал Джофре. — Они с радостью скажут вам правду о моей жене.

Я улыбнулась мужу, благодаря его за поддержку. Граф продолжал:

— Есть еще один вопрос — о расточительстве. Его святейшество недоволен тем, что на дворец в Сквиллаче потрачено так много денег.

— Я думаю, что для ответа на этот вопрос вам достаточно лишь посмотреть по сторонам, — сказала я ему. — Взгляните сами и рассудите, является ли здешняя обстановка чрезмерно роскошной.

Тут уж даже Марильяно не сдержался и улыбнулся.

Все расследование заняло два дня. За эти два дня граф поговорил со всеми слугами, придворными дамами и кавалерами. Кроме того, я позаботилась о том, чтобы он поговорил с маленьким Маттео. Вся наша челядь оказалась достаточно благоразумна, чтобы не припутывать Джоффре ни к каким прегрешениям.

Я лично проводила Марильяно к ожидающему его экипажу. Граф слегка приотстал, пропустив своего помощника вперед, и в результате мы с ним получили возможность поговорить наедине.

— Мадонна Санча, — сказал граф, — исходя из всего того, что мне было известно о Луисе Борджа, я с самого начала расследования ни капли не сомневался, что вы невиновны в том, в чем вас обвиняют. Теперь же я знаю, что вы не просто невиновны, но что вы внушаете сильную привязанность и любовь всем, кто окружает вас. — Он быстро и незаметно огляделся по сторонам. — Вы заслуживаете того, чтобы знать всю правду. Меня прислали сюда отнюдь не только из-за обвинений кардинала.

Я понятия не имела, на что он намекает.

— Тогда из-за чего же?

— Из-за того, что свидетели говорили о вашей необычайной красоте. Ваш муж писал о ней в самых нежных выражениях, и это само по себе вызвало интерес его святейшества. Но теперь ему сказали, что вы красивее Ла Беллы.

Ла Белла, Красавица: так прозвали Джулию Орсини, нынешнюю любовницу Папы, которую молва назвала самой красивой женщиной Рима, а может, и всей Италии.

— И что же вы сообщите его святейшеству?

— Я — честный человек, мадонна. Я должен буду сказать ему, что это правда. Но я также скажу ему, что вы из тех женщин, которые хранят верность своим мужьям. — Он на миг умолк. — Хотя, если говорить начистоту, ваше высочество, я не думаю, что это что-либо изменит.

На сей раз лесть не доставила мне ни малейшего удовольствия. Я не желала выходить замуж за Джофре Борджа, потому что любила другого человека, потому что хотела остаться в Неаполе, рядом с моим братом, и потому что Джофре был еще сущим ребенком. Теперь же у меня появилась еще одна причина сожалеть об этом браке: похотливый свекор, который заодно — так уж случилось — является главой всего христианского мира.

— Да благословит и сохранит вас Господь, ваше высочество, — сказал Марильяно, потом забрался в свой экипаж и отправился в Рим.

Вскоре у меня появились еще более серьезные поводы для беспокойства, чем мысли о влюбчивом свекре, Папе Римском, мечтающем сделать меня своей новой любовницей.

Всего лишь через месяц после моей свадьбы в Калабрию пришли новости: Карл VIII, король Франции, задумал напасть на Неаполь.

«Ре Петито», «Короленыш» — так его прозвали в народе, потому что он родился с короткой, искривленной спиной и кривыми конечностями; он больше походил на горгулью, чем на человека. А еще ему от рождения была свойственна страстная тяга к завоеваниям, и его советникам не понадобилось много времени, дабы убедить его, что анжуйцы в Неаполе жаждут обрести короля-француза.

Его королева, прекрасная Анна Бретонская, делала что могла, чтобы отговорить его от идеи вторжения.

Она наряду с прочими французами была ревностной католичкой, всей душой преданной Папе, а вторжение в Италию, несомненно, оскорбило бы его до глубины души.

Охваченная беспокойством, я написала Альфонсо, дабы выяснить, как обстоят дела. Ответ пришел лишь через несколько недель, и это не добавило мне спокойствия духа.

«Не бойся, милая сестра.

Да, действительно, король Карл жаждет войны, но наш отец отправился в Виковаро на встречу с его святейшеством Александром. Они заключили военный союз и тщательно спланировали свою стратегию. Как только Карл услышит об этом, он преисполнится сомнений и откажется от своей глупой затеи. А кроме того, раз Папа так твердо занял нашу сторону, французский народ ни за что не поддержит идею напасть на Неаполь».

Конечно же, Альфонсо постарался изложить все в самом благоприятном виде, но я слишком хорошо поняла истинный смысл его письма. Угроза со стороны французов была реальной — настолько реальной, что мой отец и Папа обсуждали военные планы, удалившись из Рима.

Я прочитала это письмо вслух донне Эсмеральде.

— Все в точности, как предсказывал Савонарола, — мрачно изрекла она. — Это конец света.

Я фыркнула. Мне не было дела ни до этого флорентийского придурка, вообразившего себя избранником Божьим, ни до толп, стекавшихся, чтобы послушать его проповеди об Апокалипсисе. Джироламо Савонарола поносил Александра со своей безопасной церковной трибуны на севере и бичевал семейство Медичи, правящее в его собственном городе. Этот священник-доминиканец явился к Карлу и заявил, что он, Савонарола, — посланец Господа, избранный им, дабы исправить и преобразовать Церковь, изгнать заполонивших ее язычников, любителей наслаждений.

— Савонарола буйнопомешанный, — сказала я. — Он думает, будто король Карл — это кара Господня. И еще думает, будто апостол Иоанн в своем «Откровении» предсказал вторжение в Италию.

При виде такого недостатка почтения с моей стороны донна Эсмеральда перекрестилась.

— Отчего вы так уверены, что он ошибается, мадонна? — Она понизила голос, словно бы опасаясь, что Джофре может услышать ее из другого крыла дворца. — Это пороки Папы Александра и развращенность его кардиналов навлекли на нас такое несчастье. Если они не покаются, мы пропали…

— С чего бы вдруг Богу наказывать Неаполь за грехи Александра? — возмутилась я.

На это у донны Эсмеральды ответа не было.

Но она все равно продолжала молиться святому Январию; меня же снедало беспокойство. Угроза нависла не просто над троном нашей семьи — мой младший брат уже стал достаточно взрослым, чтобы сражаться. Его учили владеть мечом. Если нужда возникнет, его тоже призовут к оружию.

Так прошел остаток лета. Я была добра к Джофре, но не могла заставить себя полюбить его — из-за его слабохарактерности. При людях мы были ласковы друг с другом, хотя Джофре теперь реже посещал мою спальню и чаще проводил ночи в обществе местных шлюх. Я изо всех сил старалась не ревновать и не показывать, что меня это задевает.

Пришел сентябрь и принес с собой дурные вести.

«Милая сестра, — писал Альфонсо, — возможно, ты уже слыхала об этом: король Карл перевел свои войска через Альпы. Французские солдаты топчут итальянскую землю. Венецианцы заключили с ними сделку, и потому их город пощадили, но теперь Карл положил глаз на Флоренцию.

Не волнуйся. Мы собрали значительную армию, а наследный принц Феррандино поведет своих людей на север, чтобы остановить врага прежде, чем тот вступит в Неаполь. Я остаюсь здесь с отцом, потому ты можешь не беспокоиться обо мне. Когда к нашей армии присоединятся папские войска, мы будем непобедимы. Причин для страха нет, ведь его святейшество Александр публично заявил: "Мы скорее лишимся нашей тиары, наших земель и нашей жизни, чем покинем короля Альфонсо в беде"».

Я больше не могла скрывать свое горе. Джофре делал все, что мог, пытаясь утешить меня.

— Они не пройдут дальше Рима, — пообещал он. — Отцовская армия остановит их.

Но пока что французы преуспевали. Они разграбили Флоренцию, этот центр культуры и искусства, затем двинулись дальше на юг.

«Наши войска продвигаются вперед, — писал мне Альфонсо. — Вскоре они соединятся с папской армией и остановят Карла».

В последний день декабря 1494 года предсказание моего брата подверглось испытанию на прочность. Нагруженные бесценной добычей французы вошли в Рим.

Джофре узнал о вторжении из наспех написанного письма своей сестры, Лукреции. Теперь настала моя очередь утешать его; нам обоим мерещились кровавые схватки на огромных площадях Святого города. Несколько дней мы страдали от отсутствия вестей.

В один зловещий день я сидела на балконе и писала длинное письмо брату — единственный способ, позволявший мне взять себя в руки. И тут я услышала стук копыт. Я подбежала к перилам и увидела, как одинокий всадник подскакал к въезду в замок и спрыгнул с лошади.

Судя по одежде, это был неаполитанец. Я выронила перо и кинулась вниз по лестнице, крикнув на ходу донне Эсмеральде, чтобы она позвала Джоффре.

Я поспешила в Большой зал; гонец уже ждал там. Он был молод, черноволос, чернобород и черноглаз, в коричневом, богатом наряде дворянина. Пыль покрывала его с головы до ног, и он едва держался на ногах после трудного пути. Он не привез никакого письма, вопреки моим надеждам. Послание, которое он нес, было слишком важным, чтобы доверять его бумаге.

Я велела принести вина и еды; гонец с жадностью принялся пить и есть, а я с нетерпением ожидала мужа. Наконец-то вошел Джоффре. Мы позволили несчастному гонцу сесть и сами уселись, чтобы выслушать его рассказ.

— Я прибыл сюда по просьбе вашего дяди, принца Федерико, — сказал мне гонец. — Он получил сообщение от наследного принца Феррандино, который, как вам известно, находился в Риме, командовал нашим войском.

При слове «находился» мое сердце тревожно забилось.

— Что слышно из Рима? — не в силах сдерживаться, спросил Джоффре. — Мой отец, его святейшество Александр, мои сестра и брат — с ними все в порядке?

— С ними — да, — сказал гонец, и Джоффре со вздохом откинулся на спинку трона. — Насколько мне известно, они благополучно укрылись в замке Сант-Анджело. Но над Неаполем нависла ужасная угроза.

— Говори! — велела я.

— Принц Федерико велел мне сказать следующее: армия наследного принца Феррандино вошла в Рим и вступила в бой с французами. Однако войско короля Карла намного превосходило численностью неаполитанскую армию, и потому Феррандино полагался на обещанную помощь его святейшества. Но семейство Орсини тайком от Папы вступило в заговор с французами и захватило Джулию, известную также под прозванием Ла Белла, фаворитку Александра. Когда его святейшество услышал, что мадонне Джулии грозит опасность, он приказал своим войскам отступить и велел принцу Феррандино покинуть город. Принц Феррандино, понеся определенные потери, вынужден был подчиниться. Теперь он возвращается домой, где будет готовиться снова вступить в бой с французами. Тем временем его святейшество принял короля Карла в Ватикане и провел с ним переговоры. Он предложил отдать взамен мадонны Джулии своего сына дона Чезаре — вашего брата, принц Джофре, — чтобы тот отправился с французами в качестве заложника. Таким образом, он гарантировал Ре Петито беспрепятственный проход до Неаполя.

Несколько мгновений я молча смотрела на посланника, потом прошептала:

— Он предал нас. Он предал нас ради женщины…

Мною овладело такое негодование, что я не в силах была пошевелиться, лишь сидела и смотрела на молодого дворянина, отказываясь верить в произошедшее. Несмотря на все свои красивые слова и обещания отказаться от тиары, земель и жизни, Александр покинул Альфонсо в беде, не поступившись даже самой малостью.

Уставший гонец жадно глотнул еще вина, прежде чем продолжить рассказ.

— Но и в самом Риме тоже не все в порядке, ваше высочество. Французы разграбили город. — Он повернулся к Джофре. — Ваша мать, Ваноцца Каттаней, — ее дворец был ограблен, и говорят... — Он потупился. — Прошу прощения, ваше высочество. Говорят, будто они совершили неподобающие действия против ее особы.

Джофре прижал ладонь к губам.

Гонец продолжал:

— Мадонна Санча, ваш дядя, принц Федерико, просил сказать вам следующее: Неаполь нуждается в помощи всех своих граждан. Он боится, что приближение французов подтолкнет баронов-анжуйцев к мятежу. Принц просит вас и вашего супруга прислать из Сквиллаче всех, кто способен носить оружие.

— Но почему тебя послал мой дядя, а не мой отец, король? — спросила я.

Я была уверена, что мой отец даже не потрудился бы держать меня в курсе событий, настолько он мною пренебрегал.

Но ответ посланца удивил меня.

— Так сложилось, что принцу Федерико пришлось взяться за насущные дела королевства. Мне очень жаль, что именно я принес вам эту весть, ваше высочество, но его величество нездоров.

— Нездоров? — Я встала, сама удивившись тому, что эта весть настолько обеспокоила меня. — Что с ним случилось?

Молодой человек отвел взгляд.

— С телесной точки зрения — ничего, ваше высочество. Ничего такого, чему могли бы помочь врачи.

Он... глубоко потрясен угрозой со стороны французов. Он не в себе.

Я медленно опустилась обратно на трон, не обращая внимания на жалостливый взгляд мужа. Я не видела сидящего передо мной гонца: перед моим внутренним взором стояло лицо отца. Впервые я попыталась отрешиться от написанной на нем жестокости, от адресованного мне насмешливого выражения. И тогда я увидела угрюмый, затравленный взгляд и поняла, что нисколько не удивилась, услышав о его душевной болезни. В конце концов, он ведь сын Ферранте, который не просто убивал своих врагов, но наряжал их выделанные чучела в роскошные костюмы и разговаривал с ними, словно с живыми.

Мне не стоило удивляться ничему этому: мне следовало бы с самого начала понять, что мой отец — безумец, а мой свекор — предатель. А французы, несмотря на все старания Альфонсо убедить меня в обратном, движутся к Неаполю.

Я встала и на этот раз осталась стоять.

— Ты можешь поесть и отдохнуть, — сказала я гонцу. — А потом, когда ты снова увидишь принца Федерико, передай ему, что Санча Арагонская услышала его призыв. Я встречусь с ним вскоре после твоего возвращения.

— Санча! — попытался протестовать Джофре. — Ты разве не слышала? Карл ведет свою армию в Неаполь. Это слишком опасно! Куда разумнее остаться здесь, в Сквиллаче. У французов нет особых причин нападать на нас. Даже если они решат захватить наше княжество, еще несколько месяцев...

Я стремительно развернулась к нему.

— Дорогой муж, — парировала я ледяным, непреклонным тоном, — ты что, не слышал? Дядя Федерико просит помощи, и я не намерена ему отказывать. Или ты столь быстро позабыл, что и сам, в силу брака со мною, являешься принцем неаполитанским? Ты не только дашь войско — ты сам обнажишь меч в защиту Неаполя. А если ты этого не сделаешь, я возьму твой меч и отправлюсь туда сама.

На это Джофре нечего было сказать. Он смотрел на меня, бледный и смущенный тем, что оказался уличен в трусости, да еще и при чужом человеке.

Я покинула тронный зал и отправилась в свои покои, где велела фрейлинам немедленно начать собирать вещи.

Я возвращалась домой.

ЗИМА 1495 ГОДА

ГЛАВА 6

Карета, в которой мы с мужем приехали в Сквиллаче, была подготовлена для обратного путешествия в Неаполь. На этот раз нас сопровождал более многочисленный воинский отряд, вооруженный для битвы; мы пересекали Италию по диагонали, с юго-востока на северо-запад, от одного берега до другого. Из-за величины нашего обоза — в него входили три крытые повозки с придворными и багажом — путешествие заняло несколько дней.

Все это время я со страхом размышляла о том, как встречусь с отцом. «Глубоко потрясен, — сказал посланец. — Нездоров. Не в себе». Он позволил, чтобы управление государством легло на плечи Федерико. Неужто его обуяло то самое безумие, которое приписывали Ферранте? Но как бы там ни было, я поклялась, что позабуду о своих обидах и неприязни. Мой отец был королем, и теперь, в преддверии войны, он нуждался во всеобщей верности. Если он хоть сколько-то способен понять меня, я буду умолять его об этом.

В последнее утро пути, когда мы увидели на горизонте Везувий, я в волнении схватилась за руку донны Эсмеральды. Какое же это было счастье — наконец-то подъехать к городу, увидеть огромный купол кафедрального собора, темные камни Кастель Нуово, громаду Кастель дель Ово; счастье — и в то же время печаль, ибо над любимым городом нависла угроза.

Наконец наша карета прокатилась под триумфальной аркой Альфонсо Великодушного и въехала во двор королевского дворца. Часовые сообщили о нашем приближении, и, когда мы с Джофре выбрались из экипажа, мой брат уже ждал нас. Альфонсо исполнилось четырнадцать лет; на щеках его уже пробился белокурый пушок, поблескивающий в лучах неаполитанского солнца.

— Братец! — воскликнула я. — Да ты только взгляни на себя! Ты же превратился в мужчину!

Альфонсо в ответ сверкнул белозубой улыбкой. Мы обнялись.

— Санча, — сказал он; голос его сделался еще ниже. — Как же я по тебе соскучился!

Мы неохотно разомкнули объятия. Джофре стоял рядом. Альфонсо взял его за руку.

— Брат, я признателен тебе за то, что ты явился сюда.

— Мы не могли поступить иначе, — любезно откликнулся Джофре.

И это было чистой правдой, хотя и исключительно в силу моей настойчивости.

Пока слуги возились с багажом и прочим нашим имуществом, Альфонсо повел нас во дворец. Когда первая радость встречи потихоньку улеглась, я заметила, что на лице брата, в его походке, во всех манерах видна напряженность. Здесь совсем недавно произошло что-то скверное, что-то настолько ужасное, что

118

Альфонсо выжидал подходящего момента, чтобы сообщить нам об этом.

— Мы приготовили для вас покои, — сказал он. — Вы, наверное, захотите привести себя в порядок, прежде чем встретиться с принцем Федерико.

— Но как же отец? — спросила я. — Может, мне следует сначала отправиться к нему? Несмотря на его недуг, он все-таки остается королем.

Альфонсо заколебался; по лицу его скользнула тень каких-то чувств, прежде чем он сумел справиться с собою.

— Отца здесь нет.

Он повернулся к нам с мужем (я никогда еще не видела Альфонсо таким подавленным) и сказал:

— Он бежал сегодня ночью. Очевидно, он уже некоторое время замышлял это; он забрал с собою свою одежду и вещи и много драгоценностей. — Мой брат опустил голову и покраснел. Чувствовалось, что он уязвлен. — Мы не думали, что он способен на такое. Он отправился спать. Мы обнаружили все это лишь несколько часов спустя, Санча. Думаю, ты понимаешь, почему все братья, и в особенности Федерико, сейчас очень заняты.

— Бежал?

Я была ошеломлена и раздавлена стыдом. До нынешнего момента я считала, что самый вероломный человек в христианском мире — это Папа, бросивший Неаполь в час смертельной опасности. Но теперь выяснилось, что мой родной отец оказался способен на еще худшее предательство.

— Один из его придворных пропал, — печально добавил брат. — Мы думаем, что он участвовал в этом замысле. Мы точно не знаем, куда отправился отец. Сейчас это выясняется.

———

Прошел мучительный час. Все это время я беспокойно расхаживала по элегантной спальне для гостей — в комнате, некогда принадлежавшей мне, теперь жила Джованна. Я вышла на балкон; отсюда открывался вид на восток, на Везувий и дворцовый арсенал. Я задержалась, глядя на море. Мне вспомнилось, как когда-то давным-давно я швырнула в море рубин, подарок Онорато. Теперь я сожалела об этой ребяческой выходке: на деньги, вырученные за подобную драгоценность, можно было бы прокормить множество солдат или приобрести в Испании дюжину пушек.

Наконец-то ко мне пришел Альфонсо в сопровождении Джофре. Мы отправились в королевский кабинет, где за письменным столом сидел дядя Федерико. Вид у него был подавленный. Он заметно постарел со времени нашей последней встречи: в черных волосах появилась седина, а под карими глазами залегли тени, которые я привыкла видеть на лице отца. Лицо Федерико было круглым и не особенно красивым, а манеры — суровыми, как у старого Ферранте, но все-таки любезными. Напротив него сидели его младший брат Франческо и их младшая сводная сестра Джованна.

Завидев нас, они встали. Федерико определенно взял на себя главенство; он первым шагнул вперед и обнял сначала Джофре, затем меня.

— Ты унаследовала верное сердце своей матери, Санча, — сказал он мне. — А ты, Джофре, истинный рыцарь королевства, ты пришел на помощь Неаполю. Мы приветствуем вас как протонотарий и принц.

— Я уже сообщил им новости касательно его величества, — пояснил мой брат.

Федерико кивнул.

— Я не стану ничего приукрашивать. Никогда еще Неаполь не находился в столь опасном положении. Бароны взбунтовались, и, честно говоря, не без причин. Вопреки всем советам, король обложил их непомерными налогами, незаконным образом присваивал их земли для собственных нужд, а потом публично пытал и казнил тех, кто осмеливался протестовать. Теперь, услыхав о приближении французов, бароны воспряли духом. Они будут сражаться за Карла, чтобы повергнуть нас.

— Но сюда же идет Феррандино с нашей собственной армией, — сказала я.

Принц Федерико устало взглянул на меня.

— Да, Феррандино идет сюда… а французы идут за ним по пятам. У Карла вчетверо больше людей, чем у нас. Без папской армии мы обречены. — Он сказал это прямо, не обращая внимания на то, как неловко заерзал Джофре. — Лишь это заставило меня послать за тобой, Джофре. Мы нуждаемся в твоей помощи, как никогда прежде. Пожалуйста, используй свои родственные узы на благо королевства и убеди его святейшество как можно быстрее прислать нам военную помощь. Я понимаю, что это угрожает безопасности твоего брата Чезаре, но наверняка можно найти какой-то выход. — Федерико на миг умолк. — Мы послали за помощью в Испанию, но даже если эта помощь и будет дарована, она никоим образом не успеет вовремя. — Он прерывисто вздохнул. — А теперь мы еще остались и без короля.

— У нас есть король, — мгновенно возразил мой брат. — Совершенно ясно, что Альфонсо Второй отрекся от трона в пользу своего сына, Феррандино. Именно так следует сказать баронам и народу.

Федерико взглянул на него с восхищением.

— Умно. Очень умно. У них нет никаких причин ненавидеть Феррандино. Его любят куда больше, чем отца. — Он кивнул, проявляя первые признаки воодушевления. — Ну и черт с ним, с Альфонсо. Ты прав, нам следует рассматривать это исчезновение как отречение. Конечно же, это будет непросто. Бароны не доверяют нам… они могут и дальше бунтовать, если решат, что это с нашей стороны лишь политический маневр. Но с Феррандино у нас куда больше надежд заручиться широкой поддержкой.

Наконец-то подал голос и дядя Франческо:

— Феррандино и наемники. У нас просто нет иного выхода. Нам нужно нанять солдат, и поскорее, пока французы не добрались сюда. Прекрасно, конечно, если принц Джофре убедит Папу Александра прислать нам войска, но у нас нет времени на подобную дипломатию. Кроме того, они слишком далеко, чтобы добраться сюда вовремя.

Федерико нахмурился.

— Наши финансы в скверном состоянии. Их едва хватает на собственную армию — после того, сколько Альфонсо потратил на перестройку дворцов и покупку всех этих ненужных произведений искусства…

— У нас нет выбора, — настаивал Франческо. — Либо наемники, либо Франция нас сокрушит. А после войны мы вполне можем занять денег в Испании.

Федерико продолжал хмуриться. Он уже открыл было рот для ответа — и закрыл, услышав чей-то настойчивый стук.

— Войдите! — велел он.

Я узнала появившегося в дверях седого человека с ястребиным носом. Это был сенешаль, управляющий королевским имуществом, куда входили королевские драгоценности и финансы. Вид у него был потрясенный. Едва лишь взглянув на сенешаля, Федерико кинулся к нему, позабыв обо всех требованиях этикета, и склонил голову, чтобы старик мог шептать ему на ухо.

Пока Федерико слушал сенешаля, глаза его сначала округлились, потом сделались ошеломленными. В конце концов сенешаль удалился, и дверь снова закрылась. Мой дядя, пошатываясь, сделал несколько шагов и тяжело опустился в кресло, опустил голову и схватился за сердце. У него вырвался сдавленный возглас.

На один ужасный миг мне показалось, будто он умирает.

Дядя Франческо вскочил и метнулся к брату. Он опустился на колени и схватил его за руку.

— Федерико! Федерико, что случилось?

— Он их забрал, — выдохнул Федерико. — Сокровища короны. Все без остатка...

Сокровища короны составляли большую часть богатства Неаполя.

Мне потребовалось несколько мгновений, прежде чем я поняла, что речь идет о моем отце.

Я всегда думала, что мое возвращение домой и встреча с братом будут одним из самых счастливых моментов в моей жизни, но следующие несколько дней в Кастель Нуово превратились в сущий кошмар. Мы с мужем проводили время в обществе Альфонсо, но время это сложно было назвать счастливым; зло, которое причинил королевству мой отец, ошеломило нас и ввергло в уныние. Мы ничего не могли сделать — лишь ждать и надеяться, что Феррандино со своей армией доберется до Неаполя раньше французов.

Еще бо́льшую боль принесла мне весть о том, что моя мать тоже исчезла. Это просто не укладывалось в голове. «Ты унаследовала верное сердце своей матери», — сказал дядя Федерико, но я не могла смириться с тем, что для Трузии верность возлюбленному оказалась важнее верности Неаполю и собственным детям. Мысль об этом была столь ужасна, что мы с братом не в силах были говорить о ней и ни единым словом не упоминали о предательстве матери.

На следующее утро после нашего приезда в замок донна Эсмеральда впустила в мои покои Альфонсо. Я слабо улыбнулась ему, но брат не ответил на мою улыбку. У него в руках был деревянный ящик длиной примерно с мою руку, и брат протянул его мне, как протягивают подарок.

— Это для твоей защиты, — сказал он очень серьезно. — Мы не знаем, что может произойти, и я не успокоюсь, пока не буду уверен, что ты в состоянии защитить себя.

Я рассмеялась — отчасти из-за нежелания говорить на эту тему.

— Не смейся, — настойчиво произнес Альфонсо. — Это не шутка. Французы движутся к Неаполю. Открой его.

Я неохотно повиновалась. В коробке, обтянутой изнутри черным бархатом, лежал тонкий длинный кинжал с серебряным эфесом.

— Стилет, — сказал брат, когда я извлекла кинжал из ножен.

Рукоять была довольно короткой; большую часть оружия составлял треугольный в сечении клинок из отличной отполированной стали. Я даже не решилась прикоснуться к кончику, чтобы проверить его остроту, так как знала, что тут же порежусь.

— Я выбрал его потому, что его легко спрятать под платьем, — сказал Альфонсо. — У нас есть швея, которая может немедленно приняться за работу. Я пришел сейчас, потому что мы не можем терять время. Я буду учить тебя пользоваться им.

Я скептически прищелкнула языком.

— Ценю твою заботу, братец, но таким кинжалом вряд ли можно сражаться против меча.

— Да, — согласился Альфонсо, — и в этом его преимущество. Любой солдат решит, что ты безоружна, и приблизится к тебе без опаски. А когда враг подойдет, ты застанешь его врасплох. Вот так.

Он взял стилет у меня из рук и показал, как правильно его держать.

— При таком клинке лучше всего бить снизу вверх. — Он показал, как это делается, распоров воображаемого противника от живота до горла, потом вернул стилет мне. — Бери. Попробуй сама.

Я в точности повторила его движение.

— Неплохо, неплохо, — одобрительно пробормотал он. — Ты прирожденный боец.

— Я — дочь Арагонского дома.

Альфонсо наконец-то улыбнулся, чего я и добивалась.

Я внимательно изучила стилет.

— Может, он и сгодится против какого-нибудь анжуйца, — заметила я, — но уж вряд ли — против француза в доспехе.

— О, Санча, в этом и кроется его сила. Он достаточно тонкий, чтобы пройти через звенья кольчуги или сочленение доспеха, и при этом достаточно острый и прочный, чтобы при сильном ударе пробить тонкий металл. Я знаю, потому что это мой стилет. — Альфонсо помолчал. — Я лишь молюсь о том, чтобы тебе никогда не пришлось им воспользоваться.

Заботясь о брате, я притворилась, будто не разделяю его страхов.

— Он красивый, — сказала я, подставляя стилет под лучи солнца. — Как драгоценность. Я буду постоянно носить его при себе — как подарок на память.

Но потом, когда на моих платьях среди складок юбки были нашиты потайные карманы, я часто тренировалась в одиночестве: училась быстро выхватывать стилет и наносить удар исподтишка, снова и снова поражая воображаемых врагов.

Прошло два дня, в течение которых братья-принцы постоянно совещались, окончательно уточняя стратегию. На улицах города был зачитан эдикт, гласивший, что король Альфонсо II отрекся от престола в пользу своего сына Феррандино. Мы надеялись, что это поможет успокоить баронов и удержать их от выступления на стороне французов, против короны. Тем временем Джофре написал страстное письмо своему отцу, Папе Александру, с официальной версией истории об отречении и просьбой о помощи. Принц Федерико подправил его и отослал в Рим с тайным гонцом.

Однажды солнечным февральским утром, незадолго до полудня, я обедала с Джофре и Альфонсо, когда нашу спокойную, вялую беседу прервал отдаленный грохот. Мне в голову пришли три мысли одновременно:

«Ничего особенного, где-то гроза».

«Неужто Везувий проснулся?»

«О господи, французы!»

Я уставилась широко раскрытыми глазами сначала на брата, потом на мужа, и тут грохот повторился —

на этот раз стало совершенно ясно, что он доносится с северо-запада, — и эхом отразился от Пиццофальконе. Несомненно, последняя мысль посетила всех, потому что мы одновременно подхватились и помчались на верхний этаж — там был балкон, выходящий на запад. Вскоре к нам присоединилась донна Эсмеральда и указала за Везувий, в сторону границы. Я взглянула туда, куда она показывала, и разглядела вдали небольшие клубы темного дыма. Грохот раздался снова.

— Пушки, — уверенно заявила донна Эсмеральда. — Никогда не забуду этот звук. Я слышу его во сне с тех пор, как бароны бунтовали против Ферранте, когда я была еще молодой.

Мы стояли, не в силах оторвать взгляда от горизонта, не в силах вымолвить ни слова, и ожидали ответа на один-единственный вопрос: это возвращается долгожданный Феррандино или французы возвещают о своем приближении?

Я провела рукой по стилету, спрятанному в юбке, проверяя, на месте ли он.

— Смотрите! — воскликнул Джофре столь неожиданно, что я вздрогнула. — Вон там! Солдаты!

На холмах за городом показались небольшие темные фигурки, двигающиеся россыпью. Но с такого расстояния невозможно было разглядеть цвет их мундиров и понять, неаполитанцы это или французы.

Альфонсо сбросил с себя оцепенение.

— Нужно сейчас же известить Федерико! — воскликнул он и заспешил прочь.

Эсмеральда крикнула ему вслед:

— Дон Альфонсо, я думаю, его уже известили!

Она указала на стены дворца, где вооруженные часовые спешно занимали свои места. Но брат все-таки ушел, чтобы удостовериться в этом лично.

Несколько долгих, кошмарных мгновений мы продолжали глядеть вдаль, не зная, то ли нам стоит приветствовать тех, кто неуклонно движется к городу и королевскому дворцу, то ли сражаться с ними.

Внезапно я заметила поднятое над войском знамя: золотые лилии на темно-синем фоне.

— Феррандино! — воскликнула я, потом схватила мужа за руки и осыпала его поцелуями. — Смотри, наше знамя!

Вступление Феррандино в Неаполь трудно было назвать радостным. Я думала, что из пушек стреляли наши солдаты, сообщая о своем приближении, а на самом деле пушки принадлежали обозленным баронам, которые подкарауливали молодого принца. Хотя взбунтовавшимся дворянам не хватало людей и оружия, чтобы самостоятельно вести серьезные боевые действия, они все же убили сколько-то наших солдат. Разорвавшееся ядро напугало лошадь Феррандино, и та едва не сбросила его.

Все родственники ожидали его в Большом зале. Сегодня там не было ни цветов, ни драпировок, ни вообще каких бы то ни было украшений: все ценное было упаковано на тот случай, если придется внезапно бежать.

Феррандино совсем не походил на того заносчивого юнца, которого я помнила с детских лет. Он был все таким же красивым, но исхудавшим, изможденным, уставшим и преждевременно повзрослевшим от груза ответственности. «Все, что ему нужно, — это восхищение красивых девчонок да мягкая постель», — сказал много лет назад старый Ферранте, но сейчас было очевидно, что принц давным-давно не видал ни того, ни другого.

Феррандино вошел в зал. Он переоделся и смыл с себя дорожную пыль, но лицо его было коричневым от загара, а темные волосы и борода нестрижены и неухожены. Дочь Ферранте, Джованна, темноволосая пышнотелая девушка семнадцати лет, кинулась ему на шею, и они пылко поцеловались. Несмотря на то что Джованна приходилась Феррандино тетей, он давно уже был влюблен в нее, и она отвечала ему взаимностью; они были помолвлены.

Федерико первым обнял принца.

— Мальчик мой...

Феррандино обнял в ответ его и Франческо и поцеловал обоих, потом оглядел присутствующих. Вид у него был усталый.

— А где отец?

— Присядьте, ваше высочество, — сказал Федерико.

Голос его был полон тепла и печали.

Феррандино встревоженно взглянул на него.

— Только не говорите мне, что он умер!

Джованна, стоявшая рядом, успокаивающе коснулась его руки.

Федерико крепко сжал губы.

— Нет, — сказал он и добавил, когда молодой принц уселся: — Хотя это было бы лучше.

— Рассказывайте, — приказал Феррандино. Он взглянул на остальных, стоявших вокруг стола, и сказал: — И вы тоже садитесь. Рассказывайте, дядя Федерико.

Федерико тяжело вздохнул и опустился на стул рядом с племянником.

— Твой отец уехал, мальчик мой. Уплыл на Сицилию, насколько мы можем понять, и забрал с собой сокровища короны.

— Уехал? — Принц изумленно уставился на него, приоткрыв рот. — То есть как — уехал? Вы хотите сказать — ради собственной безопасности?

Он оглядел сдержанные лица присутствующих, словно прося о слове или жесте, которые помогли бы ему понять, что происходит.

— Ушел как дезертир. Он скрылся ночью, никому ничего не сказав. И оставил королевство без денег.

Феррандино окаменел. Некоторое время он молчал, ни на кого не глядя. У него начала подергиваться щека.

Молчание нарушил Федерико.

— Мы сказали народу, что король Альфонсо отрекся от трона в твою пользу. У нас не было другого способа сохранить доверие баронов.

— Они продемонстрировали мне сегодня свое доверие, — напряженно произнес Феррандино. — Обстреляли нас и убили какое-то количество людей и лошадей. А несколько дураков даже напали на нашу пехоту с мечами в руках. — Он помолчал. — Моим людям нужно продовольствие. Они не могут воевать на пустой желудок. Они и так уже измотаны. Когда они узнают...

Он не договорил и спрятал лицо в ладонях, потом склонился вперед, коснувшись лбом стола. Все молчали.

— Они узнают, что ты — король, — сказала я, сама удивившись своей внезапной страстной речи. — И из тебя будет куда лучший король, чем из моего отца. Ты — хороший человек, Феррандино. Ты будешь обращаться с людьми справедливо.

Феррандино выпрямился и отнял руки от лица, заставляя себя забыть о бедах. Принц Федерико взглянул на меня с одобрением.

— Санча права, — сказал Федерико, поворачиваясь к племяннику. — Возможно, сейчас бароны не доверяют нам. Но ты — единственный, кто может завоевать их доверие. Они увидят, что ты справедлив в отличие от Альфонсо.

— На это нет времени, — устало произнес Феррандино. — Французы скоро будут здесь, а их армия превосходит нашу по численности втрое. А теперь у нас нет и денег.

— Французы придут, — мрачно согласился Федерико. — И нам остается лишь сделать все, что в наших силах. Но Джофре Борджа написал своему отцу, Папе. Мы получим для вас войска, ваше высочество. А если я сплаваю на Сицилию, я добуду вам денег вот этими самыми старыми, усталыми руками. — Он драматическим жестом простер руки перед собой. — Клянусь. А теперь мы должны отыскать способ выжить.

Какой-то инстинктивный порыв заставил меня подняться, подойти к Феррандино и преклонить колени.

— Ваше величество, — сказала я, — я клянусь вам в верности как моему суверену и господину. Все, что у меня есть, принадлежит вам. Я полностью в вашем распоряжении.

— Милая сестра, — прошептал он и крепко сжал мою руку.

Феррандино помог мне подняться, и в тот же миг Федерико опустился на колени и тоже принес клятву верности. И то же самое сделали, один за другим, все члены семьи. Нас было мало, нас терзал страх и неуверенность в завтрашнем дне, и голоса наши слегка дрожали, когда мы закричали: «Viva Re Ferrante!»

Но никогда сердца наши не были столь искренними и убежденными, как в тот момент.

Так пришел к власти король Ферранте II Неаполитанский — без церемонии, без короны, без драгоценностей.

ГЛАВА 7

После возвращения Феррандино Неаполь оказался переполнен солдатами. Арсенал находился к востоку от королевского замка, рядом с берегом; его защищали старинные, еще анжуйские стены — и более новые, построенные Ферранте и моим отцом. С балкона моей спальни как раз открывался вид на арсенал, и я никогда еще не видела столько пушек и столько железных ядер размером с человеческую голову. Сколько я себя помнила, арсенал всегда был заброшенным местом, заполненным безмолвными пушками, поржавевшими от соли и водяной пыли. Теперь же он был полон суеты и шума: солдаты возились со снаряжением, упражнялись и кричали друг на дружку.

Наш дворец тоже был окружен военными. В зимние дни, когда было не очень холодно и светило солнце, я любила есть на балконе, но теперь отказалась от этой привычки, поскольку вид солдат, выстроившихся на стенах замка с оружием на изготовку, действовал на меня удручающе.

Каждое утро к Феррандино являлись его офицеры. Он целыми днями сидел в кабинете, прежде принадлежавшем его деду, обсуждая с принцами и старшими офицерами возможную стратегию. Феррандино было всего двадцать шесть лет, но морщины на его лбу могли принадлежать человеку куда более старшего возраста.

О наших военных планах я знала только то, чем со мной делился Альфонсо, часто присутствовавший на этих совещаниях. Он рассказывал, что Феррандино издал королевский декрет о снижении налогов на дворян и пообещал награду и возвращение земель тем, кто останется верен короне и вместе с нами будет сражаться против французов. В народе ходили слухи, будто наш отец добровольно отрекся от трона в пользу сына и удалился из Неаполя в монастырь, замаливать свои многочисленные грехи. Тем временем мы ждали известий от Папы и испанского короля, рассчитывая на их войска. Феррандино и братья-принцы надеялись, что декреты повлияют на баронов и те пришлют своего представителя с обещанием поддержки. А вот чего Альфонсо не говорил, но что мне было совершенно ясно, — так это того, что в основе всех этих упований лежало глубокое отчаяние.

С каждым днем вид у молодого короля делался все более затравленным.

Ну а пока что Альфонсо и Джофре упражнялись в фехтовании, чтобы ослабить терзавшее всех нас напряжение. Альфонсо был куда лучшим фехтовальщиком: его обучали на испанский манер, да и просто он был куда способнее от природы, чем мой невысокий муж. Он произвел на Джофре сильное впечатление, и они быстро стали друзьями. Поскольку Джофре всегда стремился понравиться своему окружению — а теперь в него входил и мой брат, — он стал обращаться со мной с большим уважением и перестал наведываться к куртизанкам. Мы трое — Альфонсо, Джофре и я — сделались неразлучны. Я смотрела, как двое моих мужчин фехтовали на незаточенных мечах, и подбадривала их обоих.

Я очень дорожила этими радостными днями в Кастель Нуово, но радость моя была отравлена: я знала,
что долго они не продлятся.

Конец настал на рассвете, когда я проснулась от
взрыва, встряхнувшего пол вместе с моей кроватью.
Я отбросила одеяла, распахнула дверь и выбежала на
балкон, едва осознавая, что донна Эсмеральда уже
очутилась рядом со мною.

В ближайшей стене арсенала зияла дыра. В серо-
ватом утреннем свете видны были люди, наполовину
засыпанные обломками; другие люди с криками бегали вокруг. Сквозь пролом во двор хлынула толпа —
частью она состояла из солдат в наших мундирах, частью из простолюдинов — и накинулась на перепуган-
ные жертвы.

Я тут же взглянула на горизонт, ожидая увидеть
французов. Но там не было никаких чужеземных ар-
мий — ни темных фигур, движущихся вниз по склонам холмов, ни лошадей.

— Смотрите!

Донна Эсмеральда схватила меня за руку и указала куда-то вниз.

Прямо под нами, у стен Кастель Нуово, солдаты,
так долго охранявшие нас, выхватывали сабли из ножен. Улицы вокруг дворца заполнились людьми, вы-
скакивавшими из каждой двери, из-за каждой стены.
Они налетели на солдат; снизу донесся резкий, пронзительный звон стали.

Но мало того: некоторые солдаты присоединились
к простолюдинам и стали сражаться против своих же
товарищей.

— Господи, помилуй! — прошептала Эсмеральда
и перекрестилась.

— Помоги мне! — приказала я.

Я утащила донну Эсмеральду обратно в спальню, натянула платье и велела ей зашнуровать корсаж. Я не стала возиться с привязывающимися рукавами, а вместо этого сходила за стилетом и старательно пристроила его в ножны на правом боку. Презрев всякие внешние приличия, я помогла Эсмеральде одеться, потом схватила бархатный мешочек и сложила в него все свои драгоценности.

Тут в спальню влетел Альфонсо, одетый наспех и непричесанный.

— Кажется, это не французы, — выпалил он. — Я сейчас же отправляюсь к королю за распоряжениями. Собирайтесь. Надо отослать вас в безопасное место.

Я взглянула на него.

— Ты без оружия.

— Я возьму меч. Но сначала я должен поговорить с королем.

— Я пойду с тобой. Я уже собрала все, что мне нужно.

Альфонсо не стал спорить: на это не было времени. Мы вместе помчались по коридорам, а снаружи тем временем доносился грохот пушек, крики и стоны. Я представила, как рухнула еще часть арсенала, представила людей, корчащихся под грудами камня. Мы бежали мимо оштукатуренных стен, чью белизну местами нарушали лишь развешанные портреты наших предков, и Кастель Нуово, который я всегда считала вечным, могучим, незыблемым, теперь показался хрупким и эфемерным. Высокие сводчатые потолки, красивые окна с решетками из темного испанского дерева, мраморные полы — все, что мне казалось само собой разумеющимся, могло разлететься вдребезги из-за какого-нибудь взорвавшегося ядра.

Мы направлялись в покои Феррандино. Он пока что не сумел заставить себя перебраться в королевскую спальню, еще так недавно принадлежавшую отцу, и предпочитал оставаться в прежних своих покоях. Но мы обнаружили молодого короля в нише рядом с тронным залом; его ночная рубашка была кое-как заправлена в брюки, и он сердито смотрел на принца Федерико. Очевидно, они только что обменялись какими-то резкими словами.

Федерико — босой, без чулок, в ночной рубашке — держал в руках грозного вида мавританский скимитар. Между ними стоял старший офицер Феррандино, дон Инако д'Авальос, крепко сбитый человек со свирепым взглядом, славившийся своей храбростью. По бокам от короля стояли двое вооруженных стражников.

— Солдаты гарнизона дерутся друг с другом, — сказал дон Инако, когда мы с Альфонсо подошли. — Насколько я понимаю, бароны подкупили некоторых из них. И теперь я не знаю, кому из них можно доверять. Я предлагаю вам уходить немедленно, ваше величество.

Лицо Феррандино было застывшим и холодным, словно мрамор; хотя он готовился к этому моменту, но сейчас в темных глазах поблескивала боль.

— Соберите всех, кого сочтете верными, и защищайте замок любой ценой. Выиграйте для нас столько времени, сколько сможете. Мне нужны лучшие ваши люди, чтобы сопроводить нашу семью в Кастель дель Ово. Там нам понадобится корабль. Как только мы отплывем, давайте приказ отступать.

Дон Инако кивнул и немедленно отправился исполнять королевский приказ.

Тем временем принц Федерико поднял скимитар и обвиняющим жестом ткнул в сторону племянника. Я никогда еще не видела, чтобы он так раскраснелся от гнева.

— Ты без боя бросаешь город на милость французов! Как мы можем покинуть Неаполь в час величайшей опасности? Его уже однажды предали!

Феррандино шагнул вперед, так что острие скимитара уперлось ему в грудь, как будто он провоцировал дядю на удар. Стражники, стоявшие рядом с королем, беспокойно переглянулись, не понимая, следует ли им вмешаться.

— А ты что, старик, хочешь, чтобы мы остались здесь и весь Арагонский дом погиб? — с горячностью вопросил Феррандино. — Ты хочешь, чтобы все оставшиеся у нас солдаты были перебиты и не стало ни малейшей надежды когда-либо вернуть себе трон? Подумай головой, а не сердцем! У нас нет шансов на победу, пока мы не получим помощь! А если мы отступим и дождемся помощи, мы победим. Мы оставляем Неаполь лишь на время. Мы никогда не бросим его. Я — не мой отец, Федерико. Уж ты-то мог бы это знать.

Федерико с ворчанием опустил оружие. Губы его дрожали от невыразимой смеси чувств.

— Разве я не твой король? — продолжал нажимать Феррандино.

Взгляд его был свирепым и даже угрожающим.

— Ты — мой король, — хрипло подтвердил Федерико.

— Тогда иди к своим братьям. Собирайте все, что сможете. Мы должны уйти как можно скорее.

Старый принц кивнул в знак согласия и заспешил прочь.

Феррандино повернулся к нам с Альфонсо.

— Сообщите об этом остальным родственникам. Забирайте все ценное, но не мешкайте.

Я поклонилась. И в этот самый момент стражник, стоявший ближе ко мне, выхватил меч и всадил его в живот своему товарищу — так быстро, что никто из нас не успел вмешаться.

Раненый солдат был настолько потрясен, что даже не потянулся за собственным оружием. Он испуганно взглянул на своего убийцу, потом на клинок, пронзивший его насквозь и вышедший из спины, между ребер.

Нападающий столь же стремительно выдернул меч из тела. Солдат с долгим вздохом осел на пол и перекатился на бок. На белый мрамор хлынула темно-красная кровь.

Альфонсо отреагировал мгновенно. Он схватил Феррандино и с силой толкнул короля прочь, встав между ним и убийцей. К несчастью для нас, у стражника была более выгодная позиция: Феррандино и Альфонсо очутились в нише, лишенные пути к отступлению.

Я бросила взгляд на короля, на моего брата и с ужасом осознала, что оба они безоружны. Меч был лишь у солдата, и он, несомненно, нарочно дожидался, пока уйдут дон Инако и Федерико с его скимитаром.

Стражник, светловолосый молодой парень с чахлой бородкой, с решимостью и ужасом в глазах, шагнул к моему брату. Я бросилась между ними, создав еще одну линию защиты, и развернулась лицом к убийце.

— Уходи, — сказал стражник. Он поднял меч угрожающим жестом и попытался говорить сурово и решительно, но голос его дрожал. — Я не хочу причинять вред женщине.

— А придется, — отозвалась я, — или я убью тебя.

«Он еще мальчишка, — подумала я, — и он боится». Когда я осознала это, меня охватила какая-то странная отрешенность. Мой страх исчез. Я чувствовала лишь раздражение по поводу того, что мы очутились в этом отчаянном положении, когда одному из нас придется умереть, а другой останется жить, и все из-за политики. Но в то же самое время я была полна решимости подтвердить свою верность короне. Если потребуется, я отдам жизнь за Феррандино.

Услышав мои слова, солдат рассмеялся, хотя и несколько нервно. Я была всего лишь женщиной, а он — высоким сильным парнем. Не похоже было, чтобы я могла представлять собою какую-то угрозу. Он сделал еще шаг, слегка опуская меч, и протянул руку, вознамерившись оттолкнуть меня в сторону.

Во мне поднялась какая-то волна, нечто холодное и жесткое, порожденное скорее инстинктом, чем волей. Я шагнула вперед, словно собираясь обнять его, и оказалась слишком близко, чтобы он мог нанести удар своим длинным мечом или увидеть, как я извлекаю стилет.

Он стоял вплотную ко мне, и у меня не получалось нанести правильный, скрытный удар. А потому я занесла стилет и ударила сверху вниз, рассекла ему глаз и щеку и оцарапала грудь.

— Бегите! — закричала я мужчинам, стоявшим у меня за спиной.

Солдат взвыл от боли и схватился за глаз; между пальцев потекла кровь. Наполовину ослепленный, он вскинул меч и попятился, явно собравшись опустить его мне на голову и разрубить меня надвое.

Я воспользовалась образовавшейся дистанцией, чтобы добраться до его горла. Поднявшись на цыпочки, я без промедления изо всех сил всадила стилет ему в шею, сбоку. Я давила до тех пор, пока не добралась до середины шеи — меня остановили кость и хрящ.

Теплая кровь хлынула мне на волосы, лицо, грудь; я смахнула ее с глаз тыльной стороной руки. Меч молодого убийцы громко звякнул о мрамор. Солдат зашатался, отступил на шаг и несколько раз судорожно взмахнул руками. Мой стилет торчал у него из горла. Солдат попытался крикнуть, но не смог. Отчаянный хрип, страшное хлюпанье рассеченной плоти, смешанное с бульканьем пузырящейся крови, — я в жизни не слыхала ничего ужаснее.

Затем он тяжело упал на спину, вцепившись в клинок, так и оставшийся у него в шее. Каблуки его сапог ударились об пол, потом ноги несколько раз дернулись, как будто он пытался убежать. Наконец кровь громко заклокотала у него в горле, хлынула изо рта, и стражник застыл.

Я присела рядом с ним. Лицо его было искажено самым кошмарным образом, глаза — один из них был пробит и заплыл кровью — закатились. Я с трудом вытащила стилет из его горла, вытерла подолом собственного платья и потом вернула в ножны.

— Ты спасла мне жизнь, — сказал Феррандино.

Я подняла голову и обнаружила, что он стоит на коленях рядом со мной, по другую сторону от тела солдата, и на лице его потрясение мешается с восхищением.

— Я никогда этого не забуду, Санча.

Рядом с ним сидел мой брат, бледный и безмолвный. Я знала, что эти бледность и молчание порождены не ужасом перед этим происшествием, а скорее последним, чему он стал свидетелем: как я извлекла оружие из горла жертвы и заботливо вытерла кровь о собственное платье.

Оказалось, что мне совсем нетрудно убить.

Мы с братом переглянулись — должно быть, я являла собою кошмарное зрелище, с залитыми кровью головой и грудью, — потом посмотрели на мертвого убийцу, чей незрячий взгляд был устремлен в потолок.

— Прости, — прошептала я, хотя и понимала, что он не может услышать меня. Но Ферранте был прав: когда глаза открыты, это и вправду помогает. — Я должна была защитить короля.

А потом я осторожно коснулась его щеки там, где остался след от моего стилета. Кожа все еще оставалась мягкой и очень теплой.

Альфонсо с королем взяли в покоях Феррандино по мечу, потом провели меня обратно ко мне в комнату, хотя я уже доказала, что способна постоять за себя.

Когда донна Эсмеральда увидела меня, с головы до ног покрытую коркой подсыхающей крови, она испустила пронзительный вопль и рухнула бы, если бы Альфонсо ее не поддержал. Но как только она узнала, что я не ранена, она на удивление быстро пришла в себя. Джофре тоже находился здесь же — пришел, разыскивая меня; и он воскликнул «Санча!» с таким страхом и беспокойством, что я была вполне удовлетворена. Даже узнав, что со мной все в порядке, он не успокоился; он схватил меня за руку, не обращая внимания на то, что она красная и липкая, и не отпустил бы, если бы не приказ короля.

После того как мужчины ушли, донна Эсмеральда принесла таз с водой и принялась отмывать меня. Окунув тряпку в воду — в воде тут же заклубились розовые струйки, кровь моей жертвы, — она прошептала:

— Вы такая храбрая, мадонна! Король должен дать вам орден. Каково это — убить человека?

— Это... — Я умолкла, пытаясь подобрать слова, которые смогли бы передать мои чувства. — Это необходимость. Просто нечто такое, что ты делаешь потому, что иначе нельзя.

По правде говоря, это оказалось на удивление просто. Меня начала бить дрожь: не из-за того, что я отняла жизнь у человека, а из-за того, что я проделала это с такой легкостью.

— Ну, будет, будет... — Донна Эсмеральда накинула шаль на мои голые плечи: я сбросила мокрое платье на пол, оставив его какому-нибудь предателю-анжуйцу или французу, который найдет его и будет сильно озадачен. — Я знаю, что вы храбрая, но это все-таки сильное потрясение.

Но я не собиралась терпеть, чтобы со мной нянчились, как с маленькой. Я быстро оделась, потом ополоснула стилет в окровавленной воде, тщательно вытерла и спрятала под корсажем чистого платья. Только после этого я помогла Эсмеральде сложить в сундук самые необходимые вещи. Самые ценные украшения я спрятала на себе, крепко привязав к бедрам. Много прекрасных вещей: замечательные меховые одеяла, ковры, шелковые гобелены и парчовые шторы, тяжелые серебряные и золотые канделябры и картины старых мастеров — пришлось оставить врагам.

После этого нам уже нечего было делать — лишь ждать и стараться не терять самообладания при каждом залпе пушек.

———

Незадолго до полудня появился Джофре в сопровождении слуг и пары вооруженных стражников, чтобы забрать наш сундук. По привычке приводить себя в порядок, прежде чем показываться людям на глаза, я пригладила волосы — и обнаружила, что в них по-прежнему полно засохшей крови.

И снова я быстро шла по коридорам Кастель Нуово; на этот раз я не позволяла себе рассматривать стены и обстановку либо горевать о том, что я оставляю позади. Я отрешилась от чувств, не позволяя им влиять на рассудок. Возможно, нас постигло поражение — но я верила, что Феррандино прав, что это все временно. Я прилагала все усилия, чтобы держаться с достоинством и уверенностью, ибо никогда еще Арагонский дом так сильно не нуждался и в том, и в другом. Джофре шел рядом со мной. Надо отдать ему должное: он не выказывал страха, хотя был мрачен и держался напряженно.

Наконец наш маленький отряд добрался до двустворчатых дверей, ведущих во внутренний двор, и остановился, пока стражники поспешно открывали их.

Шедшая за мной донна Эсмеральда разразилась громкими рыданиями.

Я прикрикнула на нее:

— Прибереги слезы до тех пор, пока мы не останемся одни! Будь гордой. Мы не побеждены — мы вернемся. А когда мы придем, Неаполь встретит нас с радостью.

Донна Эсмеральда повиновалась, вытирая глаза пышным рукавом.

Когда двери открылись, за ними обнаружилась картина полнейшего смятения. Двор был забит людьми — дальними родственниками и знакомыми дворянами, которые сумели укрыться за крепостными стенами, когда бой только начался, а также обезумевшими от страха слугами и челядью, которые побросали свои посты, а теперь осознали, что их оставят тут, на милость мятежников. Эти две группы сбились воедино, и их окружал отряд наших солдат с саблями наголо, не подпуская к экипажам, подготовленным для нашего бегства.

Во дворе были и еще солдаты: некоторые, судя по всему, уже здесь скончались, и их оттащили в угол, а другие, раненные, стонали от боли. Уцелевшие собрались у четырех крытых повозок того типа, который использовался для поездок по городу; они стояли двумя кольцами: сначала всадники, по двое в ряд, а дальше — пехотинцы. Наши люди были одеты для битвы, в испанские шлемы с сине-золотыми султанами и пластинчатые доспехи.

Вся зелень была здесь вытоптана подчистую, включая первые весенние побеги. Некогда благоуханный воздух теперь был наполнен дымом горящих дворцов и едкой, сернистой вонью артиллерии. Хор голосов, исполненных отчаяния и ужаса, перекрывал все звуки, кроме грохота пушек.

Когда стражники преклонили колени, я вступила в это безумие, сохраняя царственный вид.

— Дорогу! — вскричали стражники. — Дорогу принцу и принцессе Сквиллаче!

По толпе пробежал гомон. Стоявшие ближе всех к нам солдаты повернулись и низко поклонились нам, с искренностью и восхищением, которого я не поняла.

— Дорогу принцессе Санче!

Толпа была столь велика, что люди стояли плечом к плечу; однако мне не пришлось проталкиваться, и я прошла, никого не коснувшись.

От толпы отделился какой-то капитан.

— Ваши высочества, — обратился он к нам с мужем. — Его величество просит вас сопровождать его.

Капитан провел нас мимо двух повозок. Дядя Федерико заталкивал своего брата в первую с таким же пылом, с каким он поутру размахивал своим скимитаром. Сейчас меч висел у него на поясе; каждый мужчина, вне зависимости от того, принадлежал ли он к королевской семье, был вооружен.

Пехотинцы, окружавшие королевский экипаж, расступились, пропуская нас, а всадники, выстроившиеся по бокам, натянули поводья и заставили лошадей попятиться. Один из стражников протянул руку, дабы помочь мне забраться в карету, и, когда я коснулась его руки, произнес:

— Это честь для меня, ваше высочество. Вы — величайшая героиня Неаполя.

В карете я обнаружила ожидавших нас Альфонсо, Джованну и Феррандино. Хотя ситуация, несомненно, была прескверной, молодой король нашел в себе силы улыбнуться. Он расслышал слова стражника.

— Присаживайся рядом со мной, Санча. Так я буду чувствовать себя спокойнее. Как ты наверняка понимаешь, твоя сегодняшняя храбрость заслужила тебе определенную репутацию.

При этих словах мое самообладание дрогнуло: я считала свой поступок не актом мужества, а тревожным симптомом моей наследственности. Пока Джофре и Эсмеральда забирались в карету, я опустила взгляд и, запинаясь, произнесла:

— Ваше величество, это было случайностью, что я одна оказалась при оружии. Если бы мой брат был вооружен, он первым защитил бы вас. А если бы вы сами были вооружены, нам и вовсе нечего было бы бояться, при вашем искусстве фехтовальщика.

Я села рядом с королем. С другой стороны от него сидела Джованна. Напротив нее сидел Альфонсо, потом Джоффре, и последней уселась Эсмеральда.

— Случайность или нет, но мы здесь лишь благодаря тебе, — возразил Феррандино, — и мы признательны тебе. Отныне ты — мой счастливый талисман, Санча.

Он умолк, когда повозка качнулась; одновременно с этим послышались крики: часовые на стенах сообщали солдатам внизу, что творится за воротами замка. Судя по всему, враги предвидели, что мы попытаемся бежать из Кастель Нуово. Раздалась команда, и большая группа пехотинцев быстро двинулась на помощь тем, кто уже защищал нас.

Несколько стражников подбежали к воротам и отперли их; за воротами бушевал хаос.

Наши люди сражались с предателями из числа наших же солдат, равно как и с простолюдинами и дворянами. Как только ворота открылись, наше подкрепление с грозными кличами ринулось в схватку — и та вскоре закипела так яростно, что я не успевала уследить за ее ходом.

Наша повозка выкатилась в сводчатый проем ворот, а потом со скрипом остановилась рядом с триумфальной аркой Альфонсо I. Мы оказались пойманы, словно в ловушке, в незапертом дворе, а наши защитники тем временем пытались проложить нам путь сквозь вражеские ряды.

Я выглянула в окно повозки.

— Не смотри! — предостерег меня Джоффре, и его поддержал Феррандино:

— Не смотри! Мне очень жаль, что вам, женщинам, приходится соприкасаться с грубостью войны.

Но открывшееся зрелище зачаровало меня, точно так же, как когда-то зачаровал устроенный Ферранте музей мумифицированных трупов. Я видела, как какой-то дворянин-анжуец — он был без доспеха, красивый парчовый камзол пропитался потом и кровью, а лицо было измазано сажей — безжалостно накинулся на дальнего от меня пехотинца. Дворянин был мужчиной средних лет, явно получившим отличную воинскую подготовку, а наш солдат — молодым парнем, лишь недавно призванным в армию; он был перепуган и немного замешкался. Анжуйцу этого хватило, чтобы добраться до противника, что он и проделал на редкость эффективно: один удар, второй — и молодой пехотинец с пронзительным криком уставился на свою правую руку, в которой больше не было меча, да и руки уже не было по самый локоть. Она превратилась в окровавленный обрубок, и парень упал без сознания. Дворянин проскользнул мимо второго пехотинца, потом мимо третьего, и я уже слышала его торжествующий крик:

— Смерть Арагонскому дому! Смерть Феррандино!

Его губы все еще были округлены в последнем «о», когда один из наших кавалеристов — это происходило неприятно близко от окна — наклонился и умело полоснул саблей по плечам анжуйца, отделив голову от тела.

Голова покатилась вниз, отскочила от лошадиного бока, потом скатилась под копыта, а лошадь ударом ноги отправила ее под нашу карету; из шеи обезглавленного туловища ударила струя крови, а потом обтянутые парчой плечи осели вниз и скрылись из поля моего зрения. Повозка попыталась двинуться вперед, но колеса на что-то наткнулись; кучер принялся нахлестывать лошадей, и в конце концов они рванулись изо всех сил. Накренившись, повозка переехала тело анжуйца. К счастью, этот звук потонул в шуме битвы.

Сидящая напротив меня донна Эсмеральда дрожащим голосом принялась молиться святому Януарию, прося уберечь нас. Бледная, как мел, Джованна на ощупь отыскала руку Феррандино и крепко сжала.

Все больше мечей сверкало на солнце серебром. Я видела, как какой-то простолюдин напал на наших людей и упал пронзенным. Я видела, как еще один из наших пехотинцев был ранен, на этот раз в бедро. Он сражался, сколько мог, потом упал, обессилев от потери крови. Хотя я не видела его конца — солдаты закрывали мне обзор, — я разглядела, как какой-то мятежник раз за разом вскидывал меч и рубил упавшего.

Через некоторое время мы начали двигаться быстрее и выехали на улицу. Я повернулась, чтобы бросить последний взгляд на Кастель Нуово. Ворота по-прежнему были открыты нараспашку, хотя последняя из повозок с королевской семьей уже выехала; у триумфальной арки кишели анжуйцы и простолюдины. Я тщетно пыталась разглядеть там шлемы с сине-золотыми султанами.

Я вытянула шею еще сильнее: оставшийся позади арсенал был охвачен огнем, в его стенах зияли бреши. Еще дальше за ним от пожарищ, рассыпавшихся вокруг Везувия, поднимался серый дым. Могло показаться, будто это вулкан изверг дым и пламя на город, но на сей раз Везувий был лишь ни в чем не повинным безмолвным свидетелем разрушений, учиненных людьми.

Прежде чем я успела разглядеть еще что-либо, Альфонсо, сидевший рядом с Эсмеральдой, твердо произнес:

— Перестань, Санча. Это бессмысленно...

Конечно же, он был прав. Я заставила себя отвернуться и смотреть вперед, подавляя всплывающие мысли — о тех несчастных, которых мы покинули во дворе, о доме моего детства, оставленном на милость врага.

Колеса застучали по брусчатке. Дорога шла вдоль берега. Слева расстилалась водная гладь залива, справа раскинулись сады, примыкающие к королевскому дворцу, ныне превратившемуся в поле битвы, а за ними поднималась Пиццофальконе. На ее склонах сейчас горели дворцы, принадлежавшие арагонскому семейству. Позади остался город.

Мы продвигались вперед неуклонно, хотя и не особенно быстро из-за нашей охраны. Но древняя крепость Кастель дель Ово, охраняющая гавань Санта-Лючии, делалась все ближе. Теперь, когда мы прорвались через гущу боя, я впервые задумалась не только о том, что наша семья оставила позади, но и о том, куда мы направляемся. Феррандино потребовал корабль. Что он задумал?

Будь я королем, чей народ раздираем междоусобной войной, а сокровищница опустошена, мне в голову пришло бы всего одно место, куда можно было бы направиться. Эта мысль вызвала у меня некоторую тревогу, но мое внимание тут же отвлекла возмутительная сцена: двое простолюдинов спешили прочь от королевского дворца, таща на плечах свернутый турецкий ковер, украшавший пол отцовского кабинета. Хуже того, за ними мчался третий, прижимая к себе золотой бюст Альфонсо I, стоявший у деда на каминной полке.

Но мое возмущение длилось недолго. Мимо нас с грохотом пронесся обжигающий порыв ветра; в тот же самый миг карету швырнуло влево, и я полетела на Феррандино, а он — на Джованну. Точно так же

Эсмеральду кинуло на моих мужа и брата. Я невольно вскрикнула, полуоглушенная, едва расслышав собственный голос среди криков других.

Одновременно с этим через окно на меня брызнуло кровью. Мгновение карета балансировала на двух колесах, придавливая кричащих людей и лошадей. Пока все пассажиры пытались ухватиться за какую-нибудь опору, солдаты кинулись к карете и подтолкнули ее; наконец она встала ровно.

Как только мы пришли в себя, я выглянула в окно и увидела причину переполоха — пушечное ядро. Теперь оно смирно лежало на булыжной мостовой, успев взыскать с нас ужасную дань. Рядом лежал один из наших кавалеристов. Его бедро и живот его несчастной лошади были разорваны почти напополам; кровь, кости и плоть лошади и человека смешались, и невозможно было различить, где чья.

Одна лишь милость была дарована им: похоже, оба они умерли мгновенно. В открытых глазах и на спокойном лице молодого солдата читалась напряженность, но не видно было ни следа изумления или страха. Он по-прежнему сжимал в руке поводья. Большая, красивая голова коня была приподнята; удила до сих пор оставались во рту; глаза были ясными и умными. Одно из передних копыт было занесено для следующего шага. Если бы не ужасные зияющие раны, оба они, и конь и всадник, могли бы послужить прекрасным образцом молодости и силы.

Я хотела быть сильной и храброй — ради остальных, — но теперь я опустила голову. Я больше не могла. Так я и проделала остаток пути до Кастель дель Ово. Всю дорогу меня преследовал образ молодого кавалериста и его коня. По правде говоря, он до сих пор меня преследует.

———

Я выросла в Неаполе, но у меня никогда не было повода посетить эту крепость, названную в честь мифического подземного яйца. Она не подходила для визитов принцесс. Это было огромное каменное сооружение, сужающееся от основания к верхушке, а из обстановки в нем имелась лишь военная техника. Эта крепость служила часовым и первым рубежом обороны против врагов, которые попытались бы вторгнуться с моря, а также последним убежищем от тех врагов, которые пришли по суше. Здесь пахло сыростью, а истертые, неровные кирпичные ступени были скользкими от плесени.

Я не пожелала оставаться в более безопасных помещениях внизу и поднялась на вершину, где несли дозор часовые. На каждой башне стояло по нескольку орудий, готовых стрелять по городу, и рядом с ними были грудами свалены чугунные ядра. Все, кто добрался сюда в повозках — включая тех родственников, которые опередили нас или, наоборот, прибыли позже, — были глубоко потрясены, не только из-за позора вынужденного отступления, но из-за страданий, свидетелями которых мы стали. Я была не в силах ожидать спасения, сидя и горюя вместе с донной Эсмеральдой. Вместо этого я пыталась отвлечься, глядя на море и выискивая корабль, который должен был увезти нас.

Но корабля не было. Так прошло несколько часов. Я безостановочно расхаживала по старым кирпичам плоской крыши, а время от времени снизу появлялся Альфонсо и спрашивал, не показался ли корабль.

«Нет», — каждый раз отвечала я ему, и он возвращался вниз, туда, где король обсуждал со своим полководцем дальнейшую стратегию. Я смотрела на запад, не желая глядеть на разорение города, и следила за тем, как солнце все ниже и ниже клонится к горизонту.

Когда Альфонсо в очередной раз осведомился про корабль, я решительно спросила:

— Куда мы направляемся?

Альфонсо наклонился и зашептал мне на ухо, словно сообщал государственную тайну, которую не следовало слышать солдатам, — хотя мне его ответ показался настолько ожидаемым и очевидным, что, по моему мнению, он с тем же успехом мог бы прокричать об этом во все горло:

— На Сицилию. Говорят, что тамошний король предоставил отцу убежище в Мессине.

Я ответила коротким кивком.

Вскоре стемнело, и я спустилась вниз повидаться с семьей. Из-за этой задержки все мы нервничали и беспокоились: действительно ли генерал сдержал слово? Действительно ли корабль идет сюда? Но когда окончательно стемнело, раздался возглас одного из часовых.

Мы поспешили к кораблю — без этикета, без изящества, без фанфар. Корабль был маленьким и быстроходным, построенным ради скорости, а не ради удобства. Из соображений безопасности над ним было поднято желто-красное испанское знамя, а не цвета Неаполя.

Несмотря на призывы донны Эсмеральды спуститься вниз, я стояла на палубе, пока мы не вышли из гавани Санта-Лючии. Хотя уже настала ночь, город был озарен пламенем пожарищ, а ядра прочерчивали небо подобно вспышкам молний, позволяя разглядеть местность вокруг: арсенал и церковь Санта Кьяра, в которой короновался отец, были объяты пламенем; Поджо Реале, великолепный дворец, построенный отцом еще в бытность его герцогом, был почти полностью уничтожен. Я с облегчением увидела, что кафедральный собор уцелел, во всяком случае пока.

Что же до Кастель Нуово, то он горел ярче всех. Мне невольно подумалось: как отреагировали люди, обнаружив музей Ферранте?

Я долго стояла на палубе, прислушиваясь к плеску волн, а Неаполь постепенно исчезал вдали, словно сверкающий, ярко-алый драгоценный камень.

ВЕСНА – ЛЕТО 1495 ГОДА

ГЛАВА 8

Мы плыли на юг по теплым водам Тирренского моря и через несколько дней прибыли в Мессину, которую греки некогда именовали Занкле — «серп» — из-за ее гавани в форме полумесяца. Я обрадовалась, завидев землю; я не особенно хорошо переносила путешествие по морю, и мне никогда еще не приходилось так долго плыть на корабле. Первые два дня вообще стали для меня сущим несчастьем.

Сицилией последние двадцать семь лет правил король Фердинанд Арагонский, объединивший свое королевство с королевством своей жены, Изабеллы Кастильской, и стремящийся объединить всю Испанию. Помимо родства с моей семьей, у Фердинанда были серьезные причины быть любезным с Борджа. Как объяснил Джофре, еще в то время, когда его отец был кардиналом Валенсийским, Фердинанд испрашивал у Папы Сикста IV официальное дозволение на создание инквизиции: они с Изабеллой надеялись при ее помощи изгнать из своего королевства всех мавров и евреев, и крещеных и некрещеных разом.

Сикст отказал наотрез. Лишь после долгих, упорных уговоров со стороны влиятельного кардинала Родриго Борджа Папа несколько смягчился, но распорядился, чтобы деятельность инквизиции была ограничена исключительно провинцией Кастилия.

— Король Фердинанд был так признателен моему отцу за помощь, — сказал Джофре с наивностью, которая могла бы быть трогательной, если бы от нее меня не пробирал озноб, — что приложил все усилия, способствуя его избранию в Папы.

«Католический король» — так впоследствии Родриго Борджа всегда титуловал Фердинанда Испанского.

После того как мы сошли на берег и весть о нашем бегстве из Неаполя разошлась по городу, нас приветствовал испанский посол, дон Хорхе Цунига. Нам предоставили в качестве приюта виллу, которую лишь с натяжкой можно было счесть терпимой: братья-принцы делили одну спальню, Альфонсо и Джофре — вторую, а мы с Джованной и Эсмеральдой — третью, и лишь Феррандино как королю была предоставлена возможность уединения.

Дон Хорхе явился к нам вечером того же дня. Он выглядел весьма эффектно в карминно-красном плаще и камзоле того же цвета, с черными вислыми усами и живой, непринужденной улыбкой. Кажется, он ожидал встретить со стороны нашей семьи теплый прием и подобострастные просьбы о помощи и уж явно не ожидал того, что получил.

— Ваши высочества, — произнес он, низко поклонившись нам всем и изящно взмахнув бархатной шляпой с пером. — Я глубоко огорчился, узнав об обстоятельствах, которыми сопровождалось ваше путешествие на наш прекрасный остров. — Он сделал паузу. — Наши агенты сообщили нам о мятеже баронов. Мы предположили, что им придали смелости события в Капуе.

Капуя лежала в глубине полуострова, немного севернее Неаполя.

— Граждане Капуи были настолько устрашены численностью армии Карла, что открыли ворота и впустили французов без боя. — Дон Хорхе снова сделал паузу. — Его величество король Фердинанд приветствует вас и готов оказать вам любую помощь, какая потребуется.

Феррандино сидел в центре, на почетном месте, а остальные родственники стояли вокруг, подчеркивая его статус. Однако дон Хорхе упустил это из виду, и дядя Федерико сердито рыкнул на него:

— Не называйте больше Феррандино его высочеством. Он — король Неаполя Ферранте Второй.

Дон Хорхе растерянно моргнул и начал было:

— Но король Альфонсо... — Затем, будучи все-таки опытным дипломатом, он почувствовал исходящее от нас неодобрение и поклонился снова, на этот раз адресуя поклон Феррандино. — Ваше величество, я смиренно прошу у вас прощения.

— Прощаю, — произнес Феррандино.

Как и все мы, он был измучен, но все же являл собою живое воплощение властности. Однако никакая царственность не могла стереть ни морщин с его лба, ни отчаяния из глаз. Он по-прежнему плохо ел, невзирая на все уговоры Джованны, и его скулы пугающе резко выпирали из-под кожи.

— Я не знаю, под каким предлогом мой отец прибыл сюда, в Мессину. Могу лишь предположить, что он не слишком распространялся об обстоятельствах своего отъезда. Я также уверен, что вы — человек благоразумный и вам можно доверить правду.

— Конечно! — тут же откликнулся посол.

— Мой отец покинул нас в час величайшей опасности, — продолжал Феррандино, — и украл из государственной казны значительную сумму денег. Мы явились, дабы вернуть ее.

Дядя Федерико, чье возмущение постепенно нарастало, окончательно утратил терпение.

— Вы дали приют преступнику! Мало того что ваш король не поддержал нас войском...

Мой сводный брат повернулся к нему и резко произнес:

— Довольно, дядя. Вы не будете больше перебивать нас.

Федерико поджал губы.

— Мы приносим вам наши самые смиренные извинения, — сказал дон Хорхе. — Когда его величество... его высочество Альфонсо прибыл сюда, мы предположили, что он сделал это для поправки здоровья, дабы воспользоваться нашей погодой. Мы, пребывая в заблуждении, думали, что семья знает о его поездке. — Он помолчал, оглядел нас всех, склонив голову набок, и сказал: — Вы все — особы королевской крови. Я уверен, что вам можно доверить самые конфиденциальные сведения.

— Совершенно верно, — подтвердил Феррандино.

— Я принес вам и всему Арагонскому дому хорошие новости. Ваш призыв о помощи был услышан, ваше величество. Папа, император, король Фердинанд, Милан, Венеция и Флоренция объединились и образовали Священный союз. Я прошу прощения за то, что мы не сумели сообщить вам об этом ранее, но слишком уж велика была опасность, что французы перехватят послание и узнают о наших планах. Но из Рима на юг вскоре двинется армия, превосходящая по численности армию Карла.

Лицо и взгляд Феррандино мгновенно смягчились, как будто он увидел что-то такое, что вызывало у него безграничную нежность, например новорожденного сына или обожаемую возлюбленную. На миг мне показалось, что он может заплакать. Но все же, хоть Феррандино и был тронут до глубины души, он взял себя в руки и негромко произнес:

— Да благословит Господь Папу и императора. Да благословит Господь короля Фердинанда.

На следующее утро дон Хорхе предоставил нам экипажи для поездки в пристанище нашего отца. Однако же Федерико предложил Феррандино не ехать. Как он выразился, «не подобает королю выпрашивать то, что принадлежит ему по праву». План был прост: пристыдить, а если понадобится, то и припугнуть отца и убедить его явиться к новому суверену, принести клятву верности и, что самое важное, вернуть сокровища короны, которые по-прежнему были нам необходимы — если, конечно, мы хотели, чтобы наша армия сражалась бок о бок с войсками Священного союза. И уж конечно, они были необходимы для повседневного управления королевством, на что у нас теперь возникла реальная надежда.

Феррандино, как следует выспавшийся чуть ли не впервые за год и выглядевший теперь куда моложе, согласился с планом Федерико. Наши дядья хотели отправиться в одиночку, но мой брат переубедил их.

— Мы с Санчей должны поехать с вами, — настаивал Альфонсо. — Мы имеем право увидеть отца и мать и спросить, почему они так поступили.

Итак, мы явились во дворец, где теперь обитал бывший король Альфонсо II, — величественное здание, возведенное на пологом склоне над гаванью. К нашему удивлению, у незапертых ворот не было ни единого стражника. Наш собственный кучер спустился с козел и отворил ворота, завел экипаж во двор, а потом снова закрыл их.

Точно так же ни один слуга не встретил нас у дверей. Дон Федерико открыл их и принялся громко звать хоть кого-нибудь, пока издалека не отозвалось два женских голоса:

— Кто там?

Один из них принадлежал донне Елене, давней фрейлине моей матери, второй же — самой мадонне Трузии.

Дядя Федерико вступил на лестничную площадку и загрохотал:

— Арагонский дом! Мы пришли навести порядок!

В коридоре появилась Трузия. Выглядела она хорошо: сочные губы и красиво вылепленные скулы. Она была младше моего отца и лишь сейчас достигла полного расцвета женственности. Я невольно вздохнула: после разлуки меня заново поразила красота матери.

Завидев нас в дверном проеме, она просияла и почти бегом кинулась нам навстречу.

На лице ее была написана чистейшая радость, и померкла она лишь после того, как мать заметила нашу сдержанность и враждебность Федерико.

— Ваши высочества, — обратилась она к братьям, присев в реверансе. Потом вытянула шею, стараясь заглянуть им за спины, посмотреть на нас с Альфонсо. — И мои дети! Как я по вам соскучилась! Санча, как давно я тебя не видела!

Она распахнула мне объятия. И я, несмотря на свою обиду и неодобрение, шагнула к ней и позволила обнять себя, позволила поцеловать — но не обняла ее в ответ.

— Но как? — с горечью спросила я. — Как ты могла участвовать в такой ужасной затее?

Она отступила, явно озадаченная.

— Твой отец болен. Как я могла покинуть его? А кроме того, его стражник заставил меня сопровождать его.

Прежде чем я успела надавить сильнее, мать обняла Альфонсо. Он держался с большим доверием, хотя все еще отстраненно. Он явно верил, что она не способна ни на что дурное, но ждал объяснений.

Дядя Федерико был недоволен.

— Мы пришли сюда не ради воссоединения семейства. Произошло преступление против королевства, — преступление, мадонна, и вы в нем участвовали.

Мать побледнела и схватилась за горло.

— Да, верно, Альфонсо отказался от трона, но он не ведал, что творит. Клянусь Господом, ваше высочество, я не знала о его намерении бежать до той самой ночи, когда меня заставили следовать за ним под угрозой оружия. — Она ненадолго умолкла, потом выпрямилась и попыталась принять вызывающий вид. — Единственное его преступление — безумие. Он нуждается в моей помощи, дон Федерико. Обдумав это, я могу сказать, что последовала бы за ним и по собственной воле. Если здесь и есть какое-то преступление, то лишь мое — в том, что я не написала вам и не объяснила все. Но до нынешнего утра, пока стражники не сбежали, у меня не было такой возможности.

Федерико несколько мгновений буравил ее ястребиным взором. Трузия всегда нравилась ему. И вправду, она никогда не давала никому при дворе ни малейшего повода для недоверия. Наконец он заговорил, сдержанно и спокойно.

— Донна Трузия, давайте пройдем внутрь, куда-нибудь, где мы могли бы поговорить спокойно.

— Конечно.

Она провела нас в комнату и предложила присесть. Принц Федерико рассказал ей всю нашу печальную повесть: о пропаже сокровищ короны, о том, как Феррандино вернулся и обнаружил, что в Неаполе нет ни короля, ни денег на содержание солдат, о нашем полном опасностей бегстве от мятежников.

Трузия была потрясена, услышав это. Когда она взяла себя в руки, то сказала:

— Вы знаете, что я не склонна ко лжи. Я никогда не стала бы поддерживать столь гнусное воровство. Возможно, я дурочка и одна ничего не понимала. Сегодня утром я удивилась, обнаружив, что все слуги, кроме донны Елены, исчезли. Вчера вечером до нас дошли слухи о вашем прибытии в Мессину.

— Они узнали, — заметил мой брат, — и устрашились возмездия.

— Воистину, — с яростью перебил его Федерико, — если бы я застал их здесь, то позаботился бы, чтобы их повесили за измену!

Он заставил себя успокоиться.

— Теперь же мы должны вернуть сокровища короны. Надеюсь, никто их не уволок. Эти сокровища — наша единственная надежда. Без них у Феррандино нет ни малейшего шанса вернуть и удержать трон.

Ответ матери был прост.

— Говорите, что я должна сделать.

Нас провели в комнату, где теперь мой отец проводил свои дни — в одиночестве, как сказала Трузия, за исключением тех редких моментов, когда он требовал слугу или хотел что-то спросить у своей любовницы. Перед дверью мать остановилась и умоляюще взглянула на Федерико и Франческо.

— Вы помните, каким он был накануне нашего отъезда…

— Помним, — отозвался Франческо. Он держался мягче, с большим сочувствием, чем Федерико. — Больной. Запутавшийся. Но бывали моменты, когда мы могли давать ему советы — когда у него случалось просветление.

— Эти времена прошли, — печально произнесла мать. — Он не помнит, как попал сюда, и совершенно не понимает нынешнего положения дел. Вам потребуется дипломатичность и терпение, чтобы получить сокровища обратно.

Она открыла дверь.

За дверью оказалась большая комната почти без мебели. Самой примечательной ее деталью было широкое арочное окно от пола до потолка; из него открывался чудесный вид на гавань Мессины.

У противоположной стены стояло очень большое деревянное кресло, украшенное искусной резьбой. Над ним висел массивный кованый железный канделябр с двумя десятками тонких свечей. Вместе они напоминали трон под балдахином. В кресле сидел мой отец.

Его вид испугал меня. Его волосы из черных сделались почти седыми, а лицо — мертвенно-бледным, как у человека, избегающего солнца. Он сильно похудел, и его королевское одеяние — синий шелковый камзол, вышитый золотом, с орденской лентой, украшенной медалями за Отранто, — болталось на нем словно на вешалке.

Он безучастно смотрел в окно. Когда мы вошли, он удостоил нас лишь мимолетного взгляда, как будто по-прежнему видел нас каждый день, как будто он никогда не покидал Неаполь под покровом ночи.

— Ну? — властным тоном поинтересовался он. А после паузы, когда все мы, даже вспыльчивый Федерико, продолжали безмолвствовать, он раздраженно топнул ногой. — Нечего торчать тут, разинув рот! Поклонитесь и обратитесь ко мне, как подобает!

Глаза Федерико вспыхнули гневом. Проигнорировав предостерегающий взгляд Трузии, он шагнул вперед.

— Я не стану кланяться. Но я обращусь к тебе, как подобает, ваше высочество. Ибо именно этим ты и являешься: ты принц, отказавшийся от права быть королем.

Отец побагровел от ярости. Он устремил обвиняющий перст в сторону своего брата и обратился к остальным:

— Схватите этого человека и накажите за дерзость!

На миг снова воцарилась тишина. Федерико с холодной усмешкой смотрел на отца.

— Твои приказы здесь не имеют силы, Альфонсо. Ты что, забыл? Ты отказался от трона. Ты бросил нас самих разбираться с французами и уплыл с Трузией сюда. Ты потерял право на корону, когда бежал, как трус, и украл деньги, которые нужны были Феррандино на содержание армии.

Отец вскочил, сверкая глазами.

— Я — король обеих Сицилий, и ты будешь обращаться ко мне с должным уважением!

— Хватит корчить из себя сумасшедшего! Неаполь и Сицилия уже несколько поколений как разные королевства! — с пылом возразил Федерико. — Теперь король — твой сын, и тебе следует на коленях просить его о милосердии, потому что ты совершил не что иное, как предательство!

Лицо отца исказилось от гнева.

— Лжец! — закричал он. — Стража!..

Он с негодованием повернулся к Трузии.

— Где стражники? Пусть они схватят этого человека!

— Все стражники ушли, — тихо ответила Трузия.

— Слушай меня внимательно, — сказал Федерико. — У тебя есть всего один способ спасти свою жизнь. Скажи нам, где находятся сокровища короны, и мы оставим тебя в покое.

— Ты не только лжец, но еще и вор, — глумливо произнес отец. — Ты хочешь украсть мою корону. Мой меч! Трузия, принеси мне меч!

Охваченный возбуждением, он отошел от кресла и замахнулся на Федерико. Тот уклонился от удара, но терпение его лопнуло. Братья сцепились и принялись бороться, испепеляя друг друга взглядами; оба тяжело дышали, пытаясь вырваться из хватки друг друга.

— Ты такой же сумасшедший, как отец! — крикнул Федерико. — Даже хуже!

— Я сам тебя убью! — пронзительно выкрикнул мой отец.

Тут вмешался Альфонсо и с помощью Франческо разнял драчунов.

— Уберите его с глаз моих! — крикнул отец и вернулся на свой воображаемый трон.

Мадонна Трузия поспешно бросилась к нему и принялась что-то шептать ему на ухо. Потом она отошла туда, где Альфонсо и Франческо все еще пытались успокоить Федерико.

— Он сейчас слишком возбужден, — сказала она. — Придется попробовать по-другому.

Она жестом попросила нас удалиться, потом вернулась к отцу и принялась успокаивающе поглаживать его по руке.

Федерико, ворча, позволил вывести себя за дверь. Там мы принялись размышлять, что же нам делать дальше.

— Логика здесь не поможет, — сказал Альфонсо. — Его невозможно убедить разумными доводами. Нам придется играть с ним по его правилам, чтобы получить то, что мы хотим.

— Он слаб, — возразил Федерико. — Обвиним его в измене, покажем ему веревку, и он сломается.

Альфонсо покачал головой.

— Вы же видели его. Вы только подеретесь снова. Надо попробовать зайти с другой стороны.

— Это верно, Федерико, — подал голос Франческо, возражая старшему брату, что случалось с ним нечасто. — Притворство тут ни при чем. Он и вправду сумасшедший.

Тут из комнаты вышла мадонна Трузия и тихо затворила дверь за собой.

— Дон Франческо прав. Мне удалось его успокоить, но разумнее будет, если вы, его братья, побудете снаружи. — Она взглянула на нас с братом. — Альфонсо, Санча... Если вы пойдете к отцу и скажете ему, что сокровища нужны, чтобы спасти королевство — которым, как он думает, он и поныне правит, — возможно, он отдаст их вам. Он вам доверяет.

Я покачала головой.

— Пусть идет Альфонсо. Ему отец и вправду доверяет, но он не послушает ни единого моего слова. Меня он презирает.

Трузия едва заметно дернулась, как будто мои слова были пощечиной, и взглянула на меня с недоверием, не уступающим моему собственному.

— Твой отец всегда восхищался тобой. Он всегда говорил мне, что если бы ты родилась мужчиной, то это был бы тот самый мужчина, которым он сам мечтал бы стать.

Меня захлестнула волна гнева. «Тогда почему он никогда не говорил мне об этом? Почему всегда обращался со мной с полнейшим презрением? Почему ему нравилось причинять мне боль?»

Должно быть, борьба чувств отразилась на моем лице, поскольку мать шагнула ко мне и нежно взяла меня за руку.

— Пойдем, — сказала она голосом, одновременно успокаивающим и пробуждающим мужество. — Я проведу вас с Альфонсо внутрь. Предоставь брату вести разговор, и все будет хорошо.

Мы втроем вернулись в комнату.

— Ваше величество, — сказала мать, не обращая внимания на явную неловкость, которую вызывал у меня этот титул. — Взгляните, ваши дети пришли навестить вас.

Когда мы вошли сюда в первый раз, бывший король Альфонсо II выглядел царственно и держал себя в руках. Но сейчас, когда он сидел на своем призрачном троне и смотрел на гавань Мессины, его спина, некогда столь прямая, сгорбилась, а взгляд был пугающе отсутствующим.

— Везувий, — сказал он, хмуро глядя вдаль. — Из этого окна отвратительный вид: мне не виден Везувий. Надо будет нанять архитектора и исправить это.

— Конечно, — согласилась мадонна Трузия. — Ваше величество, дон Альфонсо и донна Санча пришли повидаться с вами.

Она отступила на шаг, кивнув моему брату.

— Ваше величество, — громко и отчетливо произнес Альфонсо. — Я должен поговорить с вами о неотложном деле огромной важности.

Отец недовольно заворчал, но наконец-то оторвал взгляд от окна и повернулся к младшему из своих детей.

— Альфонсо. Ты, похоже, становишься мужчиной.

— Да, сир.

— Ты еще не женился?

— Нет. — Брат секунду помолчал. — В Неаполе большие неприятности, отец. Бароны взбунтовались, и к нам вторглись французы. Нашим войскам очень нужны деньги. Мы вынуждены позаимствовать их из сокровищ короны. Это единственный способ уберечь трон.

Взгляд отца скользнул по мне:

— И ты, Санча. Ты вышла за этого маленького папского ублюдка. Скажи-ка, у него еще не выросла борода?

Во мне вспыхнул гнев, но я успела прикусить язык. Мне тоже печально было видеть, во что превратился этот человек. Холодная, непреклонная жестокость отца уничтожила его королевство и разлучила его с собственной семьей и собственным рассудком. Лишь наша мать сохранила ему верность.

— Он стал старше, — негромко ответила я.

Отец кивнул, потом снова устремил взгляд в окно, на чужеземный берег.

— Сколько нужно? — внезапно спросил он.

— Много, — ответил мой брат. — Но я возьму ровно столько, сколько необходимо.

— Там требуется ключ... — пробормотал отец.

Он жестом подозвал Альфонсо к себе, потом заметил, что мы с матерью стоим поблизости.

— Пусть женщины уйдут, — велел он.

Мать поклонилась, я последовала ее примеру, потом вышла следом за ней. Братья-принцы, полные нетерпения, ожидали нас в коридоре.

— Он доверяет Альфонсо, — сказала Трузия. — Думаю, сын добьется успеха.

Предчувствие ее не подвело. Мгновение спустя мой брат, сияя, вышел из комнаты. В руке у него был позолоченный ключ.

Это оказался ключ от стенного шкафа, в котором отец спрятал сокровища, и я задумалась над тем, что мягкость и терпение моих брата и матери привели нас к спасению там, где гнев и напор потерпели неудачу. И снова я решила, что надо быть менее своевольной, а больше походить на моего доброго брата.

Феррандино и дядя Федерико поспорили, следует ли оставить достаточно средств, чтобы отец мог с удобствами пребывать в своем безумии. Федерико ничего не хотел оставлять, но в конце концов желание короля было исполнено. Феррандино передал разумную сумму моей матери, посоветовав расходовать деньги экономно.

Мы провели в Мессине всего несколько беспокойных недель. За это время испанский посол принес нам три поразительные новости. Первой была та, которой мы и ждали, и страшились: наши обессиленные войска в Кастель дель Ово в конце концов сдались французам.

Второе откровение принесло Джофре огромное облегчение и привело нас в хорошее расположение духа. Я так и не простила Папе того, что он так легко сдался королю Карлу да еще и отправил собственного сына, Чезаре, к французам в качестве заложника. Однако же и Александр, и Чезаре отличались коварством. Еще до того, как французская армия вступила в Неаполь, однажды ночью Чезаре бежал, прихватив с собой столько награбленных французами ценностей, сколько сумел. Именно при их помощи он подкупил нескольких солдат Карла, и те помогли ему.

Третье известие пришло следом за вторым, с изумительной быстротой. Услышав о создании Священного союза и о том, что огромная армия союзников намного превзойдет численностью его собственную, Карл VIII струхнул и отступил из Неаполя через несколько недель после его захвата, оставив позади лишь гарнизон. Эта весть еще явственнее засвидетельствовала проницательность Папы и Чезаре: Чезаре позаботился о том, чтобы исчезнуть до того, как король Карл узнает о Союзе. Феррандино также немало порадовался, узнав, что Короленыш оказался злобным человечишкой. Он обращался с нашими мятежными баронами так скверно, что те повернули оружие против французов и теперь взывали к Арагонскому дому о возвращении.

Это вдохновило Феррандино на обдумывание новых планов; он захотел присоединиться к своей армии, которой сейчас командовал капитан дон Инако д'Авальос и которая стояла лагерем на острове Искья в Неаполитанском заливе. Искья находилась неподалеку от берега, и королю несложно было бы оттуда атаковать сушу.

Я твердо вознамерилась отправиться с ним, и Джофре не посмел сказать ни слова против — оптимизм переполнял меня, и я ожидала, что мы в ближайшие дни вернемся домой с победой. Альфонсо тоже решил отправиться на Искью, на тот случай, если там потребуется его мастерство бойца; Франческо и Федерико предпочли остаться на Сицилии до тех пор, пока Неаполь не будет освобожден.

Вечером накануне нашего отплытия меня позвали к мадонне Трузии. Мы сидели вместе в ее маленькой прихожей, а мой отец тем временем восседал в темноте своего воображаемого тронного зала, глядя на огни, отражающиеся в темной воде мессинского порта.

— Поедем с нами, — настойчиво произнесла я. — Нам с Альфонсо очень недостает тебя. Тебе все равно больше нечего здесь делать. Отец даже не осознает, кто находится рядом с ним. Мы можем нанять слуг, чтобы они ухаживали за ним.

Мать тоскливо покачала головой, потом опустила ее и устремила взгляд на свои белые, изящные руки, сложенные на коленях.

— Мне тоже недостает вас. Но я не могу бросить его. Ты не понимаешь, Санча.

— Совершенно верно, — отрезала я. Я была очень зла на отца за те чары, которыми он опутал ее, за то, что даже теперь, безумный и совершенно беспомощный, он все равно способен был сделать хорошего человека несчастным. — Я не понимаю. Он предал свою семью и свой народ, и все же ты по-прежнему хранишь ему верность. Твои дети обожают тебя и готовы сделать все возможное, чтобы ты была счастлива. А он причиняет тебе лишь боль. — Я заколебалась, потом, не сдержав эмоций, задала вопрос, который всю жизнь не давал мне покоя: — Как ты вообще могла полюбить такого жестокого человека?

Трузия вскинула голову и напряженно посмотрела на меня. В голосе ее звучало возмущение, и я поняла, что глубина ее любви к отцу превосходит все прочие чувства.

— Ты так говоришь, словно у меня был выбор, — сказала она.

Мы добрались до Искьи в разгар весны; этот скалистый остров порос оливами и благоуханными соснами — щедрая растительность снискала ему имя Зеленый остров. Над Искьей господствовала Монте-Эпомео, извергавшаяся раз в несколько столетий и придававшая почве плодородие.

Джофре, Альфонсо и я остались вместе с Феррандино в обособленном величественном замке Кастелло; его соединял с главной частью острова мост, построенный моим прадедом, Альфонсо Великодушным. Пока апрель сменялся маем, а май — июнем, нам особо нечего было делать, кроме как молиться (с неверием скептиков) за наше войско, когда оно устраивало вылазки на сушу. Кампания шла хорошо: наши потери были невелики, поскольку мы теперь располагали поддержкой не только Священного союза, но и баронов. Французы впали в уныние.

Ни Джофре, ни Альфонсо не было нужды сражаться — к их разочарованию, как я подозреваю, и к моему глубочайшему облегчению. Мы снова сделались неразлучны. Мы вместе обедали, посещали здешние маленькие города — Искью и Сан-Анджело — и горячие минеральные источники, про которые говорили, что они очень полезны для здоровья.

Но каждое утро я начинала в одиночестве: я спускалась на чудный песчаный берег и смотрела через залив. В погожие дни мне виден был изогнутый неаполитанский берег. Везувий высился, словно маяк, и я почти могла разглядеть Кастель дель Ово, маленькую черную точку. Я стояла на берегу так подолгу, что сделалась бронзовой от загара. Донна Эсмеральда часто приходила за мной, бранила меня и заставляла накрыть голову шалью.

В туманные дни я все равно шла туда и, подобно отцу, тщетно высматривала силуэт Везувия.

В Сквиллаче я думала, что страдаю от тоски по дому, но тогда я была уверена, что у меня есть дом, в который я могу вернуться. Теперь же я не знала, стоит ли на месте дворец, в котором прошло мое детство. Я тосковала по церкви Санта Кьяра и кафедральному собору, как тоскуют по любимым, и боялась за них. Я думала об изящных кораблях в порту, с их яркими парусами, о дворцовых садах, которые — если только их не уничтожили — как раз должны вовсю цвести, и у меня ныло сердце.

Феррандино постоянно встречался со своими военными советниками. Мы почти не видели его до самого июля, когда нас с моим братом и мужем позвали к нему в кабинет.

Феррандино сидел за столом. Рядом с ним стоял его капитан, дон Инако, и по сияющим, довольным улыбкам обоих мужчин я догадалась о том, какими новостями они хотят с нами поделиться.

Король едва сдерживался. Едва мы успели поклониться, как он заговорил — я никогда еще не слыхала, чтобы его голос звучал столь весело:

— Пакуйте вещи, ваши высочества.

— Я свои и не распаковывала, — отозвалась я.

ГЛАВА 9

Наше путешествие через Неаполитанский залив было недолгим. На самом деле слугам понадобилось больше времени на то, чтобы загрузить наш корабль провизией и имуществом, чем ему — чтобы преодолеть путь от Искьи до гавани Санта-Лючии.

Королевская свита его величества Феррандино, состоявшая из его нареченной невесты Джованны, Джофре, Альфонсо и меня, взошла на корабль в превосходном расположении духа. Когда корабль отплыл, Альфонсо принес бутылки с вином и кубки, и мы многократно выпили за короля, Арагонский дом и город, в который мы возвращались. Это были самые радостные минуты в моей жизни. Думаю, и в жизни Феррандино тоже, ибо глаза его никогда еще так не сияли и никогда он не улыбался так широко. В какой-то момент он под влиянием порыва обхватил Джованну за талию, привлек к себе и страстно поцеловал — к пущему восторгу нашей компании, наградившей его одобрительными возгласами.

Джофре пролил свет на историю с проповедником Савонаролой и его зловещим предсказанием о том, что Карл VIII возвещает конец света.

— Мой отец, его святейшество, велел Савонароле явиться в Рим и объяснить свои воззрения на Апокалипсис, которые кажутся несколько необдуманными. Савонарола со свойственной ему трусостью сказался больным и заявил, что не в состоянии проделать этот путь.

Мы расхохотались во все горло, а Джофре предложил новый тост:

— За дальнейшее недомогание Савонаролы!

Я порадовалась, что Эсмеральда находится в каюте и не слышит, как оскорбляют столь почитаемого ею священника.

Когда мы подплыли поближе к неаполитанскому берегу, нами овладело молчание. Везувий, за время нашего изгнания сделавшийся для меня маяком надежды, по-прежнему нес свою стражу над городом, но его темно-фиолетовая громада была единственным цветным пятном на фоне некогда зеленого, а ныне превратившегося в пепелище ландшафта. Поля и склоны, которым сейчас полагалось бы вовсю цвести и колыхаться волнами зреющих хлебов, были черны, как будто огромная гора снова извергла пламя.

Один лишь Феррандино продолжал улыбаться; он уже видел это разорение прежде, во время вылазок своих капитанов.

— Не надо отчаиваться, — сказал он нам. — Да, французы позаботились, чтобы в этом году мы остались без урожая, но зажженные ими пожары удобрили землю золой, и на будущий год мы получим щедрый урожай.

Но мы по-прежнему были тихи и обеспокоены. Мы вошли в порт, миновав обугленные скелеты кораблей, и прошли мимо Кастель дель Ово. Древние каменные стены крепости были целы, и она являла собою успокаивающее зрелище. Я принялась встревоженно заглядывать за исковерканные войною стены, в город, и в волнении ухватилась за руку Альфонсо.

— Смотрите! — воскликнула я. — Церковь Санта Кьяра цела! И кафедральный собор тоже!

И вправду: несмотря на то что я сама видела, как из нее вырывался огонь, снаружи Санта Кьяра казалась почти неповрежденной, не считая полос копоти. Собор же и вовсе казался нетронутым.

Но когда наше небольшое семейство ехало в карете к Кастель Нуово, мне стоило больших усилий скрыть горе и ненависть — и не только мне. Даже Феррандино помрачнел. Джованна с трудом сдерживала слезы, а Альфонсо сидел, отвернувшись к окну.

От порта до места назначения путь был недолог, но даже он позволил нам увидеть часть разрушений, учиненных французами. Дворцы и жилища простолюдинов — все было оналено, либо превращено в руины огнем пушек, либо и сожжено и разрушено разом. Арсенал, некогда заполненный артиллерией и солдатами, защищенный двойным кольцом стен, превратился в черную груду камней и погребенных под ними разлагающихся трупов.

Джованна зажала нос. Я же невольно заметила, что с залива кроме запаха соленой воды, который я так любила, теперь доносился еще один запах, слабый, но жуткий, — запах гниющей плоти. Очевидно, проще оказалось избавиться от мертвых, предав их воде, а не земле.

Стены вокруг Кастель Нуово напоминали оскал безумца с недостающими зубами.

— Ну да ничего, — сказал Феррандино и показал вперед. — Смотрите, кто нас встречает.

Я посмотрела вперед и улыбнулась впервые после нашего возвращения в Неаполь: там высилась, целая и невредимая, триумфальная арка Альфонсо I, и наша карета проехала под ней, мимо ожидающих стражников, которые держали ворота открытыми для нас.

Во дворе, вытоптанном и лишившемся сада, какой-то капитан отделился от своего отряда, подбежал к карете, открыл дверцу и поклонился.

— Добро пожаловать, ваше величество, — сказал он и помог Феррандино спуститься. — Мы вынуждены извиниться за то состояние, в котором пребывает королевский дворец. Мы надеялись привести его в порядок к вашему прибытию, но, к несчастью, большинство здешних слуг были убиты. Нам пришлось нанять необученных простолюдинов и обедневших дворян, а они слишком медлительны.

— Это неважно, — любезно отозвался Феррандино. — Мы рады вернуться домой.

Но счастье, которое я испытала, войдя в огромные двери, вскоре улетучилось. Капитан повел нас к тронному залу, где король должен был встретиться с сенешалем и обсудить, как восстановить дворец и что делать с надвигающимся голодом. Мы шли по коридорам, на стенах которых до сих пор видны были зарубки от клинков и пятна крови. Портреты наших предков были вырезаны из рам и изорваны, позолоченные рамы украдены; обрывки полотен валялись на полу. Статуи, ковры, гобелены, канделябры — все вещи, которые я помнила с детства и которые казались мне такими же вечными и неизменными, как право нашей семьи на корону, — все было украдено. Мы шли по голому полу, мимо голых стен.

— Они забрали все, — с горечью произнесла Джованна. — Все.

Голос Феррандино прозвучал на удивление жестко.

— Такова война. С этим ничего не поделаешь, и жаловаться бесполезно.

Джованна замолчала, но ненависть в ее глазах не погасла.

В нише, где я убила стражника-предателя, пол и стены были по-прежнему забрызганы кровью; следы совершенного мною убийства еще только предстояло убрать.

Когда мы добрались до тронного зала, мое негодование лишь возросло. Окна, выходящие в сторону порта, были разбиты и зияли зазубренными осколками; во всех углах валялись разбитые винные бутылки. Какие-то крестьянки поспешно сметали стекла в кучу.

— Его величество король Феррандино! — объявил капитан.

Женщины остановились; зрелище короля с его придворными настолько потрясло их, что одна даже перекрестилась вместо того, чтобы преклонить колени. Еще одна служанка стояла на коленях на верхней ступеньке у трона и энергично терла его сиденье тряпкой; теперь же она извернулась в поясе и попыталась изобразить поклон. Само огромное кресло было изрублено; глубокие зарубки на поручнях и ножках изуродовали резной узор.

Подушка с трона лежала рядом на полу; она была исполосована и покрыта какими-то темными пятнами, которые я сначала приняла за вино. Я подошла к ней, наклонилась и тут же с омерзением отшатнулась, почувствовав запах мочи.

— Ваше величество, ваши высочества! — воскликнула служанка. — Простите, пожалуйста! Здесь так много нужно убрать — французы, прежде чем удрать, загадили весь дворец. Они даже трон, и тот осквернили.

— Единственный способ, которым французы могли бы осквернить наш трон, — тут же возразила я, — это посадить на него кривую задницу короля Карла.

При этих словах все мои спутники рассмеялись, хотя в смехе их было мало веселья.

Дверь в королевский кабинет была открыта; сквозь дверной проем видно было, что огромный письменный стол Ферранте изрублен в щепки и обломки сложены у камина. Место прекрасных кресел, некогда украшавших кабинет, заняли грубые стулья, конфискованные у какого-то простолюдина. Сенешаль стоял, ожидая нас.

— Я прошу прощения за эту обстановку, ваше величество, — сказал он. — Нам потребуется некоторое время, чтобы привезти подобающую мебель.

— Это неважно, — отозвался Феррандино и прошел в кабинет.

Мы же разошлись по своим прежним покоям, присмотреть, как будут распаковывать наши вещи. Я не ожидала найти там что-либо из своей мебели — но и не ожидала увидеть донну Эсмеральду: она приплыла на одном корабле с нами, но ехала в другой карете с прочими придворными. Теперь она сидела на полу моей спальни, разметав юбки по полу, и на лице ее была написана ненависть.

— Ваша кровать! — негодуя, выпалила она. — Ваша прекрасная кровать! Эти ублюдки сожгли ее! Весь потолок теперь в копоти!

Я была ошеломлена. Я никогда еще не слышала, чтобы донна Эсмеральда изъяснялась подобным образом. Но ее муж погиб в бою с анжуйцами — людьми с французской кровью в жилах, и, возможно, в ее глазах они ничем не отличались от тех, кто пришел сюда вместе с Карлом.

— Это неважно, — повторила я слова Феррандино. — Это неважно, потому что эти ублюдки убрались прочь, а мы вернулись.

И я осталась в Неаполе. Первые несколько месяцев было трудно. Еды недоставало, а из-за расходов на восстановление сенешаль не разрешал нам ввозить вино или продовольствие; мы сильно зависели от успехов тех немногих местных охотников и рыбаков, которые пережили войну. Мы пили воду и обходились без привычной свиты слуг; нередко я помогала донне Эсмеральде, единственной моей компаньонке, исполнять работу служанки.

И все же положение улучшалось с каждым днем, и мы были исполнены оптимизма, особенно после того, как Феррандино заручился поддержкой своего народа.

Затем в момент раздражения Джофре, уставший от тягот, заявил, что нам лучше будет вернуться в Сквиллаче. Я тут же попросила аудиенции у Феррандино и вскоре получила дозволение явиться к нему.

К этому времени у него уже появился стол, хотя и не такой великолепный, как предыдущий, и приличное кресло. Феррандино пребывал в приподнятом настроении. Теперь, когда обстановка в королевстве стабилизировалась, а стычки, вспыхивавшие время от времени, прекратились, он назначил дату своей официальной коронации и венчания с Джованной. Я напомнила королю:

— Когда-то вы сказали, что мое присутствие приносит вам удачу. Вы в это верите?

Король улыбнулся и поддразнивающим тоном произнес:

— Верю.

— Тогда позвольте мне и моему мужу остаться в Неаполе. Издайте официальный указ, что мне не следует возвращаться в Сквиллаче, если только того не потребуют чрезвычайные обстоятельства.

Взгляд Феррандино сделался серьезен.

— Я уже когда-то сказал тебе, донна Санча, что ты получишь у меня все, что угодно, стоит тебе лишь попросить. Ты просишь о незначительной услуге, и я с радостью окажу ее тебе.

— Спасибо.

Я поцеловала руку Феррандино. Я верила, что наконец-то одолела бессердечную отцовскую хитрость и что теперь могу остаться дома, где мне ничего не грозит.

Мой муж был недоволен обещанием, которого я добилась у Феррандино, но ему не хватало мужества протестовать. Пришла осень, а вместе с ней, как сообщил Джофре, обращенное к Савонароле папское повеление прекратить проповедовать о конце света. Неистовый священник проигнорировал это предписание. Настала зима. К Рождеству Кастель Нуово начал напоминать себя прежнего. Мы делали все, что могли, чтобы помочь бедным и голодающим — а их в этом году было много из-за уничтоженного Карлом урожая. Что же касается нас, королевской семьи, то на Рождество Христово мы устроили первый настоящий пир.

К этому времени мы с донной Эсмеральдой спали на настоящей постели, и все окна во дворце были починены или занавешены плотными шторами для защиты от холодного воздуха. Сонная после рождественского пира, я уже улеглась спать, когда из соседней комнаты донесся голос донны Эсмеральды:

— Донна Санча! Мадонна Трузия здесь!

— Что?

Я села, плохо соображая со сна. На миг это сообщение показалось мне абсолютно естественным. Сейчас Рождество, и мать пришла проведать нас, детей, как она это делала на каждый праздник. Я забыла, что она уплыла на Сицилию. Забыла даже про мятеж и французов.

— Что?! — повторила я, на этот раз встревоженно, поскольку память вернулась ко мне.

Я быстро набросила халат и поспешила в прихожую.

За миг до того, как я увидела мать, я еще надеялась, что она одумалась и приняла мое предложение вернуться в Неаполь и жить с нами. У меня болело сердце, когда я думала о ней, отрезанной от мира, запертой в одном доме с человеком, который, может, и любил ее на свой извращенный лад, но никогда не умел нормально выразить эту любовь; теперь же, когда он сошел с ума, он даже не осознавал ее присутствия.

Одного взгляда на мадонну Трузию хватило, чтобы у меня вырвался испуганный вскрик. Я ожидала увидеть улыбающуюся, сияющую красавицу. Но вместо этого у двери рядом с донной Эсмеральдой стояла изможденная старая женщина в черном. Даже ее золотые волосы были упрятаны под покрывало, словно солнце, скрытое грозовыми тучами. Она была худой, хрупкой, мертвенно-бледной, с темными кругами под глазами. Казалось, будто все страдания и боль моего отца перешли на нее, вытянув из нее всю радость и красоту.

Мать тяжело опустилась на ближайший стул и обратилась к Эсмеральде, не глядя на нас:

— Приведи моего сына.

Больше она не произнесла ни слова. Да этого и не требовалось: я сразу же поняла, что произошло. Я придвинула к ней другой стул и уселась, взяв ее за руку; мать опустила голову, не желая встречаться со мной взглядом. Мы сидели и молча ждали. Что-то сдавило мне горло, но я не позволила себе заплакать.

Через некоторое время появился Альфонсо. Ему тоже хватило одного взгляда на мать, чтобы все понять.

— Он умер? — прошептал мой брат.

Трузия кивнула. Альфонсо опустился на пол рядом с ней и положил голову ей на колени. Мать погладила его по голове. Я смотрела на все это, словно посторонняя, поскольку меня печалила не смерть отца, а те страдания, которые он причинил двум моим самым любимым людям.

В конце концов Альфонсо поднял голову.

— Он болел?

Мать приложила пальцы к губам и покачала головой. Несколько долгих мгновений она не могла произнести ни слова. Совладав наконец с собою, она опустила руку и принялась рассказывать. Казалось, будто она повторяет то, что говорила уже много раз.

— Это произошло три недели назад. Перед этим он вроде как начал приходить в себя и осознавать, что произошло. Но потом он перестал спать со мной, и безумие вернулось с новой силой. Он постоянно был в гневе, часто расхаживал по комнате и кричал, даже когда оставался один. Ты помнишь ту комнату, где он любил сидеть, — ну ту, с большим креслом и канделябром над ним?

Видно было, что каждое слово дается ей все с большим трудом.

— В ту ночь я проснулась от какого-то поскрипывания и треска, доносящегося из комнаты Альфонсо. Я испугалась, как бы он чего не сделал с собой, и сразу же кинулась туда, прихватив свечу, потому что он всегда сидел в темноте. Я обнаружила, что он тащит кресло через комнату. А когда я спросила его, зачем он это делает, он с раздражением ответил: «Мне надоел этот вид». Что я могла поделать?

Трузия замолчала, внезапно исполнившись угрызений совести.

— Все слуги спали, потому я поставила свечу и помогла ему, как смогла. Когда он остался доволен результатом, я оставила его в темноте и вернулась в постель. Мне отчего-то было сильно не по себе. Я не могла уснуть и всего лишь несколько мгновений спустя услышала новый шум — на этот раз не такой громкий, но в нем было что-то такое… Что-то такое, что я поняла…

Она спрятала лицо в ладонях и согнулась под гнетом памяти.

После этого она говорила очень сбивчиво, запинаясь, потому я вкратце перескажу то, что она поведала.

Отец принес второе кресло — оно было намного легче его мнимого трона — и пристроил его под тяжелым кованым канделябром, висящим на потолке, а потом забрался на него. Он достал где-то кусок веревки и привязал к ней свою королевскую ленту, на которой обычно носил драгоценности и медали, полученные за победу при Отранто.

Веревку он успешно привязал к канделябру, а ленту аккуратно обмотал вокруг собственной шеи.

Шум, который услышала мать, произвело упавшее легкое кресло.

Сердце часто знает что-то еще до того, как это осознает рассудок; удар дерева о мрамор вызвал у Трузии такую тревогу, что она, не прихватив ни халата, ни свечи, опрометью кинулась в комнату к отцу.

И там, в слабом свете звезд и маяка в мессинском порту, она увидела темный силуэт — тело ее возлюбленного, медленно покачивающееся в петле.

Безжизненным, бесцветным голосом мать сообщила:

— С тех пор я не ведаю покоя, ибо знаю, что он мучается в аду. Он теперь в лесу самоубийц, где гнездятся гарпии, — ведь он повесился в собственном доме.

Альфонсо, все еще сидящий на полу рядом с ней, нежно погладил мать по руке.

— Мама, Данте написал всего лишь аллегорию. В худшем случае отец сейчас в чистилище — он же не ведал, что творит. Когда я с ним разговаривал, он даже не осознавал, что находится в Мессине. Нельзя осудить человека за то, что он сделал в помрачении рассудка, — а Бог ведь сострадательнее и мудрее людей.

Мать с жалобной надеждой взглянула на него, потом повернулась ко мне.

— Санча, а ты в это веришь?

— Конечно, — солгала я.

Но если хоть каплю полагаться на слова Данте, король Альфонсо II должен был сейчас пребывать в седьмом круге ада, в реке крови, в которой варятся души «тиранов, что чинили грабеж и кровопролитие». Если есть на свете хоть какая-то справедливость, он будет сидеть рядом со своим отцом Ферранте, мучителем, создателем галереи мертвецов.

Там ему было самое место — в глубине преисподней, в клыках у сатаны, в месте, отведенном для величайших предателей. Ибо он предал не только свою семью, но и весь свой народ. Там нет ни серы, ни огня, ни жара — лишь беспредельный холод, жестокий и пронизывающий.

Такой же холодный, как сердце моего отца. Холодный, как взгляд, который я так часто ловила в зеркале.

Мать осталась в Неаполе. Она медленно оправлялась от своих скорбей. Я же отчаянно молилась Богу, в котором сомневалась: «Сохрани мое сердце ото зла, не допусти, чтобы я сделалась такой, как мой отец». В конце концов, я ведь уже убила человека. Я часто просыпалась, задыхаясь и чувствуя брызги горячей крови на лбу и щеках; мне мерещилось, что я сейчас сотру кровь с глаз и увижу изумление в умирающих глазах моей жертвы. «Благородное деяние» — так говорили все. Я ведь спасла короля. Возможно, я и вправду спасла Феррандино, но все-таки в том, чтобы отнять жизнь у человека, не было ничего благородного.

Несмотря на трагическую смерть моего отца, обстоятельства которой скрыли от народа и слуг и никогда более не обсуждали даже в кругу семьи, жизнь в Неаполе снова стала счастливой. Феррандино с Джованной обвенчались, устроив великолепную свадьбу; дворец был подновлен и опять превратился в роскошное жилище, а сады начали расти снова. Джофре под влиянием Альфонсо сделался почтительным супругом.

Прошло пять месяцев. К маю 1496 года я наконец-то начала понемногу ощущать довольство жизнью; мне больше не снилась по ночам теплая кровь и артиллерийская канонада, мне не мерещился, стоит лишь сомкнуть веки, покачивающийся в темноте труп отца. Я располагала обещанием Феррандино о том, что мы с мужем останемся в Неаполе. Я наслаждалась обществом матери и брата и больше ничего не хотела. Впервые я начала лелеять мысль о том, как буду растить своих сыновей и дочерей в Неаполе, среди родственников, от которых дети будут видеть лишь любовь.

Однако же у Папы Александра были другие планы.

Я ужинала с матерью и братом, когда появился Джофре с листом пергамента в руках. На его лице явно читался ужас. Я сразу же заподозрила, что он должен рассказать мне о содержании письма и что его страшит моя реакция.

И у него были все основания бояться. Письмо было от его отца. Я справедливо предположила, что между нами произойдет неприятная сцена, потому извинилась, встала из-за стола, и мы отправились обсудить этот вопрос наедине.

По словам Александра, «война в Неаполе напомнила нам о нашей смертности и хрупкости всякой жизни. Мы желаем дожить отпущенные нам годы в окружении наших детей».

Всех, включая Джофре и в особенности его жену.

Я подумала о графе Марильяно, который навестил тогда нас в Сквиллаче по приказу Александра, когда меня обвинили в измене Джофре. Граф тактично предупредил меня, что настанет день, когда его святейшество не сможет долее сдерживать своего любопытства: он захочет собственными глазами взглянуть на женщину, на которой женился его младший сын. На женщину, о которой говорят, будто она красивее его собственной любовницы, Ла Беллы.

Я ругалась и потрясала кулаками перед носом у бедного трусливого Джофре, твердила, что не поеду в Рим, хоть и понимала, что все мои возражения тщетны. Я отправилась к Феррандино и умоляла его уговорить его святейшество позволить мне остаться в Неаполе, но мы оба знали, что слово короля имеет куда меньший вес, чем слово Папы. Ничего нельзя было поделать. Я так долго ждала возвращения в Неаполь, и вот его снова отобрали у меня.

КОНЕЦ ВЕСНЫ 1496 ГОДА

ГЛАВА 10

Мы с Джофре въехали в Рим двадцатого мая 1496 года, ясным солнечным днем, в десять утра, под перезвон колоколов. Чтобы эффектнее выглядеть в глазах собравшихся дворян и горожан, мы устроили процессию, которую должна была встретить Лукреция Борджа, второе по старшинству дитя Папы и его единственная дочь, и проводить нас в Ватикан.

Александр VI сделал то, на что до него не осмеливался ни один Папа: он в открытую признал собственных детей, вместо того чтобы уклончиво именовать их «племянниками» и «племянницами», как прежде поступали другие понтифики. Говорили, что он нежно любит их, и, наверное, так оно и было, потому что он поселил их всех рядом с собою, в папском дворце, сразу же после своего избрания. Слухи о Лукреции доходили до меня еще до брака с Джофре: говорили, будто она необыкновенно красива.

— А твоя сестра — какая она? — спросила я у Джофре, пока мы ехали на север.

— Милая, — небрежно отозвался он после краткого размышления. — Скромная и очень обаятельная. Она тебе понравится.

— Она красивая?

Джофре заколебался.

— Она... хорошенькая. Не такая красивая, как ты.

— А твои братья?

— Чезаре? — При упоминании о его брате, за которого я могла выйти замуж, по лицу моего супруга скользнула тень. — Он очень красивый.

— Нет, я имела в виду — что он за человек.

— А! Он честолюбивый. Очень умный.

И снова я заметила в его голосе неприязнь, но Джофре изумительно умел избегать правды, если речь шла о неприятных вещах. Когда я спросила о втором брате, Хуане, Джофре нахмурился, уже не таясь, и сказал:

— Тебе нечего беспокоиться из-за него. Он живет в Испании вместе с женой.

Выдающаяся красота имеет свою цену. Хоть я и была признательна судьбе за доставшуюся мне внешность, я также прекрасно осознавала, что вызываю зависть у других женщин. А потому мне следовало сегодня проявить осторожность, дабы не затмить мою невестку. Я надела простое черное платье замужней благородной дамы, того фасона, который был принят на юге, с пышными рукавами; моя лошадь была накрыта черной попоной, и я ехала на почтительном расстоянии за своим мужем.

Однако Джофре не терпелось поразить Рим и своих родственников великолепием своего положения принца. Он настоял, чтобы меня сопровождали все двадцать моих придворных дам и большая свита, в которую входили даже шуты, разряженные в ярчайшие желтые, красные и фиолетовые наряды.

Мы въехали в город с юга. Я никогда прежде не бывала в Риме. Когда мы въехали в старинные ворота и перед нами раскинулись его холмы, меня охватил благоговейный трепет.

— Гляди туда! — окликнул меня Джофре, когда мы ехали мимо Большого цирка, и указал вправо.

Там высилась арка Константина, древний прототип триумфальной арки моего прадеда. Далее к востоку располагались огромный Колизей, многоэтажный каменный эллипс, в котором встретили свой конец столько христиан, и Пантеон, храм всех богов, с его бессчетными белыми колоннами и массивным куполом, самым большим во всем Риме — по иронии судьбы, он был больше любой из христианских церквей.

Те города, которые я знала, состояли из одного-двух королевских дворцов, нескольких дворцов поменьше, нескольких церквей и многочисленных беленых домиков, жмущихся друг к другу на узких улочках на склонах гор или вдоль морского берега. Но пышность и грандиозность Рима превосходили все мои представления. Он тянулся до самого горизонта, а его здания отличались такими размерами и таким изяществом, что у меня перехватывало дух. Широкие улицы были заполнены каретами богачей; огромные, построенные по классическому образцу дворцы кардиналов и знатных семейств были украшены мраморными статуями и барельефами со сценами из языческой мифологии. И любой из них был красивее темно-коричневого Кастель Нуово с его неуклюжими, неправильными очертаниями.

Лишь широкий Тибр разочаровал меня. Когда мы добрались до моста Сант-Анджело, расположенного рядом с одноименной крепостью, увенчанной изваянием архангела Михаила, я впервые увидела знаменитую римскую реку. Ее зловонные воды кишели лодками торговцев и плавающими отбросами. Но вскоре мое внимание привлекло новое зрелище: огромная, мощенная камнем площадь Святого Петра, а за ней — сам собор, которому было уже больше тысячи лет. Здесь покоились кости первых понтификов. Здесь же, на северной стороне площади, располагался Ватикан.

У въезда на огромную площадь нас встретили восседающие на лошадях кардиналы в алых одеяниях и пешие папские гвардейцы; испанский посол подъехал к Джофре и обратился к нему с приветствием. Когда наша процессия въехала на площадь, я увидела женщину и сразу же поняла, что это и есть Лукреция.

Она ехала на белой лошади, в то время как все прочие члены ее большой свиты восседали на вороных или гнедых конях. Ее придворные были разодеты в красно-золотую парчу, а сама Лукреция была облачена в платье из сияющего белого атласа с корсажем из золотой парчи, расшитым жемчугом. На волосах у нее была золотая сеточка, унизанная алмазами, а шею украшало ожерелье с большим рубином, тоже окруженным алмазами.

Она подъехала к своему брату. Мы трое — Джофре, Лукреция и я — спешились, и Лукреция, улыбнувшись, поцеловала брата. Потом она повернулась ко мне.

Как ранее объяснил мне Джофре, встречать нас доверили именно Лукреции потому, что она занимала особое место в сердцах римлян. Для них она была все равно что Дева Мария — нежная, чистая и исполненная любви к своим подданным. Даже самое ее имя было символом добродетели и чести: ее назвали в честь древней римлянки, которая, будучи изнасилованной врагом своего супруга, выбрала самоубийство, ибо не желала жить опозоренной.

За бледными, изогнутыми в улыбке губами, за мягкостью, которой лучились глаза Лукреции, я мгновенно разглядела скрытую зависть — и незаурядный ум. И сразу же поверила во все слышанные мною истории о хитрости и коварстве Папы Александра, ибо теперь видела их перед собою, отраженными в его дочери.

Физически она не соответствовала своей репутации: она не была красива, хотя держалась с такой гордостью и уверенностью в себе, что с некоторого расстояния казалась привлекательной. Лицо у нее было таким же простым, как у Джофре, со слабым подбородком и пухлой складкой под ним; глаза большие, серые, но какого-то бесцветного оттенка. Волосы Лукреции, как и у ее младшего брата, были светло-золотистые, и ради праздничного дня их уложили в безукоризненные вьющиеся локоны, свободно рассыпавшиеся по ее плечам и спине, словно у незамужней женщины.

Она и вправду была все равно что не замужем. Джофре поделился со мной семейной сплетней о том, что муж Лукреции, Джованни Сфорца, граф Миланский, с самой их свадьбы при малейшей возможности старался убраться подальше от собственной жены. В настоящий момент он засел в своем поместье в Пезаро и, к немалому замешательству Лукреции, отвечал отказом на все требования Папы вернуться к супруге. Я была поражена, но, когда я спросила у Джофре, почему же граф не хочет приехать к жене, мой супруг, непроходимо наивный в других вопросах, ответил лишь: «Он боится».

Я предположила, что он боится гнева Папы Александра. Милан, столица герцогства Сфорца, ради собственной безопасности заключил сделку с французами; правители этого края не приходились друзьями Неаполю. Должно быть, Сфорца боялся воздаяния за свой политический промах.

Однако, поразмыслив, я сообразила, что Сфорца стал избегать Лукреции задолго до того, как король Карл задумал вторжение в Италию. Неужели он настолько презирал свою жену?

Но нынешним утром по лицу Лукреции, такому осторожному, такому застенчиво милому, соответствующему случаю, ничего нельзя было понять.

— Сестра, — произнесла она достаточно громко, чтобы ее услышали окружающие зрители, и достаточно тихо, чтобы это звучало скромно, — добро пожаловать домой.

Мы сдержанно обнялись, поцеловав друг друга в щечку. Лукреция держала меня за руки — так, чтобы я оставалась на месте, не прижимаясь к ней слишком крепко; и в тот миг, когда она отстранилась, я заметила в ее глазах вспышку чистейшей ненависти.

Лукреция, возлюбленная госпожа Рима, провела нас через площадь в Ватикан, в величественный зал, где на золотом троне восседал Папа Александр в окружении самых могущественных кардиналов Италии. Они с Лукрецией оказались потрясающе похожи: у Папы был такой же слабый подбородок с множеством складок под ним (ибо Папа уже разменял шестой десяток) и глаза той же формы и величины, только карие. Нос у него был более крупным, а в седых волосах была выстрижена монашеская тонзура, прикрытая белой шапочкой. На груди у Папы висел большой золотой крест, усыпанный алмазами, а на пальце сверкал рубиновый перстень Петра. Папу окружала аура физической силы: грудь и плечи у него были широкими и мускулистыми, а лицо исполнено жизни.

Когда мы вошли, он просиял, словно снедаемый любовью жених.

— Джофре, сын мой! Санча, дочь моя! Так это правда: ты заслуживаешь всех тех восхвалений, которые Джофре расточал тебе в письмах! Ты действительно так прекрасна, что слова не в силах это передать! Взгляните! — Он взмахнул рукой, обращаясь к присутствующим. — Ее глаза зелены, как изумруды!

Я не колебалась. Я привыкла видеть глав государств, и этикет меня не смущал. Я двинулась к Папе, не ожидая своего мужа, поднялась по ступенькам трона, преклонила колено и поцеловала атласную туфлю понтифика, как того требовала церемония. Несколько секунд спустя Джофре преклонил колени рядом со мной.

Александру явно понравились и моя почтительность, и отсутствие робости с моей стороны. Он возложил мне на голову прохладную большую ладонь, благословляя меня, потом указал на красную бархатную подушку, лежащую на мраморных ступенях слева от трона.

— Садись рядом со мной, дорогая! Я отвел для тебя особое место.

Джофре обнял отца, потом отошел и встал рядом с кардиналами; я же устроилась на бархатной подушке, не преминув подметить, что с другой стороны трона лежит вторая такая же.

Мои фрейлины продефилировали следом, точно так же выказав почтение Папе. Когда с формальностями было покончено, Лукреция поднялась по ступенькам и заняла свое место на второй красной подушке.

Я постаралась перехватить ее взгляд и получила в ответ еще один всплеск ненависти. Тогда я решила, что это проявление дочерней ревности; лишь впоследствии я узнала истинную глубину этой ненависти и ее причину.

— Бог воистину добр ко мне, раз он окружил меня такими красивыми женщинами! — с пылом провозгласил Александр и раскинул руки, словно желая обнять нас с Лукрецией.

Присутствующие рассмеялись. Я улыбнулась с напускным смущением и взглянула на мужа, проверить, доволен ли он моим поведением.

Он был доволен. Но рядом с ним стоял еще один человек, который был столь же им доволен, если не более. Один из кардиналов, мой ровесник, худощавый, бородатый, с волосами цвета воронова крыла, как и у меня, смело встретил мой взгляд. Я почувствовала, что лицо мое залила краска; я отвела взгляд, и губы мои задрожали.

Но все же я не удержалась и украдкой снова взглянула на красивого молодого кардинала — и обнаружила, что он смотрит на меня с неприкрытым интересом. «Да как он смеет? — подумала я, пытаясь вызвать в себе возмущение и недовольство. — При моем муже, при его святейшестве! И он ведь священник, кардинал!..»

Раньше, когда мне было пятнадцать лет, я думала, что влюблена в Онорато Каэтани. Но эта привязанность была порождена тем, что Онорато был добр ко мне, и его искусством в любовных делах.

А чувство, которое поразило меня утром двадцатого мая, когда я сидела на бархатной подушке рядом с

Папой и смотрела на человека, стоящего рядом с моим мужем, было мгновенным, неотвратимым и острым, словно кинжал, всаженный в сердце. Я не хотела его. Я не искала его. И все же оно пришло, и я оказалась в его власти. А мне даже ничего не было известно о человеке, который только что похитил мою душу.

Я явилась ко двору Папы Александра, желая произвести благоприятное впечатление и быть хорошей женой его сыну Джофре, — и вот теперь я бесповоротно погибла.

ГЛАВА 11

После официальной церемонии встречи нас с Джофре, вместе с нашими придворными и нашим имуществом, провели во дворец Санта-Мария-ин-Портико, расположенный рядом с Ватиканом. Это была изящная постройка с большими арочными окнами, чтобы римское солнце лилось внутрь; ее возвели с исключительно плотскими целями — дабы дать приют женской свите Папы Александра. На первом этаже была устроена крытая галерея, выходящая в большой сад; Александр не жалел денег на своих женщин. В этом дворце проживала Лукреция, а также молодая любовница Александра, Джулия Орсини, и его племянница и сводня Адриана, дама средних лет. Время от времени тут появлялись и другие красавицы, привлекшие внимание его святейшества, и мне стало не по себе, когда нас отвели в этот дворец, хотя меня и сопровождал Джофре.

Мне сделалось еще неспокойнее, когда я обнаружила, что наши с мужем спальни расположены в разных крыльях дворца: моя находилась рядом с покоями Лукреции и Джулии. При обычных обстоятельствах жена не усмотрела бы повода для беспокойства в том, что ее поселили рядом с другими особами ее пола. Да вот только Александр, похоже, питал особую слабость к замужним женщинам. Даже невероятно красивая Джулия Фарнезе не возбуждала его страсти до такой степени, чтобы перевезти ее в Ватикан, пока он не выдал ее за сына своей племянницы Адрианы, бедолагу по имени Орсино Орсини. Его святейшество находил особое удовольствие в том, чтобы нарушать святость брака других мужчин.

Потому, когда мы с Джофре уже собирались разойтись по своим комнатам, я остановилась, снова повернулась к нему и погладила его по гладкой мальчишеской щеке. Джофре лучезарно улыбнулся мне. Его все еще переполнял восторг, вызванный собственным пышным возвращением в родной город. Ему исполнилось пятнадцать, и он наконец-то сравнялся со мною в росте, но продолжал носить длинные вьющиеся локоны. Задержав ладонь у его теплой щеки, я мысленно поклялась, что никогда не позволю его собственному отцу превратить Джофре в рогоносца.

Но в то же самое время я молилась о том, чтобы мне никогда больше не встретился тот молодой кардинал, чей взгляд вызвал во мне такую волну страсти.

Эта молитва оказалась подобна всем прочим: Бог так на нее и не отозвался.

Некоторое время мы отдыхали после путешествия. Я пыталась уснуть, но не смогла, хотя кровать с подушками из парчи и бархата, с льняным постельным бельем и меховым покрывалом была роскошна, куда роскошнее любой кровати в Кастель Нуово. Борджа не стеснялись демонстрировать свое богатство. Пока мои дамы распаковывали и раскладывали мои вещи, я заметила в руках у донны Эсмеральды небольшую книжицу в потрепанном кожаном переплете. Прежде чем донна Эсмеральда успела ее убрать, я схватила книжку, устроилась на подушках и принялась читать.

Это были «Канцоны» Петрарки, его любовная поэзия, посвященная таинственной Лауре. Томик размером с ладонь подарил мне Онорато. Мое отношение к Петрарке всегда было двойственным. С одной стороны, меня забавляла та слезливая сентиментальность, с которой он описывал любовь как стрелу, пронзившую его сердце, и при этом благословлял тот день, когда ему была причинена эта боль. Он всегда говорил о боли, жаре и ознобе. Время от времени я принималась читать его стихи вслух моим дамам, намеренно утрируя его чувства и с таким сарказмом, что через некоторое время уже не могла читать дальше, ибо все мы задыхались от смеха. «Бедный Петрарка! — вздыхала я. — Думаю, он страдал не столько от любви, сколько от лихорадки».

Но иногда какая-нибудь из дам не смеялась так же громко, как остальные, а, напротив, робко возражала: «Так бывает. Когда-нибудь, мадонна Санча, это может случиться и с вами».

Как я насмехалась над ними! Однако про себя я думала: а вдруг они правы? — и в глубине души мне хотелось ощутить подобное волшебство. Неужто Петрарка говорил правду, когда твердил, что был околдован одним-единственным взглядом своей Лауры и эти узы связали его навеки? Петрарка всегда говорил о глазах.

В тот день, двадцатого мая, я уселась и принялась читать своим обычным насмешливым тоном, пока мои дамы суетливо сновали по комнате. Когда я дошла до строки «Я страшусь и все же надеюсь; я горю, и я во льду», голос мой дрогнул. Внезапно меня захлестнули чувства, и я отвернулась. Я захлопнула книгу и положила на подушку рядом с собой. Эти слова в точности описывали то, что я почувствовала, когда мой взгляд встретился с взглядом красивого молодого кардинала; я не могла совладать с собственными чувствами. В моей памяти всплыло лицо матери и вызов в ее голосе: «Ты так говоришь, словно у меня был выбор». Наконец-то я поняла, что она имела в виду.

Женщины остановились, оторвались от работы и повернулись ко мне. Улыбки на их лицах сменились озабоченным выражением.

— Она тоскует по дому, — понимающе сказала Эсмеральда. — Донна Санча, не печальтесь. Джофре с вами, и мы все тоже; и ваше сердце тоже вскоре будет здесь.

Как я могла объяснить ей, что мое сердце уже здесь, но совсем не так, как мне хотелось?

Обозлившись на себя за то, что я так легко влюбилась в незнакомца, я встала, вышла на балкон и принялась со злостью смотреть в сад.

Ближе к вечеру мы с Джофре отправились на пир, который его святейшество устроил в нашу честь. Происходило это в папских покоях. Мы неспешно, рука об руку, словно юные влюбленные, вышли из дворца. Нас сопровождали стражники и мои фрейлины. Погода выдалась чудесная, и солнце, уже начавшее клониться к горизонту, заливало золотистым светом огромную площадь и блистало на белом мраморе окружающих зданий. Джофре с гордостью улыбнулся мне.

Я крепко сжала его руку. Джофре подумал, что это пожатие продиктовано любовью, и ответил таким же пожатием и взглядом, но на самом деле оно было порождено тревогой. Теперь я куда меньше беспокоилась о том, что я буду делать с заигрываниями Папы; сильнее всего меня тревожило вспыхнувшее во мне влечение к таинственному кардиналу.

Мы дошли до покоев Борджа. У входа я оглянулась и увидела позади, за внушительным замком Сант-Анджело, тщательно ухоженные сады и виноградники, что тянулись, не прерываясь, до самых гор, и ряды апельсиновых деревьев, перемежаемых хвойными. Прохладный воздух наполняло благоухание цветов.

Слуга объявил о нашем приходе, и мы вошли, а следом за нами — наша свита.

Покои оказались не особенно большими, но богато украшенными: потолки были позолочены, а стены покрыты эмалью и изумительными фресками Пинтуриккьо с христианскими и языческими сюжетами. Ниже фресок стены были задрапированы шелковыми тканями, а полы покрывали восточные ковры. Повсюду были устроены места для гостей: тугие подушки из бархата и парчи, стулья и кресла.

Папа — его широкие плечи обтягивало белоснежное одеяние — стоял, улыбаясь, у входа в обеденный зал. В отличие от Джофре он был крупным мужчиной и заполнял собою дверной проем; он раскинул руки в приветственном жесте. Его широкие плечи, шея и грудь навели меня на мысль о могучем быке.

— Дети мои! — с улыбкой воскликнул он без всякой напыщенности. — Джофре, Санча, заходите!

Он обнял сначала сына, потом меня и поцеловал меня в губы с тревожащим пылом.

— Джофре, присаживайся на своё место. Что же до вас, ваше высочество, — сказал он мне, — позвольте, я устрою для вас экскурсию по нашему жилищу.

Я не посмела возражать. Александр обнял меня за талию и провел в другую комнату, где мы оказались наедине.

— Это — Зал святых, — объявил он. — Здесь наша Лукреция выходила замуж.

Упомянуть о муже он не потрудился.

Я огляделась и едва удержалась, чтобы не ахнуть. Я была ошеломлена, словно какая-нибудь простолюдинка, впервые в жизни попавшая во дворец.

Кастель Нуово, который до нынешнего момента был воплощением моих представлений о королевской роскоши, был обставлен в испанском стиле, с белеными стенами, арочными окнами и резными потолками из темного дерева. Украшения состояли из ковров, неярких росписей, статуй. И я считала эти украшения изысканными.

Но когда я вошла в Зал святых, я была ослеплена, словно от взгляда на солнце. Никогда еще я не видела таких насыщенных цветов, такого изобилия отделки. Сводчатый потолок был покрыт бесчисленными росписями, каждая в обрамлении золотой лепнины; в некоторых красовались круглые окна. Фоном служил густо-синий цвет, равного которому я еще не видала: такая краска делалась из толченой ляпис-лазури; на этом фоне горели богатейшие оттенки красного, желтого и зеленого вкупе с чистым золотом. На каждой стене была нарисована фреска с изображением одного из святых. Я заметила святую Сусанну в ниспадающем красивыми складками синем платье, стоявшую у фонтана с двумя распутными старцами; на переднем плане были изображены кролики, символ похоти.

— Мы заплатили Пинтуриккьо немалые деньги за эту работу. Не правда ли, она прекрасна? — негромко спросил хозяин дома, а потом с вожделением добавил: — Хотя не так прекрасна, как ты, моя дорогая.

Я поспешила отойти от него и двинулась по испещренному прожилками светлому мрамору к фреске с изображением Катерины, ведущей диспут с языческими философами в присутствии императора Максимилиана; на заднем плане виднелась арка Константина. Юная святая была одета в черно-красный наряд знатной римлянки; золотые волосы, ниспадающие до талии, выглядели безошибочно узнаваемыми.

— Да это же Лукреция! — заметила я.

Довольный Папа хмыкнул.

— Верно.

В нем не было благочестия — лишь земное жизнелюбие. Неудивительно, что он выбрал в качестве папского имя Александр, не христианское, но имя македонского завоевателя.

Я взглянула на потолок. Его тоже украшали росписи: мучения святого Себастьяна, святой Антоний, явившийся к отшельнику, Павел — но над всем господствовало изображение язычника и язычницы, указывавших на огромного быка. Я уже заметила, что меньшие изображения быка присутствовали повсюду, перемежаемые символами папской власти — тиарой поверх скрещенных ключей от Царствия Небесного.

— Бык Апис, — объяснил Александр. — В Древнем Египте ему поклонялись как воплощению бога Осириса. Бык изображен на нашем фамильном гербе.

Прежде чем я успела как-либо отреагировать, Александр подошел ко мне и снова обнял за талию.

— Понимаешь, это символ мужской силы и энергии.

Внезапно он положил руку мне на грудь и попытался поцеловать меня. Я выскользнула из его объятий и быстро отошла. Я поняла, почему благочестивый Савонарола называл Папу Антихристом. Здесь, в папских покоях, языческий символизм предпочитали христианскому.

Папа негромко хохотнул.

— А ты у нас скромница, моя дорогая. Ну да ничего, я люблю охоту.

— Ваше святейшество, прошу вас, — откровенно произнесла я. — Я хочу лишь одного: быть верной женой вашему сыну. Я не стремлюсь в фаворитки, а вы можете выбирать из такого множества женщин…

— О, — сказал он, — но среди них нет ни одной столь же очаровательной.

— Я польщена, — парировала я. — Но прошу вас, позвольте мне остаться просто вашей верной невесткой.

Александр самодовольно улыбнулся и кивнул, хотя не похоже было, чтобы он отказался от своих планов касательно меня. Он сделал широкий жест.

— Как тебе угодно. Давай продолжим экскурсию.

Мы прошли через несколько залов — все они не уступали великолепием первому, и каждый был посвящен определенной теме: Зал таинств веры, с большими настенными росписями, посвященными поклонению волхвов; Зал сивилл, с картинами, изображающими пророков Ветхого Завета, возвещающих о гневе Божьем, и суровых сивилл, языческих провидиц. Никогда еще я не видела такого выставленного напоказ великолепия и богатства; по правде говоря, я порадовалась, что посетила другие покои прежде, чем мы отправились на пир: теперь я могла не глазеть по сторонам, разинув рот, словно преисполненная благоговейного страха крестьянка.

Его святейшество более не предпринимал попыток соблазнить меня, и мы наконец-то присоединились к прочим гостям в Зале свободных искусств. Папа указал мне на место под картиной с изображением Арифметики, белокурой женщины в зеленом бархате, сжимающей в руках золотистый том.

— Ты будешь сидеть рядом со мной.

Пока он вел меня к длинному обеденному столу, уставленному подсвечниками и разнообразными блюдами — здесь была жареная птица, дичь, баранина, вино и виноград, сыры и хлеб, — я прошла мимо нескольких кардиналов. Все они принадлежали к семейству Борджа, все были облачены в традиционные алые рясы. Я пробежала взглядом по их лицам, но не нашла среди них моего красавца.

Во главе стола стояло кресло Папы, более высокое и более тщательно изукрашенное, чем остальные; справа от него сидела Лукреция. Я присела в реверансе. Лукреция ответила чопорным кивком. Она поджала красивые губы и прищурилась, ухитрившись продемонстрировать мне одной всю глубину своего презрения. Джофре ничего этого не заметил. Он поцеловал сестру и сел рядом с ней.

Мой пустой стул ожидал меня рядом с креслом Папы; меня снова разместили в точности напротив Лукреции. Я уже собралась было усесться, но меня остановил Папа, крепко и вместе с тем ласково взявший меня за плечо.

— Погодите! Наша дорогая донна Санча еще не познакомилась со своим новым братом!

Папа указал на стул рядом с моим. Сидевший на нем молодой человек — мой ровесник — уже встал.

Поразительно красивый мужчина с прямым носом и сильным подбородком, скрытым густой бородой.

— Чезаре! Чезаре, поцелуй свою новую сестру, Санчу!

Он унаследовал черты матери и волосы, черные как смоль, потому я не узнала в нем Борджа. В отличие от прочих кардиналов, он сменил алое одеяние на черную рясу священника — простую, но изящно скроенную. Взгляд, которым мы обменялись, был исполнен той же силы, что и утренний, когда мы смотрели друг на друга у подножия папского трона.

Я знала, что у Джофре есть старший брат Чезаре, кардинал Валенсийский, некоторыми именуемый Валентино. Однако же утром, во время аудиенции у Папы, когда Джофре подошел к этому молодому кардиналу, я не сообразила, что это он и есть.

Мы повернулись друг к другу и обнялись, как подобает придворным, связанным родственными узами, взяв друг друга за руки чуть повыше локтей. Я подставила ему щеку и была поражена, когда он поцеловал меня в лоб. У него была густая борода взрослого мужчины, и я задрожала, когда она скользнула по моей коже.

— Примите мою исповедь, ваше святейшество, — сказал Чезаре, не отрывая взгляда от меня. — Я завидую моему брату. Он заполучил воистину прекрасную женщину.

Все вежливо засмеялись.

— Вы слишком добры, — пробормотала я.

Александр уселся, тем самым позволяя всем прочим занять свои места, и, улыбаясь, указал на Чезаре.

— Ну разве он не остроумен? — сказал Папа с искренней любовью и гордостью. — Господь благословил меня самыми красивыми и умными детьми во всем христианском мире. И я благодарю Бога за то, что все вы теперь со мной и у вас все благополучно.

Неумение Папы справляться с собственной похотью внушало мне отвращение, но сейчас я заметила, как его сыновья и дочь расцветают от похвалы. Очевидно, Александр был широкой натурой, не скупящейся на чувства, и я тоскливо подумала: интересно, а каково это — иметь такого доброго и любящего отца?

Во время пира я мало ела и мало разговаривала, хотя остальные смеялись и болтали от души. Я же занималась тем, что слушала Чезаре. Мне немногое запомнилось из его речей, но его голос и манеры были подобны бархату.

Пир был исключительно семейным, но семья была обширная, и мне предстояло запомнить множество имен. Я уже знала кардинала Монреальского — он был свидетелем при осуществлении нашего с Джофре брака.

Через изрядное время после восхода луны Папа положил мощные руки на стол и отодвинулся — и все остальные тоже поспешно встали.

— А теперь в гостиную, теперь прием, — объявил он.

От выпитого вина голос его сделался хриплым.

Мы перешли в самую большую комнату этих покоев, где нас ждала небольшая толпа. Завидев нас, музыканты заиграли на лютнях и свирелях. Хоть нас и не представляли друг другу, я сразу же узнала ту, кого в Риме именовали Ла Белла, — знаменитую Джулию, с лицом, прекрасным, как у античной мраморной статуи. Ее светло-каштановые волосы были заплетены в косы, уложены на голове и спрятаны в сеточку; лишь несколько вьющихся прядей обрамляли лицо. На Джулии было бледно-розовое шелковое платье, очень пышное, из тончайшей ткани, и складки при малейшем ее движении шли волнами. Ее большие, с тяжелыми веками глаза смотрели до странности робко для женщины, владеющей сердцем такого могущественного человека. Я не почувствовала в ней ни злобы, ни притворства. Очевидно, благосклонность его святейшества досталась Джулии без всяких усилий или манипуляций с ее стороны. Она напоминала ребенка, ошеломленного чересчур роскошной игрушкой.

С ней был ее муж, Орсино Орсини. Взгляд его единственного глаза — второй он потерял несколько лет назад — был рассеянно устремлен куда-то вдаль. Орсино был невысоким, коренастым, мрачным — и явно покорным судьбе. За ним и его женой внимательно следила его мать, племянница Папы, Адриана Мила, дородная матрона с проницательным, оценивающим взглядом и морщинами на лбу, вызванными привычкой озабоченно хмуриться. Адриана была искусным тактиком. Она заслужила изрядную благосклонность Папы не только потому, что свела его с Джулией, но еще и потому, что содействовала возвышению Лукреции при дворе Папы. Несомненно, ни один человек, очутившийся на попечении этой женщины, не смог бы обучиться искусству доверия.

Здесь же присутствовали и другие люди: дворяне с женами, члены папской свиты, еще кардиналы, а также женщины, которых отчего-то никто не сопровождал и которых мне не представили. Вечер был совершенно неофициальный, совсем не такой, к которым я привыкла в Неаполе и Сквиллаче: там мы с Джофре занимали троны, а дворян и родню рассаживали в строгом соответствии с рангом. Здесь же для его святейшества принесли трон и поставили так, чтобы ему удобно было наблюдать за происходящим, но все прочие перемещались, как им угодно, время от времени перенося подушку или стул туда, куда им больше нравилось, и с легкостью покидали свои места, которые тут же занимали другие гости.

Это меня не волновало. При каждом дворе свои обычаи. Но затем принесли стул для Джулии, чтобы она могла сесть возле Папы, и, когда Папа заметил ее, он тут же двинулся ей навстречу и поцеловал ее при всех без всякой скромности, а потом велел садиться рядом с собой.

Это несколько шокировало меня. Моя мать была любовницей принца, но отец никогда не сажал ее рядом с собой и не целовал прилюдно. А ведь здесь, в конце-то концов, Ватикан! Кроме того, мне противно было думать, что эти самые руки, которые сейчас ласкали Джулию, несколько часов назад с такой легкостью протянулись ко мне. Однако я никак не проявила своих чувств. Образцом мне послужил Джофре. Он отнесся к поведению своего отца как к чему-то совершенно естественному, и я постаралась по мере сил подражать ему.

Тем временем начали разливать вино. Я выбрала себе вино, разбавленное водой, да и того выпила всего пару бокалов.

— Я бывала в Неаполе и кое-что знаю о нем, — обратилась ко мне Лукреция, — но никогда не была в Сквиллаче. Расскажите мне об этом городе.

Как и я, она приняла меры к тому, чтобы не выпить лишнего. Она была слишком занята — оценивала меня и возможную силу нашего соперничества.

— Сквиллаче довольно красив на свой лад. Он расположен на берегу Ионического моря, и, хотя побережье там не такое живописное, как в Неаполе, — там ведь нет Везувия, — гавань очень мила. В городе много ремесленников, славящихся своей керамикой.

— Он такой же большой, как Неаполь?

— О нет! — фыркнул Джофре.

Чезаре, помалкивавший до этого момента, любезно произнес:

— И тем не менее он очарователен, насколько я слыхал. Размеры и красота не всегда связаны между собою.

Лукреция склонила голову набок и слегка прищурилась.

— Ах, иногда меня тянет к простоте провинциальной жизни. Рим так огромен, а требования времени так велики, что иногда это просто подавляет. Кроме того, мы должны производить впечатление на население во время всех общественных торжеств. Боюсь, здешние жители куда более пресыщены, чем в Сквиллаче, и ожидают большего.

Я вскинула голову, чувствуя себя несколько оскорбленной: неужели она имеет в виду мой утренний наряд, нарочито скромный и сшитый так, как подобает почтенной замужней женщине, который я специально надела для того, чтобы она, Лукреция, могла блеснуть во время нашей первой встречи? Если так, то я больше не повторю этой ошибки.

— Лукреция! — позвал Папа, явно захмелевший. — Потанцуй для нас! Станцуйте вместе с Санчей!

Он сидел, обнимая Джулию; когда он привлек ее к себе и поцеловал, та хихикнула.

Лукреция бросила на меня очередной косой, слегка насмешливый взгляд.

— Вы, конечно, знаете испанские танцы... или у вас на юге этому не учат?

— Я — принцесса Арагонского дома, — недружелюбно отозвалась я.

Мы взялись за руки. Музыканты заиграли, Папа принялся время от времени хлопать в ладоши, выражая свой восторг, а мы с Лукрецией повели старинный кастильский танец.

В тот момент я радовалась тому, что выросла рядом с моим отцом и вовремя узнала, что люди могут вести себя внешне любезно и при этом быть двуличными. Я чувствовала, что Лукреция как раз из таких людей. Пока мы поддерживали вежливую беседу во время танца, я постоянно держалась настороже. И не зря: в какой-то момент Лукреция нарочно пропустила шаг в танце и выставила ногу так, чтобы я споткнулась. Во мне вспыхнули отцовский гнев и надменность, и я намеренно наступила ей на ногу.

Она вскрикнула и резко развернулась ко мне. Хоть мы и продолжали танец, откровенный взгляд, которым мы обменялись, больше подходил двум дуэлянтам.

— И как мы поведем эту игру, мадонна? — кротко спросила я, но взгляд мой оставался жестким. — Я приехала в Рим не по своей воле. И уж точно я приехала не за тем, чтобы наживать себе врагов. Я не желаю быть для вас никем иным, кроме как доброй сестрой.

Сознавая, что на нас смотрят, Лукреция очаровательно улыбнулась; я никогда еще не видела на человеческом лице более холодного и более пугающего выражения.

— Вы мне не сестра. И вы никогда не будете равны мне, ваше высочество. Зарубите себе на носу.

Я замолчала, не понимая, как унять ее ревность.

Пока мы танцевали, появились слуги с подносами, заполненными шоколадом. Александр устроил целое представление, скармливая конфету Джулии; потом она кормила его. Когда наш танец закончился и зрители вежливо похлопали, Александр, ухмыляясь совершенно по-мальчишески, бросил конфету и попал в Чезаре.

Молодой кардинал в темной рясе отреагировал с редким тактом: он улыбнулся, нисколько не удивленный, подобрал конфету и съел с удовольствием, которое явно порадовало его хохочущего отца.

После этого Александр преувеличенно подчеркнутым жестом бросил конфету Джулии за корсаж.

На миг на лице девушки промелькнул ужас: ей не хотелось, чтобы ее дорогое платье пострадало.

Я заметила резкий взгляд, брошенный на нее Адрианой Милой: в нем были и предостережение, и угроза.

Джулия тут же заулыбалась, потом хихикнула, но в искренность этого хихиканья мог поверить лишь человек, охваченный страстью. Папа тоже хихикнул, словно гадкий мальчишка, и запустил руку за вырез ее корсажа, между белоснежными грудями, задержавшись там на чрезмерно долгое время и изображая на лице похотливую радость, рассчитанную на то, чтобы позабавить толпу.

Присутствующие разразились смехом.

Внезапно Адриана подошла к Александру и что-то прошептала ему на ухо; он кивнул, потом повернулся к Джулии и, взяв ее прекрасное лицо в ладони, поцеловал девушку в губы и что-то обещающе забормотал. Я заподозрила, что он назначает ей свидание, и подумала, насколько соответствует истине слух о том, что Папа приказал вырыть подземный ход между дворцом Святой Марии и Ватиканом, чтобы тайно посещать своих женщин в любой момент, когда ему только заблагорассудится.

Джулия кивнула, зардевшись, и удалилась вместе с бедолагой Орсини; их обоих увела Адриана.

Это было сигналом для гостей, которого я не поняла: кардиналы тут же выстроились перед троном его святейшества, поклонились и попросили дозволения удалиться; большинство дворян последовало за ними.

Было еще не поздно, но теперь на празднике остались лишь близкие родичи и неизвестные, экстравагантно разряженные женщины без сопровождающих.

Шлюхи — вдруг поняла я еще до того, как его святейшество забросил очередную конфету в декольте самой пышногрудой из этих женщин, и мне сделалось не по себе. Проститутка засмеялась. Это была красивая молодая девушка с золотыми волосами, но хоть она и была изрядно навеселе, взгляд ее оставался жестким. Она подалась вперед, чтобы наилучшим образом продемонстрировать свой бюст, и, слегка пошатываясь, двинулась к Александру.

Тот сидел, ожидая ее. В тот же миг, когда ее обтянутая парчой грудь возникла перед ним, Папа с жаром уткнулся туда лицом и принялся выискивать спрятанную конфету, как пес кидается на лакомство, упавшее с хозяйского стола.

Шлюха пронзительно рассмеялась и прижала его голову к себе. Наконец Папа торжествующе отстранился; лицо его было измазано в шоколаде, а конфету он держал в зубах.

На лице Чезаре застыло замкнутое, уклончивое выражение; он смотрел в свой кубок. Очевидно, он привык к подобным зрелищам, но не одобрял их.

Я взглянула на Джофре. Мой маленький муж смеялся. Он был пьян. Джофре подозвал одного из слуг и велел принести еще конфет. Я забылась, и мне не удалось полностью скрыть своего отвращения.

Лукреция тут же все заметила.

— Ах, мадонна Санча, вы такая провинциалка.

И чтобы доказать, что уж она-то не провинциалка, Лукреция, дождавшись появления подноса с конфетами, опустила одну себе за корсаж.

Чезаре с ловкостью, в которой не было ни намека на неприличие, тут же подхватил конфету двумя пальцами и вернул на поднос.

— Лукреция, дай же нашей новой сестре время освоиться, — спокойно, без всякого осуждения произнес он. — Возможно, тогда наши римские обычаи не будут так шокировать ее.

Лукреция вспыхнула. Она поставила кубок на поднос, схватила начавшую таять конфету и снова засунула ее за корсаж, уже поглубже.

Не сказав ни слова, она подошла к трону отца и жестом велела хихикающей шлюхе — та сидела у понтифика на коленях, двигая бедрами самым сладострастным образом, — отойти в сторону.

Шлюха повиновалась, любезно поклонившись, хотя ясно было, что вмешательство вызвало у нее негодование. А Лукреция заняла ее место.

Она уселась к отцу на колени и прижала его лицо к своим небольшим грудям. К этому моменту Александр явно был пьян — но не настолько пьян, чтобы не заметить, что женщина сменилась другой.

Когда он принялся разыскивать конфету, работая губами и языком, Лукреция повернулась ко мне. Ее прищуренные глаза горели вызовом и триумфом.

Я стремительно развернулась, так, что взметнулись юбки, и вышла прочь.

ГЛАВА 12

Эсмеральда и трое стражников двинулись за мной, но я прикрикнула на них:

— Я желаю остаться одна!

Мой тон заставил умолкнуть даже неукротимую донну Эсмеральду. В других обстоятельствах она ни за что не позволила бы мне бродить ночью в одиночку, без сопровождения, но она достаточно хорошо знала меня, чтобы уразуметь, что я достигла той степени решимости, на которой не потерплю никаких возражений. Кроме того, я не боялась. Я всегда носила с собой стилет, подарок Альфонсо.

Я в одиночестве шагнула в римскую ночь. Воздух был немного прохладным. Впереди высился темный дворец. Единственным источником света была луна; она поблескивала на мраморных крышах и мерцала в оставшихся позади окнах покоев Борджа. Я приподняла юбки и, стараясь двигаться как можно осторожнее, спустилась по высокой лестнице на землю, а там уже развернулась и двинулась на тусклый свет, исходящий от нижнего этажа дворца Святой Марии, моего нового дома.

Меня нельзя было назвать скромницей. Мне случалось видеть кое-какие разгульные попойки при дворе моего отца и моего мужа. Там тоже случались игры с куртизанками. Но такие вечеринки проводили осмотрительно, в узком кругу доверенных лиц.

Очевидно, Папа доверял многим. Или, возможно, никто ничего не смел сказать. Так или иначе, не приходилось сомневаться, что человек, который когда-то шокировал все итальянское общество, приставая сразу к нескольким замужним женщинам в церковном садике, ничуть не изменился с тех пор, хотя и взошел на папский престол.

Я могла бы посмотреть на это сквозь пальцы, хотя от Папы я все же ожидала большего благоразумия. И после того, как сегодня его святейшество так легко отказался от своих попыток добиться меня, я убедила себя в том, что мне достаточно будет несколько раз отказать ему, и меня оставят в покое.

Александр даже вызвал у меня симпатию своей безудержной любовью к детям. Я сама мечтала о подобной родительской любви и не раз думала, какой могла бы быть моя жизнь, если бы отец был добр ко мне.

Но этот странный торжествующий взгляд Лукреции, прижимавшей лицо Папы к своей груди, заставил меня затосковать по дому, который я знала. Я не могла скрыть отвращения, внушенного мне подобной сценой с участием отца и дочери — на миг мне представился мой отец на месте Александра и я сама на месте Лукреции. Я содрогнулась при мысли о том, чтобы прижаться грудью к губам Альфонсо II или чтобы отец, напившись, лапал меня. Эта мысль была настолько отвратительной, что я тут же отбросила ее.

Теперь я слишком хорошо поняла причину ревности Лукреции… и причина эта не имела ничего общего с тем, что я могла затмить ее в глазах народа.

Ее любовь к Александру выходила далеко за пределы любви дочери к отцу. Взгляд, устремленный на меня, был взглядом женщины, завладевшей возлюбленным и предупреждающей соперницу: «Оставь его. Он мой».

При мысли о том, как ее молодое нагое тело прижимается к дряблому телу понтифика, мне сделалось нехорошо. Я брела вдоль края площади, дыша ночным воздухом — от Тибра тянуло запахом болота, — как будто я могла очистить собственную память от того, что мне только что довелось увидеть.

Внутреннее чутье говорило мне, что Лукреция — развращенное, презренное создание. Ее бесстыдная выходка с конфетой намекала на чудовищную идею — о том, что она доставляет собственному отцу, Папе Римскому, плотские удовольствия.

Я глубоко вздохнула и постаралась успокоиться. Я цинична и скора на суждения. Совсем недолго я побыла в разлуке с братом — и вот уже обо всех думаю самое плохое. Как же мне стать более похожей на Альфонсо? Как повел бы себя мой брат?

Конечно же, я ошибаюсь, сказала я себе. Не может быть, чтобы эти двое были плотски увлечены друг другом. Лукреция обожает отца, как это бывает с молодыми девушками, и у нее буйная натура. Она ревнует его и не желает ни с кем делиться его привязанностью, но приходится делиться с Джулией. И тут появляюсь я, еще одна женщина, отвлекающая внимание Александра от нее. А моя резкая отповедь во время танца так обозлила ее, что она утратила власть над собою и ей отчаянно захотелось шокировать меня.

«Так оно и есть, — сказала я себе. — И, возможно, она выпила больше, чем я замечала. Возможно, она была не настолько трезвой, как казалось».

Эта мысль отчасти успокоила меня. К тому моменту, как я дошла до дворца Святой Марии, я уже поверила, что вызывающее поведение Лукреции было просто ребячеством и что Александр, конечно же, был слишком пьян, чтобы осознавать, что он тыкается лицом в грудь собственной дочери.

Стражники сразу узнали меня и впустили внутрь. Крытая галерея первого этажа была хорошо освещена, чего нельзя было сказать о коридорах наверху, и я брела наугад, пока наконец не отыскала вход в свои покои.

Я протянула руку, чтобы открыть входную дверь. И вдруг кто-то с силой схватил меня за запястье.

Я стремительно повернулась. У меня за спиной стоял Родриго Борджа. Даже полутьма не могла скрыть его грубые черты: срезанный подбородок, утонувший в складках обвислой плоти, крупный, неправильной формы нос, тонкие губы, растянутые в плотоядной ухмылке. Глаза были мутными от вина. Золотая мантия исчезла; на нем была лишь красная атласная ряса и бархатная шапочка.

«Так значит, это правда, — подумала я со странной отрешенностью. — Тайный ход между дворцом Святой Марии и Ватиканом и вправду существует». Потому что как иначе его святейшеству удалось бы так быстро покинуть свое празднество и поджидать меня здесь?

Стоя рядом с ним, я не могла отрицать его физических преимуществ: я не была высокой даже для женщины, а Родриго, в отличие от своего сына Джофре, был высоким мужчиной и в свои шестьдесят не растерял силу. Я едва доставала ему макушкой до широких плеч. Он был широким в кости, я — тонкой; его огромные ладони вполне могли бы сомкнуться вокруг моей талии, и так же легко он мог бы при желании свернуть мне шею.

— Санча, дорогая, мечта моя, — прошептал он, притянув меня к себе. Запястье пронзила острая боль, но я не вскрикнула. Слова Родриго звучали невнятно. — Я ждал этой встречи весь день, весь вечер — нет, много лет, с того самого мгновения, как мне рассказали о тебе. Но война держала нас вдали друг от друга... до сих пор.

Я открыла было рот для отповеди. Но прежде чем я успела произнести хоть слово, ладонь Родриго легла мне на затылок и он притянул мое лицо к своему. Я пыталась сопротивляться, но тщетно. Он поцеловал меня так, что губы прижались к зубам; от перегара, смешанного с дурным запахом изо рта, меня затошнило.

Родриго выпустил мою руку и отстранился; лицо у него было словно у юного любовника, ожидающего ответной реакции. И я отреагировала: я изо всех сил залепила ему пощечину.

Он пошатнулся; ему пришлось отступить на шаг, прежде чем он восстановил равновесие. Глаза его сузились от удивления и гнева. Родриго прикоснулся к горящей щеке, потом уронил руку и иронически рассмеялся.

— Ты слишком уверена в собственной значимости, дорогая Санча. Может, ты и принцесса, но не забывай, что я Папа Римский.

— Я позову моих слуг! — прошипела я. — Они за этой дверью!

— Зови. — Он ухмыльнулся. — А я прикажу им уйти. Ты вправду считаешь, что они откажутся повиноваться мне?

— Они верны мне.

— Если так, то они поплатятся за это, — веселым, непринужденным тоном отозвался Родриго.

— Да как вам не стыдно? — возмутилась я. — Я — жена вашего сына!

— Ты — женщина. — В его голосе и лице вдруг проступили та жесткость и подлость, которые я до сих пор видела лишь в глазах его дочери. — А я правлю здесь. До тех пор, пока ты живешь при моем дворе, ты — моя собственность, и я буду поступать с тобой, как мне заблагорассудится.

И чтобы доказать свои слова, Родриго, двигаясь с поразительным для столь пьяного человека проворством, запустил руку мне за корсаж и сжал грудь.

— Санча, дорогая моя, — почти капризно произнес он, — неужто я настолько стар и уродлив, что моя любовь так противна тебе? Мое восхищение невозможно передать словами. Я не пожалею для тебя ничего. Только скажи, чего ты желаешь. Только скажи! Я всегда добр к тем, кто любит меня.

Прежде чем Родриго завершил свою речь, я схватила его руку и вытащила ее у себя из-за выреза. Он же, в свою очередь, схватил меня за обе руки и припечатал к стене с такой силой, что я чуть не задохнулась. Его грузная туша навалилась на меня. Я вырывалась, брыкалась, но Родриго не ослаблял хватки. Держа меня за запястья, он растянул мои руки в стороны на высоте плеч — варварская пародия на распятие, — а потом принялся душить меня поцелуями.

Я закашлялась, забрызгав его слюной. И чуть не задохнулась, когда он засунул язык мне в рот. А потом он поднял мои руки над головой, сгреб их одной лапищей и прижал к стене. Вторую же он запустил мне под юбки. Для этого ему пришлось наклониться, и, поскольку он был пьян, у него закружилась голова.

Я воспользовалась случаем и вырвала одну руку. И в мгновение ока выхватила стилет, спрятанный у меня за корсажем. Я не собиралась пускать его в ход — мне хотелось лишь припугнуть Родриго. Но когда он понял, что я вырвалась, он протянул руку — восстановить прежнее положение — и наткнулся на острие.

Он пронзительно вскрикнул и тут же отпрянул. Я уже достаточно привыкла к полумраку и разглядела, что Родриго держит руку поднятой, растопырив толстые пальцы. Мы оба изумленно уставились на эту руку. Стилет вонзился в ладонь, сотворив подобие стигмата, и к запястью уже протянулась струйка крови. Рана была несерьезной, но эффект произвела сокрушительный.

Родриго устремил взгляд на меня. Его глаза горели такой злобой и ненавистью, какие я до сих пор видела, да и то мельком, лишь во взгляде Лукреции. Он зашипел. Однако, невзирая на всю ярость, на лице Родриго читалось еще одно чувство. Страх.

«Он задиристый, но при этом трусливый, — промелькнула у меня мысль, — в точности как мой отец». Я решила воспользоваться этим знанием и шагнула к нему, угрожающе подняв стилет.

Родриго, этот пьяный дипломат, внезапно улыбнулся. Он зажал рану другой рукой и вкрадчиво, льстиво произнес:

— Так значит, это правда — то, что о тебе говорят. Ты бесстрашна. Я слыхал, что ты убила человека, чтобы спасти неаполитанского короля.

— Вот этим самым оружием, — спокойно сообщила я. — Я перерезала ему глотку.

— Тем больше причин любить тебя! — заявил он с притворным добродушием. — Санча, ты же умная женщина, ты понимаешь, что отказываться от такой возможности…

— Отнюдь, ваше святейшество. Сколько бы вы ни подступали ко мне, всякий раз вы будете получать один и тот же ответ. — Я смерила его гневным взглядом. — Вы — отец, который твердит, что любит своих детей.

Как бы себя чувствовал Джофре, если бы увидел нас в подобной ситуации?

При этих словах Родриго склонил голову и некоторое время стоял молча, слегка покачиваясь. Потом, к моему изумлению, он разрыдался и рухнул на колени.

— Я — нехороший человек, — плаксиво произнес он. — Старый, пьяный и глупый. Я ничего не могу поделать со своей тягой к женщинам. Донна Санча, вы не понимаете: ваша несравненная красота лишила меня рассудка. Но теперь вы завоевали мое уважение. Вы не только красивы, но и храбры. Простите меня.

Его рыдания усилились.

— Простите меня за то, что я попытался обесчестить вас, а с вами и моего несчастного сына...

Это раскаяние, при всей его внезапности, казалось искренним. Я опустила стилет и шагнула к Родриго.

— Я прощаю вас, ваше святейшество. Я никогда никому не скажу об этом происшествии. Но пусть оно никогда не повторится.

Он покачал головой.

— Клянусь вам, мадонна. Клянусь...

Я подошла еще ближе, собираясь протянуть руку и помочь ему подняться.

Внезапно Родриго взметнулся и врезался в меня с такой силой, что я полетела на холодный пол, а стилет отлетел куда-то в сторону — я даже не видела, куда именно. Я пыталась встать, осознавая свою уязвимость, но запуталась в юбках.

Тяжелые юбки и бархатные туфельки скользили, мешая мне упереться. Массивная фигура Родриго нависла надо мной. Он уже потянулся ко мне.

И в этот миг в поле моего зрения появился второй человек, такой же высокий, но более худощавый и более пропорционально сложенный, и поймал Папу за руку.

— Отец, — произнес Чезаре твердо и спокойно, как будто он будил старика ото сна, а не мешал ему совершить изнасилование.

Сбитый с толку Родриго развернулся к сыну, все еще готовый к бою. Он ударил, но Чезаре, явно значительно превосходивший отца силой, перехватил руку и засмеялся, как будто все это было отличной шуткой.

— Отец! Ты слишком много выпил. Ты же знаешь, что если тебе хочется поколотить меня, то это куда удобнее делать на трезвую голову. Пойдем, Джулия спрашивала о тебе.

— Джулия?

Папа с сомнением оглянулся на меня. Пока он приставал ко мне, то казался целиком и полностью уверенным в себе. Но внезапно он сделался всего лишь сбитым с толку стариком.

Чезаре небрежно кивнул в мою сторону.

— Она тебе совершенно не нужна. А вот Джулия примется ревновать, если ты не придешь к ней как можно скорее.

Папа хмуро взглянул на меня, потом развернулся и вразвалку зашагал прочь. Чезаре несколько мгновений наблюдал за ним, а потом, убедившись, что его отец идет своей дорогой, поспешно опустился на колени рядом со мной.

— Мадонна Санча, вы не пострадали? — с тревогой спросил он.

Я покачала головой. У меня болели плечи и ребра, а на руках проступали синяки, но никаких серьезных травм я не получила.

— Я пойду прослежу, чтобы его святейшество добрался по назначению. Я вынужден попросить прощения за него, мадонна: он пьян. — Чезаре протянул руки и помог мне подняться. — С вашего позволения, я вскоре вернусь, чтобы извиниться как следует. А теперь мне нужно приглядеть за ним.

И он исчез.

Я отыскала стилет на мраморном полу и вернула на место. Подарок моего брата еще раз доказал свою ценность. Когда я вошла в свои покои, служанки молча уставились на меня широко раскрытыми глазами. Лишь взглянув в зеркало, я сообразила, что моя грудь почти выскользнула из корсажа, юбка разорвана, а волосы наполовину выбились из золотой сеточки и упали на плечи.

Чезаре сдержал свое обещание. Через считанные минуты — служанки даже не успели снять сеточку и хоть как-то причесать мои растрепанные волосы — в дверь моих покоев осторожно постучали.

Я поправила корсаж, отослала служанок в их комнату и сама подошла к двери. Меня все еще трясло от физического напряжения, которое потребовала от меня борьба, и этот факт меня раздражал.

За дверью стоял Чезаре, сдержанный, но обеспокоенный, хотя он очень хорошо держал себя в руках. Я пригласила его войти, но он отклонил предложение присесть и остался стоять.

— Мадонна Санча, вы совершенно уверены, что с вами все в порядке?

— Уверена.

Я старалась держаться так же сдержанно и достойно, как он. То, что подумает обо мне Чезаре, волнова-

ло меня куда сильнее, чем насилие против моей особы, только что учиненное его отцом.

— Я молю вас о прощении, — сказал Чезаре, и в
его обычно сдержанном тоне проскользнула нотка гнева. — Его святейшество слишком часто пытается забыть о тяжком грузе государственных забот, топя их
в вине. Он уже уснул. Думаю, к утру он полностью
позабудет об этом происшествии.

«И вы предлагаете мне тоже позабыть о нем», —
хотела сказать я, но это было бы невежливо. В конце
концов, у меня все равно не было другого выхода. Папа мог распоряжаться моей судьбой, как пожелает.
Он мог, если захочет, заточить меня в замке Сант-Анджело по вымышленному обвинению в измене. Он мог
даже напустить на меня кого-нибудь из своих приспеш-
ников и велеть меня убить. Я была благодарна Чезаре за его заботу, поскольку это означало, что в доме
Борджа у меня есть и другой союзник помимо совершенно бесполезного Джофре.

Поэтому я лишь произнесла:

— Но остались физические доказательства. Я ударила его… стилетом. У него ранена рука.

— Наверняка эта рана несерьезна, — сказал Чезаре. — Я даже не заметил ее, а он не пожаловался.

— Несерьезна. И тем не менее след остался.

Чезаре ненадолго задумался. Его лицо напомнило
мне поверхность озера с совершенно неподвижной водой. Наконец он предложил:

— Тогда, если мой отец позабудет о самом происшествии, мы с вами договоримся считать и утверждать,
что эта рана стала результатом стычки с одной из куртизанок. Я скажу ему, что сам был свидетелем и что
эта женщина была сурово наказана.

Я кивнула.

Чезаре кивнул в ответ, скрепляя наш договор, потом поклонился.

— В таком случае позвольте откланяться, мадонна.

Он повернулся, чтобы уйти, потом приостановился и взглянул на меня через плечо. И снова от внимательного взгляда этих темных глаз мне сделалось не по себе — и в то же время меня объял трепет.

— Вы — единственная известная мне женщина, которая отказала ему, мадонна. Для этого нужны изрядное мужество и твердые убеждения.

Я потупилась.

— Я замужем за его сыном.

Я не просто отвечала Чезаре. Мне нужно было напомнить самой себе об этом факте.

Чезаре немного помолчал, потом сказал:

— Жаль, мадонна, что младшего сына вы встретили раньше, чем старшего.

Он снова взглянул на меня, и на этот раз я храбро встретила его взгляд.

— Жаль, — сказала я.

Чезаре едва заметно улыбнулся и вышел.

ГЛАВА 13

Донна Эсмеральда и прочие мои фрейлины выждали требуемые приличиями полчаса, прежде чем вернуться с празднества в наши покои. За это время служанки раздели меня до сорочки и сняли с головы золотую сеточку. Они разобрали некогда тщательно уложенные локоны и как раз закончили причесывать меня к возвращению Эсмеральды, но мне кажется, я все еще дрожала, и вид у меня был загнанный. Конечно же, по моему смятению и изорванному платью служанки поняли, что произошло нечто тревожное, но они были достаточно сообразительны, чтобы видеть, что я не в духе, и потому помалкивали.

По прищуру увидевшей меня Эсмеральды я сообразила, что она все поняла, но и она тоже не стала задавать никаких вопросов. Сообщать ей о произошедшем не было смысла: она лишь стала бы, не таясь, демонстрировать свое неодобрительное отношение к Папе и веру в Савонаролу, а это были опасные для жизни в Ватикане воззрения. Кроме того, она и без того должна была вскоре обо всем узнать, с ее-то талантом собирать сведения.

На то время, пока моим домом стал дворец Святой Марии, я больше не была Санчей Арагонской, принцессой и побочной дочерью короля неаполитанского. Я больше не правила своими владениями, от моих слов теперь можно было отмахнуться, не боясь кары, я больше не вольна была поступать по своему усмотрению. Я была просто донной Санчей, женой самого младшего и наименее ценимого незаконного сына Папы, и я могла жить и дышать лишь до тех пор, пока на то будет соизволение его святейшества.

Я ничего не сказала своим женщинам, а просто позволила уложить себя на свою роскошную новую кровать; моя голова утонула в мягком пухе подушек.

Но в голове этой не было покоя. Если Папа всетаки вспомнит о нашей стычке, гнев его не будет знать границ. Чезаре сказал, что еще ни одна женщина ему не отказывала.

Но я постаралась одернуть себя. «Тебе нечего бояться за свою жизнь. Вполне возможно, что Родриго способен на убийство ради политической выгоды. Но я — его невестка, и он знает, что Джофре любит меня. Кроме того, он никогда не причинял вреда женщине».

На одной чаше весов было беспокойство из-за возможной реакции Папы, а на другой — непрестанно возвращающееся воспоминание о последних словах Чезаре и едва заметной улыбке, промелькнувшей на его губах.

«Жаль, мадонна, что младшего сына вы встретили раньше, чем старшего».

Это воспоминание наполняло меня радостной дрожью. Я поняла, что не одинока в своих чувствах. Чезаре был так же околдован, как и я.

На следующее утро, в Троицын день, я встала рано.

Если накануне я оделась скромно и сдержанно, памятуя о Лукреции, то сегодня меня обуял какой-то странный азарт. Я приказала моим дамам принести одно из лучших моих платьев, восхитительный наряд из блестящего зеленого атласа с зеленым, словно лес, бархатным корсажем, отделанным золотыми кружевами. Привязные рукава были из такого же бархата — широкие, словно крылья, и под ними нижние, узкие рукава из более светлого атласа.

Донна Эсмеральда с подозрением поджала губы при виде этого платья, но ничего не сказала. Когда она взялась за гребень и собралась уложить мои волосы в скромный узел, как делала это каждое утро начиная со дня свадьбы, я остановила ее.

— Просто причеши. Я оставлю их распущенными.

Донна Эсмеральда вздернула подбородок и уставилась на меня с неодобрением.

— Донна Санча, вы — замужняя женщина.

— Лукреция тоже. А она носит волосы распущенными.

Эсмеральда гневно сверкнула глазами и, ничего не говоря, принялась расчесывать меня — отнюдь не бережно. Она была мне ближе родной матери, потому я не стала жаловаться и не позволила себе ойкать, когда она продиралась сквозь спутанные узлы.

Как только с причесыванием было покончено, я потребовала принести драгоценности. На шею я надела один из свадебных подарков от Джофре — изумруд размером с мой большой палец, а на голову — золотой венец с изумрудом поменьше, легший точно вдоль линии волос. От этого соседства мои глаза сделались зеленее драгоценных камней.

В таком наряде я вполне могла отправиться на бал, не то что на мессу.

Разодевшись, я пошла в покои моего супруга — и в коридоре наткнулась на одну из вчерашних куртизанок, выходящую из его комнаты. Она явно провела там всю ночь, а теперь слуга выставил ее. Во всяком случае, ее уход никак не соответствовал требованиям этикета: волосы у нее были растрепаны, туфли она держала в руке, а платье натянула наспех, даже не протащив нижнюю сорочку в разрез рукавов и не расправив ее. Маленькая грудь едва не выскакивала из слабо зашнурованного корсажа.

Она так преувеличенно старалась незамеченной прокрасться по коридору, что мне это показалось комичным. Глаза у нее были небесно-голубые, а волосы, распавшиеся на отдельные пряди, — какого-то странного рыжего оттенка. Когда я остановилась, преградив ей путь, куртизанка в тревоге уставилась на меня. Я выпрямилась, изображая из себя оскорбленную супругу, и устремила на нее испепеляющий взгляд, вполне достойный Лукреции.

— Мадонна! — еле помня себя от страха, прошептала куртизанка и согнулась в низком поклоне.

В таком виде она принялась пятиться от меня, а потом развернулась и опрометью кинулась прочь, шлепая босыми ногами по мраморному полу.

Благоразумно выждав некоторое время, я вошла в прихожую, где слуга Джофре сообщил мне, что его господин все еще спит, ибо выпил накануне слишком много вина.

Я позавтракала в одиночестве у себя в покоях, потом заскучала. Во дворце царила тишина. Несомненно, Джофре был не единственным, кто до сих пор не вылезал из постели.

До мессы оставалось несколько часов. Сегодня она должна была проходить с большей торжественностью, чем обычно, учитывая значительность праздника: Троицын день, или же Пятидесятница, праздник в честь чуда, произошедшего полторы тысячи лет назад, когда апостолы исполнились божественного огня и принялись проповедовать на языках, которых прежде не знали.

Но сегодня утром это чудо казалось мне далеким и бессмысленным; меня переполняли страх и ликование из-за событий, произошедших со мной в мой первый день пребывания среди Борджа. Не зная, куда себя деть, я прошла через вымощенную мрамором крытую галерею и спустилась в чудесный сад, который видела накануне со своего балкона. День был солнечным и теплым. Сад благоухал. С одной стороны дорожки выстроились миниатюрные апельсиновые деревья в терракотовых горшках; кроны, подстриженные в форме шара, были усыпаны душистыми белыми цветами. С другой стороны росли ухоженные розовые кусты, выпустившие нежные бутоны.

Я бродила одна, пока не ушла достаточно далеко, чтобы меня нельзя было увидеть с моего балкона, и вообще прочь от всех глаз — во всяком случае, так я думала. Наконец, почувствовав, что становится жарко, я присела на резную скамью в тени оливы и принялась обмахиваться веером.

— Мадонна, — донесся до меня тихий мужской голос, и я вздрогнула.

В этот миг я была убеждена, что Родриго из мести подослал ко мне убийцу. Я ахнула и схватилась за сердце.

Рядом со мной стоял человек, с ног до головы одетый в черное — его наряд вполне мог бы быть рясой простого священника, только вот воротник и манжеты этой рясы были из отличного бархата, а сама она — из шелка.

— Прошу прощения. Я, кажется, напугал вас, — сказал Чезаре.

Строгая простота наряда лишь подчеркивала красоту его лица. Он был совершенно не похож на своих брата и сестру; его черные прямые волосы спускались чуть ниже уровня подбородка, не доходя до плеч, а темная челка отчасти закрывала высокий лоб. Борода и усы Чезаре были аккуратно подстрижены, губы и руки отличались изящной формой, в отличие от отцовских. Он унаследовал от отца темные волосы и глаза, но красота ему досталась от матери, Ваноццы. В нем были изящество и достоинство, которыми не мог бы похвастать ни один из его родичей, невзирая на все их драгоценности и пышные наряды. В Лукреции и Папе Александре я чувствовала коварство, в Чезаре — потрясающий ум.

— Вы не виноваты, — отозвалась я. — Мне просто не по себе после событий вчерашней ночи.

— И у вас есть на то все основания, мадонна. Я клянусь, что сделаю все, что в моих силах, дабы впредь предотвратить подобные чудовищные нарушения пристойности.

Я потупила взгляд, радуясь, словно несмышленая девчонка, что на мне одно из лучших моих платьев.

— Боюсь, его святейшество...

— Его святейшество все еще спит. Уверяю вас, я считаю своим долгом наладить отношения между вами. Теперь, в нынешнем его возрасте, излишек вина делает его забывчивым. Но даже если он помнит что-то о минувшей ночи, я оберну эти воспоминания к вашей выгоде.

— Я очень вам обязана, — сказала я, потом сообразила, что любезность заставляет Чезаре стоять на солнцепеке, в то время как я с удобством сижу в тени. — Присаживайтесь, пожалуйста. — Я подвинулась, освобождая для него место рядом с собой, потом добавила: — Увы, я произвела на ваше семейство не самое благоприятное впечатление.

Прежде чем я успела закончить мысль, Чезаре быстро перебил меня:

— По крайней мере, на одного члена этой семьи вы произвели наилучшее впечатление.

Я улыбнулась, услышав этот комплимент, но стояла на своем.

— Ваша сестра невзлюбила меня. Я не понимаю, чем это вызвано, и мне хотелось бы исправить это.

Чезаре на миг перевел взгляд на далекие зеленые холмы.

— Она ревнует всякого, кто отнимает у нее внимание отца.

Он снова повернулся ко мне и серьезно, пылко произнес:

— Поймите, донна Санча: ее собственный муж не желает жить вместе с ней. Это ведет к постоянному смятению; мой отец не раз уже пытался исправить это, прося Джованни вернуться в Рим. Кроме того, отец всегда души не чаял в Лукреции, а она в нем. Но когда она увидит, что на самом деле вы вовсе не соперница ей и ничем ей не угрожаете, она постепенно станет доверять вам. — Он помолчал. — Она точно так же вела себя с донной Джулией; потребовалось немало времени, чтобы она поняла, что любовь отца к другой женщине и к собственной дочери — разные вещи. Я, конечно же, ни в коем случае не хочу сказать, что вы когда-либо вступите в подобные отношения с его святейшеством...

— Нет, — отрезала я. — Не вступлю. Я ценю вашу проницательность, кардинал.

— Пожалуйста, зовите меня Чезаре! — На лице его промелькнула улыбка; зубы, показавшиеся из-под усов, были мелкими и ровными. — Я кардинал не по призванию, а исключительно по настоянию отца.

— Чезаре, — повторила я.

— Лукреция способна быть очень ласковой и пылкой в своих привязанностях, — с любовью произнес он. — Больше всего она любит веселиться, играть, как дитя. Ей нечасто выпадает такая возможность, учитывая ответственность, которую накладывает ее положение. Отец прислушивается к ее советам куда больше, чем к моим.

Я слушала, кивая и стараясь сосредоточиться на его словах, а не на движении его губ, на высоких, красиво вылепленных скулах, на золотистых проблесках в темной бороде, порожденных игрой света. Но, сидя рядом с ним, я чувствовала, как колено мое теплеет, как будто сами мои мышцы, кости и внутренние органы тают подобно снегу под ярким солнцем.

Чезаре завершил свою мысль. Должно быть, мои ощущения как-то отразились у меня на лице — судя по тому, какое странное, уязвимое и вместе с тем нежное выражение приобрело его лицо. Он подался ко мне и нежно коснулся моей щеки.

— Сегодня утром вы выглядите как королева, — пробормотал он. — Прекраснейшая в мире королева, с прекраснейшими на свете глазами. По сравнению с ними изумруды кажутся простой галькой.

От этих слов меня бросило в дрожь. Я подалась навстречу его руке, словно кошка, напрашивающаяся на ласку. Мое чувство к Чезаре было таким могущественным, что я едва не позабыла про свои брачные обеты.

Но Чезаре тут же отдернул руку, словно обжегшись, и вскочил со скамьи.

— Я просто пес! — воскликнул он. — Шлюхин сын, мерзавец! Вы понадеялись, что я защищу вас от домогательств моего отца, а теперь я веду себя ничуть не лучше его!

— Это совсем другое, — сказала я, едва справляясь с голосом, чтобы он не дрожал.

Чезаре в смятении повернулся ко мне.

— Но как? Вы — жена моего брата!

— Я — жена вашего брата, — прошептала я.

— Тогда чем мое поведение отличается от поведения моего отца?

— В вашего отца я не влюблена.

Я залилась краской, испугавшись собственных слов, собственной дерзости. Казалось, я совершенно утратила власть над собою. Я была совершенно беспомощна, как некогда — моя мать.

И все же я не жалела о своих словах. Когда я увидела, какая радость и страсть вспыхнули в глазах Чезаре, я протянула ему руку. Он принял ее и сел рядом.

— Я не смел надеяться... — пробормотал он, запнулся, потом начал заново: — С того самого момента, как я впервые увидел вас, Санча...

Он умолк. Я не знаю, кто из нас первым потянулся навстречу губам другого. Чезаре пытался сдерживаться; он прижал меня к себе и целовал, время от времени осторожно покусывая мои губы. Я взяла его руку и положила себе на грудь.

— Не сейчас! — выдохнул он, но руки не убрал. — Слишком рискованно. Нас могут увидеть.

— Тогда сегодня ночью, — сказала я, трепеща от собственной дерзости. — Назовите самое безопасное время и место.

— Здесь. В два часа после полуночи.

Так мы стали соучастниками. Тогда эти слова прозвучали для меня райской музыкой. Я совсем позабыла о том, что много лет назад предсказала мне стрега, — что мое сердце может уничтожить все, что я люблю. Но даже если бы я и помнила о ее пророчестве в тот солнечный день, в саду, рядом с Чезаре, я не поняла бы его, не предугадала бы, какой чудовищной и жестокой станет наша страсть много лет спустя.

Когда Джофре наконец-то встал и оделся, ему уже пора было сопровождать меня на праздничную мессу в собор Святого Петра. Это он и сделал, болезненно щурясь от яркого римского солнца, когда мы с ним во главе нашей свиты шли к древнему собору, расположенному рядом с Ватиканом.

К счастью, после вчерашнего вечера с его избытком вина и чужими женщинами Джофре был подавлен и помалкивал; он с некоторым недоумением взглянул на мое роскошное платье, но не стал допытываться, чем вызвана такая перемена в стиле одежды. А переполнявшее меня возбуждение он, кажется, вообще не заметил.

Я не могла сдержать улыбку. Всякий раз, когда я вспоминала поцелуй Чезаре, меня захлестывало ликование. Меня больше не заботило, что его святейшество или Лукреция думают обо мне. Меня не волновало, помнит ли Папа о том, как я отказала ему, или нет и собирается ли он мстить мне: если я проживу достаточно долго, чтобы встретиться сегодня ночью с Чезаре, мое счастье не омрачит уже ничто. Все мои мысли и чувства были сосредоточены на том блаженном моменте, когда мы с моим любимым останемся наедине.

Мы вошли в собор Святого Петра. Он был построен двенадцать столетий назад, и внутренний его вид вполне соответствовал этому возрасту. Я ожидала встретить здесь пышность и великолепие, но каменные стены собора были покрыты трещинами и осыпались, а пол был таким истертым, что мне пришлось идти очень осторожно, чтобы не споткнуться. Ни сотни горящих свечей, ни пурпурная, расшитая золотом напрестольная пелена на алтаре не рассеивали мрака. Благовония лишь усиливали духоту. Возникало такое чувство, будто идешь по огромной гробнице. Хотя, пожалуй, это было вполне уместно — ведь, как говорили, святой Петр похоронен здесь, под алтарем.

Но все это не могло омрачить моей радости. Нас с мужем развели в разные стороны, и я заняла место среди прочих женщин семейства Борджа. Лукреция еще не прибыла, но хрупкая, неземная Джулия уже была здесь — вместе с въедливой, ничего не упускающей Адрианой и их фрейлинами. Мы, женщины, стояли в середине церкви, перед алтарем. Сбоку был возведен трон для его святейшества, а рядом с ним установлены сиденья для кардиналов. Многие кардиналы уже заняли свои места, но я поймала себя на том, что с нетерпением высматриваю среди них одного-единственного — Чезаре.

Он еще не пришел. Через некоторое время мы услышали пение фанфар: это наконец-то явился его святейшество, в белоснежной атласной рясе и шапочке из той же ткани, в длинной золотой мантии. Он с добродушной улыбкой кивнул мне. Если Папа и затаил против меня злобу, сейчас он никак этого не выказал — я же, в свою очередь, почтительно поклонилась ему. За Папой шел Чезаре; он занял сиденье рядом с троном. Рядом с ним сел Джофре, а остальные сиденья быстро заполнились кардиналами. За Чезаре шла Лукреция с дюжиной дам. Она была одета в серо-голубое шелковое платье, гармонирующее с цветом ее глаз. Мое сердце переполняла столь бескрайняя радость, что я радостно улыбнулась Лукреции, когда она встала рядом со мной, и обняла ее с таким пылом, что она опешила.

В честь Пятидесятницы прочесть проповедь пригласили гостящего здесь испанского прелата. Он рвался блеснуть перед высокопоставленной аудиторией своей эрудицией и потому растянул проповедь до совершенно невыносимой длины. Я никогда не думала, что об огне Господнем, благодаря которому из уст людских полилась сверхъестественная мудрость, можно рассказывать так сухо и скучно.

Испанец говорил больше часа — непростительно долгий срок; за это время у его святейшества дважды случался приступ кашля, а многие кардиналы, не таясь, ерзали на своих сиденьях. Один старик Борджа уронил голову и принялся довольно громко похрапывать.

Я не сдержалась. Меня разобрал смех. Я кое-как заглушила его, чтобы не привлекать внимание Папы, но меня просто трясло от прилагаемых усилий. Моя неожиданная встреча с Чезаре привела меня в странное, ребяческое расположение духа — обычно я никогда не позволяла себе столь недостойного поведения.

Однако мое хихиканье сделалось таким неудержимым, что оно заразило даже Лукрецию, это осторожное создание. Я судорожно втянула в себя воздух, встретилась взглядом с Лукрецией... и мы схватили друг друга за руки в поисках опоры, чтобы не рухнуть на истертый камень пола.

В этот миг меня осенила озорная мысль. Мы, несчастные женщины, вынуждены были стоять на протяжении этой бесконечной проповеди, в то время как мужчины с удобством устроились на сиденьях. Но слева от меня располагалась узкая лестница, ведущая на клирос, где были установлены сиденья для певчих. Сегодня эти сиденья были пусты.

Я осторожно дернула Лукрецию за рукав и указала глазами на лестницу и наверх. Ее глаза расширились — сначала от ужаса при мысли о подобном нарушении приличия. Почтение требовало, чтобы мы все время проповеди стояли на месте и не шевелились; это было особенно важным для родственников Папы. Но по мере того, как Лукреция обдумывала эту злодейскую выходку, ужас преобразился в злое веселье.

Я прошла мимо прочих дам и, не в силах скрыть собственной радости, взлетела по лестнице, словно девчонка, а потом опустилась на скамью без всякого соблюдения приличий.

Лукреция последовала за мной, но она поднималась по лестнице с преувеличенной медлительностью и шумом, привлекая к себе все больше внимания и усиливая возмутительность нашего деяния. Она уселась с таким громким вздохом, что читавший проповедь прелат умолк и нахмурился, шокированный подобным подрывом устоев. Мои дамы, равно как и дамы Лукреции, вынуждены были последовать за нами — с таким шумом, что прелату, сбившемуся с мысли, пришлось трижды повторить одну и ту же фразу, прежде чем к нему вернулось самообладание.

Я взглянула на Папу. Он, не таясь, улыбался, явно радуясь игривости своих женщин. Я посмотрела на Чезаре. Он не улыбался, но его темные глаза светились весельем.

Не глядя на Лукрецию, я придвинулась к ней и прошептала:

— Пожалуйста, поверь мне: я не имею никаких видов на твоего отца. Я хочу лишь одного — быть женой твоего брата.

Лукреция сделала вид, будто не услышала. Но когда я несколько мгновений спустя взглянула на нее, то увидела, что и она смотрит на меня, весело и одобрительно. Я приобрела еще одного друга в Ватикане.

ГЛАВА 14

В ту ночь я отослала всех фрейлин из своей спальни, заявив, что я желаю спать одна. Они привыкли к моим причудам и, ни о чем не спрашивая, устроились на ночь в соседней комнате. Но перед тем, как они ушли, я заставила младшую из моих служанок, Фелицию, принести мне черное шелковое платье и вуаль, заявив, что я скучаю по Неаполю и желаю следующую неделю носить траур.

Я понимала, что мне стоило бы посоветоваться с донной Эсмеральдой — она, несомненно, уже отыскала источники сведений и разузнала все, что только можно, обо всех членах семейства Борджа. Но охватившая меня безрассудная страсть была так велика, что я не стала ни о чем спрашивать; если Чезаре был распутником, таким же сладострастным и непостоянным, как его отец, я не желала этого знать. Даже если бы мне об этом сказали, я отмахнулась бы от подобных известий.

Едва я успела задуть масляную лампу на своем столике, как в дверь спальни постучали — и сердце мое упало, потому что так стучался только Джофре. Он вошел, не дожидаясь ответа; в желтоватом свете я разглядела на его лице выражение глуповатого и застенчивого вожделения.

— Санча, дорогая, — сказал он. — Найдется ли сегодня ночью местечко для меня в твоей кровати?

Джофре притворил дверь за собою. Он несколько нетвердо держался на ногах, и глаза его припухли; он был пьян. С тех пор как мы стали жить с его семьей, я частенько обнаруживала его в этом состоянии.

Я побледнела.

— Я... я неважно себя чувствую, — пролепетала я и схватилась за вырез сорочки, словно девственница, боясь, чтобы он не увидел моего тела.

Но Джофре, казалось, не услышал моих слов. Воспламененный вином, он забрался на кровать и положил руки мне на грудь.

— У меня самая красивая жена в мире, — пробормотал он заплетающимся языком, — и сейчас я ее возьму.

Я ощущала одновременно жалость к нему, поскольку не могла ответить Джофре на его чувства, и страх — как бы вино не заставило его уснуть в моей постели в ту самую ночь, на которую я запланировала свою первую супружескую измену.

Впрочем, стоило Джофре хоть сколько-то выпить, и он делался ни на что не способен. Я послушно легла и раздвинула ноги. Он стащил штаны, задрал подол моей сорочки до пояса, взгромоздился на меня и вошел.

То, что последовало за этим, не вдохновило бы даже такого любителя преувеличений, как Петрарка. Джофре лежал на мне, не в силах опереться на руки, уткнувшись лицом мне в грудь. Несколько мгновений он лихорадочно, неуклюже толкался в меня, а потом, утомившись, остановился и стал жадно глотать воздух.

— Сможешь ли ты хоть когда-нибудь полюбить меня? — спросил он; в голосе его дрожали слезы. — Моя Санча, полюбишь ли ты меня хоть когда-нибудь?

— Ты — мой принц, — ответила я ему. Я могла обманывать Джофре с Чезаре, но я не могла солгать ему в лицо. — Я с каждым днем все больше привязываюсь к тебе.

Голова Джофре качнулась; к нему подкрадывался сон.

Я воспользовалась женской уловкой, о которой мне рассказали перед свадьбой: я напрягла свои внутренние мышцы и крепко сжала член Джофре, тем самым достаточно возбудив его, чтобы он продолжил свои толчки и наконец вскрикнул от удовольствия и обмяк.

Он вздохнул и перекатился на спину. Почувствовав, что он снова находится на грани сна, я сунула ему в руки штаны и подтолкнула его.

— Тебе надо поскорее вернуться в свои покои, — сказала я, никак этого не объясняя. — Давай я тебе помогу.

Утомленный вином и сексуальной разрядкой, Джофре слишком плохо сейчас соображал, чтобы спорить. С моей поддержкой он доковылял до двери.

Там я наградила его легким поцелуем, уже вошедшим между нами в обычай.

— Спокойной ночи, милый.

Я вернулась в кровать. Если все то, что мне рассказывали о Боге, правда, то я проклята, и проклята за дело; меня захлестнуло ощущение вины. Я не хотела предавать своего мужа, но сердце не оставляло мне иного выхода. «Ты мерзкая, — сказала я себе. — Злая. Как ты можешь быть так жестока с человеком, который любит тебя?» Но даже в этот момент, с ногами, липкими от семени моего мужа, я мечтала о его брате и о предстоящей встрече. Мои чувства к Чезаре были так сильны, что я ничего не могла с собой поделать. Какая злая ирония судьбы: эта ослепительная любовь пришла к нам слишком поздно, после того, как мы оба принесли обеты, запрещающие нам наслаждаться ею.

Я вытерлась куском ткани. Наконец подошло назначенное время. Я встала и в темноте кое-как оделась.

Прочие дамы крепко спали, но донну Эсмеральду было не так-то легко одурачить. Когда я с непривычки неловко пыталась зашнуровать корсаж, дородная пожилая матрона, облаченная лишь в льняную ночную сорочку, вошла ко мне в комнату.

Она ничего не сказала. Поскольку в комнате было темно, я не могла разглядеть ее лица, но чувствовала ее неодобрение и вполне могла представить ее мрачный взгляд.

— Мне не спится, — поспешно сказала я.

Эсмеральда продолжала молчать, и я потребовала:

— Помоги же, наконец, зашнуровать корсаж!

Эсмеральда подчинилась, с силой дергая шнурки.

— Это приведет лишь к новым неприятностям, мадонна.

Я была слишком порывиста и слишком опьянена любовью, чтобы стерпеть правду.

— Я же сказала тебе, мне не спится! Я пойду подышу свежим воздухом.

— Молодой женщине не следует ходить одной в такое время. Позвольте мне сопровождать вас или позовите кого-нибудь из стражников, — настойчиво сказала донна Эсмеральда.

— Зашнуруй корсаж и оставь меня! Вчера вечером я ушла с пира одна и успешно добралась до своих покоев, разве не так? Я вполне в состоянии защитить себя.

Некоторое время Эсмеральда ничего не говорила — просто закончила работу и отступила на шаг. Наконец она вздохнула; она прекрасно знала меня и не могла не высказать то, что было у нее на уме.

— Не совсем так, мадонна. Вчера вечером вам понадобилась помощь.

Я была слишком поражена, чтобы отвечать. Откуда кто-то, кроме меня самой и Чезаре, мог узнать о неучтивости его святейшества? Если донна Эсмеральда уже была посвящена в эту тайну, значит, мне нечего и мечтать о том, чтобы скрыть наш роман с Чезаре от обитателей папского дворца.

Но я сказала себе, что меня это не волнует.

— Я не стану больше говорить с вами об этом, — в конце концов произнесла Эсмеральда. — Я знаю, что вы своенравны и глухи к доводам рассудка. Но хотя бы услышьте меня, если можете: это приведет вас к еще большей опасности, чем та, с которой вы столкнулись прошлой ночью. Не менее. Вы — Ева в райском саду, и вы встретились со змеем.

— Оставь меня, — приказала я и закрыла лицо вуалью.

После по-летнему жаркого дня ночной воздух сделался лишь немного прохладнее; я привыкла к прибрежным туманам, но Рим не имел подобного покрова. Мне приходилось полагаться на темноту и мою вуаль, чтобы скрыть мой первый обман.

В небе облака наполовину заслонили прибывающую луну. В таком скудном свете, да еще и с темной вуалью на лице, я двигалась, то и дело останавливаясь, будто полуслепая. Сад казался совершенно незнакомым: яркие краски листвы сменились серыми тенями, розы и апельсиновые деревья превратились в незнакомцев. Я нерешительно шла по дорожке, сражаясь с паникой. Где мне сворачивать, сейчас или на следующей развилке? А вдруг я заблужусь и Чезаре подумает, что я одурачила его, и в негодовании уйдет из сада?

Или это он меня одурачил?

Я выругала себя за подобные страхи. Я жалела о том, что моя любовь к Чезаре так сильна, потому что она делала меня слабой.

Вздохнув поглубже, чтобы успокоиться, я приняла решение и свернула на ближайшей развилке. И сразу же разглядела каменную скамью под оливой, и что-то темное шелохнулось на фоне светлого камня — силуэт человека.

Чезаре. Мне хотелось закричать, словно девчонке, и кинуться к нему, но я заставила себя идти медленно и царственно: он и сам не захотел бы иного.

Он тоже был одет в черное и весь, кроме лица и рук, сливался с ночной тьмой.

Он ждал, высокий и величавый, пока я подойду к нему — а потом мы отбросили всякую сдержанность. Я не знаю, кто из нас сделал первое движение. Возможно, это произошло одновременно, но я не почувствовала никакого промежутка времени между тем моментом, когда я шагнула к Чезаре, и тем мгновением, когда моя вуаль полетела в сторону и мы слились в объятиях — губы с губами, тело с телом — так крепко, что мне почудилось, будто я растворяюсь в его плоти. Жар этих объятий был так силен, что, если бы не наши сплетенные руки, я рухнула бы без чувств.

К моему смятению, Чезаре оторвал меня от себя.

— Не здесь, — хрипло произнес он. — Ты не какая-нибудь кухонная девка, чтобы брать тебя в грязи. Доверься мне, я все устроил. Мы будем в безопасности.

Я снова накинула на себя вуаль. Чезаре взял меня за руку и уверенным шагом двинулся вперед; он хорошо знал дорогу. Он повел меня вдоль задней части дворца, к неохраняемому входу, ведущему в какой-то незнакомый коридор. Коридор привел нас к тяжелой деревянной двери, за которой обнаружился еще один коридор, длинный, недавно построенный, грубо отделанный и никак не обставленный. Он явно был устроен лишь для того, чтобы предоставить кому-то возможность незаметного прохода, и ни для чего иного. Факелы на стенах освещали нам путь.

Вскоре мы добрались до очередной двери, и Чезаре отворил ее эффектным жестом. Я озадаченно нахмурилась. Мы очутились в приделе церкви, старинном и изысканно украшенном. На алтаре мерцали обетные лампады; рядом с алтарем стоял папский трон, за ним — сиденья для кардиналов.

Губы Чезаре изогнулись в улыбке.

— Это Сикстинская капелла, — сказал он, помогая мне перебраться через порог. — Мы в соборе Святого Петра.

От изумления я приоткрыла рот, и вуаль скользнула мне по губам. Так значит, это был тот самый проход, по которому его святейшество проходил во дворец Святой Марии.

— Пойдем, — позвал меня Чезаре.

Мы быстро прошли через придел, потом через собор и соседние залы Ватикана. На пути нам не встретилось ни единого стражника: Чезаре постарался обеспечить нам уединенность.

Он привел меня в покои Борджа — я узнала их по празднеству, проходившему прошлым вечером; от мысли о том, что я нахожусь совсем рядом с Папой, мне сделалось слегка не по себе. К счастью, Чезаре повел меня в другую сторону и наверх по лестнице. Наконец мы добрались до неохраняемых покоев, и Чезаре распахнул передо мною дверь.

— Я привел тебя в собственную постель и отослал слуг до утра, — сказал он, закрывая за нами дверь. — Как надолго ты захочешь здесь остаться, зависит только от тебя, мадонна.

— Навсегда, — пробормотала я.

Чезаре упал передо мною на колени, обнял меня за ноги и уткнулся лицом в мои юбки.

— Лишь скажи, что ты хочешь этого, Санча, и я сложу с себя священнический сан! — с пылом произнес он. — Отец хочет, чтобы я стал Папой, и потому мне пришлось стать кардиналом, но по складу натуры я не гожусь для этого. Его святейшество выполнит любую мою просьбу. Он аннулирует твой брак с Джофре. Ты, конечно же, знаешь, что твой муж на самом деле не сын ему...

Джофре — не сын Папы? Это открытие вызвало страх в каком-то дальнем уголке моей души, и эта маленькая, обособленная, замкнутая часть души отнюдь не поразилась, услышав предложение Чезаре, и более того, отчаянно пожелала принять его.

— Тогда кто же он? — прошептала я.

— Единственный законнорожденный ребенок моей матери Ваноццы и ее мужа, — с улыбкой отозвался Чезаре.

Я заколебалась. Мне представилось, что мы с Чезаре можем свободно любить друг друга, можем растить наших детей... Но мы с Джофре были женаты, и свидетелями при физическом осуществлении брака были мой собственный отец и один из кардиналов Борджа. Нет никакой возможности его аннулировать.

Я приложила пальцы к губам Чезаре, останавливая поток слов.

— Брак был засвидетельствован, и его не отменишь, — сказала я. — Но сейчас не время говорить о будущем. Веди меня на свое ложе.

Чезаре принял мое решение. Он встал и, продолжая держаться ко мне лицом, повел меня к себе в спальню.

Ставни были заперты, но комнату освещало двенадцать свечей в золотых подсвечниках, расставленных по разным уголкам. На стене я заметила неоконченную фреску с языческим сюжетом; кровать была накрыта покрывалом из темно-красного бархата. На полу лежали шкуры, а на резном прикроватном столике стоял кувшин с вином и два золотых кубка, инкрустированных рубинами. Это была спальня принца, а не священника.

Я была готова улечься навзничь и задрать юбки для быстротечного соития, как я привыкла с Джофре. Но когда я подошла к кровати, меня остановил голос Чезаре:

— Санча, можно, я увижу тебя такой, как тебя сотворил Господь?

Я сдернула вуаль и повернулась к Чезаре. Эта просьба удивила меня. Я едва не дрожала от нетерпения и теперь заметила, что губы Чезаре тоже дрожат. Взгляд его был напряженным, почти безумным, но голос и манеры оставались осторожными и тактичными.

Решившись, я вскинула голову.

— Только если ты ответишь мне тем же.

В ответ Чезаре сбросил рясу; под ней обнаружились черный камзол из чередующихся полос черного атласа и бархата, черные штаны и кинжал на поясе — наряд знатного римлянина. Двигаясь быстро и изящно, он снял сначала туфли, потом камзол, обнажив мускулистую грудь с редкими черными волосами; Чезаре был худощав, и, когда он стягивал с себя штаны, его ключицы и ребра отчетливо вырисовывались под кожей. Справившись с одеждой, он выпрямился и застыл, послушно позволяя разглядывать себя.

Я с трепетом уставилась на него. Никогда еще я не видела полностью обнаженного мужчину. Даже заботившийся о моем удовольствии Онорато никогда не снимал рубаху во время наших развлечений и лишь приспускал штаны. Джофре тоже никогда не снимал камзола, кроме как в первую брачную ночь — обычай требовал, чтобы в эту ночь мы оба были нагими, — да и штаны, насколько я помнила, он снял полностью лишь однажды. С Джофре мы ближе всего подходили к наготе в ночи наподобие сегодняшней, когда я снимала платье и оставалась в одной сорочке. Но даже и тогда наше соитие происходило под покровом одежды.

И вот передо мной стоял Чезаре, нагой и великолепный. Взгляд мой оказался прикован к тому месту меж его ног, где из зарослей черных как смоль волос поднимался его мужской орган, недвусмысленно устремленный в мою сторону. Он был больше, чем у Джофре, и я протянула руку, желая прикоснуться к нему.

— Подожди, — прошептал Чезаре.

Он зашел мне за спину и, действуя, словно умелая горничная, принялся отвязывать мои рукава. Я сбросила их и рассмеялась, охваченная внезапным ощущением свободы, а потом принялась ждать, пока он расшнурует корсаж.

Когда с этим было покончено, я сбросила платье на пол и перешагнула через него. Какая же это тяжелая ноша — одежда! Я уже готова была стянуть нижнюю сорочку через голову, но тут Чезаре заговорил снова.

— Встань перед подсвечником — вот сюда. — Он склонил голову набок; его темные глаза сияли восхищением. — Она просвечивает насквозь, и ты выглядишь, словно ангел в облачной дымке.

Я фыркнула, стянула сорочку и швырнула ее на пол.

— В постель!

— Нет, — возразил Чезаре настойчиво, словно художник, требующий, чтобы произведение искусства оценили по заслугам. — Стоит лишь взглянуть на тебя, — выдохнул он, — и уже невозможно усомниться в мудрости Господней.

Я улыбнулась — отчасти отвечая на его восхищение, отчасти из тщеславия. Я все еще была молода и не выкормила ни одного ребенка; моя грудь — Онорато называл ее совершенной — была высокой, упругой, не слишком большой и не слишком маленькой. Я знала также, что у меня красивый изгиб бедер и что я не слишком тощая.

Чезаре снова шагнул мне за спину и принялся распускать мне волосы, заплетенные перед сном в толстую косу. Когда он закончил, я встряхнула головой, и волосы рассыпались по плечам, доставая мне до пояса. Чезаре пару раз провел по ним рукой, вздохнул, потом встал передо мной и принялся изучать, как художник изучает свое творение.

И снова он удивил меня. Разглядев меня, он шагнул ко мне, опустился на колени, словно паломник перед святыней, и поцеловал Венерин холмик у меня между ног. Я слегка вздрогнула, а потом задрожала еще сильнее, когда он принялся исследовать область под ним языком.

Смущение мешалось с удовольствием. Я подергивалась, переступала с ноги на ногу; ошеломленная этими ощущениями, я пыталась отстраниться от него, но Чезаре обнял меня за талию и крепко держал.

— Перестань! — взмолилась я, качнулась назад и едва не упала.

В ответ Чезаре приподнял меня и крепко прижал к ближайшей стене.

— Перестань! — снова повторила я, ибо эти ощущения были слишком сильными, почти нестерпимыми.

Лишь после того, как я перестала просить и принялась стонать, Чезаре наконец-то поднял голову — на губах его играла самодовольная, озорная улыбка — и сказал:

— А вот теперь в постель.

Он не стал, как я надеялась, продолжать свои игры. Вместо этого он поцеловал меня в губы; его борода и язык были пропитаны моим запахом. Я впервые ощутила тепло прижимающихся друг к другу тел, от головы до кончиков ног, и задрожала: как это может быть грешным, а не священным?

Между нами завязалась борьба. Я не могла, как это было с Онорато, просто лежать и позволять себе быть объектом чужого внимания, пассивным созданием, которое нужно завоевывать; Чезаре доставлял мне удовольствие, а я сражалась за возможность доставить удовольствие ему. Во мне поднялась некая прежде неизведанная сила, нечто одновременно и животное, и святое. Меня пожирал огонь — не дарованный Господом извне, а поднимающийся откуда-то из глубин, вечный и могучий, заполняющий меня и ореолом окружающий мою голову, как у апостолов в Пятидесятницу, как у свечи, мерцающей в настенном подсвечнике рядом с кроватью Чезаре.

Он все никак не входил в меня: он заставлял меня ждать, заставлял меня требовать, заставлял меня умолять. И лишь когда я очутилась на грани безумия, он наконец-то снизошел до меня, и я поспешно вцепилась в него, оплетя его руками и ногами с такой силой, что они заболели, но мне было все равно. Я наконец-то заполучила его и не собиралась позволить ему сбежать. Чезаре негромко рассмеялся над моей свирепостью, но в этом смехе не было отчуждения. Я видела, что в его темных глазах отражается неистовство, не уступающее моему: мы растворились друг в друге. Я больше не была для него обычной любовницей, как и он для меня. Нас захватила страсть, которую не каждому человеку дано познать в этой жизни.

Он скакал на мне — или, может, я на нем, потому что мы двигались в едином порыве, чередуя буйство и нежность. В моменты такого затишья, когда он начинал двигаться во мне медленнее, сузив глаза, дыша медленно и хрипло, я пыталась ускорить ритм, заставить его вернуться к более грубым действиям, но Чезаре крепко держал меня, зажав мои руки у меня над головой и шепча:

— Терпение, принцесса...

И снова он заставил меня умолять, чего я никогда не сделала бы ни с каким другим мужчиной. Все мое тело ныло от желания завершения, но Чезаре вознамерился держать меня на грани безумия, равного которому я не ведала.

Я не знаю, сколько времени прошло с того момента, как мы вошли в его спальню. Возможно, часы.

Когда я больше не могла уже терпеть, он вышел из меня. Это вызвало у меня вспышку ужаса — я никак не могла этого допустить. Однако Чезаре был сильнее меня, и он, осторожно используя силу и спокойные уговоры — так успокаивают испуганное животное, — убедил меня лечь на спину и запустил язык и пальцы в треугольник меж моих ног.

Я думала прежде, что мне уже доводилось испытывать удовольствие. Я думала, что я познала жар страсти. Но той ночью Чезаре раздул угли в бушующее пламя. Я словно бы вышла за пределы своего тела и чувствовала, как с небес на меня нисходит некая невыразимая словами священная сила, неотвратимая и всепоглощающая. Комната вокруг: кровать, мое нагое тело, стены и потолок, трепещущие огоньки свечей и даже нависшее надо мной лицо Чезаре и его широко распахнутые, полные предвкушения глаза — все исчезло.

Я наверняка пойду в ад за такие слова, но тогда мне казалось, что в целом свете один лишь Господь способен вызвать такое чувство, что стирает все грани между тобою и миром. И даже я сама словно бы исчезла...

Но, невзирая на утрату чувства реальности, я ощутила, что снова едина с Чезаре. Он оседлал меня посреди моего экстаза, слившись с ним и управляя им, пока наши голоса не соединились.

Я привыкла сдерживать стоны удовольствия, превращать их в шепот, чтобы не услышал никто посторонний. Однако эти ощущения исторгли у меня крик, которого я не в силах была сдержать. И к моему голосу присоединился голос Чезаре. Но я уже не могла их различить. Мы слились в едином крике, который, несомненно, был слышен во всех уголках папских апартаментов.

Некоторое время мы лежали недвижно и молчали. Я не могла говорить, поскольку в горле саднило; а к тому же я была в полном изнеможении: все мое тело было покрыто испариной, и длинные волосы липли к рукам, к спине, к груди. Наконец Чезаре повернулся ко мне и убрал пряди с моего лба и щек.

— Я никогда прежде не испытывал ничего подобного с женщиной. Мне кажется, Санча, что до сих пор я не знал, что такое любовь.

Я откашлялась, потом прошептала:

— Мое сердце принадлежит тебе, Чезаре. И мы оба будем прокляты за это.

Он потянулся налить мне вина. Меня же вдруг одолела игривость, то же самое дурашливое настроение, что уже владело мною в соборе Святого Петра, — возможно, из-за того ощущения свободы, что пробудил во мне этот исступленный выплеск чувств. Я не допущу, весело сказала я себе, чтобы от меня сбежал самый лучший из любовников, какие только у меня были. Во всяком случае, не так вот сразу после того, как я его завоевала. И когда Чезаре попытался встать с кровати, я обвила руками его бедро.

Он рассмеялся — величественный, горделивый, неизменно сдержанный Чезаре не сдержал смеха при этой неожиданной выходке. Однако же он продолжал тянуться к кувшину с вином, явно решив, что я не стану и дальше вести себя так по-ребячески.

Хихикнув, я уцепилась покрепче. Чезаре, в свою очередь, удвоил усилия.

Я продолжала держаться за него даже после того, как он встал, и не отпустила даже тогда, когда он стащил меня на застеленный мягкими шкурами пол. Чезаре рассмеялся, весело и удивленно, и сделал шаг, затем другой; я же продолжала держаться, вынуждая его волочь меня за собой.

Наконец он сдался и рухнул поверх меня, и мы остались лежать, смеясь, словно дети.

Вернувшись к себе в спальню, я некоторое время лежала, прислушиваясь к негромкому посапыванию Эсмеральды и глядя в темноту. Сначала мною владело дремотное блаженство, и я снова и снова переживала в памяти моменты близости с Чезаре... а затем ко мне вернулось ощущение вины, и вместе с ним — полное осознание произошедшего.

Я, как и мои предки, была способна на любой обман и любую жестокость, особенно когда оказывалась
вдали от благотворного, облагораживающего влияния
брата. Всего два дня среди Борджа — и вот я уже сделалась прелюбодейкой. Во что же я превращусь, если
проведу в Риме всю свою оставшуюся жизнь?

ЛЕТО 1496 ГОДА

ГЛАВА 15

Май в Риме был очень приятным. Июнь выдался жарким. Июль — еще жарче. А август был просто нестерпимо жарким по сравнению с умеренной температурой прибрежных городов, в которых я жила прежде. Его святейшество с семейством, равно как и прочие богатые римляне, обычно на это время уезжали куда-нибудь в более прохладные края. Но данный конкретный август оказался отмечен возвращением из Испании сына Папы, Хуана, и это событие, невзирая на жару, отмечали множеством пиров и празднеств.

Вопреки моим опасениям, я больше не страдала от домогательств Александра; мне невольно думалось, что это Чезаре каким-то образом убедил Папу оставить меня в покое. Но сам Чезаре помалкивал на этот счет. Он только посоветовал мне, чтобы я не садилась, если этого можно избежать, рядом с его святейшеством на празднествах, где вино лилось рекой, а также чтобы в его присутствии я одевалась и вела себя поскромнее и держалась подальше от него, если чувствовалось, что он выпил лишку.

Так я и делала. Однако мы с Лукрецией по-прежнему часто сидели на бархатных подушках рядом с папским троном, когда его святейшество давал кому-нибудь аудиенцию. Думаю, Александру мы нравились как украшение его трона — одна темная, вторая золотая.

Лукреция, как и сказал Чезаре, была самым доверенным советником своего отца; она нередко перебивала просителя, что-то нашептывая Александру на ухо. У Лукреции имелся собственный маленький трон, и она восседала на нем, принимая прошения. Я несколько раз присутствовала при этом, и на меня произвел большое впечатление ум Лукреции. Они с отцом оба были искусными дипломатами, и каким бы образом Родриго Борджа ни взошел на папский престол, свои обязанности он исполнял превосходно.

Мой роман с Чезаре продолжался; наши интимные встречи по-прежнему проходили в его покоях. Меня переполняло счастье. Подобную радость нелегко было скрывать от других, так же как и не выказывать Чезаре свои чувства при посторонних. Он же по-прежнему твердил мне, что собирается сложить с себя священнический сан.

Однажды ночью, когда мы лежали, обессиленные после любовной игры, Чезаре нежно убрал одинокую прядь с моего уха.

— Санча, я хочу жениться на тебе.

Подобные слова наполняли меня радостным трепетом. Однако я не могла отрицать очевидного.

— Ты — кардинал, — сказала я. — А я уже замужем.

Чезаре коснулся моей щеки.

— Я хочу подарить тебе детей. Я позволю тебе вернуться в Неаполь — я знаю, как ты тоскуешь по нему.

Мы можем жить там, если так ты будешь счастливее. Мне лишь нужно будет наведываться в Рим несколько раз в год.

Я едва не расплакалась. Чезаре читал в моей душе, как в открытой книге. Он был прав: ничто не сделало бы меня более счастливой. Но в то же время все это казалось совершенно невозможным. И потому я заставляла его умолкнуть всякий раз, как он заговаривал об этом: я не хотела лелеять неисполнимые надежды. И точно так же мне не хотелось, чтобы начали бродить слухи, которые причинили бы боль Джофре. Чезаре вскоре понял, что не стоит на меня давить. Но видно было, что он все более тяготится ролью кардинала.

Десятого августа Хуан, второй по старшинству сын Папы, наконец-то прибыл в Рим, оставив в Испании беременную жену и маленького сына. После вторжения французов в Италию Александр частенько заводил речь о том, как ему хочется, чтобы все его дети жили рядом с ним, поскольку, по его словам, он все острее осознавал мимолетность жизни и собственную смертность. Под этим предлогом нас с Джофре и вызвали в Рим — и вот теперь, с приездом Хуана, желание Александра наконец-то исполнилось. Его дети, все четверо, были дома. Мне показалось странным, что Хуан не привез с собой свою семью, хотя никто из Борджа, похоже, не обратил на это особого внимания.

Для его приезда была и еще одна причина: Хуан, герцог Гандийский, являлся также гонфалоньером и полководцем Церкви, главнокомандующим папской армией, и отец призвал его домой, дабы наказать дом Орсини, которые во время войны поддержали французов. Армия Хуана силой оружия смирила все мятежные знатные дома Рима, явив каждому пример отмщения Борджа. Александр желал, чтобы в папском государстве царил мир — во всяком случае, пока он здесь Папа.

Все кардиналы, проживающие в Риме, пришли поприветствовать молодого герцога Гандийского. Он приехал верхом на боевом коне, чья упряжь была разукрашена золотыми и серебряными колокольцами. Но Хуан и сам не уступал своему скакуну: его красный бархатный берет и коричневый бархатный камзол были сплошь расшиты жемчугом и драгоценными камнями. Как он только не изжарился под августовским солнцем в таком пышном наряде? Я смотрела из окна дворца Святой Марии, как Чезаре встретил брата и провел в его новый дом, Апостольский дворец.

Тем вечером должно было проходить пышное празднество, и мне следовало на нем присутствовать вместе с прочими членами семьи. Я надела скромное черное платье. Эсмеральда не преминула сообщить, что Хуан, судя по тому, что о нем говорят, редкостный мерзавец. Возможно, она боялась, что я пренебрегу этим предупреждением так же, как я отказывалась слушать все ее недоброжелательные отзывы о Чезаре.

Праздник начался с ужина, проходившего в узком кругу, куда входило семейство Папы и кардиналы, приходившиеся ему родней. Я уже научилась устраиваться на благоразумном удалении от Папы, чтобы не привлекать к себе нежелательного внимания; тем вечером рядом с ним сидели Хуан и, как обычно, Лукреция. Я же уселась между Джофре и Чезаре.

Как бы мне получше описать Хуана? Настоящий метеор, искрящийся очарованием, — но очарование это быстро меркло по мере того, как из-под него проступала истинная натура этого человека. Он явился с запозданием, даже не подумав о том, что заставляет его святейшество ждать, и Александр не сказал ему ни единого слова, в то время как со стороны любого другого подобное опоздание было бы расценено как оскорбление.

Хуан вошел, затмевая всех вокруг: глаза его искрились весельем — и коварством, улыбка была широкой — и заносчивой, смех разносился по залу. Губы у него были тонкие и плотно сжатые, как у отца, волосы ни светлые, ни темные, лицо чисто выбрито; он был не так красив, как Чезаре, но и не так невзрачен, как Лукреция. С ним явился друг, высокий темнокожий мавр (позднее я узнала, что это был турок Дьем, царственный заложник при папском дворе), и они были облачены в одинаковые полосатые, красно-желтые атласные одеяния и шелковые тюрбаны. На шее у Хуана были надеты золотые ожерелья, в таком изобилии, что я поразилась, как он еще умудряется держаться прямо под их весом.

На тюрбане у Хуана красовался рубин размером вдвое больше человеческого глаза, над которым поднималось павлинье перо.

Александр задрожал от радости, как будто он только что заполучил новую девственницу, которую можно было познать.

— Дитя мое! — вздохнул он. — Милый, дорогой мой сын! О, как мрачны были мои дни без тебя!

И он прижал Хуана к себе, сам не свой от радости.

Хуан прижался щекой к щеке старика, заслонив лицо Папы и при этом изучая из-под полуопущенных век реакцию братьев и сестры. Когда Хуан вошел, все встали, и я заметила, что на лице Лукреции застыло какое-то напряженное выражение и улыбается она сдержанно и неискренне.

А еще я перехватила взгляд, которым обменялись Хуан и Чезаре, и увидела злорадное торжество на лице Хуана и деланное безразличие на лице Чезаре. И еще заметила, что мой возлюбленный сжал кулак.

Мы сели. За все время ужина его святейшество говорил с одним лишь Хуаном, не удостоив никого более ни единым словом, а Хуан щедро потчевал нас забавными историями о жизни в Испании и все твердил, как он рад, что вернулся в Рим. На вопросы о своей супруге Марии Энрикес, кузине испанского короля, он лишь пожал плечами и скучающим тоном ответил:

— Беременна. Вечно она болеет.

— Надеюсь, ты хорошо с ней обращаешься, — сказал Александр тоном, в котором упрек мешался со снисходительностью.

Выходки Хуана с куртизанками вошли в легенды, а дважды он похитил девушек из благородных семей незадолго до свадьбы и силой овладел ими. Родственники несчастных наверняка прикончили бы его, если бы не деньги Борджа.

— Очень хорошо, отец. Ты же знаешь, что я всегда прислушиваюсь к тебе.

Если в словах Хуана и прозвучал сарказм, его святейшество предпочел этого не услышать. Он лишь улыбнулся, этакий всепрощающий отец.

Хуан устроил из этого ужина настоящий прием в свою честь; он успел обратиться к каждому и поинтересоваться, кто как живет. У Джофре он спросил:

— Как поживаешь, братец? И как ты умудрился заполучить такую великолепную жену?

Прежде чем покрасневший Джофре успел придумать какой-нибудь остроумный ответ, Хуан сам ответил на свой вопрос:

— Ну да, конечно. Ты же Борджа, а все мы, отпрыски Борджа, — счастливчики.

Джофре промолчал и несколько помрачнел; я вспомнила, как Чезаре однажды проговорился, что моего мужа на самом деле не считают сыном Папы, а значит, реплика Хуана была не чем иным, как завуалированной колкостью.

Хуан весело рассмеялся — он явно был еще больше привержен к вину, чем его отец, и уже успел изрядно выпить. Александр хохотнул, приняв это замечание за похвалу себе, но Лукреция, Чезаре и я не стали улыбаться. Я погладила мужа по ноге, стараясь приободрить его.

С Лукрецией они побеседовали более приятно и оживленно, с Чезаре — коротко, но вежливо. Затем герцог Гандийский перенес внимание на меня.

— И как вам Рим? — спросил он.

Глаза его блестели, выражение было сердечным и восторженным. Сейчас в нем особенно отчетливо проявилась отцовская общительность.

— Я скучаю по морю, — честно призналась я. — Но Рим по-своему тоже очень привлекателен. Здешние постройки великолепны, сады прекрасны, а солнце...

Я заколебалась, подыскивая подходящее слово, которое смогло бы передать суть этого света, окрашивающего все в золотистый свет, да так, что казалось, будто все светится само собою.

— ...в августе просто чертовски жаркое, — коротко рассмеявшись, договорил за меня Хуан.

Я сдержанно улыбнулась.

— Да, в августе здесь очень жарко. Я привыкла к побережью, где лето не такое знойное. Но свет здесь прекрасен. Я не удивляюсь, что он вдохновил стольких художников.

Это замечание понравилось всем присутствующим, и в особенности Александру.

— Вы скучаете по дому? — многозначительно поинтересовался Хуан.

Я положила руку на плечо Джофре.

— Где мой супруг, там и мой дом. А раз он здесь, как же я могу скучать по дому?

Это вызвало еще большее одобрение. Мой поступок был отчасти порожден вызовом: мне не понравилось, что этот человек оскорбляет Джофре при родственниках. Любовь к Чезаре наполняла меня чувством вины; я знала, что эти мои слова — чистой воды лицемерие. Но хотя я и не любила своего мужа, я по-прежнему считала, что обязана ему верностью.

Неизменная самодовольная, заносчивая улыбка исчезла с губ Хуана, и вместо нее на миг промелькнуло на удивление искреннее выражение тоски.

— Бог милостив к тебе, братец, — негромко сказал он Джофре, — раз он дал тебе такую жену. Я вижу, она принесла тебе счастье.

Папа просиял, довольный всеми нами. Разговор свернул на другие темы, и наконец, когда все уже наелись, Александр велел убирать со стола. Мы перешли в Зал таинств веры, куда подали еще вина. На одной из стен располагалась почти законченная роспись работы Пинтуриккьо и его учеников, с изображением Папы, преклонившего колени перед воскресшим Христом.

Александр уселся на трон и жестом приказал музыкантам играть. Тем вечером ему захотелось полюбоваться, как будут танцевать Хуан и Лукреция. Когда музыка заиграла, Хуан вывел Лукрецию на середину зала и они принялись танцевать быструю пиву: короткий шаг влево, подскок на правой ноге, снова шаг влево и пауза. Оба танцора были на редкость изящны, и Хуану вскоре наскучили эти простые движения. После третьего шага он развернулся лицом к партнерше и, взяв ее за руки, повел вольтатонду — идущий против часовой стрелки круг, состоящий из тех же основных движений пивы. Александр одобрительно захлопал в ладоши.

Потом танцоры вернулись, раскрасневшиеся и вспотевшие.

— А теперь, — сказал мне Хуан, — ваша очередь танцевать со мной.

Он низко поклонился, размашистым жестом сдернув с головы тюрбан, а потом отшвырнул его в сторону, как будто это были какие-то тряпки, а не шелк и драгоценности. Его короткие темные волосы взмокли от пота и прилипли ко лбу.

Музыканты заиграли медленную, почти печальную мелодию. Хуан выбрал в качестве танца неспешную бассадансу, и мы двинулись по залу торжественным, на четыре счета, шагом. Некоторое время мы не разговаривали, лишь старались танцевать как можно лучше ради увеселения его святейшества.

После некоторой паузы Хуан заметил:

— Я был совершенно искренен, когда сказал, что моему младшему брату повезло, раз он заполучил такую жену.

Я скромно отвела глаза.

— Вы очень добры.

Хуан рассмеялся.

— Вот в этом меня редко обвиняют. Я отнюдь не добр. Но я честен, когда это меня устраивает. А вы, донна Санча, прекраснейшая женщина, какую я видел в жизни.

Я промолчала.

— Вы также достаточно храбры, чтобы прилюдно защищать вашего мужа, в то время как он слишком слаб, чтобы сделать это самостоятельно. Вы в курсе, что его святейшество не верит в то, что Джофре — его сын, но по доброте душевной согласился с уверениями своей любовницы?

Я была слишком обозлена, чтобы встретить нахальный взгляд Хуана.

— Да, я слыхала об этом. Но это не имеет значения.

— Как раз это и имеет. Видите ли, у Джофре есть это его небольшое княжество в Сквиллаче, и только. Ему пожаловали столько почестей, сколько он в жизни не достиг бы собственными усилиями, и я уверен, что столь проницательная дама, как вы, заметила, что он не обладает острым умом истинного Борджа.

Мы танцевали, крепко держась за руки. Мне отчаянно хотелось вырвать руку и сказать все, что я думаю о его оскорбительных намеках. Но Папа наблюдал за нами и время от времени покачивал головой в такт музыке.

— Ваши заносчивые замечания, сударь, — дрожащим от гнева голосом произнесла я, — только что продемонстрировали, что вы и сами не располагаете этим хваленым острым умом. Потому что если бы у вас была хоть капля здравого смысла, вы ценили бы своего брата, как ценю я, за искренность и доброе сердце.

Хуан рассмеялся, как будто я сказала нечто очаровательное.

— Я вами восхищаюсь, Санча. Вы говорите то, что имеете в виду, и вам совершенно безразлично, кого вы при этом оскорбляете. Честность и красота — сочетание, перед которым невозможно устоять. Ну да ладно. Я могу понять, почему вы жалеете Джофре и не хотите его огорчать. Но есть же и такая вещь, как благоразумие. Я не тот человек, чтобы от моих слов отмахивались, Санча. Я хочу вас. С вашей стороны будет весьма разумно заключить со мной союз, потому что из всех своих детей меня Папа любит сильнее всего. Я — главнокомандующий его армии, и когда-нибудь я стану светским правителем папского государства.

Я не могла больше сдерживаться. Я опустила руку и остановилась, прервав танец.

— Я никогда не полюблю такого презренного человека, как вы.

На губах Хуана заиграла прежняя саркастическая ухмылка. Сощурившись, он произнес:

— Только не надо со мной лицемерить, мадонна. Вы уже спите с двумя братьями. — На лице его отразилась ревность, и я поняла, что все это вызвано не столько вниманием ко мне, сколько его соперничеством с Чезаре. — Почему бы вам заодно не спать и с третьим?

Я выдернула руку и ударила его по щеке с такой силой, что у меня обожгло ладонь.

Александр в смятении привстал с кресла. Лукреция прикрыла рот рукой — уж не знаю, от удивления или от удовольствия.

Хуан выхватил кинжал. Глаза его пылали убийственной яростью, и я решила, что мне конец. Его гнев был буйным и несдержанным, совершенно не схожим с той холодной, расчетливой ненавистью, которую я сначала видела в глазах его сестры.

Но Чезаре сорвался с места и вклинился между нами. Он перехватил руку Хуана и выкрутил. Хуан вскрикнул. Кинжал упал на пол.

— Я убью эту суку! — хрипло выкрикнул Хуан. — Да как она смеет...

Теперь уже Чезаре отвесил брату пощечину. Их стычка переросла в полномасштабную драку, а я поспешно двинулась к выходу, мои дамы — за мною следом.

ГЛАВА 16

К тому времени, как я добралась до своих покоев во дворце Святой Марии, мое беспокойство еще более усилилось. Я в полной мере осознала тот факт, что я только что прилюдно ударила по лицу любимого сына Папы, а также то, что теперь Хуан не успокоится, пока не отомстит мне.

Хуже того, Чезаре открыто выступил в мою защиту. Чезаре, а не мой муж. Его неистовый порыв даст пищу дворцовым сплетницам... и эти слухи больно уязвят Джофре. Они не только нанесут вред моему браку — они оскорбят Александра и разрушат мою дружбу с Лукрецией.

Но более всего я боялась, что эти слухи дойдут до Неаполя и до Альфонсо, а я не смогу солгать ему, даже в письме. Мысль о том, что мне придется сознаться брату в супружеской измене, наполняла меня невыносимым стыдом.

К счастью, на этот вечер у нас с Чезаре была назначена встреча в саду, и я принялась думать о ней, чтобы успокоиться. Непревзойденный дипломатический талант Чезаре спасет меня от гнева Хуана, как уже спас от нежелательного внимания со стороны Александра; я в тревоге ожидала возможности обсудить с ним этот вопрос.

Наконец подошел условленный час. Чтобы не возиться с платьем, на котором надо было шнуровать рукава и корсаж, я надела черную шелковую сорочку и верхнее платье, которое легко было накинуть. И последние детали: вуаль — чтобы не узнали, и стилет — на тот случай, если ко мне попытаются пристать.

Замаскировавшись подобным образом, я бесшумно вышла в коридор. Было уже так поздно, что почти все свечи прогорели, но я без труда находила дорогу в полумраке, так как хорошо ее знала. Чезаре, как всегда, подкупил стражников, чтобы они убрались с моего пути, и потому мне никто не встретился.

Но когда я проходила мимо коридора, ведущего к покоям Джулии и Лукреции, я услышала, как какая-то женщина вскрикнула словно бы от боли.

Теперь, задним числом, я понимаю, что мне следовало бы быть умнее. Мне следовало бы ожесточить свое сердце и продолжать путь — в конце концов, на кону стояли наши отношения с Чезаре. Но этот вскрик пробудил во мне участие и любопытство. И потому я решительно свернула в этот коридор.

Как только я завернула за угол, какое-то внутреннее чувство заставило меня застыть — еще до того, как я уразумела, что вижу. Однако вскоре я разглядела в полутьме белое лицо Лукреции. Она по-прежнему была одета в то самое платье, которое было на ней во время приема в честь Хуана, — судя по всему, она лишь возвращалась оттуда. Глаза ее были зажмурены, губы приоткрыты, и с них срывались негромкие стоны.

Лукреция наклонилась, пошатываясь; она явно была пьяна, и, возможно, ей было нехорошо. Я решила помочь ей, сказав, что мне не спалось; возможно, назавтра она и не вспомнит о моем вмешательстве.

К счастью, здравый смысл помешал мне сдвинуться с места, а в следующий миг я осознала, что вижу не просто Лукрецию, а Лукрецию, слившуюся с кем-то. Мужские руки сжимали ее грудь, выпавшую из корсажа, а покачивалась она из-за толчков огромной темной фигуры, прижавшейся к ней сзади, под задранными юбками.

Любовник — поняла я и уже совсем было собралась исчезнуть. Не мне было осуждать Лукрецию за то, чем я занималась сама, особенно если учесть, что ее муж публично отвергал ее.

Но тут она вскрикнула с пьяной, похотливой развязностью:

— Ах, папа!..

Меня пробрал озноб. Я наконец-то узнала эту массивную фигуру — белую рясу, шапочку и лицо, так похожее на лицо самой Лукреции.

«Это насилие, — пыталась убедить себя я. — Насилие. Мне следует зайти к нему за спину со стилетом... Бедная девочка, должно быть, слишком пьяна, чтобы понимать, что происходит...»

— Папа! — снова воскликнула Лукреция, и в голосе ее звучало восхищение любовником.

И я вспомнила тот вечер, когда она пыталась шокировать меня, подставив грудь под губы собственного отца.

Я прижала ладонь ко рту. Меня чуть не стошнило. К счастью, я не издала ни звука, а движения любовники не заметили, поглощенные своими стонами. «Любовники», — сказала я, но здесь это слово не подходило. Мне вспомнилось то место из Откровения Иоанна Богослова, где говорилось о блуднице вавилонской верхом на рогатом звере. Переплетение плоти и ткани, пульсирующее здесь в темноте, воистину было чудовищным.

— Дорогая... — услышала я шепот Зверя. — Моя Лукреция, только моя. Никому ты не принадлежишь так, как мне.

Его слова прозвучали абсолютно отчетливо. Это было не пьяной случайностью, а совершенно намеренными, рассчитанными объятиями.

К горлу у меня подступила желчь, на глаза навернулись слезы. Я развернулась и так же бесшумно, как пришла, поспешила прочь.

Отчасти мне хотелось вернуться к себе; от отвращения меня била дрожь. Но эта тайна была слишком отвратительна, чтобы нести ее в одиночку. Мне хотелось, чтобы Чезаре утешил меня. И поскольку я теперь была родственницей Лукреции, мне хотелось знать правду. Мне хотелось верить, как верил бы Альфонсо, что она была молода и плохо понимала суть происходящего и что Родриго злоупотребил этим. И Чезаре как ее старший брат должен будет вмешаться и защитить ее. Из всех Борджа он казался самым ответственным и лучше всех владел своими чувствами. Он придумает, как справиться с этой чудовищной ситуацией.

Я вышла из дворца через неохраняемый черный ход. Я летела по садовым дорожкам так, словно за мной гнались. Теперь я куда лучше поняла, почему Лукреция с такой ревностью встретила мое появление. Это не было дочерним обожанием, как пыталась убедить себя я, или обычной завистью, вызванной тем, что я привлекаю к себе больше внимания. Она увидела во мне соперницу, способную спорить с ней за плотскую благосклонность Родриго. И теперь я с новым беспокойством вспомнила слова Чезаре: «Она точно так же вела себя с донной Джулией; потребовалось немало времени, чтобы она поняла, что любовь отца к другой женщине и к собственной дочери — разные вещи».

Но ведь она никогда этого и не поймет — с таким-то отцом, как у нее!

Мне оставалось лишь молиться, надеясь, что ни Папа, ни Лукреция не заметили меня, а если заметили, так не узнали под вуалью.

Наконец-то я добралась до скамьи под оливой и с облегчением увидела, что Чезаре, как всегда, уже там и ожидает меня. Обычно мы обнимались и приветствовали друг друга страстным поцелуем, но сегодня я схватила его за руки.

Темные брови Чезаре сошлись у переносицы.

— Мадонна, что случилось?

Я была не в силах скрыть свое смятение.

— Прежде всего скажи: с тобой все в порядке? Когда я уходила, вы с Хуаном...

— Хуан — идиот, — отрезал Чезаре. — Его следовало поставить на место. Если он снова станет докучать тебе, сразу же говори мне. К счастью, он приехал ненадолго. Скоро он поведет отцовскую армию в бой. — Он склонил голову набок и внимательно присмотрелся ко мне. — Но тут что-то гораздо серьезнее этого фигляра Хуана. — Он отбросил вуаль и нежно коснулся моей щеки. — Ты только посмотри на себя, Санча. Ты же вся дрожишь.

— Я видела... — начала я и не смогла договорить.

— Сядь. Сядь, а то ты сейчас упадешь.

Он подвел меня к садовой скамье.

— Твои отец и сестра... — снова начала я и снова умолкла.

Мне и не понадобилось больше ничего говорить. Чезаре выронил мои руки, словно обжегшись, и быстро отвернулся, но не настолько быстро, чтобы я не увидела появившихся на его лице боли и унижения.

— Ты видела их, — прошептал он, а потом у него вырвался звук, очень похожий на стон. Помолчав немного, он добавил: — Я молился... я надеялся... что это прекратилось.

— Ты знал.

В моем голосе не было упрека — лишь изумление. Чезаре опустил взгляд; я видела его профиль в полумраке. Лицо его закаменело, на щеке подергивался желвак.

— Моего отца не переубедишь, мадонна. Я пытался. Я пытался... — На последних словах голос его сорвался. Потом Чезаре взял себя в руки и взглянул на меня в тревоге. — Скажи, что они не видели тебя!

Он схватил меня за руку; глаза его расширились от беспокойства.

— Нет.

— Слава богу! — Он обмяк и облегченно перевел дух, но облегчение длилось недолго. — Ты ни с кем об этом не говорила? Даже с донной Эсмеральдой?

— Ни с кем, кроме тебя.

Чезаре снова расслабился.

— Хорошо. Хорошо. — Он нежно коснулся моего виска, провел пальцем по скуле. — Мне очень жаль. Жаль, что ты оказалась свидетельницей такого...

— А ты не можешь заставить своего отца прекратить? — спросила я. — Может, если сказать, что ты расскажешь обо всем коллегии кардиналов, оповестишь об этом всех?..

Лицо Чезаре сделалось беззащитным. На нем отразилось внутреннее смятение. Наконец он произнес:

— Поклянись, что сохранишь в тайне то, о чем я тебе сейчас скажу.

— Ты можешь доверить мне даже собственную жизнь, — отозвалась я.

Чезаре невесело усмехнулся.

— Именно это я и собираюсь сделать.

Он задумался на некоторое время, потом начал:

— Мой отец... он хороший человек. Он любит своих детей сильнее жизни. Ты сама видела, как он щедр с теми, к кому привязан. — Он помолчал. — Его любовь чистосердечна и глубока... И такова же его ненависть. И особенно он опасен, если его спровоцировать. Даже... даже если его провоцируют собственные дети.

Я напряглась. Чезаре успокаивающе коснулся моей руки и произнес:

— Да, он помнит — хотя и смутно — стычку с тобой. Но тебе нечего бояться. Он счел это такой любовной игрой, и она его позабавила. Но сам он предпочитает более покладистых женщин — не таких «горячих», как он выражается. Иными словами, ты причиняла многовато хлопот и недостаточно восхищалась им, чтобы это устроило его гордость. Не думаю, чтобы он еще когда-либо побеспокоил тебя. — Лицо его потемнело. — Но когда дело касается политики, настоящих потерь или приобретений, он может быть смертельно опасен. А если поползут слухи о его взаимоотношениях с Лукрецией, это поставит под угрозу его политическую репутацию. Ты понимаешь, о чем я, Санча?

— Он пригрозил тебе смертью, когда ты столкнулся с ним из-за сестры? — Меня затопили отвращение и ненависть. Кем же надо быть, чтобы так обращаться с родной дочерью и грозить убить родного сына? Я вскочила со скамьи. — Я жалею, что не убила его тогда!

— Придержи язык, — предостерегающе сказал Чезаре и привлек меня к себе; он коснулся пальцами моих губ. — Такова цена, которую приходится платить, когда живешь рядом с очень честолюбивым человеком. Я не знаю, как еще убедить тебя, чтобы ты молчала. Скажу лишь одно: люди умирали и за меньшее. Тебе придется хранить эту тайну до конца своей жизни. И моей.

Он внимательно взглянул на меня.

— Ты сильно чувствуешь, Санча, и быстро реагируешь, быстро и страстно. Тебе придется научиться сдерживать эти порывы, чтобы выжить здесь.

— До меня доходил один слух... — сказала я уже потише. — О смерти брата Родриго, которого должны были избрать Папой...

Пристально глядя мне в глаза, Чезаре медленно ответил:

— Это не слух.

— Как ты можешь это терпеть? — прошептала я.

Мой отец был тираном, но даже ему никогда не пришло бы в голову убить кого-то из членов своей семьи. Уж он-то никогда не прикоснулся бы ко мне и не стал бы потом грозить смертью моему брату за попытку вмешаться.

Чезаре пожал плечами. Взгляд его сделался жестким.

— Такова плата за то, чтобы быть одним из Борджа.

Той ночью я была не в том настроении, чтобы заниматься любовью с Чезаре. Он понял это, и мы расстались с мрачной неохотой. Ко мне снова и снова возвращалась мысль: а как отреагировал бы мой брат, узнав о таком падении нравов? Но я не смела поделиться с ним этими вестями. Если бы он узнал правду о моей жизни в Риме, это стало бы для него слишком сильным потрясением.

Позднее, когда я уже лежала в своей постели, мне приснилась карта, которую вытащила для меня стрега: сердце, пронзенное двумя мечами — зло и добро. Родриго Борджа стоял рядом со мной, улыбаясь. Он распахнул на груди свою белую атласную рясу, а под ней билось красное сердце, крест-накрест пронзенное мечами, что образовывали серебряную букву «X».

Один из мечей был гораздо больше другого. Я шагнула вперед и вытащила его. Лезвие меча было окровавлено, но даже под темно-красным пятном я с легкостью прочла слово, написанное на клинке.

ЗЛО.

ОСЕНЬ 1496 ГОДА —
НАЧАЛО ВЕСНЫ 1497 ГОДА

ГЛАВА 17

Следующие несколько месяцев мы с Чезаре встречались постоянно. Не считая той тревожной ночи в саду, когда я сказала о Лукреции и Александре, Чезаре вел себя так же, как всегда: все чаще и чаще говорил о том, что он не в силах больше вести жизнь кардинала. Он твердил, что мечтает жениться на мне, мечтает, чтобы у нас был полный дом детей. Его речи вызывали у меня невыносимое томление — и одновременно с этим чудовищное чувство вины. Мой муж, судя по всему, ничего не знал о моем романе с его братом, и его счастливая наивность терзала мое бесчестное сердце.

Я предположила, что драка Чезаре с Хуаном отбила у Хуана охоту продолжать, поскольку на протяжении жарких августа и сентября Хуан меня не беспокоил.

А потом, в октябре, когда жара спала, я получила от брата письмо, принесшее с собою новое горе.

«Милая моя сестра.

С невыразимой печалью я вынужден сообщить тебе о кончине нашего единокровного брата, его величества короля Ферранте II. Он умер от острого воспаления кишечника. Его супруга, королева Джованна, сражена горем, как и все мы. Его тело уже поместили во временную гробницу в Санта Кьяре, на то время, пока будет строиться его постоянная усыпальница.

Мне нелегко писать тебе столь печальные новости. Но все же мы с матерью очень надеемся, что сможем увидеться с тобой в ближайшие месяцы, на коронации его величества, нашего дорогого дяди Федерико».

Я не смогла читать дальше; руки мои разжались, и письмо упало на пол. Капризная судьба жестоко подшутила над молодым Феррандино: он так долго и так тяжко сражался за свой трон — и все лишь для того, чтобы так быстро утратить его. Хуже того: у них с Джованной так и не родился наследник, и потому корона перейдет к предыдущему поколению, к Федерико.

Теперь у меня был законный повод вернуться в Неаполь, к себе домой. В обычных обстоятельствах я ухватилась бы обеими руками за любой подходящий случай, но мне невыносима была сама мысль о том, чтобы вернуться, прикрываясь смертью Феррандино. И кроме того, я не желала ни на миг расставаться с Чезаре. Потому я осталась в Риме, отослав родственникам свои соболезнования.

В том же месяце, когда я узнала о смерти Феррандино, Хуана Борджа послали на войну. Вооружившись усыпанным драгоценными камнями мечом и титулом гонфалоньера и полководца Церкви, он под фанфары выехал из Рима в сопровождении папской армии.

Вскоре к нему пришел успех — к немалому разочарованию Чезаре. («Бог посмеялся надо мной, позволив моему безмозглому брату одержать победу благодаря счастливому случаю, а не воинскому искусству!») Папская армия стремительно захватила десять мятежных замков, над которыми реяли французские флаги. Папа был пьян от радости. За обедом он зачитывал вслух депеши Хуана — все они были полны самовосхваления. Лукреция сдержанно улыбалась и кивала, подбадривая отца, когда тот приходил в особенное возбуждение. Чезаре все крепче сжимал губы, пока они вообще не исчезали.

А затем Бог послал Хуану расплату в лице бесстрашной знатной дамы по имени Бартоломея Орсини. Она располагала сильным и всецело преданным ей войском, которое обороняло ее внушительную крепость, находившуюся в дне быстрой езды на север от Рима, в Браччано, и стоящую над большим озером, от которого город и получил свое имя. Папская армия была особенно заинтересована в том, чтобы разбить семейство Орсини: это их вероломный договор с французами и похищение Джулии позволило Карлу вторгнуться в Рим и подтолкнуло Александра к тому, чтобы он приказал Феррандино отступить в Неаполь. Его святейшество решил, что настало время преподать урок этим Орсини за их тяготение к французам. В папском государстве имелись и другие мятежные знатные семейства, и судьба Орсини должна была стать уроком для всех их, дабы они знали, что случается с теми, кто осмеливается не повиноваться Папе как духовному и светскому правителю.

Чезаре рассказал мне всю эту историю, в подробностях и с огромным удовольствием. Первоначальный успех наполнил герцога Гандийского еще большим высокомерием. Он написал Бартоломее письмо с угрозами. Она расхохоталась и плюнула на это письмо. Он написал ее армии официальное послание, требуя сдаться и обещая им безопасность в том случае, если они оставят свои позиции и перейдут на сторону папского государства, дабы сражаться за него.

Люди Бартоломеи обсмеяли его.

— Приходи, — сказали они. — Приходи, повоюем. Приходи и попробуй на вкус, что такое настоящая война, гонфалоньер.

Хуан изучил со стороны массивные стены замка Браччано. Он даже выстроил войска в примитивный боевой порядок для штурма стен. Но в конце концов, по словам Чезаре, который читал письмо великого гонфалоньера к его святейшеству, Хуан уразумел, что тут все складывается совсем по-другому: его армия вполне может потерпеть поражение.

И потому его армия тихо и скромно, под покровом ночи удалилась от Браччано и направилась на север, к не столь хорошо укрепленному замку в Тревиньяно, где и гарнизон был поменьше. А над крепостью победившей Бартоломеи так и остался реять французский флаг.

В Тревиньяно солдаты Хуана провели ожесточенное сражение, пока он слал им указания, держась в стороне. Это оказалось нелегко, но все же армия Александра захватила замок и разграбила город.

Но отдохнуть солдатам не дали, поскольку семейство Орсини, возглавляемое их патриархом Карло, заняло денег у французов и наняло армию из тосканцев и умбрийцев. Они двинулись на юг, к крепости в

Сориано — ее держал кардинал Орсини, считавший, что власть Папы над церковью следует ограничить и что уж тем более Папе не стоит совать нос в мирские дела знати Папской области.

Армия Хуана была вынуждена встретиться с врагами здесь, в нескольких днях езды к северу от Рима. Орсини оказались умными стратегами; они быстро заманили часть войска гонфалоньера в сторону, разбили его и ринулись в контратаку. На этот раз Хуан очутился в гуще сражения и не смог бежать куда-нибудь в более безопасное место. Он был легко ранен в плечо и потерял пятьсот человек.

Несомненно, подобный исход никогда не приходил ему в голову. Он немедленно отступил, а его армия капитулировала.

Теперь за обедом Александр кипел от злости. Он вскакивал с кресла, расхаживал по залу и кричал — поносил Хуана за его идиотизм, а себя за то, что не приобрел больше солдат, больше лошадей, больше мечей. Он клялся, что опустошит все сундуки в Риме, продаст даже собственную тиару...

Но по большому счету его святейшество был человеком практичным. Он заключил сделку с Орсини, получив от них пятьдесят тысяч золотых дукатов и две крепости в обмен на обещание прекратить войну. Александр также согласился просить моего дядю, короля Федерико, чтобы тот отпустил пленников-Орсини, которых до сих пор держали в Неаполе.

А тем временем он велел Хуану вернуться домой.

Осенние дни в Риме несут с собой прохладу — предвестье зимних холодов. Многие в Италии сказали бы, что зима здесь теплая: ведь снег лишь изредка ложится на старинные здания и дворцы. Но я привыкла к зиме, которая мало чем отличалась от лета, и потому ожидала приближающейся римской зимы с некоторым страхом.

Я старалась проводить как можно больше времени в одиночестве, без моих фрейлин. Я никогда толком не умела таиться и скрывать, а мое открытие — истинная природа отношений между Лукрецией и ее отцом — до сих пор не давало мне покоя. Втайне я сердилась на Чезаре. Будь я мужчиной, говорила я себе, я давно бы уже убила Александра, чтобы защитить Лукрецию, и наплевала бы на последствия.

На самом же деле я тоже оказалась в положении соучастницы, ибо хранила ужасную тайну из боязни за собственную жизнь. Я была ничем не лучше их. Я была прелюбодейкой, обманывающей собственного мужа. И потому я старалась оставаться Лукреции хорошей подругой. Она начала на свой лад доверять мне, хотя теперь я понимала, почему она никому не может доверять полностью. Мы вместе танцевали на празднествах, смеялись, играли в шахматы (Лукреция была истинным мастером и всегда выигрывала), а иногда отправлялись прокатиться верхом в римские сосновые леса в сопровождении наших фрейлин и стражников.

Однако наша дружба тревожила меня; я не могла забыть, с какой ревностью отнеслась ко мне Лукреция, когда думала, что я могу отнять у нее внимание отца. Не могла забыть и искреннего восторга, который звучал в ее голосе в момент совокупления с Александром.

Я пыталась мысленно оправдать ее, как мог бы оправдать Альфонсо: возможно, прожив столько лет при этом развращенном дворе, она просто перестала различать грань между добром и злом. Или, возможно, она лишь изображала восторг, чтобы защитить себя от гнева Александра.

Я мало ела, худела и целыми днями бродила по огромному, запутанному саду дворца Святой Марии, словно привидение. А по ночам скользила по нему, словно темный призрак, спеша на встречу с Чезаре.

Двадцать четвертого января 1497 года Хуан, великолепный герцог Гандийский, прославленный гонфалоньер и полководец Церкви, въехал обратно в Рим — на этот раз с еще большей помпой и торжеством, как будто он вернулся не с поражением, а с победой.

Его святейшество непрестанно возносил хвалы своему бесталанному сыну; все ругательства, которые он обрушивал на голову Хуана во время войны, были позабыты. За обедом мы слушали, как Папа рассказывает Хуану, что он — величайшая надежда папского престола и что он прославит дом Борджа, как только достаточно оправится и сможет вернуться в битву. Хуан же выслушивал все это с обычной своей высокомерной улыбочкой. (Правда, при этом так и не упоминалось, когда же именно можно ожидать «выздоровления» Хуана. И я так и не заметила ни малейших признаков раны, заставившей его бежать от врага.)

Я знала, что Чезаре — очень волевой человек, но ревность по отношению к брату снедала его с такой силой, что он не мог скрыть ее до конца. Однажды ночью у себя в спальне — мы лежали на спине после соития и смотрели на позолоченный сводчатый потолок — Чезаре во всех подробностях объяснил мне, как можно было без особых затруднений победить Бартоломею, а потом — как можно было бы расширить территорию папского государства.

— Если бы мы смогли добыть финансы на содержание более сильной армии, — заявил Чезаре, — Романья была бы наша. Вот, смотри.

Он пальцем начертил на фоне потолка изогнутый сапожок — Италию, потом указал на его левый верхний угол.

— Вот граница с Францией, — сказал он, — а тут, справа, Милан. Почти точно напротив него на востоке расположена Венеция, — его палец скользнул вниз по диагонали, — а вот тут, ниже, Флоренция. К северу от нее и на северо-запад от Рима, в самом центре Италии расположена область, именуемая Романьей. Добиться верности от баронов папского государства не так уж сложно, но у Хуана для этого не хватает ни жесткости, ни хитрости. А я могу это сделать. — Чезаре внезапно уселся, охваченный энтузиазмом, не отрывая взгляда от воображаемой карты земель, которые следовало завоевать. — Как только Папская область добьется прочного внутреннего единства и если мы получим помощь из Испании, а может, — он бросил на меня лукавый взгляд, — и из Неаполя, мы сможем завладеть всей Романьей.

Он взмахнул рукой, указывая на обширную область, протянувшуюся от Рима на северо-запад, к побережью.

— Имола, Фаэнца, Форли, Чезена... Все эти крепости падут перед нами, одна за другой.

— А как насчет д'Эсте? — небрежно перебила его я.

Это было необычайно могущественное семейство, вот уже много поколений владевшее герцогством в Романье. Потомок этого рода, Эрколь, был благочестивым человеком, безоговорочно преданным церкви.

Чезаре обдумал мою реплику.

— У д'Эсте слишком сильная армия, чтобы воевать с ними. Я бы предпочел заключить с ними союз, чтобы они сражались на нашей стороне.

Я удовлетворенно кивнула. Д'Эсте приходились мне родней через мадонну Трузию.

Чезаре продолжал.

— Потом мы взяли бы Флоренцию. Она так и не оправилась после кончины Лоренцо Медичи. С политической точки зрения у них там до сих пор хаос. Если наша армия будет достаточно сильна, чтобы разгромить французов...

— А Венеция? — спросила я, удивленная и заинтересованная. Я никогда прежде не замечала в Чезаре такого пыла, кроме как в моменты занятий любовью, а глубина его честолюбия меня поразила. — Там нет ни правящего семейства, чтобы победить его, ни баронов. Ее граждане привыкли к свободе; их так просто не убедишь отказаться от своего Совета и смириться с единым правителем.

— Да, это будет нелегко, — совершенно серьезно согласился Чезаре, — но возможно, при достаточно большой армии. Когда венецианцы увидят наши успехи, они вполне могут открыть перед нами ворота.

Я рассмеялась — не потешаясь над Чезаре, а поражаясь его решимости. Он определенно много думал над этими вопросами и теперь говорил о них как о деле решенном.

— Похоже, ты собираешься подойти к Франции с черного хода и отнять Милан у семейства Сфорца, — сказала я. — Ты очень уверен в себе.

Чезаре посмотрел на меня и широко улыбнулся.

— Мадонна, ты даже не представляешь, до чего же ты права.

— Но если ты будешь так занят войной, — сказала я лишь наполовину в шутку, потому что на самом деле я никогда не забывала слов Чезаре, так тронувших мое сердце, — когда же ты выкроишь время, чтобы отвезти меня в Неаполь и подарить мне детей?

Неистовство, горевшее в глазах Чезаре, погасло, и лицо его смягчилось. Он с нежностью произнес:

— Для тебя, Санча, у меня всегда найдется время.

Но Александр решил, что Чезаре должен стать его преемником на папском престоле, а Хуан — крепить могущество дома Борджа в светских делах. И неважно, что Чезаре не имел никакого призвания к участи, избранной для него отцом, а Хуану недоставало способностей. Решение Александра было окончательным и бесповоротным.

Однажды прохладным днем я забрела далеко в сад и оказалась в зарослях роз и лабиринте живых изгородей из самшита.

В тот день я была погружена в размышления о детях — или, точнее, об их отсутствии. Когда я только приехала в Рим, Александр постоянно поддразнивал нас с Джофре, спрашивая, когда же мы обзаведемся детьми. Но через некоторое время, когда у нас так никто и не появился, он прекратил эти разговоры. Кажется, Джофре это особо не беспокоило, но мне казалось, что мы втайне посматриваем друг на друга и размышляем, кто же виноват. Может, это я бесплодна? А может, всему виной левое яичко Джофре, которое так полностью и не опустилось в мошонку?

Правда, первые два года моего брака я не хотела детей и потому постоянно пользовалась водой с лимонным соком. Однако несколько месяцев назад мне пришло в голову, что ребенок не только придал бы мне определенный престиж в глазах его святейшества, но, возможно, стал бы и неким залогом безопасности.

Хотя члены семейства Борджа знали, что Джофре не сын Александру, он был признан таковым посредством папской буллы, и потому его дети будут считаться внуками Родриго, со всеми вытекающими из этого правами. Кроме того, среди Борджа видимость ценилась выше факта.

И я настолько обожала Чезаре, что одна мысль о ребенке от него производила на меня просто-таки колдовское воздействие; любовь превратила материнство из обязанности в привилегию.

Я свернула за поворот и очутилась в тупике; бронзовый херувим лил воду из кувшина в мраморный фонтан.

А еще я обнаружила, что я не одна. Там стоял Хуан, облаченный в алый атласный камзол и шафрановые брюки; на этот раз он был без шляпы или тюрбана. Со времен своей провалившейся кампании он начал отращивать усы, но у него, как и у Джофре, растительность на лице была неважная.

Он уставился на меня, широко расставив ноги и подбоченясь. На лице его играла обычная самодовольная ухмылка.

— Ну что ж, — с некоторым злорадством произнес он. — Чудный солнечный день. Правда, немного холодновато... Но так даже лучше для романа.

— Значит, вам лучше отправиться куда-нибудь в другое место, — ответила я, инстинктивно потянувшись за стилетом. — Во мне вы романтических стремлений не найдете.

Лицо его изменилось и закаменело.

— Я — человек решительный, — сказал он, и что-то в его голосе заставило меня оглянуться: не найдется ли в пределах слышимости кого-нибудь, кого можно будет позвать на помощь. — Скажите, донна Санча, — Хуан шагнул ко мне, вынудив меня отступить на шаг, — как так получается, что вы находите Чезаре настолько привлекательным, а я не внушаю вам ничего, кроме отвращения?

— Чезаре — мужчина, — сказала я, специально подчеркнув последнее слово.

— А я — нет? — Хуан недоуменно развел руками. —
Чезаре — всего лишь книжный червь. Он мечтает о
битвах, но на самом деле не знает ничего, кроме канонического права. Он может болтать о стратегии, сколько ему заблагорассудится, но на деле он способен лишь
разглагольствовать на латыни. Он, в отличие от меня,
никогда не испытал себя в битве.

— Верно, — ответила я. — И это испытание пока-
зало вашу негодность. Как только вас зацепили мечом,
вы тут же кинулись наутек, плача, как дитя.

Уголки рта Хуана опустились. Он стремительно
шагнул ко мне и ударил меня кулаком в лицо — с такой силой, что я полетела в кусты.

— Сука, — сказал он. — Я научу тебя уважать тех,
кто выше тебя по положению. Я всегда беру то, что
хочу, и ни ты, ни Чезаре не сможете мне в этом помешать.

Шипы впились в мою одежду и тело. Я попыталась
высвободиться, но прежде, чем мне это удалось, Хуан
уже был рядом. Он схватил меня за руки, выволок из
куста и швырнул на усыпанную гравием дорожку.

За миг до того, как он упал на меня, я успела выхватить стилет и полоснуть Хуана по груди. Клинок с легкостью распорол ткань, и я почувствовала, что он задел
тело. Вырвавшийся у Хуана вскрик и расползшееся
на камзоле темное пятно подтвердили это.

Я ожидала, что он пустится наутек, как это произошло на войне. И действительно, на миг Хуан отшат-
нулся. Он прикоснулся к ране — на лице его было написано смятение и нежнейшая любовь к себе, — потом
взглянул на окровавленные пальцы. И при виде крови, хоть ее и было немного, его глаза зажглись ненавистью. Хуан хрипло позвал:

— Джузеппе!

Кусты самшита зашуршали, и оттуда появился какой-то слуга. Джузеппе был чуть ли не наполовину выше Хуана и вдвое шире его. Вот тут я и вправду испугалась. Я быстро села и взмахнула стилетом. Джузеппе рассмеялся, но во взгляде его промелькнуло беспокойство.

Он ловко толкнул меня обратно на спину и схватил за запястья с такой силой, что мне показалось, что у меня сейчас захрустят кости; оружие выпало из моей руки. Я набрала полную грудь воздуха и яростно закричала прямо ему в лицо, молясь, чтобы кто-нибудь оказался поблизости или взглянул на нас с галереи, но единственным ответом мне было журчание воды в фонтанчике с херувимом.

Джузеппе присел у меня за головой и прижал мои руки к земле, пока я пыталась брыкаться и молотила ногами. Хуан же нависал надо мной с победным видом и расстегивал гульфик.

— Итак, — шутливым тоном произнес он, обращаясь к своему подручному, — кобылка все еще необъезжена? Ну ничего, мы все равно на ней прокатимся.

Я приложила все усилия, чтобы это не было для него ни легким, ни приятным; ему пришлось давить на меня всей тяжестью, чтобы прижать к земле, а поскольку он был легче Чезаре, это стоило ему больших усилий. Но все-таки Хуан был сильнее меня, а потому преуспел. Он раздвинул мне ноги, с такой силой хватаясь за бедра, что на них остались синяки от его пальцев. Потом он вошел в меня с такой грубостью, что мне пришлось закусить губы, чтобы не кричать от боли и не доставлять ему удовольствия.

Пока Джузеппе держал меня за руки, Хуан насиловал меня, ворча, сквернословя и осыпая меня именами, которыми уважающий себя мужчина не назовет даже последнюю шлюху, и с каждым толчком щебень дорожки врезался мне в спину. Казалось, это никогда не кончится. Я заставила себя отстраниться от творящегося ужаса, от гнева на грани безумия. «Меня здесь нет, — твердила я себе. — Меня здесь нет, и ничего этого на самом деле нет…» Я изо всех сил старалась удержаться от крика и пыталась вызвать в памяти воспоминания детства, о том, как я, счастливая, играю с моим братом Альфонсо и мне ничего не угрожает.

Унижая меня, Хуан перевозбудился, и на самом деле прошло не так уж много времени, прежде чем он испустил вскрик и вскинулся; веки его затрепетали.

Глубоко вздохнув, он с намеренной грубостью вышел из меня; его теплое семя пролилось мне на бедра.

— Вот так-то, сука. Теперь ты можешь говорить, что у тебя и вправду был мужчина.

Он отнял у Джузеппе мою руку и уставился на мизинец, на котором я носила золотое колечко, подарок матери.

— Подарок на память, — ухмыльнувшись, произнес Хуан. — Памятка от моей новой любовницы, чтобы я всегда мог вспомнить этот момент.

Он сдернул кольцо у меня с руки и встал, преисполненный самодовольства.

— А теперь, донна Санча, если в твоей женской голове есть хоть капля здравого смысла, ты оставишь Чезаре и придешь ко мне умолять о продолжении.

В ответ я плюнула в него. К несчастью, Джузеппе все еще продолжал удерживать меня, поэтому мой плевок не попал в цель. Хуан рассмеялся, застегнул штаны, потом сказал слуге:

— Можешь ее взять, если хочешь. Мне это безразлично. Что одна баба, что другая — разницы никакой.

И он зашагал прочь, надувшись, как индюк.

Я повернула голову набок, чтобы лучше видеть слугу, и прошептала:

— Только тронь меня, и ты заплатишь жизнью.

К моему удивлению, он отозвался:

— Простите меня, мадонна. Я помогал ему, чтобы спасти собственную жизнь, но я не стану больше вредить вам и каждый день буду молить Бога о прощении, хотя и не жду его от вас.

Потом он ушел.

Я перекатилась на бок и сразу же схватилась за стилет. На протяжении всего этого кошмара я постоянно заставляла себя помнить о том, где он лежит. Дрожа, я спрятала его в свой запыленный корсаж. Ярость, стыд и боль переполняли меня настолько, что я едва держалась на ногах. Но все же я как-то умудрилась не только встать и настолько восстановить самообладание, чтобы мое лицо не напоминало маску ужаса, но и заставить свои дрожащие ноги идти.

Я вернулась к себе в покои и отослала всех своих фрейлин — кроме донны Эсмеральды. Я позволила ей вымыть меня, смазать бальзамом самые крупные синяки и переодеть меня в чистую ночную рубашку.

А потом меня начала бить дрожь — такая сильная, что я испугалась, что меня разорвет надвое, и я едва не задыхалась. Но я не стала плакать из-за того, что мужчина причинил мне боль. Я не стала плакать, хотя в конце концов рассказала Эсмеральде обо всем. А она выслушала, прижимая меня к себе, как мать прижимает дитя.

ВЕСНА — ЛЕТО 1497 ГОДА

ГЛАВА 18

Тем вечером я передала через Эсмеральду тайное послание, которое мог понять только Чезаре: черная дама заболела. Я была не в том настроении, чтобы говорить с кем бы то ни было о событиях этого дня, потому провела ночь в одиночестве, не считая моей доброй Эсмеральды: она легла вместе со мной, и ее безмолвное присутствие дарило мне утешение. Из уважения к моим страданиям она заговорила лишь однажды — негромко, но с такой яростью, что от нее мороз шел по коже.

— Не бойся, милая Санча. Бог видел совершенное против тебя злодеяние, и в должный час Он отомстит за тебя.

На следующее утро я никак не могла решить, стоит ли мне рассказывать возлюбленному о преступлении его брата. Я опасалась, что Чезаре может потерять голову и наброситься на Хуана — хоть я и сама мечтала убить его. Но герцог Гандийский был любимцем Александра, и я, зная теперь, что отец Чезаре угрожал ему, боялась, что его святейшество станет мстить за любой вред, причиненный Хуану.

Два дня я притворялась больной, под тем же предлогом отослав Джофре, а потом Чезаре через Эсмеральду прислал мне послание с просьбой явиться в наше обычное место встреч, если я достаточно хорошо себя чувствую.

Я ответила, что приду, ибо я соскучилась по нему, но сочинила отговорку, почему нам в эту ночь нельзя заняться любовью. Синяки у меня на спине — следы от камешков с той проклятой дорожки — немного побледнели, как и отметины у меня на запястьях и бедрах, но все же были достаточно заметны, чтобы вызвать вопросы.

Потому, набросив черную вуаль, я явилась к назначенному часу в назначенное место и впервые оказалась там одна. Чезаре, вопреки обыкновению, не ждал меня. Точнее говоря, он так туда и не явился.

Первой моей реакцией, в силу моего королевского происхождения и природной вспыльчивости, был гнев. Да как он смел оскорбить меня?

Второй же реакцией стал страх. А вдруг Чезаре узнал о преступлении Хуана, попытался восстановить справедливость и был ранен или убит?

Я ждала во тьме, надеясь, что Чезаре вот-вот появится, все объяснит и я смогу успокоиться. Но Чезаре так и не пришел, и я в тревоге вернулась к себе в покои.

На следующий день Чезаре был занят какими-то делами Ватикана и даже не появился на семейном ужине. Я отправила ему сдержанное письмо, спрашивая, не произошло ли какого недоразумения, но прошел день, потом другой, а я так и не получила ответа.

Мое замешательство усилилось. Даже если Чезаре каким-то чудом и узнал о злодеянии Хуана, это еще не могло стать причиной его внезапного молчания. Напротив, он кинулся бы утешать меня и клясться, что отомстит Хуану.

В конце концов мне представился удобный случай выяснить, в чем дело, — на очередном вечере, устроенном Лукрецией. Для него была выбрана большая крытая галерея во дворце Святой Марии, достаточно большая, чтобы там хватило места для танцев. Его святейшество восседал на троне и развлекался, указывая, кому с кем танцевать.

И в какой-то момент он потребовал, чтобы мы с Чезаре танцевали вместе. К счастью, музыка играла громко и мы были не единственной танцующей парой. Благодаря этому я могла поговорить с Чезаре, не особо таясь.

По желанию Лукреции эта вечеринка была маскарадом. На мне была маска из голубых перьев, а на Чезаре — из позолоченной кожи. Но даже и без маски по его лицу все равно ничего нельзя было бы понять.

Он с отстраненным видом взял меня за руку и повел танцевать, приближаясь ровно настолько, насколько требовал танец. Глаза, глядевшие сквозь прорези в блестящей коже, были непроницаемы.

— Вы проигнорировали мои послания, — сказала я, когда мы начали танец. Мне нелегко было сдержаться и не позволить, чтобы в моем тоне звучала боль; я чувствовала себя вдвойне уязвленной и вдвойне преданной. — Почему вы не ответили?

— Я вас не понимаю, — отозвался Чезаре с такой холодностью, что у меня кровь застыла в жилах. — Донна Санча, вы задаете вопрос, хотя уже знаете ответ.

— Я знаю лишь одно, — возразила я; голос мой уязвленно дрогнул. — Что вы не видитесь со мной. Что вы опозорили меня, заставив ждать, когда сами даже не имели намерения явиться. Чем вызвана эта внезапная жестокость?

Отвращение, прозвучавшее в голосе Чезаре, было нестерпимым.

— Спросите Хуана.

Я застыла на середине шага. Чезаре пришлось подтолкнуть меня, чтобы я продолжала.

— Он сказал вам, что он сделал со мной? — Я не верила своим ушам. — Тогда скажите же, кардинал, за что вы сердитесь на меня?

Чезаре взглянул на меня все с тем же отвращением и некоторое время молчал. Потом все же произнес:

— Я вас не понимаю, мадонна. Вы завязали роман с моим братом и спрашиваете, на что я сержусь?

— Роман?! — Я отшатнулась, словно от удара. — Он изнасиловал меня!

Чезаре оставался неумолим.

— Есть свидетель, который утверждает обратное.

— И для вас его слова значат больше, чем мои?

— Мадонна, Хуан носит золотое кольцо вашей матери на шее, на цепочке, как знак любви. Он носит его тайком, так что это не рассчитано на представление, но я все же его увидел. Не зная, что мы с вами были близки, Хуан признался, что любит вас и что вы любите его.

Я задохнулась и на некоторое время утратила дар речи — так я была разгневана и уязвлена, осознав, как именно Хуан отомстил мне. Воистину, жестокая месть за отказ и единственную пощечину, пусть даже и данную прилюдно. Своими лживыми россказнями Хуан уничтожил то единственное, что приносило мне счастье здесь, в Риме.

— Это чудовищная ложь! — воскликнула я. — Да кем же надо быть...

Я оборвала фразу, не договорив, поскольку побоялась окончательно утратить контроль над собой; я и так уже перестала танцевать и сорвалась на крик. Остальные танцующие принялись удивленно поглядывать на нас и переговариваться. Но я была настолько взбешена, что мне было наплевать на это, даже при том, что Александр наблюдал за нами, нахмурившись.

Понизив голос, я прошипела:

— Я знаю, кем для этого надо быть! Ваш брат — подлец и негодяй, какого свет не видел. Он не только запятнал мою честь, он еще и сочинил гнуснейшую ложь, чтобы наказать меня за ту пощечину. Он украл у меня кольцо! Я не пришла к вам той ночью потому, что была измучена, раздавлена горем... и боялась, что вы совершите что-либо безрассудное. Настолько безрассудное, что я опасалась за ваше благополучие. Теперь я вижу, что глубоко заблуждалась.

Губы Чезаре слегка искривились, но он ничего не сказал.

— Приведите ко мне своего «свидетеля» — это Джузеппе, не так ли? Пусть он посмотрит мне в глаза и повторит свою ложь — если сумеет, потому что это именно он держал меня тогда. Надавите на него посильнее, и правда выйдет наружу.

— Джузеппе много лет был моим доверенным слугой, — сказал Чезаре. — Он презирает Хуана. Его ничто бы не заставило помогать моему брату в таком деле.

— Однако же что-то заставило, кардинал. — Я на миг запнулась на этом слове. Мое тело продолжало двигаться в бессмысленных фигурах танца, повинуясь ритму музыки, что казалась мне совершенно немелодичной. — И Хуан лжет, делая вид, что ничего не знал о наших отношениях. На самом деле тогда, на празднестве, я дала ему пощечину потому, что он сказал: мне ничто не мешает переспать с ним, раз уж я все равно сплю с двумя его братьями.

Чезаре заколебался, но затем уязвленная гордость взяла верх, и он отозвался:

— Я не буду рогоносцем, донна. Потому говорить больше не о чем.

— Итак, — негромко произнесла я с достоинством и спокойствием, которых совершенно не ощущала, — вы предпочитаете поверить Хуану, а не мне.

Чезаре ничего не ответил.

— В таком случае, дон Чезаре, это ваш брат, а не я выставил вас дураком.

Мы завершили танец, более не сказав друг другу ни единого слова.

Той ночью я даже не попыталась лечь в постель. Любовь лишила меня всякого чувства собственного достоинства. Когда-то я упрекала мать за безрассудную привязанность к отцу и вот теперь сама очутилась в таком же положении. Позабыв о гордости, я набросила черный плащ и вуаль и в одиночку прошла по тайному проходу от дворца Святой Марии до дворца Святого Петра. Стражи знали достаточно, чтобы пропустить меня. Когда одинокий солдат, стоявший у покоев Чезаре, увидел меня, он благоразумно отступил подальше по коридору, пока я стучала в тяжелую дверь.

Было уже поздно. Мне отворил сам Чезаре, все еще одетый, и я с облегчением осознала, что ему так же непросто уснуть, как и мне. И еще большее облегчение принесло мне то, что он оказался один.

Завидев меня, закутанную и безмолвную, он ничего не сказал и некоторое время лишь мрачно глядел на меня. Потом взмахом руки пригласил меня войти.

Оказавшись в комнате, я тут же сдернула вуаль.

— Чезаре, — сказала я, — я не могу вынести разлуки с тобой. Я готова унизиться, чтобы только вернуть твое доверие.

Он стоял, ожидая, что я скажу дальше, недоверчиво склонив голову и сложив руки на груди; но я не собиралась отступать. Я сбросила свой тяжелый плащ и сдернула черную сорочку через голову. Несколько мгновений я стояла совершенно нагая, протягивая руки к Чезаре.

— Вот запястья, за которые держал меня Джузеппе, — сказала я, медленно поворачивая руки, чтобы лучше показать начавшие желтеть синяки.

Потом я повернулась к Чезаре спиной — Эсмеральда говорила, что она все еще покрыта множеством отметин от щебня. В глубине души я надеялась, что Чезаре ахнет от жалости, обругает брата, но позади царило молчание.

Я снова повернулась лицом к Чезаре. На лице его читалось сомнение, и потому я пошла на крайнюю степень унижения — раздвинула ноги.

— Смотри, — сказала я, указывая на синие отпечатки, оставленные на белой коже пальцами Хуана.

Воцарилось долгое молчание. Краска залила мое лицо. Я медленно подобрала одежду и натянула ее. И все же я не могла заставить себя уйти от Чезаре. Я ждала, затаив дыхание, с отчаянно колотящимся сердцем, ждала хоть малейшего знака, показывавшего, что я вновь завоевала его доверие.

Наконец Чезаре медленно произнес:

— Эти отметины могли остаться и просто от большого любовного пыла.

Я взглянула на него, онемев от потрясения, и быстро вышла из его покоев, чтобы он не увидел, насколько мне плохо.

Я не вернулась к себе в постель. Вместо этого я нашла в парке уединенный уголок и просидела там, оцепенев от боли, до тех пор, пока не забрезжил рассвет.

ГЛАВА 19

Когда нам с Чезаре не удавалось избежать встречи, мы держались друг с другом с ледяной вежливостью. Что же касается Хуана, то он постарался, чтобы слухи о нашем «романе» разошлись по всему Риму. В прочем же он оставил меня в покое, не считая победных взглядов, которые он время от времени на меня бросал, особенно когда видел, как мы с Чезаре молча проходим друг мимо друга. Он явно удовольствовался тем, что унизил меня один раз, и ему не требовалось повторять оскорбление.

Хотя эти слухи дошли и до Джофре, он настойчиво демонстрировал мне свое хорошее отношение, лишь усугубляя мою меланхолию. Я плохо ела, плохо спала. Мой муж присылал ко мне врачей, чтобы те осмотрели меня и прописали что-нибудь укрепляющее, но лекарств от моего недуга еще никто не придумал.

Я постоянно думала о Чезаре. Что еще я могла сделать, чтобы снова завоевать его? Я унизилась перед ним, как ни перед каким иным мужчиной, и не могла понять, как он мог усомниться в моей любви или моей верности. Как он мог не поверить мне, даже увидев все эти синяки своими глазами? Как он мог счесть меня такой двуличной?

Ответ на эти вопросы часто приходил мне на ум, но я каждый раз старалась прогнать его прочь. «Лишь человек, сам способный на великую измену, может заподозрить других в этом».

Я пребывала в таком смятении, что совершенно перестала искать общества других людей. При малейшей же возможности я ложилась в постель. На моем прикроватном столике скопилась целая груда писем от матери и Альфонсо: я на них не отвечала и даже не читала их.

Лукреция заметила мое угнетенное состояние и, к моему удивлению, попыталась облегчить его. Она приглашала меня к себе на званые завтраки с блюдами, которые должны были раздразнить мой угасший аппетит; она звала меня на верховые прогулки и загородные пикники. Я была тронута ее усилиями. Когда мы с Лукрецией оставались наедине, она старалась вызвать меня на доверительный разговор и докопаться до причин моей печали.

Но я упорно молчала. Благодаря Чезаре я хорошо поняла, что среди Борджа, если хочешь выжить, надо держать язык за зубами. Потому я улыбалась и принимала дружбу Лукреции, но ничего ей не рассказывала.

Однажды Лукреция в сопровождении двух своих дам появилась у меня в покоях.

— Пойдем! — сказала она. — Мы отправляемся раздавать подаяние беднякам!

Я лежала в постели, апатичная и скучающая.

— Но там слишком холодно, — пожаловалась я.

На самом деле день выдался солнечный и безоблачный.

Лукреция лишь фыркнула, подошла к постели, вынула книгу у меня из рук и вытащила меня из-под одеяла.

— Там прекрасная погода! Мы просто подберем тебе подходящее платье!

Мы отправились ко мне в гардеробную, и Лукреция — как будто она вдруг превратилась в донну Эсмеральду, собирающую меня на бал, — выбрала мое лучшее платье из зеленого бархата цвета листвы и тончайшего шелка цвета морской волны. Рукава у него были отделаны золотой тесьмой. Когда мы обе были разряжены — сама Лукреция сегодня была в сапфирово-синем, — она сказала:

— Ах, Санча! Ты слишком красива, чтобы печалиться! Только взгляни на себя: ты же прекраснейшая женщина в Риме! Должно быть, люди, завидев тебя, думают, что им явилась богиня!

Я лишь улыбнулась в ответ на ее доброту. Просто не верилось, что это та же самая женщина, которая смотрела на меня с таким подозрением и ненавистью, когда я только-только приехала в Рим; и тем не менее казалось, что Лукреция совершенно искренне заботится обо мне. Возможно, она всем сердцем привязывалась к тому, кто завоевал ее доверие. Возможно, я неверно судила о ней, а сама Лукреция втайне мечтала о простой и добродетельной жизни.

Мы отправились в город в красивом открытом экипаже; на его лакированных дверцах красовался герб Борджа — огненно-красный бык.

Мы отъехали недалеко, когда люди заметили нас и пустились бежать за нашим экипажем, выкрикивая благословения. Лукреция наклонилась ко мне и высыпала мне на колени из бархатного кошелька то самое «подаяние», которое я должна была раздавать.

Я уставилась на сверкающую кучку.

— Лукреция, но это же золотые дукаты!

Одна такая монета могла принести крестьянину ферму или дом. Это была немыслимая щедрость.

Лукреция усмехнулась.

— Тем больше у них будет причин любить нас.

Она привстала и швырнула пригоршню монет в ожидающую толпу.

В воздухе повисли радостные возгласы.

Я посмотрела на Лукрецию: лицо ее порозовело, а глаза блестели радостью. Ей приятно было делать других счастливыми.

Как я могла отказаться от нее? Я улыбнулась, взяла горсть дукатов и бросила в гущу толпы.

В том январе в городе объявился Джованни Сфорца, столь долго отсутствовавший супруг Лукреции. Судя по всему, он не мог больше игнорировать все более настойчивые послания Папы, требовавшего, чтобы он вернулся к Лукреции и вел себя, как подобает мужу.

И вот Сфорца вернулся в Рим — без фанфар, которыми встречали детей Папы, и, уж конечно, без празднеств. Джованни, граф Пезаро, оказался довольно невзрачным. Это был долговязый, неуклюжий мужчина со слишком большим кадыком и большими глазами навыкате — из-за них у него был постоянно испуганный вид. Характер у него оказался столь же неприятный: он то разражался эмоциями, когда это было не к месту, то скрывал их, и тоже некстати. Я заподозрила, что Александр выбрал его именно из-за его податливости. Лукреция должна была вертеть им, как пожелает.

Но вот чего никто не принял в расчет, так это силу владевшего Джованни страха. А он очень благоразумно боялся Борджа, особенно после того, как его родной город, Милан, где правило его семейство, так недальновидно поддержал во время войны французского короля Карла. Во всяком случае, официально его беспокойство объяснялось именно этой причиной.

Три месяца Сфорца играл роль мужа Лукреции — довольно робко, надо сказать, ибо, если верить слугам, его святейшество велел Джованни выбирать между возвращением к жене и весьма неопределенной и ненадежной участью. На публике супруги были вежливы друг с другом, и их видели вместе настолько часто, насколько этого требовали обстоятельства. Но если их и связывали какие-то теплые чувства, я этого не заметила. Лукреция исполняла роль жены с большим достоинством, хотя ей наверняка должно было быть очень стыдно из-за неприкрытого желания Джованни очутиться как можно дальше от нее. Теперь уже я делала все, что могла, чтобы отвлечь Лукрецию от ее огорчений.

Но Джованни не причиняли никакого вреда. Даже напротив: Папа и его дети делали все возможное, чтобы Сфорца почувствовал себя желанным и почитаемым гостем; на всех церемониях он шел сразу за Хуаном и Чезаре. В Вербное воскресенье Джованни оказался одним из немногих избранных, получивших освященную ветвь, благословленную самим святым отцом.

Однако в Великую пятницу на рассвете Сфорца оседлал коня и бежал обратно в родное Пезаро, откуда его уже не удалось выманить.

Слухов по этому поводу ходило великое множество. Один из них, самый настойчивый, гласил, что слуга Сфорцы подслушал, как Лукреция и Чезаре сговаривались отравить его господина.

Но самые жестокие слова исходили не от сплетников, а от самого Джованни, — обвинения, которые он посмел выдвинуть, лишь очутившись под защитой стен Пезаро. Его жена вела себя нескромно — так гласили разошедшиеся повсюду открытые письма Джованни. Они изобиловали намеками на то, что этот недостаток скромности был в высшей степени безобразным и проявлялся так, что ни один нормальный муж ни за что не стал бы этого терпеть.

Я сразу же все поняла: Сфорца застал Папу и Лукрецию точно в такой же ситуации, что и я. Он знал то же, что знала я, — очевидно, узнал об их запретной связи вскоре после своей женитьбы на дочери Папы и не выдержал груза этой тайны.

Я не могла винить этого человека. Но мне было до боли жаль Лукрецию. Похоже было, что с возвращением мужа ей полегчало, и вот теперь сам факт его побега породил целый водоворот сплетен вокруг ее имени. Никто не смел дурно говорить о его святейшестве или обвинять его в инцесте, но Лукрецию сплетники не щадили. «Шлюха, — так называли ее. — Жена и дочка Папы».

Во Флоренции Савонарола с небывалым пылом поносил грехи Рима и дошел до того, что призвал к насилию против Папы и его церкви. Этот священник-реформатор писал правителям разных стран, убеждая их отнять у Александра тиару; он призывал Карла, короля Франции, обрушиться на Италию и снова «свершить правосудие».

Папа немедленно принялся трудиться над признанием брака Лукреции недействительным... и в мае месяце отлучил Савонаролу от церкви.

Лукреция терпела все это, сколько могла, а затем, в июне, взяла нескольких самых приближенных к ней дам и без согласия и ведома его святейшества удалилась в доминиканский женский монастырь в Сан-Систо. Она сообщила отцу, что собирается стать монахиней. Хватит с нее брака и мужчин.

Александр пришел в ярость. Пригодная для брака дочь была выгодным орудием в политической игре, и он не собирался от него отказываться. Он немедля отправил в монастырь вооруженный отряд, требуя, чтобы монахини отослали Лукрецию, «поскольку для нее лучше всего будет находиться на попечении отца».

От этого языки римлян заработали еще активнее: «Вот видите? Он не может пробыть без нее и дня!»

Настоятельница монастыря мать Джиролама лично вышла к солдатам. Несомненно, это была храбрая и необычайно красноречивая женщина, поскольку солдаты покинули Сан-Систо с пустыми руками, к пущей ярости Александра.

Лукреция не собиралась возвращаться. Я начала верить, что она вступила в эту кровосмесительную связь с отцом не по собственному желанию, а по принуждению. Мне было искренне жаль ее.

Через некоторое время Александр поостыл и позволил Лукреции остаться в Сан-Систо. Он решил, что Лукреции наскучит монастырская жизнь и она пожелает снова вернуться к своим празднествам.

Но он не знал одной подробности, которую вскоре узнала я.

Я тайно отправилась в Сан-Систо, навестить Лукрецию. Одна из облаченных в белое сестер провела меня к ней в покои. Их трудно было назвать спартанскими: это были прекрасно обставленные просторные комнаты, устроенные специально для посещающих монастырь знатных дам, а Лукреция к тому же устроила, чтобы сюда привезли изрядную часть ее собственной мебели, чтобы не так сильно скучать по дому.

Но самой Лукреции в покоях не оказалось. Меня встретила Пантсилея, которая была старше Лукреции всего на несколько лет, но выглядела куда более зрелой женщиной. Она была милой, отзывчивой и заботливой, а кроме того — стройной и красивой. Пантсилея гладко зачесывала свои черные волосы назад и собирала в узел на затылке: скромная вдовья прическа. Сегодня ее обычно гладкий лоб прорезали морщинки беспокойства.

— Как там она? — спросила я.

При виде беспокойства на лице донны Пантсилеи я и сама несколько встревожилась.

— Мадонна Санча, — подавленно откликнулась она и поцеловала мне руку. Она могла говорить откровенно, поскольку мы с ней оказались наедине: еще две дамы Лукреции ушли с ней в церковь, а Перотто отослали на кухню. — Я так рада, что вы приехали! Я еще никогда не видела ее в таком смятении. Она не ест и не спит. Я боюсь... Мадонна, я очень боюсь, как бы она не натворила чего непоправимого.

— О чем ты? — резко спросила я.

— Я боюсь, как бы она... — Пантсилея перешла на шепот, — как бы она не попыталась покончить с собой.

Эти слова настолько потрясли меня, что я на миг утратила дар речи, что, впрочем, оказалось только к лучшему, потому что ровно в этот момент мы услышали приближающиеся шаги. Вскоре двери покоев отворились, и появилась Лукреция в сопровождении своих дам.

Она была с ног до головы одета в черное. Я никогда еще не видела Лукрецию такой бледной; под глазами у нее залегли темные тени. Вся ее прежняя веселость исчезла без следа, сменившись мрачностью и унынием.

— Донна Санча! — воскликнула она, приветствуя меня призрачной улыбкой.

Мы обнялись, и я почувствовала, насколько она исхудала: кости просто-таки торчали наружу.

— Как я рада тебя видеть!

— Я соскучилась по тебе, — честно сообщила я. — Мне захотелось взглянуть, как ты тут.

Лукреция взмахом руки отослала дам в другую комнату, чтобы мы могли поговорить наедине.

— Ну что ж, — отозвалась она, улыбаясь все той же невеселой улыбкой, — ты можешь это видеть.

Она уселась на большую подушку, лежавшую на полу; я села рядом и взяла ее за руку.

— Лукреция, пожалуйста. Я беспокоюсь о тебе. Даже Пантсилея очень обеспокоена. Ты была так добра ко мне, и я не в силах смотреть, как злые языки доставляют тебе столько терзаний.

Лукреция посмотрела на меня и залилась слезами. Некоторое время я прижимала ее к себе, пока она рыдала, уткнувшись мне в плечо; я пыталась представить себя на ее месте — воистину странном и ужасном месте!

А потом Лукреция подняла голову, взглянула на меня еще более задумчиво и сказала:

— Все еще хуже, чем ты думаешь, Санча. Боюсь, я беременна.

Я онемела.

— Отец ребенка — не Джованни, — продолжала она дрожащим голосом. — Если бы я сказала тебе...

Я вскинула руку.

— Я знаю, кто отец.

Лукреция пораженно уставилась на меня.

— Но мы не будем произносить его имя, — сказала я. — Это может стоить мне жизни. Потому давай договоримся: я глубоко сочувствую тебе, но никогда вслух не скажу, кто отец этого ребенка. А значит, нельзя в точности утверждать, что я знаю правду.

— Санча, но откуда ты?..

— Я ни в чем тебя не виню, Лукреция. Мне больно видеть, что ты очутилась в таком сложном положении. Я могу лишь предложить тебе свою дружбу и помощь.

Любопытство на лице Лукреции вновь сменилось печалью. Я обняла ее, мысленно радуясь, что моя жизнь все-таки не настолько исполнена страданиями.

Наконец Лукреция сумела взять себя в руки и снова принялась внимательно изучать мое лицо.

— А ты согласишься сделать для меня одну вещь? — спросила она тоном, который опасно напоминал тон предсмертной просьбы. — Ты простишь Чезаре за то, что он был несправедлив к тебе?

Я напряглась. Мысль о том, что Чезаре кому-то рассказал о нашем романе — и, очевидно, о той моей кошмарной встрече с Хуаном, — вызвала у меня боль и гнев, пусть даже этим «кто-то» была его родная сестра.

— Пожалуйста, пойми: Чезаре очень плохо без тебя, — не унималась Лукреция. — Он повел себя как дурак, но это потому, что женщины уже много раз предавали его... и он не помнит себя от ревности — ты ведь такая красавица. Но я никогда еще не видела, чтобы он был в кого-нибудь влюблен так, как в тебя. Пожалей его, Санча.

— Пусть Чезаре говорит сам за себя, — холодно отозвалась я. — Лишь тогда я отвечу ему.

———

Тем вечером я вернулась во дворец Святой Марии. Я ни на миг не поверила, будто Чезаре опомнился; я чувствовала, что Лукреция просто пытается по доброте душевной уладить наши отношения.

Но еще до захода солнца ко мне в дверь постучали, и молодая служанка передала донне Эсмеральде запечатанное письмо.

Я с жадностью схватила его и прочла на балконе, выходящем в сад. Письмо было написано аккуратным, размеренным почерком Чезаре.

«Милая моя Санча.

Я был величайшим глупцом на свете, когда усомнился в тебе, и заслуживаю, чтобы меня за это отправили в последний круг ада. И несомненно, я познаю адские мучения еще при жизни, если ты не сжалишься надо мной и не согласишься сегодня ночью встретиться со мной... Но я сам их заслужил. Я буду ждать тебя, держа свое сердце в ладонях, как дар. И все же если ты решишь не приходить, я полностью это пойму и останусь навеки твоим.

Чезаре».

Я не хотела идти на эту встречу. Я хотела наказать его, заставить его ждать, как ждала я, когда моя надежда медленно умирала, превращаясь в боль.

Я хотела пойти на эту встречу, чтобы его сердце запело от радости при виде меня — лишь затем, чтобы разорваться, когда я плюну ему в лицо.

Я хотела пойти, чтобы кинуться ему на шею, наслаждаться тем, что он снова мой, шептать клятвы в вечной любви.

В конце концов я пошла.

Чезаре знал, как привлечь кого-то на свою сторону. Завидев меня, он рухнул на колени, потом уткнулся лицом в гравий дорожки.

— Я не встану, пока вы мне не позволите, мадонна.

Несколько мгновений я смотрела на него, думая о Хуане, об отпечатках точно таких же камней на моей спине, о боли и унижении, которые я пережила в тот день. Наконец я произнесла:

— Встань.

И отбросила вуаль.

ГЛАВА 20

Той ночью мой роман с Чезаре возобновился с прежней страстью. Чезаре поклялся отомстить Хуану — но «в подходящий момент и в подходящем месте». Я утихомиривала его. Что мы могли сделать Хуану, зенице ока Папы, не подставив под удар себя? Я хотела лишь, чтобы Чезаре заверил меня, что отныне я навсегда буду защищена от прикосновений Хуана, и он поклялся в этом с пугающей страстностью.

На следующее утро я снова отправилась в Сан-Систо, навестить Лукрецию. На этот раз я вооружилась пирожными и прочими лакомствами, рассчитывая раздразнить ее привередливый вкус. Было начало июня, и погода выдалась прекрасная; все вокруг цвело и благоухало. Я все еще была вне себя от счастья после ночной встречи с Чезаре — настолько, что чувствовала себя виноватой перед Лукрецией, чья жизнь была совершенно лишена счастья.

Добравшись до монастырских покоев Лукреции, я обнаружила, что она снова в церкви. Меня встретила Пантсилея, пребывавшая сегодня в еще большем смятении. Она отослала прочих слуг и лишь после того, как мы с ней остались вдвоем, показала лежащий на столе официальный документ.

Я неплохо знала латынь и молча прочла этот документ с всевозрастающим изумлением. Он гласил, что Лукреция в семействе Сфорца была «triennium et ultra translata absque alia exus permixtione steterat nulla nuptiali commixtione, nullave copula carnali conjuxione subsecuta, et quod erat parata ju rara et indicio ostreticum se subiicere». Под документом стояла подпись Лукреции, выведенная дрожащей рукой.

Это было прошение о разводе: католическая церковь дозволяла его, если брак не был осуществлен в течение трех лет, что и утверждалось в данном документе. В завершение Лукреция соглашалась подвергнуться осмотру повитух, дабы доказать свою девственность.

В больших темных глазах Пантсилеи застыло загнанное выражение.

— Его святейшество уже рассматривает предложения претендентов на ее руку. Он думает лишь о политике и совершенно не заботится о чувствах Лукреции. Она сказала мне, что лучше умрет, чем снова выйдет замуж. Она говорила так странно, мадонна, — как будто пыталась попрощаться со мной...

Пантсилея придвинулась поближе и тихо произнесла:

— Меня могут убить за то, что я говорю вам об этом, донна Санча, но я готова рискнуть, если это поможет спасти жизнь Лукреции. У нее имеется запас кантереллы, и часть его она взяла с собой...

Я нахмурилась. Это название мне ни о чем не говорило.

— Кантерелла?

Мое невежество явно удивило Пантсилею.

— Это яд, которым прославились Борджа. Смертоносный яд. Я боюсь, что Лукреция намерена сама принять его, и в самом скором времени. Она плакала, когда подписывала этот документ, донна Санча. Мне кажется, сейчас она пошла искать примирения с Господом.

Я пришла в ужас.

— Но почему ты сообщаешь мне эту тайну? Что я могу сделать?

— Я обыскала все, что могла, в поисках кантереллы, чтобы забрать ее у Лукреции, но ничего не нашла. Может, вы мне поможете?

Я уставилась на Пантсилею. Она просила меня рискнуть жизнью — но это же ради Лукреции, напомнила я себе. Ради Лукреции, которая была так добра ко мне, когда я пребывала в пучине отчаяния. Я кивнула.

— Это маленький, закрытый пробкой флакон из зеленого венецианского стекла, — настойчиво продолжала Пантсилея. — Я уже посмотрела в ее дорожном сундуке, в драгоценностях — но, возможно, она хранит его в одном из своих платьев.

Она указала на большой платяной шкаф.

Я подошла к шкафу и открыла его дверцы, а Пантсилея тем временем подняла крышку сундука и снова принялась за работу. Лукреция привезла с собой лишь четыре скромных темных платья; она не собиралась ни с кем встречаться и явно не намеревалась задерживаться надолго. Я прекрасно понимала потребность знатных дам в хитростях и защите: на всех моих платьях в корсаже были вшиты небольшие ножны. Возможно, Лукреция тоже устроила нечто подобное…

Чтобы осмотреть платья как следует, я вошла в гардероб. Рукава приходили на ум первыми, потому я с них и начала.

Я едва успела провести рукой по ткани, как услышала в коридоре мужской голос, и очень знакомый.

Он звал Лукрецию. Прежде чем я успела хоть как-то отреагировать, донна Пантсилея захлопнула за мной дверцы шкафа, прошипев:

— Молчите и не шевелитесь!

Это казалось нелепым. Мне достаточно было сделать шаг наружу из шкафа, закрыть его и вести себя, как будто ничего не произошло; а вот если меня найдут в гардеробе, подозрений не оберешься. Почему Пантсилея хочет сохранить мое присутствие в тайне?

Но менять что-либо было поздно, и я осталась сидеть в шкафу. Сквозь крохотную щелочку мне было видно, как Чезаре вошел в комнату и бросил беглый взгляд на прошение о разводе.

— Позови Лукрецию, — холодно, отрывисто приказал он Пантсилее, — и проследи, чтобы нас не беспокоили.

Пантсилея кивнула. Когда она отправилась исполнять приказание, я чуть не выбралась из шкафа, решив сказать Чезаре, что услышала его голос в коридоре и спряталась, чтобы подшутить над ним. Но чем дальше, тем меньше мое появление было бы похоже на шутку. В конце концов, мы ведь помирились совсем недавно. И Чезаре, и Лукреция с недоверием отнеслись бы к такой дурацкой выходке, и потому я предпочла остаться на месте.

Чезаре с напряженным видом расхаживал по комнате. Судя по всему, он прибыл по поручению отца, и это его совершенно не радовало.

Потом появилась Лукреция со своими дамами. При виде Чезаре ее мрачное лицо просветлело. Она тут же отослала дам и схватила брата за руки.

Они вместе взглянули на постановление о разводе.

— Итак, дело сделано, — сказал Чезаре.

Лукреция вздохнула. Вид у нее был несчастный, но все же не настолько, как опасалась донна Пантсилея. В голосе ее звучала лишь обычная покорность судьбе.

— Сделано.

Чезаре успокаивающе погладил ее по щеке.

— Я позабочусь, чтобы тебе подыскали подходящего мужа. Кого-нибудь познатнее Сфорцы. Кого-нибудь молодого, красивого и обаятельного.

— Обаятельнее тебя все равно никто не будет.

Лукреция положила руки ему на плечи, а Чезаре обнял ее за талию. Они поцеловались.

Это отнюдь не было родственными объятиями.

Застряв в шкафу, я испустила долгий, беззвучный вздох. Меня словно бы пронзило мечом: я наконец-то все поняла. Меня захлестнуло невыразимое отвращение, голова закружилась, и я осторожно ухватилась за полированное дерево, чтобы не упасть.

Когда они отстранились друг от друга, Лукреция сказала:

— Я хочу, чтобы ребенок остался в семье.

— Старый ублюдок убежден, что это его ребенок, — отозвался Чезаре. — Я уже уговорил его подписать тайную буллу. Ребенок будет признан Борджа, со всеми причитающимися правами. Можешь не сомневаться: я позабочусь, чтобы ему обеспечили хороший уход.

Лукреция улыбнулась и снова взяла его за руку; Чезаре поцеловал ей ладонь.

— Бедная Лукреция, — сказал он. — Тебе сейчас нелегко.

Лукреция печально пожала плечами.

— У тебя свои трудности.

— Хуан — фигляр. Он непременно предоставит нам возможность избавиться от него — это лишь вопрос времени.

— Ты слишком суров к нему, — мягко упрекнула его Лукреция.

— Я слишком честен, — отозвался Чезаре. — И я — единственный из Борджа, кто достаточно умен, чтобы быть гонфалоньером.

— Единственный из мужчин Борджа, — поправила его Лукреция, и он улыбнулся.

— Это верно. Будь ты мужчиной, у меня не было бы ни единого шанса занять этот пост. Ты бы обвела меня вокруг пальца прежде, чем я рискнул бы хоть что-то предпринять. — Он выпустил ее руку, свернул документ в трубочку и тщательно перевязал ленточкой. — Я отвезу это его святейшеству. Мы завтра увидимся с тобой?

Его тон не оставлял ни малейшего сомнения в том, что этот визит не будет братским.

— Конечно. — Лукреция улыбнулась, и на щеках у нее появились ямочки. Она на миг умолкла и добавила странным тоном: — Пожалуйста, будь добр к Санче.

Сбитый с толку Чезаре нахмурился.

— Конечно, я добр к Санче. С чего бы вдруг мне не быть добрым к ней?

— Она была добра ко мне.

— Я буду добр, — сказал Чезаре, потом добавил более веселым тоном: — Но мы знаем, кто будет моей настоящей королевой, когда я стану королем Италии.

— Знаем, — откликнулась Лукреция. Очевидно, они уже обсуждали эту тему ранее. И все же, когда Чезаре направился к двери, она сочла нужным еще раз повторить: — Будь добр к Санче.

Вскоре Пантсилея вернулась и придумала благовидный повод, чтобы увести Лукрецию из комнаты, так что я смогла выбраться из шкафа.

Я не сказала Пантсилее о том, что видела и слышала. Я не сомневалась, что она нарочно толкнула меня в шкаф — именно затем, чтобы я узнала правду, куда более опасную, чем рассказ о кантерелле.

За несколько мгновений до того, как я ушла, так и не повидавшись с Лукрецией, я обнаружила маленький флакон, спрятанный в потайном кармашке в рукаве одного из платьев Лукреции. Я сунула его себе за корсаж, ничего никому не сказав. Вернувшись в свои покои во дворце Святой Марии, я принялась размышлять, когда бы и как применить этот яд.

ГЛАВА 21

Той ночью я отправила Чезаре записку, сообщая, что мне нездоровится. И мне действительно было плохо — на душе. Мой инстинкт, твердивший, что Чезаре не поверил мне потому, что сам способен на предательство, оказался верным. Но я и вообразить не могла подобной двуличности: он с таким гневом и болью говорил о кровосмесительной связи своего отца с Лукрецией — и сам был виновен в том же. Ни единому слову Чезаре нельзя было верить.

Теперь Александра одурачили, внушив ему, что Лукреция ждет ребенка от него, хотя на самом деле она ждала его от брата. Я сидела на балконе, смотрела в темный сад, и в голове у меня безостановочно крутилась одна и та же мысль: «Что же это за чудовищная семья?»

Я не могла доверять ни одному из них. Даже в моих чувствах к Лукреции появилась настороженность. Возможно, она и в самом деле хорошо относилась ко мне, раз просила брата быть ко мне добрым, но ее представления о любви и верности были искажены до крайности. Она настаивала, чтобы я помирилась с Чезаре, хотя собиралась и впредь оставаться его любовницей.

Той ночью я едва не обезумела от горя. Я сжимала в руке флакон с кантереллой и размышляла, не принять ли мне яд. Я ненавидела Чезаре всем сердцем... и в то же время по-прежнему была безумно влюблена в него. Осознание этого наполняло меня отчаянием. Как я могла не распознать его вероломную натуру? Ведь наверняка она должна была как-то проявляться — быть может, легкой холодностью во взгляде или мимолетным жестким изгибом губ... Уж кто-кто, а я-то должна была это заметить, ведь я видела это и раньше, на лице моего отца. И хотя в Ферранте это проявлялось не так наглядно, я чувствовала, что и у него злое сердце.

Я ушла с балкона и тихо пробралась через спальню, где спала Эсмеральда, в переднюю. Там, осторожно двигаясь в темноте, я налила себе бокал вина и дрожащими пальцами попыталась открыть флакон.

Тут мне представилась, словно бы во сне, картина: тело моего отца, свисающее с большого кованого канделябра, а позади — порт Мессины.

Губы мои напряглись. Я выпрямилась и с отвращением взглянула на флакон. В тот момент я поклялась, что никто — и уж, конечно, не Чезаре Борджа — не заставит меня пойти на самоубийство. Я никогда не стану такой трусливой, каким был мой отец.

Остаток ночи я сидела на балконе и проклинала себя за то, что не могу совладать со своими чувствами к Чезаре. Я не знала, сколько еще они будут преследовать меня, но решила, что больше никогда в жизни не поддамся им.

Поутру, при первых лучах зари, я написала Чезаре письмо. В нем говорилось, что, учитывая слухи, ходящие о «членах семьи», нам лучше прекратить встречаться — во всяком случае, на время, чтобы не давать нового повода для скандала. Я отправила донну Эсмеральду вручить это письмо кому-нибудь из слуг Чезаре.

Он не ответил, ни письмом, ни лично. Если моя просьба и уязвила его, он не выказывал этого на людях и обращался со мной с неизменной любезностью.

Следующие два дня я не появлялась на семейных обедах и не отвечала на приглашения Лукреции навестить ее. Я не в силах была смотреть на нее. Целыми днями я лежала в постели, хотя и не спала. Но и ночью мне не было покоя. Я сидела в темноте и смотрела на звездное небо, мечтая, чтобы моя боль утихла.

Я потакала своим желаниям до тех пор, пока поздно вечером на балкон не вышла донна Эсмеральда в ночной рубашке.

— Донна Санча, прекратите. Вы так заболеете.

— Возможно, я уже больна, — небрежно отозвалась я.

Эсмеральда нахмурилась, но на лице ее по-прежнему была написана материнская забота.

— Вы меня беспокоите, — сказала она. — Вы ведете себя, как ваш отец в те времена, когда на него нападало уныние.

И она скрылась в спальне.

Я смотрела ей вслед, словно громом пораженная. Потом я снова взглянула на небо, как будто надеялась отыскать там ответ. Я подумала о Джофре, моем муже, о человеке, перед которым я была виновата и должна была загладить вину. Возможно, он был слабохарактерным, но все-таки он сохранил доброту среди всех этих пороков и, в отличие от своих так называемых братьев, никому не желал зла. Он заслужил хорошую жену.

И еще я подумала о Неаполе и о тех, кого я любила.

Наконец я встала. Я не стала ложиться в постель и пытаться уснуть. Вместо этого я отправилась в прихожую, зажгла свечу и отыскала перо и пергамент.

«Милый брат.

Я так давно ничего не слыхала о том, как дела в Неаполе. Пожалуйста, расскажи, как поживаете вы с мамой. Не скрывай от меня ничего...»

Что касается Хуана, Чезаре был совершенно прав, утверждая, что тот быстро предоставит семье возможность избавиться от него.

Через несколько дней после того, как я написала Чезаре, что нам больше не следует встречаться, кардинал Асканио Сфорца — брат Лодовико Сфорцы, правителя Милана, родственника злоязыкого Джованни Сфорцы, — устроил большой прием во дворце вице-канцлера в Риме. Туда было приглашено множество высокопоставленных гостей. Лукреция по-прежнему сидела, затворившись в Сан-Систо, но Джофре уговорил меня сопровождать его. Я, стремясь быть послушной женой, согласилась, хотя в списке гостей было два человека, с которыми мне совершенно не хотелось встречаться: герцог Гандийский и его брат, кардинал Валенсийский.

Дворец вице-канцлера был огромен; он занимал такую большую территорию, что нам пришлось подъезжать ко входу в каретах. Когда мы вошли в главный зал — он втрое превосходил размерами зал Кастель Нуово, — церемониймейстер объявил о нашем появлении. Семейство Борджа явилось все вместе, и нас представляли в порядке нашей значимости для Папы: первым шел Хуан — он снял свою шляпу с плюмажем и помахал толпе, встретившей гонфалоньера приветственными восклицаниями; следующим был Чезаре, безмолвствующий, облаченный в черное; и последними шли мы с Джофре, принц и принцесса Сквиллаче.

Обстановка во дворце была потрясающая. Прямо в зале был устроен большой трехъярусный фонтан. Его окаймляли сотни мерцающих свечей, и их свет окрашивал струи фонтана золотом. Полы были усыпаны розовыми лепестками, наполнявшими воздух благоуханием; его перекрывал лишь заманчивый запах блюд, которые разносили на золотых подносах слуги. Зал был настолько огромен, что даже большая скульптурная группа из белого мрамора — великолепные изваяния нагих мужчин и женщин, судя по всему, каких-то древних римлян — казалась здесь маленькой.

Нацепив улыбку, я поздоровалась с теми сановниками, с которыми уже была знакома, и позволила представить себя тем, кого еще не знала. Но по большей части я была занята тем, что старалась держаться подальше от Хуана и Чезаре.

Когда я рука об руку со своим мужем шла по залу, нам встретился Джованни Борджа, кардинал Монреальский, который исполнял роль свидетеля в нашу брачную ночь. Кардинал сделался еще дороднее, а волосы, выглядывающие из-под красной шапочки, почти полностью побелели, но его пальцы все так же искрились алмазами.

— Ваши высочества! — воскликнул он с энтузиазмом, напомнившим мне его кузена Родриго. — Как приятно вновь увидеть вас обоих! — Он лукаво оглядел мой корсаж, потом подмигнул Джофре и подтолкнул его локтем. — Я вижу, розы по-прежнему цветут.

Джофре рассмеялся, несколько смущенный этим напоминанием, но ответил:

— Санча стала еще красивее, не так ли, ваше преосвященство?

Кардинал ухмыльнулся.

— Истинная правда. А вы, дон Джофре, стали настоящим мужчиной… несомненно, потому, что женаты на настоящей женщине.

Я вежливо улыбнулась. Джофре снова рассмеялся. Мы уже готовы были разойтись и отправиться здороваться с остальными гостями, как к нам, к моему смятению, присоединился Чезаре.

— Дон Джованни! — сердечно произнес он. — Вы выглядите все таким же крепким и сильным!

Племянник Папы улыбнулся.

— О, я живу в согласии с жизнью… насколько я вижу, это же можно сказать про обоих ваших братьев. Но, Джофре, — кардинал понизил голос и перешел на заговорщический тон, — подкормите-ка свою жену какими-нибудь лакомствами. Что-то она у вас похудела. Или, может, вы слишком усердно скачете на ней, мой мальчик?

Захваченный врасплох Джофре открыл было рот, чтобы что-то ответить; к счастью, в этот момент кардинала окликнул другой гость, Асканио Сфорца.

Мой муж посмотрел на меня; он действительно в последнее время беспокоился из-за моего здоровья.

— Так я и сделаю, — заявил он. — Погоди минутку, я найду слугу и велю, чтобы тебе что-нибудь принесли перекусить.

И он ушел, оставив меня с Чезаре.

Я попыталась отойти к другой группке гостей, но Чезаре заступил мне дорогу, вынуждая меня остаться рядом.

— Теперь уже вы дурно обращаетесь со мной, мадонна, — сказал Чезаре тоном любовника, сгорающего от страсти. — Я понял ваше письмо и ценю ваше стремление к осторожности и благоразумию, особенно с учетом обстоятельств, сложившихся вокруг моей сестры, но...

Я перебила его.

— Дело не только в этом. Хуан распускает слухи о нас с вами. Нам нужно сделать все, что можно, дабы развеять их.

Я изо всех сил старалась следить за своим лицом и изображать, что поступаю так ради нашего блага, а не из отвращения к Чезаре.

Но в то же самое время какая-то часть моей души стремилась к Чезаре, и это наполняло меня стыдом и презрением к себе. Я посмотрела на Чезаре, такого красивого, такого хладнокровного, такого элегантного — и такого порочного.

Он шагнул ко мне. Я инстинктивно отступила, вспомнив, как он обнял Лукрецию за талию и заявил: «И ты будешь моей королевой...»

— Если слухи и так уже ходят, почему мы должны страдать? Почему бы нам не действовать как прежде? Мы провели вместе всего одну ночь после нашего воссоединения... — Он умолк, опустил голову, потом вздохнул и снова поднял. — Я знаю, что ты права, Санча, но это так трудно. Дай мне хотя бы надежду. Скажи, что я смогу снова увидеть тебя.

К счастью, в этот момент вернулся Джофре. Я нетерпеливо повернулась к мужу; он протянул мне тарелку с засахаренным миндалем и пирожными. Я занялась едой и сделала вид, что не замечаю взгляда Чезаре.

Пока я ела, наше внимание привлек громкий пьяный возглас, донесшийся из другого угла; я узнала этот голос еще до того, как мы повернулись к источнику шума.

— Вы только посмотрите на этого бездельника и обжору! — заплетающимся языком произнес Хуан, которого сопровождал один из его офицеров, в данный момент безуспешно пытающийся утихомирить его.

Хуан широким жестом указал на одного из гостей, тучного Антонио Орсини, приходившегося родственником мужу Джулии и одновременно — кардиналу Сфорце. Орсини сидел за столом рядом со своей упитанной женой и двумя сыновьями — оба они были епископами — и жадно поедал жареного утенка. Он был невероятно толстым — настолько, что его руки с трудом сходились на огромном животе. Под пухлым лицом свисало не менее трех подбородков, которых не в силах была скрыть темная борода.

— Возможно, дон Антонио, — заявил Хуан достаточно громко, чтобы его услышали все присутствующие, — если бы вы не засиживались так подолгу за столами у ваших более богатых родственников, вы бы не были таким жирным!

Из толпы гостей раздались сдавленные смешки.

Дон Антонио положил оставшийся кусок утки на тарелку и небрежно взмахнул толстой, покрытой жиром рукой.

— Возможно, дон Хуан, если бы вы не бегали так быстро от своих врагов, вы бы не были таким тощим.

Теперь многие гости ахнули.

Хуан выхватил меч и, пошатываясь, шагнул к насмешнику.

— Вы дорого заплатите за это оскорбление, сударь! Я вызвал бы вас на поединок, но, будучи человеком благородным, я не могу воспользоваться преимуществом над человеком, не способным даже на малейшее физическое усилие!

Дон Антонио встал и сделал шаг вперед; даже от этого минимального напряжения у него появилась одышка.

— Я вполне способен ответить на ваш вызов, сударь, да вот только вас нельзя назвать благородным человеком. Вы — самый обычный трус и ублюдок.

Глаза Хуана гневно сузились, его охватила та самая неконтролируемая ярость, которая однажды обрушилась на меня. Я ожидала, что он сейчас набросится на дона Антонио. Однако побелевший Хуан развернулся и, не сказав ни единого слова, вышел прочь из зала.

Орсини громко рассмеялся.

— Ну не трус ли, а? Видите? Он снова обратился в бегство!

Асканио Сфорца, который, как хозяин дома, хотел избежать неприятностей, подал знак музыкантам. Начались танцы. Я получила несколько приглашений, но все отвергла. Вскоре я шепотом сказала Джоффре, что устала и хочу вернуться домой. Он отправился искать кардинала Сфорцу, чтобы мы могли с ним попрощаться.

Но тут у входа в зал раздался какой-то шум; к изумлению гостей, в зал вошел отряд папской стражи с самым грозным видом и мечами наголо.

— Мы ищем дона Антонио Орсини, — объявил командир стражников.

Кардинал Сфорца ринулся вперед.

— Пожалуйста, прошу вас, — обратился он к командиру. — Это частное жилище и частный спор между двумя гостями — совершенно незначительный спор, порожденный вином. Не стоит так серьезно на него реагировать.

— Я явился по приказу его святейшества, Папы Александра, — возразил командир. — Здесь поносили гонфалоньера и полководца Церкви и его святейшество. Подобное преступление непростительно.

Он повел своих солдат мимо потрясенного кардинала; на глазах у всех гостей они схватили несчастного дона Антонио.

— Это произвол! — кричал дон Антонио, пока его жена причитала и заламывала руки. — Произвол! Я не сделал ничего такого, за что сажают в тюрьму!

Но солдаты и не собирались вести его в тюрьму. Вместо этого они вытащили свою жертву за пределы усадьбы, к старой оливе, к которой двое их сослуживцев уже приладили длинную веревку. По обеим сторонам горели два больших факела. Ошеломленные гости двинулись следом за солдатами.

При виде приготовленной для него петли дон Антонио упал на колени и пронзительно закричал:

— Я извиняюсь! Пожалуйста, не надо! Скажите гонфалоньеру, что я прошу у него прощения, что я принесу любые извинения, какие он пожелает!

«Ну теперь, конечно, эта глупость прекратится», — подумала я. Но командир ничего не сказал, лишь молча кивнул своим солдатам. Стенающего и дрожащего дона Антонио повлекли навстречу его судьбе. Солдатам стоило немалого труда затащить его на скамейку под деревом.

Я до последнего мгновения не верила в то, что это и вправду произойдет; думаю, никто из гостей не верил. Я вцепилась в руку Джофре; с другой стороны от меня стоял Чезаре. Мы, оцепенев, смотрели на происходящее.

Петлю сделали посвободнее, чтобы она налезла на толстую шею дона Антонио; когда ее снова затянули, он принялся рыдать.

Внезапно командир подал сигнал, и из-под дона Антонио вышибли скамью.

Толпа ахнула, не веря своим глазам. Лишь Чезаре не издал ни звука.

Дон Антонио повис в прохладном ночном воздухе; его глаза вылезли из орбит и застыли. На миг воцарилась такая тишина, что слышно было, как поскрипывает ветка под качающимся тяжелым телом.

Я посмотрела по сторонам — сначала на Джофре; его мягкое лицо было искажено ужасом. А потом я взглянула на Чезаре.

Взгляд кардинала был внимателен и задумчив, свидетельствуя о работе этого честолюбивого ума. Чезаре смотрел на тело дона Антонио — и сквозь него, на лежащую за ним возможность.

Неделю спустя, в середине июня, когда минуло две недели со времени отъезда Лукреции в Сан-Систо, Ваноцца Каттаней устроила семейное празднество в честь своих сыновей. Мы с Джофре присутствовали на нем наряду с Чезаре и кичащимся своей славой Хуаном, а также кардиналом Монреальским.

По случаю чудесной погоды прием проходил на свежем воздухе, в винограднике, принадлежащем Ваноцце. Был накрыт огромный стол, дабы за ним хватило места и нам, и нашей свите. Стол был украшен цветами и золотыми подсвечниками, а вокруг стояло множество факелов: хотя празднество началось засветло, предполагалось, что оно продлится до позднего вечера.

Идя рядом с Джофре к месту празднества, я держала мужа под руку. Хотя он по-прежнему развлекался с куртизанками и многовато пил, я предпочла закрыть на это глаза. Вместо этого я сосредоточилась на его доброте и решила приложить все усилия, чтобы радовать мужа, ибо я не знала, как еще придать смысл своей жизни.

Когда мы добрались до места вечеринки, меня впервые представили матери Джофре. Ваноцца была красивой рыжеволосой женщиной, невозмутимой и уверенной в себе; от многочисленных родов ее талия несколько раздалась, но все же у Ваноццы по-прежнему сохранилась хорошая фигура, высокая грудь и красивые руки; глаза у нее были светлыми, как у Лукреции. Лицом она очень походила на Чезаре: тот же сильный подбородок, красиво вылепленные скулы и прямой нос. В тот день на ней было платье из серо-сизого шелка, очень шедшего к ее глазам и огненным волосам.

Я отпустила руку Джофре и вложила ладони в протянутые руки Ваноццы; она оглядела меня одновременно и сердечно, и расчетливо.

— Ваше высочество, донна Санча, — произнесла она.

Мы обнялись, потом она отступила, взглянула на меня и, подождав, пока Джофре отойдет, сказала:

— Мой сын очень любит вас. Надеюсь, вы будете ему хорошей женой.

Я встретила ее взгляд, не отводя глаз.

— Я делаю все, что в моих силах, донна Ваноцца.

Она улыбнулась, явно гордясь своими тремя сыновьями: Джофре как раз подошел к Хуану и Чезаре и взял предложенный слугой кубок с вином.

— Не правда ли, они хорошо смотрятся вместе?

— Чистая правда, донна.

— Давайте присоединимся к ним.

Так мы и сделали. Я сразу же обратила внимание на то, что Чезаре одет не в обычное свое черное одеяние священника, а в роскошный алый камзол, расшитый золотом; Хуан, как всегда, был разряжен ярко и кричаще, в рубины, золотую парчу и ярко-синий бархат, но кардинал Валенсийский смотрелся куда эффектнее.

Я подошла к Джофре и поприветствовала остальных братьев дежурной улыбкой.

— Ваше преосвященство, — обратилась я к Чезаре, отводя взгляд, когда он расцеловал меня в обе щеки, как надлежало родственнику.

— Гонфалоньер, — обратилась я к Хуану. К моему удивлению, в глазах герцога Гандийского не было ни злорадства, ни вызова, ни скрытого гнева; его поцелуй был вежливым и отстраненным. Казалось, будто он вдруг остепенился.

Я поздоровалась с остальными гостями. Когда настало время садиться за стол, Ваноцца взяла меня за руку и твердо произнесла:

— Пойдем, Санча. Я выбираю, кому где сидеть.

К моему ужасу, она посадила меня между Хуаном и Чезаре.

На мое счастье, в начале ужина общее внимание было приковано к тостам, которые провозглашала Ваноцца как хозяйка дома. Первым она решила чествовать Хуана.

— За гонфалоньера и полководца Церкви, — с чувством провозгласила донна Ваноцца, — который принес всем нам мир и процветание!

Свита Хуана встретила этот тост приветственными возгласами; Хуан величественно поклонился, словно милостивый монарх.

— За мудрого и много знающего кардинала Валенсийского! — объявила следующий тост Ваноцца.

Он был встречен вежливым гулом. Затем очередь дошла до завершающего тоста.

— За принца и принцессу Сквиллаче!

Его встретили безмолвные усмешки.

Ужин, хоть он и показался мне нескончаемым, все же прошел не так скверно, как я опасалась. Хуан ни разу ко мне не обратился; он разговаривал с кардиналом Джованни Борджа, сидевшим справа от него. Что же касается Чезаре, он время от времени ловил мой взгляд; его глаза были полны скорби и мольбы. Однажды он попытался что-то сказать мне на ухо, пока остальные отвлеклись, но я мягко отстранилась, сказав:

— Сейчас не время, кардинал. Давайте не будем причинять себе лишней боли, обсуждая эту ситуацию.

Чезаре снова придвинулся ко мне и прошептал:

— Посмотри на себя, Санча: ты осунулась и похудела. Признайся же: ты так же несчастна, как и я. Но я видел, как ты цепляешься за Джофре. Не говори мне, что такая глупость, как чувство вины, может разрушить нашу любовь!

Я потрясенно взглянула на него. Я не могла отрицать, что меня снедает печаль, но причина ее была куда серьезнее, чем подозревал Чезаре. Я отвернулась от него.

Больше мы с ним не разговаривали. Наконец солнце зашло, и слуги зажгли свечи и факелы.

В этот момент к нашей группке присоединился какой-то незнакомец, высокий, худощавый мужчина, чье лицо полностью скрывала маска, раскрашенная на венецианский манер. Отверстия для глаз и рта в ней были прорезаны таким образом, чтобы создавать серьезный, торжественный вид; на лбу у маски были изображены весы. На незнакомце был плотный плащ с капюшоном, позволяющий полностью скрыть внешность. Наш гость знал всех присутствующих и с каждым поздоровался по имени, но при этом нарочито изменил голос; заинтригованные, мы пытались угадать, кто же это такой. Сейчас шел карнавал, и в городе устраивалось множество костюмированных вечеринок; мы предположили, что наш гость явился с какого-нибудь из этих приемов.

Ваноцца пригласила незнакомца к столу, и слуги принесли ему стул. К моей радости, его посадили между мною и Хуаном, разделив нас.

Хуан увлекся нашим нежданным гостем и долго расспрашивал его, силясь угадать, кто же это такой. Постепенно незнакомец очаровал его; они придвинулись друг к другу поближе, и я услышала, как они договариваются пойти вместе поразвлечься после окончания приема. В какой-то момент Хуан отправился освободиться от излишков вина, а мы с Джофре решили откланяться и пойти домой.

Но прежде чем встать, я повернулась к незнакомцу и вполголоса произнесла:

— Я ухожу, сударь. Меня снедает любопытство. Может, вы откроете мне свое имя? Клянусь, что никому его не назову.

Незнакомец взглянул на меня, и я увидела, что темные глаза под маской как-то странно блеснули.

— Зовите меня Справедливостью, мадонна, — негромко ответил он. — Ибо я здесь для того, чтобы восстановить ее.

От его слов меня отчего-то пробрала дрожь. Несколько мгновений я молча смотрела на него, потом встала и поспешила вслед за мужем. Пока мы обнимались и целовались с Ваноццой на прощание, Хуан вернулся за стол и решил, что им с его загадочным другом пора отправиться на поиски любвеобильных женщин.

Когда эти двое двинулись прочь, не попрощавшись с хозяйкой, я взглянула на Чезаре.

Кардинал в этот момент поднес кубок к губам, но я видела его глаза. Его взгляд был устремлен на Хуана и незнакомца с той же бесстрастной сосредоточенностью, с какой он смотрел на тучное тело Антонио Орсини, свисающее с ветви оливы.

Никто из нас, включая его святейшество, не заметил, что на следующее утро Хуан не вернулся домой. Хуану свойственно было, проснувшись в постели незнакомой женщины, подождать вечера и лишь после этого возвращаться в Ватикан.

Но вечер сменился ночью. Нас с Джофре пригласили на ужин к Папе, и мы слушали встревоженные жалобы Александра. Когда мы сидели за столом, появился офицер Хуана и сообщил, что сегодня гонфалоньер не явился и не уделил внимания неотложным делам.

Александр принялся заламывать руки.

— Куда он мог деться? Почему он заставляет своего несчастного отца так страдать? Если что-то случилось…

Джофре поднялся со своего места и положил руку Александру на плечо.

— Отец, ничего не случилось. Ты же знаешь, как себя ведет Хуан, когда у него заводится новая женщина. Он просто решил не отказывать себе еще в одной ночи любви… Я уверен, что поутру он вернется.

— Да-да, конечно, — пробормотал Александр, хватаясь за это утешение.

Я промолчала, но в памяти у меня всплыл незнакомец в маске, назвавший себя Справедливостью.

Когда его святейшество наконец-то успокоился, мы удалились и отправились по своим спальням. Несколько часов спустя меня разбудили вооруженные солдаты и препроводили в Ватикан. Папа не сидел на троне в ожидании традиционного приветствия, целования туфли. Он расхаживал по залу, то и дело глядя через окно на площадь, освещенную факелами. Тогда я этого не знала, но испанские гвардейцы обходили улицы в поисках своего пропавшего командира. Джофре подошел к Александру и вновь положил руку ему на плечо, пытаясь утешить.

Лишь позднее мне пришло в голову, что Александр не позвал к себе Чезаре, дабы тот утешил его.

— В чем дело, ваше святейшество? — спросила я. Ситуация не располагала к церемониям. — Что стряслось?

Александр повернулся ко мне. Его широкий лоб избороздили морщины. Глаза блестели от слез.

— Хуан исчез. Я опасаюсь самого страшного.

— Отец, — успокаивающе произнес Джофре, — ты так захвораешь от беспокойства. Хуан просто увлекся женщиной и обо всем позабыл. Я уже говорил: он наверняка к утру будет дома.

— Нет. — Александр покачал головой. — Это я всему виной. Я неразумно накинулся на гостя Асканио Сфорцы. Мне не следовало допускать, чтобы его повесили. Бог покарал меня, отняв у меня любимого сына.

Надо отдать Джофре должное: он даже глазом не повел, услышав последние слова отца.

Меня охватила холодная уверенность. Хуан действительно был мертв, но не по той причине, какую предположил Александр.

Я попыталась найти в себе хоть каплю сочувствия — ведь Александр призвал меня ради утешения. Здесь не было Лукреции, чье присутствие могло помочь ему обрести покой, а Джофре был мягким и добрым, в отличие от Чезаре. Ну и как мне выполнить то, ради чего меня позвали?

Следуя примеру мужа, я положила руку на другое плечо Папы.

— Ваше святейшество, все сейчас в руках Господних. Беспокоиться бесполезно. Мы узнаем о судьбе Хуана, когда придет должный час. Джофре прав: нам следует подождать до утра.

Папа повернулся ко мне.

— Ах, Санча! Я рад, что послал за тобой. Ты мудрее всех.

Мои ладони потонули в его огромных ручищах. Слезы закапали мне на руки.

— Возможно, нам следует помолиться за Хуана, — вполне серьезно предложил Джофре. — Это пойдет ему на пользу, вне зависимости от того, случилось с ним что-либо или нет.

Мы с Папой отнеслись к этому предложению скептически. Наблюдая за Александром, я поняла, что он не больше моего верит в эффективность молитв. Однако сейчас он был в таком отчаянии, что обнял сына.

— Помолись и от моего имени, Джофре. Я не могу, у меня душа не на месте, но я рад буду слышать тебя.

Джофре вопросительно взглянул на меня. Я ответила взглядом, недвусмысленно говорившим, что я не желаю присоединяться к нему. Даже если бы я была доброй христианкой, у меня не хватило бы лицемерия молиться за такого человека, как Хуан. В глубине души я по-прежнему жаждала отомстить ему.

Поняв, что надеяться больше не на кого, Джофре достал из-под камзола четки — что весьма удивило меня — и начал пылко молиться.

   — O Vergin benedetta, sempre tu
     Ora per noi a Dio, che ci perdoni
     E diaci grazia a viver si quaggiu
     Che'l paradiso al nostro fin ci doni.

«О благословенная Дева, молись за нас, чтобы Господь простил нас и даровал нам милость жить так, чтобы после смерти мы могли попасть в Царствие Небесное».

Ситуация была слишком зловещей, чтобы выказывать удивление, но я действительно удивилась, услышав, что мой муж читает предпочитаемую простонародьем «Vergin Benedetta», а не молитву на латыни «Ave Maria, gratia plena», которую его собственный отец нарек «правильным» вариантом. В отличие от Папы Джофре, похоже, и вправду верил в Бога. Очевидно, молитве его научил какой-то набожный слуга, и Джофре предпочитал ее той, которую ему пришлось заучить во время уроков латыни.

Если Александр и заметил это отступление от правил, то никак этого не показал; он отошел к окнам и вновь принялся расхаживать взад-вперед.

Джофре повторял молитву снова и снова. Говорили, будто святой Доминик рекомендовал читать ее сто пятьдесят раз в день, и Джофре явно был близок к этому, прежде чем его перебили. Монотонные звуки молитвы принесли нам с Александром некое подобие спокойствия, и его святейшество наконец-то вернулся к трону и уселся на него.

К сожалению, это спокойствие разлетелось вдребезги при появлении стражника в окровавленном мундире. Мы с ужасом уставились на него.

— Ваше святейшество! — выдохнул стражник и опустился на колени, чтобы поцеловать папскую туфлю.

Александр, утративший дар речи, замахал на него, дабы тот поскорее встал и доложил, что случилось.

— Мы нашли слугу герцога Гандийского, — сказал стражник, — на улице рядом с Тибром. Его несколько раз пронзили мечом. Он умирает и не в состоянии ничего рассказать.

Александр спрятал лицо в ладонях и сполз с трона, упав на колени.

— Оставьте нас, — приказал Джофре. — Возвращайтесь, когда у вас появятся новости о герцоге.

Солдат поклонился и ушел, а мы с Джофре подошли к плачущему Александру, который стоял на ступенях и раскачивался из стороны в сторону, и попытались обнять его. Я делала то, что подобало делать добропорядочной невестке, и была удивлена, невольно почувствовав жалость к искренне страдающему старику, хоть я и не переставала презирать Папу.

— Это все из-за меня, о Господи! — вскричал он с такой болью, что его мольба, несомненно, отправилась прямиком на небеса. — Я убил моего сына, моего возлюбленного сына! Пусть я умру, пусть я умру вместо него!

Его стенания продолжались около часа, до тех пор, пока в зал не вошел другой стражник в сопровождении какого-то простолюдина.

— Ваше святейшество! — позвал стражник. — Я привел свидетеля, утверждающего, что он видел некие подозрительные действия, связанные с исчезновением герцога.

Александр, выказав достойную восхищения силу воли, взял себя в руки. Он встал, отказавшись от нашей с Джофре помощи, с безупречным достоинством поднялся к трону и уселся на него.

Свидетель, мужчина средних лет с темными спутанными волосами и бородой, в грязной изорванной рубахе (исходящий от нее неприятный запах изобличал в нем рыбака), стащил с головы шапку и, дрожа, поднялся по ступеням трона, чтобы поцеловать папскую туфлю. Потом он спустился, комкая шляпу в руках, и аж подпрыгнул, когда Папа приказал:

— Расскажи мне, что ты видел и слышал.

Рассказ оказался прост. В ночь исчезновения Хуана этот рыбак сидел в своей лодке на Тибре, неподалеку от берега. Полускрытый туманом, он видел, как из переулка к реке выехал какой-то человек на белом коне. В этом не было бы ничего примечательного, но внимание рыбака привлекла одна деталь: через седло было переброшено тело, и его с двух сторон поддерживали слуги. Когда всадник подъехал к реке и заставил коня развернуться, слуги сняли тело и сбросили в воду. «Утонул?» — спросил всадник. «Да, господин», — отозвался один из слуг. Но едва лишь прозвучал ответ слуги, как плащ трупа наполнился воздухом и вытянул тело обратно на поверхность. «Сделайте все, что требуется», — приказал господин. Тогда его слуги принялись кидать в труп камнями и кидали до тех пор, пока он наконец не исчез в черных водах Тибра.

Джофре в ужасе слушал эту историю, а я крепко обнимала его. Что же касается его святейшества, он выслушал все с окаменевшим лицом.

Когда рассказ был закончен, Папа строго спросил у рыбака:

— Почему ты не сообщил об этом сразу же?

— Ваше святейшество, — дрожащим голосом откликнулся рыбак, — я не меньше сотни раз видел, как в Тибр сбрасывали мертвецов. И ни одним из них ни разу никто не заинтересовался.

Каким бы поразительным ни казалось это утверждение, я не усомнилась в его правдивости. Каждую ночь в Риме совершалось не меньше двух-трех убийств, и Тибр был излюбленным местом упокоения жертв.

— Уведите его, — тяжело произнес Александр.

Стражник повиновался и вывел рыбака из зала. Когда они вышли, Папа снова спрятал лицо в ладонях.

Джофре поднялся к трону.

— Отец, — произнес он, обнимая Александра, — мы слыхали об убийстве, но у нас нет никаких доказательств, что оно и вправду связано с Хуаном.

Никто из нас не посмел вспомнить вслух, что любимым конем Чезаре был белый жеребец.

— Возможно, и не связано, — пробормотал Александр. Он взглянул на младшего сына, и в глазах его мелькнула надежда. — Возможно, мы горюем совершенно попусту. — Он испустил дрожащий смешок. — Если это и вправду так, надо придумать для Хуана какое-нибудь ужасное наказание, чтобы он больше не пугал нас!

Он разрывался между страхом и надеждой. Потому мы пробыли с ним еще час, до тех пор, пока не явился третий стражник.

Завидев выражение его лица, Александр испустил протяжный вопль. Джофре разрыдался. Ужас, которым полны были глаза молодого солдата, недвусмысленно сообщал, с какой новостью тот явился. Стражник подождал, пока стенания не стихнут настолько, чтобы его могли расслышать.

— Ваше святейшество... Найдено тело герцога Гандийского. Его отнесли в замок Сант-Анджело, чтобы обмыть перед погребением.

Александра невозможно было ни удержать, ни переубедить: он требовал, чтобы ему дали возможность взглянуть на тело Хуана, пускай оно еще и не приготовлено для обозрения, потому что иначе он не поверит, что его сын мертв.

Мы с Джофре отправились вместе с ним и вошли в комнату, где женщины собирались обмывать тело; они поклонились, потрясенные присутствием его святейшества, и быстро исчезли, оставив нас одних.

Тело Хуана было накрыто покрывалом; Джофре почтительно снял его.

По комнате тут же разнеслось зловоние. Труп пробыл в реке ночь и день, и это в середине лета.

Хуан гротескно изменился, но остался узнаваем. От воды его тело раздулось вдвое; одежда была изорвана, и живот выпирал из-под камзола. Пальцы сделались толстыми, словно сосиски. На него трудно было смотреть: распухший язык вывалился изо рта, распахнутые глаза подернуты белесой пленкой, мокрые волосы и грязь прилипли к лицу. Кровь вытекла из множества колотых ран, и кожа приобрела мраморный оттенок. И самое тяжкое: горло было разрезано от уха до уха, и в зияющую рану набился ил, листья и щепки.

Александр вскрикнул и рухнул. Наших с Джофре объединенных усилий оказалось недостаточно, чтобы поставить его на ноги.

Из-за жары Хуана похоронили сразу же, как только удалось вымыть его и переодеть. Гроб несли доверенные придворные Хуана; их сопровождало несколько священников. Мы с Джоффре смотрели из папских покоев, как освещенная светом факелов процессия направилась в собор Санта Мариа дель Пополо, где Хуана похоронили рядом с его давно скончавшимся братом Педро Луисом.

Папа на похоронах не присутствовал, но он рыдал так громко, что мы с Джоффре не слышали других плакальщиков. Мы остались с ним на эту ночь — нам так и не удалось уговорить его поесть, попить или поспать — и ни тогда, ни позднее не обмолвились ни словом о подозрительном отсутствии Чезаре.

ОСЕНЬ 1497 ГОДА

ГЛАВА 22

Смерть Хуана повлекла за собой расследование, которое вели самые выдающиеся из кардиналов Александра, и в том числе Чезаре, устроивший настоящее представление из словесных нападок на подозреваемых.

Первым под подозрение попал Асканио Сфорца, тот самый кардинал, чей гость оскорбил Хуана и был повешен за это преступление. Чезаре принялся поносить Сфорцу, но кардинал оказался мудр: он и не подумал обижаться на обвинения, а вместо этого во всем шел Чезаре навстречу, твердя, что ему нечего скрывать. Вскоре это подтвердилось, и Чезаре неохотно извинился.

Допросили и других врагов — Хуан обзавелся ими во множестве, — но ни время, ни настойчивость не дали никаких ключей к разгадке.

Или, возможно, их появилось слишком много; не прошло и трех недель с момента злодеяния, как Александр велел прекратить поиски убийцы. Я уверена, что в глубине души он знал, кто виновник, и в конце концов отказался от попыток убедить себя в ином.

На это время Чезаре благоразумно покинул Рим по официальным делам — отправился в качестве кардинала-легата руководить коронацией моего дяди Федерико. При иных обстоятельствах я непременно воспользовалась бы этой возможностью, чтобы навестить Альфонсо и мадонну Трузию; но Папа Александр оказался не единственным, кто погрузился в скорбь. Смерть Хуана глубоко опечалила Джофре, невзирая на зависть, которую он испытывал к любимчику Папы. Я чувствовала себя обязанной остаться с ним.

Но Джофре в своей печали не забыл о других; он попросил меня навестить Лукрецию.

— Пожалуйста, — попросил он. — Она там совсем одна в этом Сан-Систо, а я слишком оглушен горем, чтобы утешить ее. Она нуждается в женском сочувствии.

Я не доверяла Лукреции; ее искреннее расположение ко мне ничуть не помешало ее роману с Чезаре, хотя она и знала, что я люблю его. Она знала также о его честолюбивом стремлении стать гонфалоньером и могла одобрять смерть Хуана — или, возможно, даже приложила к этому руку.

И тем не менее я отправилась в монастырь — из уважения к желанию моего мужа. В дверях покоев Лукреции меня снова встретила Пантсилея; красивое смуглое лицо служанки снова было напряженным, и на нем читалось отчаяние.

— Хоть вы и забрали кантереллу, мадонна, да только это ничуть не помогло, — прошептала Пантсилея. — Не смотрите на меня с таким удивлением: я знаю, что вы ее взяли. Лукреция чуть не сошла с ума, пока искала ее, да так и не нашла. Потому теперь она морит себя голодом. Она уже неделю ничего не ест и два дня не пьет.

Пантсилея провела меня во внутренние покои. Лукреция полулежала на кровати, укрывшись до пояса льняной простыней. Невзирая на середину дня, на ней была только нижняя сорочка. Лукреция была бледной как никогда, глаза и щеки ввалились, на лице было написано полнейшее безразличие. Она взглянула на меня без всякого интереса и отвернулась к стене.

Я подошла и села рядом.

— Лукреция! Пантсилея сказала, что ты не ешь и не пьешь, но так нельзя! Я знаю, что ты горюешь о брате, но он не хотел бы, чтобы ты причинила вред себе или ребенку.

— Черт со мной, — пробормотала Лукреция. — И черт с этим ребенком. Он уже проклят.

Она внимательно взглянула на Пантсилею.

— Выйди. И не вздумай подкрадываться к двери и подслушивать. Ты и так уже слишком много знаешь: просто удивительно, что ты до сих пор жива.

Пантсилея выслушала это, прикрыв рот ладонью — но не от потрясения, порожденного словами хозяйки, а от печали, которую вызывало у нее безнадежное выражение на лице Лукреции. Она развернулась — плечи ее поникли под грузом тревог — и вышла, тихо притворив за собою дверь.

Когда Пантсилея удалилась, Лукреция повернулась ко мне и заговорила с откровенностью умирающей:

— Ты сказала, что знаешь, кто отец ребенка. Уверяю тебя, Санча, ты этого не знаешь. Ты не знаешь, как жестоко тебя обманывали...

Я не колебалась ни минуты. Раз Лукреция желает быть опасно честной, то и я поступлю так же.

— Это ребенок Чезаре.

Несколько долгих мгновений Лукреция, онемев, смотрела на меня широко распахнутыми глазами; лицо ее превратилось в маску горя, гнева и ужаса. Она схватилась за мои руки с внезапной свирепостью рожающей женщины. Потом у нее вырвались гортанные, рваные звуки, в которых я не сразу узнала рыдания.

— Моя жизнь... вся моя жизнь — ложь, — выдохнула Лукреция, когда наконец-то смогла дышать. — Сначала я жила в страхе перед Родриго, — она не сказала: «Перед моим отцом», — а теперь все мы живем в ужасе перед Чезаре. — Лукреция кивком указала на нерожденного ребенка. — Не думай, что я пошла на это из любви.

— Он вынудил тебя? — спросила я.

Не похоже, чтобы ее страдания были притворными. Лукреция устремила взгляд на дальнюю стену.

— До меня у моего отца была еще одна дочь, — с отсутствующим видом произнесла она. — Она умерла много лет назад, потому что не пожелала благосклонно ответить на его заигрывания. — Внезапно Лукреция горько рассмеялась. — Я так долго притворялась, что больше не знаю, какие чувства испытываю на самом деле. Я приревновала тебя как соперницу, когда ты только приехала в Рим.

— Но я отвергла твоего отца, и тем не менее я жива, — выпалила я и тут же смолкла, сообразив, что мое признание лишь добавит Лукреции боли.

При этих словах взгляд Лукреции сделался спокойным и холодным.

— Ты жива, потому что, если бы Александр снова попытался соблазнить тебя или причинил тебе какой-нибудь вред, Чезаре убил бы его. Если не сразу, то через некоторое время, когда представился бы удобный для него момент. Ты жива, потому что мой брат любит тебя. — Ее лицо снова на миг исказилось. — Но он хотел занять место Хуана, и Хуан причинил тебе боль, потому Хуан мертв. Даже отец никогда не посмеет выдвинуть обвинение против Чезаре, хотя и знает правду. А я в безопасности потому, что благодаря мне можно заключить выгодный с политической точки зрения брак. Мне незачем жить. — На лице Лукреции появилось жалкое выражение; она закрыла глаза. — Просто дай мне умереть, Санча. Это будет добрее всего. Дай мне умереть, а сама беги в Сквиллаче вместе с Джофре, если сумеешь.

Несколько мгновений я смотрела на Лукрецию. Я не забыла, как она по собственной воле просила Чезаре, чтобы тот был добр ко мне.

Мои худшие страхи в отношении Чезаре подтвердились. Моя жизнь была в опасности; один неверный шаг, и человек, любивший меня, может с такой же легкостью меня убить, если ему что-то не понравится. Моя жизнь и смерть зависели от прихоти Чезаре, а я не смогу вечно удерживать его на расстоянии вытянутой руки.

Но я была здесь не единственной, кого стоило пожалеть. Ноша Лукреции была куда тяжелее моей. Ею с самого детства манипулировали два неописуемо порочных человека, и у нее не было ни малейшей возможности бежать. Лукреция действительно была несчастнейшей из женщин и отчаянно нуждалась в друге.

Я крепко обняла ее. Каким бы отчаянным ни было наше с ней положение, мы все-таки могли поддержать друг друга.

— Я ни за что не позволю тебе умереть и не оставлю тебя, — поклялась я. — Я вообще не уйду из этой комнаты, пока ты не поешь.

Я постоянно навещала и подбадривала Лукрецию, и постепенно к ней вернулся аппетит, а с ним улучшились и внешний вид, и здоровье. Я не раз повторяла свое обещание не оставлять ее, а она в ответ поклялась, что я всегда могу рассчитывать на ее дружбу.

За время моих поездок в Сан-Систо Александр получил послание от прямодушного Савонаролы, который по-прежнему продолжал проповедовать, вопреки папскому повелению. Савонарола выражал сочувствие по поводу кончины сына его святейшества и вместе с тем не переставал сурово осуждать Папу за грешный образ жизни. Он утверждал, что, если Александр покается, Апокалипсис можно будет предотвратить. В противном же случае Бог обрушит новые скорби на него и его семейство.

Его святейшество впервые принял слова Савонаролы близко к сердцу. Он отослал прочь своих женщин — и своих детей. Чезаре с Лукрецией и так уже отсутствовали, так что Джофре было приказано отбыть вместе со мной в Сквиллаче и сидеть там до тех пор, пока Александру не угодно будет, чтобы мы вернулись.

Джофре был подавлен этим повелением, которое он принял за наказание; мне же было жаль, что приходится покинуть Лукрецию в такое тяжелое для нее время, но чувство вины мешалось с радостью. Мы собрались и отправились в путь — на юг, к побережью, где и провели два месяца, август и сентябрь, вдали от римской гнетущей жары и сплетен. Сквиллаче был таким же каменистым, бесплодным и провинциальным, каким он мне запомнился. По сравнению с великолепием Рима наш дворец казался жалкой лачугой, а еда и питье — просто ужасными. И тем не менее я наслаждалась отсутствием роскоши; голые беленые стены производили освежающее впечатление, а отсутствие позолоты умиротворяло. Я гуляла по чахлому садику под палящим солнцем, не боясь, что из кустов может кто-нибудь выскочить и наброситься на меня. Я бродила по коридорам, не тревожась, что могу натолкнуться на какую-нибудь ужасную сцену. Я смотрела на синее море — ну и пусть с балкона открывался не самый лучший вид! — и оно мне нравилось, хотя и было не таким красивым, как Неаполитанский залив. Я ела незамысловато приготовленную рыбу с местными оливками и лимоном, и она казалась мне вкуснее любого лакомства на папском пиру.

А лучше всего было то, что нас навестил Альфонсо.

— Как ты изменился! — рассмеялась я, крепко обняла брата, а потом, не выпуская его рук, отстранилась, чтобы полюбоваться им. Альфонсо превратился в высокого, красивого восемнадцатилетнего мужчину; его аккуратно подстриженная белокурая бородка поблескивала на солнце. — Как могло случиться, что ты до сих пор не женат? Должно быть, ты сводишь с ума всех девушек Неаполя!

— Ну, я делаю, что могу, — с улыбкой отозвался Альфонсо. — Но ты на себя взгляни, Санча, — ты так изменилась! Ты потрясающе выглядишь! Такая богатая и эффектная дама!

Я посмотрела на себя. Я позабыла, что на юге принято одеваться скромно. На мне было платье из серебристого бархата, отделанное бордовым, а на шее и в волосах — рубины и алмазы. И где — в Сквиллаче! Эта неестественная роскошь, похоже, отражала, до какой степени развратили меня Борджа; я жаждала присутствия Альфонсо, которое очистило бы меня, вернула ныне скрытую доброту. Я заставила себя улыбнуться.

— В Риме не носят так много черного.

— Несомненно, из-за жары, — шутливо парировал Альфонсо, и я осознала, до чего же я по нему соскучилась.

Какое же это блаженство — снова очутиться рядом с любящей, бесхитростной душой, не знающей коварства! И я наслаждалась его обществом каждый день, сколько Альфонсо смог нам уделить. Я понимала, что ему не разрешат остаться в Сквиллаче навсегда; это была лишь временная передышка. Каждый день я проживала так, словно он был последним, потому что знала, что решающую встречу с Чезаре нельзя отложить навечно.

И все же рядом с добротой Альфонсо мое сердце, так сильно израненное жестокостью Хуана и двуличием Чезаре, начало исцеляться. Я часто думала о Лукреции и часто писала ей, стараясь подбодрить.

К сожалению, новообретенная любовь к благочестию вскоре наскучила Александру, и он велел нам возвращаться.

Мы вернулись в Рим поздней осенью, перед самым наступлением зимы. Чезаре уже был дома. Он все еще оставался кардиналом, хотя убедил Александра в необходимости помудрить с церковными законами и освободить его от алой рясы. К счастью, он был занят урегулированием юридических вопросов и не появлялся на семейных ужинах. На протяжении этих недель я редко видела его.

Лукреция же оставалась в Сан-Систо до кануна Рождества, когда ей велено было прибыть в Ватикан, к кардиналам, которые должны были решать вопрос о ее разводе.

Я навестила Лукрецию в ее покоях. Пантсилея как раз пыталась одеть ее, но Лукреция находилась на седьмом месяце беременности, и даже самый просторный, подбитый мехом горностая плащ, накинутый поверх платья, не мог скрыть этого факта. Мы обнялись и поцеловались; Лукреция улыбнулась, но губы ее дрожали.

— Они сделают все, что велит им твой отец, — напомнила я Лукреции, но голос ее не перестал дрожать.

— Я знаю, — неуверенно отозвалась она.

— Все будет в порядке, — продолжала я. — Роды скоро минуют, и мы сможем проводить время вместе. Ты очень храбро держалась, Лукреция. Твое мужество будет вознаграждено.

Лукреция успокоилась и погладила меня по щеке.

— Я не ошиблась, когда поверила тебе, Санча. Ты — настоящий друг.

Я слыхала, что Лукреция превосходно держалась перед консисторией и даже глазом не моргнула, когда было объявлено, что повитухи нашли ее virgo intacta. Никто из кардиналов не посмел и заикнуться о том, что, похоже, Господь второй раз в истории человечества счел уместным ниспослать беременность девственнице.

После этого Лукреция осталась дома, во дворце Святой Марии, но вела жизнь затворницы. С ее стороны было бы весьма неуместно сидеть с таким пузом рядом с отцовским троном во время приемов, и потому она не покидала своих покоев.

В отсутствие дочери Александр время от времени просил присутствовать на приемах меня; только я сидела не на подушке Лукреции, а на другой, некогда специально отведенной для меня. Отказаться я не могла, потому что эта просьба по сути своей была приказом.

Однажды февральским утром я сидела у трона, слушая просьбу одного занудного аристократа: он хотел, чтобы его святейшество даровал право на развод его старшей дочери. Мне было скучно, и Александру тоже; он позевывал и то и дело поправлял на плечах горностаевую мантию, стараясь укрыться от зимнего холода. Присутствующие на аудиенции старые кардиналы дрожали, невзирая на пылающий в очаге огонь.

Внезапно издалека донеслись какие-то крики.

— Ублюдок! Шлюхин сын! Как ты посмел прикоснуться к ней?!

В голосе звучала необузданная ярость, и принадлежал он Чезаре.

Монотонно бубнивший аристократ умолк; все, кто присутствовал в тронном зале, с изумлением повернулись в ту сторону, откуда доносились крики.

Стремительные шаги приблизились. Чезаре гнался за кем-то, а этот кто-то бежал в нашу сторону.

— Я убью тебя, ты, мерзавец! Кем ты себя возомнил, что посмел прикоснуться к ней?!

В тронный зал стремительно вбежал какой-то парень. Я узнала его: это был Перотто, слуга, сопровождавший меня в поездках в Сан-Систо, когда я ездила к Лукреции.

Следом за ним влетел Чезаре, красный от гнева, размахивающий мечом и выказывающий все признаки совершенно несвойственной ему ярости.

— Чезаре? — вопросительно произнес Папа. Но от изумления голос его сорвался. Тогда он откашлялся и повторил уже более властно: — Чезаре, что это значит?

— Ваше святейшество, спасите! — вскричал белый от страха Перотто. — Он сошел с ума, выкрикивает какой-то бред и хочет убить меня!

Он взлетел по ступеням трона, бросился к ногам Александра и вцепился в подол белой шерстяной рясы Папы. Я была так потрясена, что вскочила, не спросив дозволения, и сбежала вниз, прочь с дороги.

Чезаре ударил Перотто мечом.

— Остановись! — приказал Папа. — Чезаре, изволь объясниться!

И объяснения действительно требовались, равно как и прекращение каких бы то ни было враждебных действий, поскольку в соответствии со священным обычаем тот, кто ухватился за подол папской рясы, получал право на убежище — даже вернее, чем тот, кто укрылся в церкви.

В ответ Чезаре метнулся вперед, перевернул скорчившегося, стонущего Перотто и полоснул мечом по его шее.

Я отпрянула и инстинктивно вскинула руки в попытке защититься. Александр ахнул; кровь брызнула на его белое одеяние и горностаевую мантию и даже на лицо.

Перотто захрипел, несколько раз конвульсивно дернулся и застыл, растянувшись на ступенях трона.

Чезаре смотрел на него с мрачным торжеством, и на скулах у него играли желваки. Когда Перотто умолк навеки, Чезаре наконец произнес:

— Лукреция. Это он — отец ребенка. И я как ее брат не мог допустить, чтобы он остался жить. Я должен был отомстить.

Казалось, Александра куда больше волнует кровь, стекающая с его лица, чем объяснения.

— Принесите же наконец полотенце! — приказал он, потом с отвращением взглянул на труп Перотто. — И уберите отсюда эту дрянь.

На следующее утро тело Перотто, связанное по рукам и ногам, обнаружили в Тибре. Обычай требовал символически продемонстрировать, что ждет того, кто посмеет опорочить дочь Папы.

Неподалеку от него плавало тело Пантсилеи. Ее связывать не стали. Пантсилею удушили и сунули в навеки умолкнувший рот кляп — знак для прочих слуг семейства Борджа, говорящий: «Вот что бывает с теми, кто слишком много знает и не держит язык за зубами».

НАЧАЛО ВЕСНЫ 1498 ГОДА

ГЛАВА 23

Лукреция родила в начале весны. Незадолго до того ее тайно увезли из Санта-Марии, чтобы ее крики при родах не открыли Риму «тайну», которую и так уже все знали. Воспламененный слухами Савонарола стал еще более злобно нападать на папский престол: он призвал конклав низложить Александра.

Ребенок оказался мальчиком; по настоянию Лукреции его назвали Джованни. Мне невольно подумалось: Джованни Сфорца — ныне обесчещенный, разведенный человек, презираемый Борджа, — наверное, думал об этом ребенке, названном его именем, как о своем отпрыске.

Ребенка вернули во дворец и передали на попечение кормилице. Его держали в дальнем крыле, чтобы его вопли по ночам не тревожили взрослых обитателей дворца. Лукреция навещала младенца так часто, как ей это дозволялось, и явно реже, чем ей хотелось бы. Когда мы с ней были одни, она часто жаловалась мне, что у нее сердце разрывается из-за того, что ей не позволяют взять на себя роль матери малыша. Иногда она плакала от безутешного горя.

Лукрецию принялись осаждать претенденты на ее руку, которые то ли не поверили обвинениям, выдвинутым Сфорцой, то ли не обратили на них никакого внимания. В конце концов, слишком уж большие политические выгоды сулил этот брак.

Папа и Чезаре постоянно совещались по поводу этих претендентов; некоторыми именами они делились с Лукрецией, а та, в свою очередь, делилась ими со мною. Среди них были Франческо Орсини, герцог Гравина и граф Оттавиано Риарио. Самым предпочтительным из них был неаполитанец Антонелло Сансеверино — если бы он не являлся анжуйцем, сторонником Франции. Подобный брак поставил бы меня в чрезвычайно невыгодное с политической точки зрения положение в семье.

Кроме того, меня тревожила моя роль подруги и доверенного лица Лукреции. Я видела, какая судьба постигла ни в чем неповинного Перотто и Пантсилею, и знала, что Борджа не позволят, чтобы годы верности помешали их планам. Если кого-то нужно заставить замолчать — неважно, какой любовью и доверием пользуется этот человек, — он умолкнет.

После смерти Пантсилеи мне стали сниться кошмары. Я не видела ее трупа, но Эсмеральда, обзаведшаяся к этому времени впечатляющей сетью осведомителей, описала мне его во всех подробностях. Я часто просыпалась, задыхаясь, потому что во сне тело Пантсилеи всплывало из темных глубин Тибра и ее мертвые глаза медленно открывались. Распухшая рука поднималась и указывала на меня обвиняющим жестом. «Ты. Это ты — причина моей смерти...»

Ведь это я забрала кантереллу, яд, который был спрятан в потайном кармане в платье Лукреции. И меня не покидала мысль о том, что несчастную служанку убили из-за пропавшего яда. Должно быть, Чезаре всучил яд Лукреции вместе с наставлениями по использованию. А когда Чезаре спросил о нем, Лукреции пришлось признаться, что кантерелла пропала.

И конечно же, Пантсилея оказалась первой, кого обвинили в пропаже.

Но когда вина терзала меня не так сильно, мне думалось, что Пантсилея умерла именно по той причине, какую символизировал засунутый ей в рот кляп: она слишком много знала, и потому ее заставили замолчать. В конце концов, разве не она толкнула меня в шкаф, дабы поделиться тем, о чем она не могла сказать вслух, — правдой о взаимоотношениях Лукреции и Чезаре?

Лукреция была не единственной, чьи мысли той весной и летом обратились к браку.

Однажды меня вызвали в Ватикан — в кабинет к Чезаре. Под извещением стояла подпись: «Чезаре Борджа, кардинал Валенсийский».

Я села на кровать, сжимая пергамент в руках. Момент, которого я так боялась, настал. Чезаре желает знать пределы моей любви и верности; он больше не потерпит отговорок.

В тщетной надежде избежать столкновения с глазу на глаз я взяла с собой Эсмеральду и двух фрейлин помоложе; мы пешком пересекли площадь и добрались до Ватикана. Там нас встретили двое стражников и препроводили в кабинет кардинала. Стоявший у входа солдат велел моим дамам остановиться.

— Его преосвященство просит дозволения встретиться с принцессой Сквиллаче наедине.

При виде такого нарушения приличий Эсмеральда недовольно нахмурилась, но моих дам отправили в приемную, а я вошла в кабинет к кардиналу одна.

Чезаре сидел за огромным позолоченным столом, инкрустированным черным деревом. Полки у него за спиной были заполнены переплетенными в кожу толстыми томами, сборниками канонического права; на столе горела масляная лампа. Когда солдат ввел меня в кабинет, Чезаре встал и жестом пригласил меня присаживаться на стул с бархатной подушкой, стоявший напротив стола.

Я села. Чезаре отпустил солдата, вышел из-за стола и опустился передо мною на колено. На нем была алая ряса и кардинальская шапочка; шелковый подол с шелестом лег на мраморный пол.

— Донна Санча, — произнес Чезаре. Хотя прошло уже несколько месяцев после того, как он спал со мной, и невзирая на официальную обстановку, он говорил с прежней пылкостью влюбленного. — Я получил от моего отца официальное уведомление о том, что вскоре с меня снимут ношу монашеской жизни.

Мне хватило ума не выказывать беспокойства. Вместо этого я сердечно произнесла:

— Я рада за вас. Несомненно, это станет для вас огромным облегчением.

— И не только, — сказал Чезаре. — Это прекрасная возможность... для нас.

Он осторожно взял меня за руку и, прежде чем я успела хоть как-то отреагировать, быстро надел мне на мизинец золотое колечко.

Это было кольцо моей матери. То самое кольцо, которое Хуан отнял у меня в тот день, когда изнасиловал меня. Мне удалось не вздрогнуть, хотя это потребовало от меня величайшего самообладания.

— Где вы его взяли? — прошептала я.

— Какая разница? — улыбнувшись, спросил он. — Донна Санча, вы знаете, что вы — величайшая любовь всей моей жизни. Сделайте мое счастье полным. Скажите, что согласитесь выйти за меня замуж, когда я стану свободен.

Я отвела взгляд. Меня переполняло отвращение, мне же сейчас требовалось изобразить совершенно другие чувства. Некоторое время я молчала, тщательно подбирая нужные слова, но не могла отыскать ничего такого, что спасло бы мне жизнь.

— Я не свободна, — наконец произнесла я. — Я связана с Джофре.

Чезаре пожал плечами, словно при виде сущей мелочи.

— Мы можем предложить Джофре кардинальскую должность. Я не сомневаюсь, что он ее примет. А аннулировать брак будет нетрудно.

— Вряд ли, — ответила я, стараясь говорить бесстрастно. — Свидетелем при осуществлении брака был кардинал Монреальский. То, что имело место, нельзя поставить под сомнение.

В голосе Чезаре проскользнули первые нотки раздражения. Он понял, что проиграл, но не понимал почему, и это раздражало его еще сильнее.

— Кардинал Борджа у нас в руках. Он скажет то, что мы захотим. Вы не любите меня? Вы не хотите быть моей женой?

— Это не так, — искренне произнесла я. — Я не хочу позорить Джофре. Подобная жестокость сокрушит его.

Чезаре посмотрел на меня как на ненормальную.

— Джофре оправится. А кроме того, кардинальский сан даст ему влияние и богатство, которые смягчат его боль. Мы пошлем его в Валенсию, чтобы сделать ситуацию менее неудобной. Вы с ним никогда больше не увидитесь. — Он ненадолго умолк. — Мадонна, вы ведь не дура. Напротив: вы чрезвычайно умны. Вы понимаете, что я буду гонфалоньером армии моего отца.

— Понимаю, — тихо отозвалась я.

— Я вовсе не болван и неудачник, каким был Хуан. Я вижу возможности, которые предоставляет эта должность. Я намерен расширить границы Папской области.

— Я всегда знала, что вы — человек честолюбивый, — произнесла я, изо всех сил стараясь, чтобы мой голос не звучал осуждающе.

— Я намерен объединить Италию, — произнес Чезаре, придвинувшись ближе; голос его был резок, взгляд — напряжен и внимателен. — Я намерен стать ее правителем. И я прошу вас быть моей королевой.

Мне пришлось изобразить удивление и ничем не выказать, что я уже слышала подобные слова — когда пряталась в шкафу Лукреции.

— Вы не любите меня? — разочарованно спросил он; его чувства наконец-то прорвались наружу. — Санча, я думал, что… нет, я не мог ошибиться в силе чувств, которые связывали нас!

Его слова прорвали мою оборону. Я опустила голову.

— Я никогда в жизни никого не любила сильнее, чем вас, — с сожалением созналась я.

В глубине сердца я знала, что меня нетрудно было бы совратить и я стала бы порочной королевой при короле Чезаре. Эти слова дали ему надежду. Он погладил меня по щеке.

— Тогда все решено. Мы поженимся. Вы слишком дрожите над Джофре. Поверьте мне, он — мужчина. Он оправится от удара.

Я отодвинулась от его руки и твердо произнесла:

— Вы не поняли меня, кардинал. Мой ответ — «нет». Я глубоко тронута вашим предложением. Но я не та женщина, которая нужна вам для подобной роли.

Покраснев, Чезаре опустил руку и встал; его движения были полны еле сдерживаемой ярости.

— Да, вы явно не та женщина, мадонна. Можете идти.

Он не стал больше тратить время, пытаясь переубедить меня; этого не допустило бы его уязвленное чувство собственного достоинства. И все же, встав и направившись к выходу, где ждали меня мои дамы, я была уверена, что мой отказ совершенно сбил Чезаре с толку и даже причинил ему боль. Он не мог поверить, что названная мною причина — забота о Джофре — истинна.

Я вздохнула с облегчением, увидев, что он не смог разгадать подлинную причину: то, что я знала, что он — убийца.

Ожидая расплаты за свой отказ, я положила стилет под подушку, чтобы он был под рукой. И все равно той ночью я то и дело просыпалась. Каждый шорох ветерка, доносящийся от окна, каждое поскрипывание в коридоре казались мне свидетельством приближения убийцы. Я отвергла Чезаре и думала, что поплачусь за это жизнью. Я не ожидала, что проживу после этого дольше нескольких дней, и считала каждое свое утро последним.

Я сказала Лукреции, что отвергла предложение ее брата. Мне было не по себе при этом признании, учитывая склонность Лукреции к двуличности. На самом деле я посоветовалась с донной Эсмеральдой о том, насколько можно доверять Лукреции, но даже собранные Эсмеральдой слухи не помогли прийти к единому мнению касательно ее истинной натуры. Однако я решила, что мне все равно следует попытаться выяснить, какого возмездия мне следует ожидать от Чезаре.

Лукреция выслушала меня очень серьезно. Она была честна — она не стала говорить, что мне нечего опасаться. Но по крайней мере в одном вопросе она меня успокоила.

— Пожалуйста, пойми меня, — сказала она. — Я уже успела поговорить с братом. Он лелеет надежду, что ты одумаешься. Я не верю, что он способен причинить тебе физический вред; его сердце по-прежнему принадлежит тебе.

Это несколько утешало. Но я поразмыслила над тем, к какому возмездию прибегнет Чезаре, осознав, что я не уступлю, и забеспокоилась.

Мы с Лукрецией сохранили дружеские отношения и встречались почти каждый день. Однажды утром в конце весны она пришла ко мне в покои и попросила погулять вместе с ней по саду, и я с радостью согласилась.

Удостоверившись, что наши дамы, идущие позади, не слышат нас, Лукреция застенчиво произнесла:

— Ты рассказывала мне о твоем брате, Альфонсо, и утверждала, что он — самый красивый мужчина в Италии.

— Это чистая правда, — ответила я, пребывая в превосходном расположении духа. — Он прекрасен, словно бог, мадонна. Я видела его прошлым летом в Сквиллаче: он стал еще красивее, когда вырос.

— А он добрый?

— Он самый добрый человек на свете. — Я остановилась на полушаге и уставилась на нее. Меня вдруг охватила уверенность. — Ты и так все это знаешь. Я много раз рассказывала тебе о нем. Лукреция, скажи: он приедет сюда, в Рим?

— Да! — воскликнула она и захлопала в ладоши, словно развеселившийся ребенок.

Я схватила ее за руки, радостно улыбаясь.

— Но, Санча, это еще не все! Все гораздо лучше!

— Что может быть лучше приезда Альфонсо? — спросила я.

Какой же безнадежной дурой я была!

— Мы с ним женимся! — выпалила Лукреция и, улыбаясь, стала ждать ответного взрыва радости с моей стороны.

Я ахнула. Мне показалось, будто я проваливаюсь в чудовищный черный водоворот, удушающую Харибду, откуда я уже никогда не выберусь.

И все же я выбралась, по какой-то неизъяснимой счастливой случайности. Я не улыбнулась — просто не смогла, — но вышла из ситуации, крепко обняв Лукрецию.

— Санча, — произнесла Лукреция; голос ее звучал приглушенно, потому что она уткнулась мне в плечо. — Санча, ты такая милая. Я никогда еще не видела, чтобы ты так расчувствовалась.

Как только мне удалось взять себя в руки, я отстранилась, натянуто улыбаясь.

— И долго ты хранила от меня эту тайну?

Я мысленно обругала Альфонсо. Он ничего не сообщил мне о предполагаемом браке. Если бы он это сделал, возможно, мне представилась бы возможность предостеречь его, объяснить, что он стоит на краю преисподней. Но о том, чтобы написать ему, не могло быть и речи. Мои письма наверняка перехватывались и изучались Александром и Чезаре, если учесть политическое значение этого союза. Я была вынуждена ждать до тех пор, пока Альфонсо не прибудет в Рим — в качестве жениха.

Неужто он не слыхал про обвинения, выдвинутые Джованни Сфорцой? Или у него хватило глупости не поверить им? Вся Италия знала, что Лукреция родила ребенка. Несомненно, Альфонсо поверил лжи, называвшей отцом ребенка Перотто, и решил закрыть глаза на опрометчивый поступок Лукреции, совершенный по молодости лет.

Это все я виновата, сказала я себе. Я скрывала от Альфонсо отвратительную правду о жизни в Риме.

Я хотела защитить его. И, как подобает настоящей Борджа, научилась помалкивать.

— Недолго, — отозвалась Лукреция. — Отец с Чезаре ничего мне не говорили до сегодняшнего утра. Я так счастлива! Наконец-то у меня будет муж одних со мною лет, красивый и добрый! Я — самая счастливая женщина в Риме! И твой брат согласился поселиться здесь. Мы все будем жить в Санта-Марии.

Она сжала мою руку.

— Всего несколько месяцев назад я была в таком отчаянии, что хотела покончить с собой. Но ты спасла меня, и я всегда буду признательна тебе за это. Теперь у меня снова есть надежда.

Чезаре не мог выбрать более удачного способа заставить меня держать язык за зубами, следить за своим поведением и поступать именно так, как он пожелает. Он знал, как я люблю Альфонсо, — я часто говорила об этом и во время семейных ужинов, и при наших встречах наедине. Чезаре знал, что я сделаю все, чтобы защитить своего брата.

— Я рада за тебя, — ухитрилась выдавить из себя я.

— Я знаю, как сильно ты скучала по нему. Возможно, отец с Чезаре подумали и об этом, когда выбрали его.

Наивность этого утверждения потрясла меня.

— Не сомневаюсь, что именно об этом они и подумали, — сказала я, зная, что Лукреция не уловит иронии в моих словах.

Вернувшись тем вечером в свои покои, я обнаружила, что донна Эсмеральда плачет, стоя на коленях перед своим алтарем святого Януария.

— Конец света приближается, — простонала она, вцепившись в висящий у нее на шее маленький золотой крестик. — Они убили его. Они убили его, и мы все за это поплатимся.

Я подняла ее с колен и заставила сесть на край кровати.

— Кого убили, Эсмеральда? О чем ты?

— Савонаролу, — ответила она. — Посланцы Александра. Он не перестал проповедовать, потому они повесили его, а потом сожгли его тело.

Эсмеральда покачала головой и прошептала:

— Бог погубит Александра, мадонна. Попомните мои слова: даже Папе не дозволено вершить такие злодеяния.

Я положила руки ей на плечи.

— Не бойся за себя, Эсмеральда. Если Бог и вправду способен читать в сердцах, то он знает, что ты — добрая женщина. Ему не за что наказывать тебя.

Про себя я этого сказать не могла.

Когда Эсмеральда наконец уснула, я долго размышляла над тем положением, в котором очутился мой брат. Мне вспомнились слова дедушки Ферранте: «Если ты любишь его, присматривай за ним. Понимаешь, мы, сильные люди, должны заботиться о слабых. У них не хватает духу совершать то, что необходимо, дабы выжить».

Я сделаю все, что угодно, чтобы спасти жизнь моему брату, и Чезаре слишком хорошо это понимает. Я предположила, что выбор жениха для Лукреции был частью его плана, нацеленного на то, чтобы вынудить меня выйти за него замуж.

Перспектива, которая прежде приводила меня в восторг, теперь не вызывала у меня ничего, кроме содрогания, потому что я знала: для того, чтобы защитить Альфонсо, мне придется бросить несчастного Джофре и стать женой убийцы.

ЛЕТО 1498 ГОДА

ГЛАВА 24

Альфонсо приехал в Рим в середине лета, и я, отчаянно стремясь переговорить с ним наедине, разыграла нетерпеливую сестру и выехала ему навстречу, чтобы встретить его до того, как они со свитой пересекут Понте Сант-Анджело, мост, ведущий на Ватиканский холм.

Альфонсо ехал во главе своего отряда, в сопровождении нескольких придворных, а повозки с его имуществом и свадебными дарами катились следом. Я издалека разглядела его золотые волосы, блестевшие на солнце. Я пришпорила свою лошадь, а когда Альфонсо узнал меня, он с радостным возгласом поскакал мне навстречу.

Мы спешились и обнялись; несмотря на беспокойство, снедавшее меня из-за его приближающегося брака, я заулыбалась от радости, увидев брата. Альфонсо выглядел так же великолепно, как и всегда. На нем был наряд из светло-голубого атласа.

— Альфонсо, дорогой!

— Я здесь, Санча! Наконец-то я здесь! Теперь мне никогда не придется расставаться с тобой!

Его придворные рысцой подъехали к нам.

— Могу я немного побыть наедине с братом? — любезно поинтересовалась я.

Они молча повиновались и отъехали назад, к медлительным повозкам.

Я прижалась щекой к щеке брата.

— Альфонсо, — прошептала я ему на ухо, — я счастлива видеть тебя, но ты не должен заключать этот брак.

Альфонсо недоверчиво рассмеялся.

— Санча, — произнес он громко, — боюсь, сейчас неподходящее время и место для такого разговора.

— У нас не будет других времени и места. Как только мы прибудем в Ватикан, мы уже не сможем говорить свободно.

Я говорила с такой настойчивостью и жаром, что Альфонсо посерьезнел.

— Но я уже связал себя обязательствами. Если я разорву договор сейчас, это будет недобросовестно, трусливо...

Я вздохнула. У меня было мало времени, чтобы доказать свою правоту, а мой брат был очень доверчив. Как мне побыстрее раскрыть ему всю степень вероломства, свидетельницей которого я оказалась?

— Порядочность здесь неуместна. Тебе известны стихи арагонских поэтов о Лукреции, — сказала я.

Я ощущала себя виноватой. Что почувствовала бы Лукреция, если б знала, что я говорю ее предполагаемому мужу?

— Послушай...

Альфонсо покраснел. Он прекрасно понял, на что я намекаю.

Я процитировала Санназаро:

— Hic jacet in tumulo Lucretia nomine, sed re Thais: Alexandri filia, sponsa, nurus.

Это была эпитафия, предназначенная для Лукреции: «Здесь покоится та, кому имя Лукреция, а по сути — Таис: дочь Александра, жена и невестка». Должно быть, Пантсилея или еще кто-то рассказал о кровосмесительной связи Чезаре и Лукреции, поскольку даже в Неаполе и Испании поэты начали писать язвительные стихи о ней. Скажем, в этом автор сравнил ее с египетской грешницей, впоследствии сделавшейся святой, Таис, которая раскаялась в совершенном кровосмешении.

Мне не нужно было говорить, что эти слухи правдивы. Альфонсо достаточно быстро соображал, чтобы понять, почему я процитировала эти строки.

— Санча, — быстро произнес он негромким, напряженным голосом. — Даже если все обвинения в ее адрес истинны, я не свободен. Я поклялся сделать это ради блага Неаполя. К ней сватались другие, связанные с Францией, а мы не можем допустить, чтобы его святейшество подпал под французское влияние. Без поддержки Папы Арагонский дом обречен. Новый король Франции уже объявил себя правителем наших земель; нам необходимо привлечь Папу на нашу сторону, на случай нового вторжения.

Я изо всех сил постаралась не выказать боли; нельзя было допустить, чтобы свита Альфонсо что-то заподозрила.

— Ты не понимаешь! Тебе придется следить за каждым своим шагом. Они убийцы, — прошептала я, мило улыбаясь, как будто мы обсуждали чудесную погоду.

— Как и большинство правителей, в том числе и наши родственники, — парировал Альфонсо. — Санча, разве я не обаятелен?

— Ты — самый обаятельный мужчина, какого мне доводилось встречать. Ну, почти.

Альфонсо попытался снова вызвать у меня улыбку, но я была преисполнена отчаяния.

— Я очарую даже Борджа. Я завоюю их доверие. Я не глупец. Я не дам им причины избавиться от меня. А этот брак принес нашей семье значительную выгоду — герцогство Бишелье. — Он помолчал, потом весело произнес, пытаясь развеять мое смятение и вернуть мне радость: — Что, Лукреция так жестока? Она будет плохо обращаться со мной? Или она настолько уродлива?

— Нет, нет и нет.

Я жалобно вздохнула, понимая, что потерпела поражение. Предотвратить этот брак было невозможно.

— Ты писала, что вы с ней подруги. И ты, насколько я вижу, до сих пор жива.

— На свой лад — да.

Я замолчала. Лукреция действительно была очень добра ко мне.

— Значит, она не бездушное чудовище. А я здесь не для того, чтобы судить ее. Я буду хорошо обращаться с ней и буду ей хорошим мужем, Санча. Я не могу придумать более надежного способа склонить на свою сторону ее отца и Чезаре.

Я погладила его по щеке.

— Ты просто не можешь быть другим мужем, братик. Молю Бога, чтобы ты был осторожен.

Я въехала в город вместе с Альфонсо. Чезаре ждал его перед Ватиканом. Кардинал Валенсийский держался одновременно и радушно, и сдержанно. Он явно оценил этого мужчину, который мог нежелательно повлиять на его сестру, и я уверена, что у него были основания беспокоиться. Я же изо всех сил старалась не выказывать терзавшего меня смятения.

Наконец мы спешились; моего брата повели по ступеням Ватикана во дворец, а там — в тронный зал, где его уже ожидал восседающий на троне Александр, облаченный в белоснежный атлас. На груди у Папы висел тяжелый золотой крест, усеянный алмазами.

Рядом с ним на бархатной подушке сидела Лукреция. Она, подобно своему жениху, была одета в светло-голубое — в шелковое платье с серебряной отделкой, с корсажем, расшитым жемчугом, и в головном уборе того же цвета. На щеках ее играл румянец, золотистые локоны рассыпались по плечам; в этот момент Лукреция казалась почти красавицей. Увидев Альфонсо, она просияла; несомненно, она была очарована им с первого же взгляда.

Александр и сам казался очарованным. Он расплылся в улыбке и воскликнул:

— А вот и жених, новый герцог Бишелье! Добро пожаловать, Альфонсо! Добро пожаловать в семью, дорогой сын! Вот видишь, Лукреция, слухи не лгали: твой будущий муж и вправду на редкость красив!

Альфонсо почтительно преклонил колено, дабы поцеловать папскую туфлю. Как только с этой формальностью было покончено, Александр сошел с трона и положил руки на плечи своему будущему зятю.

— Ну будет, будет. Мы приготовили славный обед, но я думаю, что нам не стоит объедаться, ведь завтра нас ждет свадебный пир!

Он рассмеялся, и Альфонсо улыбнулся. Тем временем Лукреция поднялась с подушки и спустилась по ступеням. Когда она приблизилась, Альфонсо поклонился и поцеловал ей руку.

— Мадонна Лукреция, — сказал он, — вы сияете, словно звезда в ночи. Ваша красота затмевает все вокруг.

Только мой брат мог говорить с такой искренностью, чтобы эти слова прозвучали убедительно.

Лукреция хихикнула, словно девчонка; Александр, заслышав столь приятные слова, радостно заулыбался. Он обнял Альфонсо за плечи, и они во главе процессии направились в папские апартаменты, где уже ожидал накрытый стол. Лукреция с мечтательным видом двинулась следом. За нею шел Чезаре с любезным выражением лица и пронзительным взглядом. Последней шла я, нацепив на лицо застывшую улыбку.

Венчание состоялось в Зале святых, там же, где был заключен злополучный брак Джованни Сфорцы. Гостей было немного, по большей части — ватиканские придворные и некоторые кардиналы.

Лукреция выглядела очаровательно в платье из голубого атласа, с золотым корсажем, усыпанным алмазами. Их с Альфонсо можно было принять за брата и сестру — оба были белокурыми и светлоглазыми; а меня, по иронии судьбы, можно было принять за сестру темноволосого Чезаре, вырядившегося по случаю праздника в черный бархат. Из уважения к невесте я надела скромный неаполитанский наряд.

Во время венчания я стояла рядом с Джофре; Чезаре находился неуютно близко — по другую сторону от моего мужа. Когда кардинал Джованни Борджа попросил жениха и невесту произнести брачные обеты, исполняющий обязанности гонфалоньера папских войск Хуан де Кервиллон извлек из ножен красивый меч, отделанный драгоценными камнями, и поднял его над головами новых герцога и герцогини Бишелье, в знак того, что эта пара отныне пребудет неразлучна. Я же, глядя на сверкающий клинок, вспомнила карту стреги — сердце, пронзенное двумя мечами. Этот случай почти изгладился из моей памяти, но сейчас, при виде меча де Кервиллона, воспоминания вернулись с ошеломляющей силой.

«Я никогда не прибегну ко злу!» — надменно заявила я тогда. Несомненно, в нынешний момент я не могла придумать большего зла, чем вынужденный брак с Чезаре.

«Тогда ты обречешь на смерть тех, кого любишь больше всего на свете», — сказала стрега.

Я смотрела на церемонию, не помня себя от страха.

Но Альфонсо и Лукреция радостно улыбались. Они казались исполненными счастья, и я отчаянно цеплялась за этот факт, надеясь, что мой брат будет избавлен от той боли, какую пришлось пережить мне среди Борджа.

Ответ Альфонсо прозвучал твердо и уверенно; Лукреция ответила тихо и застенчиво, с обожанием глядя на жениха. По их с Альфонсо виду я поняла, что их поразила та же молния, что и меня в день встречи с кардиналом Валенсийским.

Вскоре возглавляющий церемонию легат объявил Альфонсо и Лукрецию мужем и женой. Сияющие молодожены рука об руку покинули зал в сопровождении капитана Кервиллона и кардинала Борджа.

К несчастью, когда остальные присутствующие двинулись к выходу из домовой церкви, вспыхнул спор.

— Принцесса Сквиллаче — сестра жениха, потому ее свита должна идти впереди, — пронзительно объявила донна Эсмеральда.

Но ее оттеснил один из придворных Чезаре; его слуги желали пройти впереди моих. Скрыть свои чувства от слуг невозможно, и наши с Чезаре люди в считанные секунды уже готовы были вцепиться друг другу в глотки. Один из придворных Джофре выступил вперед и провозгласил:

— Дорогу принцу и принцессе Сквиллаче!

В ответ он получил по челюсти и рухнул на руки своим товарищам. Донна Эсмеральда и мои дамы завизжали. В свалку оказались вовлечены слуги его святейшества, что отнюдь не улучшило положения.

В воздухе замелькали кулаки и засверкали мечи. Слуги Папы, перепугавшись, удрали через алтарь, покинув Александра без защиты посреди общей драки.

— Довольно! — крикнул он, размахивая руками. Кто-то едва не проткнул мечом его золотую мантию, и та чуть не свалилась с его плеч. — Довольно! В такой день!..

Но его увещевания потонули в криках. Придворный Джофре пришел в себя и теперь боролся со своим обидчиком на полу; в результате они перегородили выход из церкви.

— Прекратите! — воззвал Джофре, добавив свой голос к царящему гаму. — Сейчас же прекратите этот идиотизм!

В конечном итоге эта задача легла на Чезаре. Он без единого слова извлек из ножен кинжал и одним стремительным движением наклонился над борющимися, всунув кинжал между их шеями. Ярость в его взгляде мгновенно убедила драчунов, что он, не задумываясь, прольет кровь, даже здесь, даже сейчас, в день свадьбы его сестры.

Воцарилась тишина.

— Закончили, — произнес Чезаре тоном, от которого кровь стыла в жилах, негромко, но так, что все это услышали.

Придворные раскатились в разные стороны и повскакивали, испуганно и почтительно.

— Где свита его святейшества? — спросил Чезаре все тем же спокойным, негромким и наводящим дрожь голосом.

Его придворный указал в сторону алтаря.

— Спрятались, ваше преосвященство.

— Сходи приведи их. Он идет следующим, и он должен идти в сопровождении свиты.

Придворный ринулся в алтарь. Чезаре, опустив кинжал, но не пряча его, взглянул на придворного Джофре, второго участника потасовки.

— Думаю, ему потребуется помощь, — сказал кардинал.

Придворный Джофре с преувеличенным рвением кинулся следом. На возвращение свиты потребовалось несколько минут, но в конце концов Папа смог покинуть церковь. Чезаре любезно — или, правильнее будет сказать, с любезным видом — настоял, чтобы моя свита прошла следующей.

За венчанием последовал продолжительный ужин, а за ним — танцы. Альфонсо, как всегда, был преисполнен такого обаяния и веселья, что заразил им даже Борджа. Впервые за все время моего пребывания в Риме танцевать пошел Папа — сначала с Лукрецией, потом со мной. Несмотря на свои внушительные габариты, он двигался с той же грацией атлета, что и его сын Чезаре.

Меня особенно порадовало то, что на ужине не присутствовало ни одной куртизанки, даже Джулии, любовницы Папы. Похоже, Александр пытался убедить Альфонсо в том, что слухи, сопровождавшие скандальный развод со Сфорцей и рождение ребенка Лукреции, были лживыми. Что бы ни было тому причиной, я была рада, что празднество не катится к обычному для Борджа разврату.

Мы с Альфонсо станцевали для его святейшества неаполитанский танец. Глаза Альфонсо сияли, а на губах играла улыбка. Я знала, что отчасти его радость вызвана тем, что мы с ним снова будем вместе; но при этом я видела, что он искренне восхищается Лукрецией. Они, как шутливо объявил Александр за ужином, были созданы друг для друга.

— Вы только гляньте на них! Они же не замечают никого вокруг. Может, нам потихоньку уйти, чтобы не мешать им?

Я не понимала, как мой братик, который мог выбирать среди самых красивых и благородных женщин, влюбился в Лукрецию. Я лишь надеялась, что он будет счастлив.

После танцев на маленькой сцене, возведенной в зале для приемов, было устроено театральное представление. Среди прочих в нем участвовала красиво наряженная служанка, уговаривавшая единорога положить голову ей на колени. Служанку играла не кто иная, как Джулия, любовница Папы; но это была еще не самая большая ирония, ибо по сложению и движениям я узнала человека, чье лицо было скрыто маской единорога, тяжелой, сплошной, с позолоченным рогом и прорезями для глаз и рта. Это был Чезаре Борджа, изображающий символ чистоты и верности.

Незадолго до рассвета Альфонсо и Лукреция удалились, а за ними с самодовольной улыбкой последовал Джованни Борджа. Моему бедному брату предстояло подвергнуться тому же унижению, что некогда мне: впервые соединиться с супругой под наблюдением плотоядно взирающего на них кардинала. По крайней мере, подумалось мне, Альфонсо избавлен хотя бы от присутствия родного отца при этой процедуре. Интересно, кардинал и сейчас отпустит свою шуточку про розы?

Через несколько дней после свадьбы Чезаре было даровано то, о чем он мечтал много лет: возможность представить свое дело на рассмотрение конклава кардиналов и попросить освободить его от сана, для которого он никогда не подходил. Взамен он поклялся, что послужит Церкви и немедленно отправится во Францию, где сделает все необходимое, чтобы избавить Италию от нового вторжения со стороны французского короля.

Сомневаться в том, что прошение Чезаре будет удовлетворено, не приходилось — как ранее в том, что Лукрецию объявят virgo intacta.

Чезаре добился исполнения своего желания. И как только это произошло, он начал подыскивать себе подходящую супругу. Я приготовилась к худшему, ожидая нового вызова к нему в кабинет. К моему удивлению, Лукреция сообщила, что он выбрал Шарлотту Арагонскую — мою кузину, законную дочь дяди Федерико, короля Неаполя.

Я была вне себя от восторга; я думала, что недооценила Чезаре. Лукреция говорила, что он действительно заботится обо мне. Возможно, он и вправду не желал ни принуждать меня, ни причинять мне вред. Лучше того: его выбор невесты укреплял положение Альфонсо как принца Неаполя в доме Борджа.

Шарлотта в это время находилась во Франции — она воспитывалась при дворе благочестивой католички, симпатизирующей Борджа, королевы Анны Бретонской, вдовы Ре Петито, Карла VIII, умершего той весной. Чезаре облачился в свой лучший наряд и на белом коне с серебряными подковами отправился на север. Он не сомневался в том, что получит руку Шарлотты, поскольку новый король, Людовик XII, очень хотел развестись со своей бесплодной женой-калекой, королевой Жанной, и жениться на Анне, которую он любил.

А Чезаре как сын Папы был именно тем человеком, который мог поднести ему постановление о разводе на блюдечке с голубой каемочкой — но, естественно, не задаром.

Я с облегчением смотрела ему вслед, веря, что мои неприятности наконец-то закончились.

ОСЕНЬ — ЗИМА 1498 ГОДА

ГЛАВА 25

Нестерпимо жаркое лето наконец-то сменилось осенью, а затем и теплой зимой. Никогда еще моя жизнь в Риме не протекала так приятно; Хуан был мертв, а Чезаре занимался политикой и ухаживанием во Франции, оставив меня в обществе моего мужа, моего брата, Лукреции и Александра.

Избавившись от унизительных насмешек Чезаре и Хуана, Джофре сделался непринужденнее и добрее. Альфонсо по природе своей отличался легким, жизнерадостным характером, а любовь к Лукреции сделала его еще веселее и очаровательнее. Он обнаружил в Лукреции доброту и мягкость, о которых я прежде лишь подозревала и которые теперь сделались постоянной частью ее натуры. А поскольку его семья была счастлива, то и Александр был счастлив. Его дочь удачно вышла замуж и из графини сделалась герцогиней; его старший сын вот-вот должен был заключить еще более удачный брак, и можно было надеяться на появление законных внуков.

Мы с Лукрецией, объединенные любовью к Альфонсо, стали еще более близки. Я вспоминала обо всех

374

подробностях его характера, а Лукреция обожала слушать рассказы о его детстве — как он однажды попытался подпалить хвост собачонке королевы, чтобы посмотреть, будет ли тот гореть как свечка, или как он в четыре года забрался в море и чуть не утонул. А Лукреция рассказывала мне, как он храпит, испуская короткие выдохи, а под конец — один мощный, звучный всхрап.

Я позабыла про кантереллу, спрятанную среди моих драгоценностей. Я позабыла про то, откуда она у меня взялась. Я даже позабыла Лукрецию в объятиях отца и страстный поцелуй, которым она обменялась с собственным братом. (Лукреция с огромным облегчением сообщила мне, что после беременности Папа оставил ее в покое, то ли из-за того, что с возрастом в нем поубавилось пыла, то ли не желая больше давать пищу слухам, вызванным появлением на свет незаконнорожденного ребенка, отцом которого считали его.) Она также призналась, что они с Альфонсо каждую ночь спят в ее спальне и он всегда просыпается там, почти не уходя в свои покои, расположенные в мужском крыле дворца.

— Я не смела и надеяться, — мечтательно созналась она, — что мой муж окажется моим самым пылким любовником.

Однажды зимним утром, когда ясное солнце прогрело воздух, мы решили женской компанией отправиться на пикник в виноградник кардинала Лореса. День выдался слишком чудесный, чтобы сидеть взаперти, а Лукрецию переполняло какое-то нетерпение, которого я не понимала, пока она не устроилась в карете рядом со мной и не сообщила:

— У меня есть секрет. Я не сказала об этом никому, даже Альфонсо, но тебе я должна сказать.

Я лениво наслаждалась солнышком, греющим мне лицо.

— Секрет?

Судя по самодовольной улыбке Лукреции, это было что-то радостное. Я подумала, что речь идет о празднике или о подарке, который она приготовила для мужа.

— Я беременна. У меня уже два месяца не было месячных.

— Лукреция! — Искренне обрадованная, я схватила ее за плечи. — Ты уверена? Другой причины быть не может?

Лукреция, довольная моей реакцией, рассмеялась.

— Я уверена. Моя грудь сделалась такой чувствительной — я едва выношу, когда Альфонсо прикасается к ней. И я постоянно хочу есть, а то вдруг мне становится так плохо, что я не переношу даже запаха еды. Только ты, пожалуйста, притворись пока и не говори никому: я хочу сообщить Альфонсо эту новость сегодня за ужином.

— Он будет в восторге! И твой отец тоже.

Я улыбнулась, представив, как стану тетей и буду играть с ребенком моего брата.

Добравшись до виноградника, мы обнаружили чудную пасторальную картину: рощица высоких сосен, поляна, поросшая травой и дикими цветами, а за ними — ряды виноградных лоз, на которых в это время не было ни гроздьев, ни листвы. Местность здесь шла под уклон, и с поляны открывался прекрасный вид. Принесли стол, и, пока служанки возились, выгружая припасы и вино, Лукреция огляделась по сторонам, небрежно бросила свой горностаевый плащ на траву и сказала:

— Чудесный день. Давайте побегаем наперегонки!

Я рассмеялась, заслышав это ребяческое предложение. Однако, поймав озорной взгляд Лукреции, я поняла, что она говорит совершенно серьезно.

— Мадонна, в твоем состоянии! — негромко произнесла я.

— Не говори глупостей! — возразила она. — Я прекрасно себя чувствую! И я так взволнована оттого, что сегодня все скажу Альфонсо… Если я не сделаю что-нибудь, чтобы дать выход чувствам, то просто сойду с ума.

Улыбаясь, я оглядела Лукрецию: со времени свадьбы она немного поправилась и просто-таки лучилась энергией. Она привыкла много ходить и ездить верхом, и небольшая пробежка не могла причинить ей вреда, даже при беременности.

— Ладно, герцогиня, — сказала я и указала на безукоризненно ровные ряды виноградных лоз: — Вот идеальное место.

— Тогда побежали. — Лукреция указала на первый проход между рядами. — Здесь будет финиш; кто первый добежит, тот и выиграл.

Я сбросила плащ и пелерину, чтобы длинный подол не мешал бежать, и спросила:

— А какие ставки?

Лукреция задумалась, потом улыбнулась уголками губ.

— Алмаз. Или я отдам один тебе, или ты отдашь один мне.

— По чьему выбору? — не унималась я.

— Проигравшей, — ответила Лукреция, внезапно оробев.

Я скрестила руки на груди и покачала головой. Лукреция рассмеялась.

— Ладно, ладно, по выбору победительницы. Впрочем, я уверена, что выиграю.

Мы подобрали юбки, попросили донну Эсмеральду дать сигнал к старту и побежали.

Это трудно было назвать честным состязанием. Я была выше, и ноги у меня были длиннее, так что я с легкостью выиграла, подняв по дороге тучу пыли.

— Итак, — торжествующе заявила я, — теперь я выберу твой лучший алмаз.

Лукреция закатила глаза и сделала вид, будто она обеспокоена, но мы обе знали, что я не собираюсь забирать свой выигрыш.

Лукреция потребовала реванша. Когда я отказалась — мне не хотелось, чтобы она переутомлялась, — она пожелала устроить бег наперегонки с молодыми фрейлинами. Через некоторое время четыре дамы, по две в ряд, вышли на старт, ожидая, пока донна Эсмеральда подаст сигнал.

Я начала слегка беспокоиться: Лукреция раскраснелась и вспотела, несмотря на прохладный день. Я решила настоять, чтобы подали обед и закончили беготню, и тут донна Эсмеральда дала сигнал к началу.

Когда побежала последняя пара, я пошла вдоль ряда к донне Эсмеральде и столу, гнущемуся под тяжестью всяческих соблазнительных блюд; наверняка после такой бурной деятельности Лукреция проголодается.

Я смотрела в другую сторону, когда до меня донесся негромкий, тревожный звук падения, а следом за ним — крик. Обернувшись, я увидела, что донна Эсмеральда со всех ног, насколько ей позволяет ее дородность, бежит к двум женщинам на дорожке. Одну из них я застала в падении: зеленая парчовая юбка реяла в воздухе. Я тоже припустила бегом, и вскоре мы вместе с Эсмеральдой стояли рядом с Лукрецией и ее молодой фрейлиной, которая упала поверх нее и теперь медленно поднималась со своей госпожи.

— Лукреция! — воскликнула я, опускаясь на колени рядом с ней.

Лукреция была без сознания, и по лицу ее разлилась пугающая бледность. Я обвиняюще посмотрела на несчастную фрейлину; та стояла, дрожа, и прижимала сжатые кулачки ко рту.

— Что произошло?

— Я не знаю, мадонна, — ответила фрейлина; в голосе ее дрожали слезы. — Она бежала и, как мне кажется, споткнулась, потому что у нее соскользнула туфля. Она упала, а я не смогла вовремя остановиться...

Фрейлина взглянула на нас, с ужасом ожидая выговора или наказания, но нам было не до нее: она-то была цела и невредима, поскольку упала поверх Лукреции.

Я похлопала Лукрецию по холодным щекам, но она так и не пришла в себя. Я взглянула на донну Эсмеральду.

— Герцогиня Бишелье беременна, — сказала я. — Мы должны немедленно доставить ее обратно во дворец и вызвать врача и повитуху.

Донна Эсмеральда ахнула, заслышав эту новость, потом кинулась за нашими молодыми кучерами, которые отправились поохотиться. Через полчаса мы сидели в карете. Мы с Эсмеральдой устроили Лукрецию у нас на коленях; я держала ладонь у нее на лбу, опасаясь лихорадки, и ругала себя за то, что вообще допустила этот бег наперегонки.

———

К тому времени, как мы добрались до дворца, Лукреция пришла в себя, но была очень слабой, и ей пришлось напомнить о падении.

— Проклятая туфля! — выругалась она, пытаясь отмахнуться от кучера, который настаивал, что отнесет ее во дворец на руках.

В конце концов Лукреция сдалась. Когда кучер из соображений приличия поставил ее на ноги у дверей спальни, мы окружили Лукрецию и, поддерживая, помогли ей добраться до кровати.

Каждый шаг причинял ей боль.

— Это только спина, — беспечно сказала Лукреция. — Ну, и голова болит. Назавтра мне будет лучше.

Ее уже ждала повитуха, и Лукреция кротко согласилась на осмотр. Когда повитуха наконец-то вышла из комнаты, мы с донной Эсмеральдой кинулись к ней за известиями.

— Герцогиня получила серьезные ушибы спины и головы, — сообщила повитуха. — У нее не наблюдается ни жара, ни кровотечения, ни иных признаков того, что она теряет ребенка. Но пока еще трудно сказать что-либо наверняка.

Мы с донной Эсмеральдой посоветовались со старшей фрейлиной Лукреции, и я решила, что мы передадим врачу, чтобы он не приходил. Его приход могли заметить, поскольку его появление всегда свидетельствовало о серьезной болезни, в то время как с повитухой часто советовались по поводу незначительных женских недомоганий. Незачем было лишний раз беспокоить Папу и Альфонсо. Мы попросили повитуху остаться и несколько часов побыть при Лукреции, посмотреть, как она будет себя чувствовать.

Тем временем настала вторая половина дня. К счастью, на сегодняшний вечер не намечалось семейного ужина, поскольку предполагалось, что мы поздно вернемся с пикника.

По просьбе Лукреции я вошла и села рядом с ней. Ее тошнило, и она отказывалась от еды и питья; голова у нее болела так сильно, что ей трудно было открыть глаза. И все же Лукреция сохраняла бодрое настроение и беседовала со мной; на лбу у нее лежал холодный компресс.

— Столько неприятностей из-за дурацкой туфли, — сказала мне она. — Левая была чересчур свободна. Думала же я сбросить ее и бежать босиком! Надо было так и сделать! Тогда бы обошлось без всех этих глупых хлопот.

— Донна Эсмеральда никогда не позволила бы тебе бегать босиком в холодную погоду, — возразила я таким же непринужденным, веселым тоном, скрывая терзающие меня чувство вины и беспокойство. — Она испугалась бы, что ты подхватишь простуду. Так что тебе все равно пришлось бы остаться в этой проклятой туфле.

— Альфонсо будет волноваться, — прошептала Лукреция. — Ты ему сказала?

— Нет еще.

— Хорошо. — Она закрыла глаза. — Тогда сюрпризу придется подождать до тех пор, пока мне не станет получше. — Она вздохнула. — Все равно он скоро узнает про то, что я упала. Он же придет сюда, когда стемнеет.

— Он — крепкий молодой человек, — сказала я. — Он оправится от потрясения.

Лукреция слабо улыбнулась и умолкла. Через некоторое время она задремала. Я почувствовала облегчение; мне показалось, что худшее миновало и теперь она пойдет на поправку. Но повитуха настояла на том, чтобы остаться при ней.

Лукреция пробудилась через несколько часов после захода солнца с тяжким стоном. Я подалась вперед и схватила ее за руку. У Лукреции стучали зубы; ей было так плохо, что она не могла говорить.

Повитуха подняла одеяло и осмотрела ее, а потом покачала головой с мрачным видом, разбившим мне сердце.

— У нее кровотечение, — сообщила повитуха. — Можно ожидать самого худшего.

Она повернулась к донне Эсмеральде и потребовала несколько полотенец, простыню и таз с водой, потом снова взглянула на меня с суровым выражением, порожденным годами печального опыта.

— Мадонна Санча, вам лучше выйти.

— Нет! — воскликнула Лукреция со стоном. Ее бледную кожу усеивали бисеринки пота. — Санча, не оставляй меня!

Я крепче сжала ее руку.

— Я не уйду, — пообещала я; голос мой был полон уверенности, которой я на самом деле вовсе не ощущала. — Я буду с тобой до тех пор, пока ты сама не велишь мне уйти.

Лукреция расслабилась, но лишь на миг. Вскоре ее скрутил новый приступ боли, и она с неистовой силой вцепилась в мою руку.

Эсмеральда велела служанкам принести все, что требуется, и вернулась в комнату.

— Позови его святейшество и герцога Бишелье, — сказала ей я. — Пора их уведомить.

— Санча! — выдохнула Лукреция. — Они будут беспокоиться... Может, ты сама скажешь им?

— Хорошо-хорошо, я скажу, — успокоила я ее и сняла компресс с ее лба. Он успел нагреться от соприкосновения с кожей, я перевернула ткань прохладной стороной и осторожно протерла Лукреции лоб. — Я буду осторожна и позабочусь, чтобы они не слишком сильно волновались.

— Да. Да. Они так обеспокоятся... — прошептала Лукреция, потом снова заскрипела зубами от боли.

Поскольку Альфонсо жил во дворце, он прибыл первым. Я послала донну Эсмеральду в прихожую, сообщить ему, что Лукреция упала в винограднике и что я выйду и сообщу еще новости, как только появится его святейшество. Донна Эсмеральда была умелой обманщицей и отлично сыграла свою роль; до меня доносился ее спокойный, уверенный голос, когда она говорила с Альфонсо. Потом она вернулась в спальню и кивнула мне. Несомненно, мой брат считал, что его жена просто вывихнула лодыжку.

Но вскоре крики Лукреции сделались такими громкими, что Альфонсо наверняка должен был услышать их даже в прихожей. Они должны были поразить его в самое сердце, потому я высвободила руку из хватки Лукреции, чтобы объяснить ему положение вещей. К счастью, в тот момент, когда я обнималась с братом, появился и Папа.

При виде нашего беспокойства Александр отреагировал со свойственной ему эмоциональностью: на глаза его тут же навернулись слезы.

— Боже милостивый! Она кричит, как будто умирает! Мне и в голову не пришло, что все настолько серьезно... Санча, что случилось с нашей дочерью?

Я отодвинулась от Альфонсо.

— Лукреция молода и сильна. Несомненно, она выживет. Похоже, она ждала ребенка, но теперь он потерян. Она бегала наперегонки со своими фрейлинами в винограднике…

— Бегала наперегонки! Кто это допустил? — вскричал Александр с яростью, порожденной горем. — Она знала, что беременна?

— Думаю, что знала. Это была чистой воды случайность, ваше святейшество. Сам по себе бег ничем ей не повредил бы. У нее была слишком свободная туфля, она споткнулась, а другая девушка упала поверх нее.

— Кто? — мстительным тоном произнес Александр.

Альфонсо тем временем не обращал никакого внимания на тирады своего тестя. Он выслушал меня, потом спрятал лицо в ладонях и пробормотал:

— Беременна…

В тот самый момент, когда Александр потребовал сообщить ему имя виновницы, Альфонсо поднял голову и спросил:

— Ты уверена, что с Лукрецией все будет в порядке?

Он взволнованно взглянул в сторону спальни, откуда неслись стоны его жены.

Я положила руку брату на плечо.

— Сейчас ей тяжело, но повитуха сказала, что она молода и выживет, если будет на то Божья воля. — Потом я повернулась к Александру и солгала: — Я даже не помню, кто именно это был, ваше святейшество. Это было делом случая, и девушка не виновата, что у Лукреции свалилась туфля.

Папа закрыл лицо руками и застонал почти столь же мучительно, как Лукреция:

— Бедная моя дочь! Бедная моя Лукреция!

— Крепитесь, — сказала я им обоим. — Лукреция просила меня остаться с ней. Но я приду и сообщу вам новости, как только смогу.

Я оставила их утешать друг друга и вернулась к Лукреции.

Страдания Лукреции продолжались еще два часа, после чего она произвела на свет крохотного окровавленного ребенка. Я разглядела несчастное, едва сформировавшееся создание, когда повитуха поймала его на полотенце и осмотрела. Срок был слишком ранний, чтобы определить, сын это был или дочь.

Лукреция перестала стонать, но заплакала, осознав, что ребенка больше нет. Последующее кровотечение было несильным — добрый знак, и в конце концов Лукреция погрузилась в сон, который, по утверждению повитухи, должен был привести к выздоровлению.

На меня легла обязанность сообщить отцу и мужу плохую и хорошую новости: что у Лукреции случился выкидыш, но непоправимого вреда ей не нанесено и вскоре она должна поправиться.

Я сдержала данное Лукреции слово: я вернулась к ней в комнату и всю ночь продремала на зеленой бархатной подушке. Я пробыла там до следующего утра, пока не убедилась, что все в порядке.

ВЕСНА 1498 ГОДА — ЗИМА 1499 ГОДА

ГЛАВА 26

К счастью, предсказание повитухи сбылось: Лукреция полностью поправилась, и через некоторое время ее начало раздражать, что отец, Альфонсо и я чрезмерно носимся и нянчимся с ней. Хотя донна Эсмеральда и новая старшая фрейлина Лукреции, донна Мария, прежде относились друг к другу с некоторой ревностью, теперь они наперебой кутали и закармливали герцогиню Бишелье.

Всего через несколько месяцев наша забота была вознаграждена. Одним апрельским вечером, после ужина, когда мы возвращались из Ватикана во дворец, Лукреция отвела меня немного в сторону от наших придворных и прошептала:

— Я снова беременна. Но мы никому об этом не скажем, пока я не буду уверена, что ребенку ничего не грозит.

— И никакого бега наперегонки! — прошипела я.

У Лукреции хватило чувства юмора, чтобы лукаво улыбнуться в ответ.

— И никакого бега наперегонки, — согласилась она.

Мы улыбнулись друг другу и взялись за руки, согретые нашей общей тайной. Тем вечером Рим казался мне безопасной гаванью; внизу на Тибре мерцали фонарики лодок, а из изящных арочных окон дворца лился золотистый свет.

Между тем события во Франции развивались не совсем так, как на то рассчитывал Чезаре Борджа. Чезаре вез с собой постановление о разводе, но должен был отдать его королю лишь в обмен на руку Шарлотты Арагонской.

Вооружившись подобным образом, Чезаре отбыл во Францию. А я выбросила это дело из головы, считая, что теперь нашему с Альфонсо политическому статусу в доме Борджа ничего не угрожает.

После прибытия во Францию Чезаре, следуя велениям Шарлотты и ее отца, короля Федерико, попросил у Людовика дозволения обвенчаться с Шарлоттой. Однако же король, хотя и принял Чезаре любезно, отказался обсуждать с ним эту тему. Одновременно он принялся требовать постановление о разводе — с таким неистовством, что Чезаре начал сомневаться в своей безопасности. Он увиливал, сколько мог, но в конце концов подчинился требованиям Людовика и отдал ему постановление.

Как только Людовик получил желаемое, Чезаре утратил всякое преимущество, и французский король не пожелал и слышать о Шарлотте.

Чезаре в ярости снова обратился к отцу Шарлотты, Федерико Неаполитанскому. Тот довольно долго уклонялся от ответа, после чего решительно отверг сватовство Чезаре. Дядя Федерико со свойственной ему прямотой заявил, что не позволит дочери выйти замуж за человека с репутацией авантюриста. Иными словами, он дал понять, что его дочь — для законнорожденного поклонника, а не для папского бастарда, с такой легкостью освободившегося от обетов священника, и уж конечно, не для человека, о котором ходят слухи, что он способен на убийство.

Людовик мольбы Чезаре проигнорировал. Все это заняло несколько месяцев. Чезаре пригрозил, что вернется в Италию, а Папа принялся поговаривать о том, что надо подыскать ему жену-итальянку, но герцога Валенсийского не отпустили ни из Франции, ни даже от королевского двора.

Вместо этого ему предложили руку одной французской принцессы, затем другой; за недолгое время перед ним прошла целая вереница французских красоток, и Чезаре наконец-то уразумел истину. Хотя с ним обращались хорошо, ему предстояло оставаться пленником Людовика, пока король не добьется осуществления своего плана — не женит сына Папы Александра на француженке.

В конце весны в Рим из Франции прибыл дон Гарсия, личный посланец Чезаре. Новости, привезенные им, были столь важны, что его святейшество пригласил Гарсию присоединиться к нам за семейным ужином, хотя Гарсия излагал свои вести стоя.

Чезаре заключил помолвку, и французский король дал свое соизволение на этот брак. Невестой стала Шарлотта д'Альбре, дочь короля Наварры, кузина Людовика.

Сидевший рядом со мной Альфонсо внимательно выслушал гонца, не выказывая охватившего его беспокойства; Джофре, сидевший с другой стороны от меня, радовался за брата. Ему и в голову не пришло, что над его женой и шурином нависла серьезная политическая опасность.

После смерти Хуана Лукреция сделалась любимым ребенком Александра, но сын всегда важнее дочери, и потому преданность Папы принадлежала в первую очередь Чезаре. А Чезаре решил заключить союз с Францией — из злобы и желания отомстить мне и, возможно, всему Арагонскому дому, за публичную пощечину, нанесенную отказом Шарлотты.

Что же касается его святейшества, он принялся демонстрировать сентиментальную радость.

— Наконец-то все мои дети обретут супругов, — вздохнул он, — и, быть может, я вскоре стану дедушкой.

Лукреция заговорщически улыбнулась мне; я же едва нашла в себе силы улыбнуться в ответ, настолько мне было не по себе.

После ужина я улучила момент, чтобы переговорить с Альфонсо наедине в его покоях, пока он не отправился на ночь к Лукреции. Мои беспокойство и подозрительность были настолько сильны, что я потребовала, чтобы брат отослал всех своих слуг — включая самых доверенных людей, которые служили ему много лет, еще в Неаполе. Я настояла на том, чтобы мы заперли входную дверь, а потом перешли во внутреннюю комнату, поскольку я опасалась, как бы кто-нибудь не подслушал под дверью, если разговор будет вестись в прихожей.

Я заговорила первой, прежде чем Альфонсо успел сказать хоть слово.

— Если Чезаре заключит этот брак, французского нашествия не избежать, и мы обречены. Ты знаешь, с какой легкостью Лукреция избавилась от первого мужа.

Я уселась на мягкий пуфик и, дрожа, плотно укуталась в меховую накидку.

Альфонсо стоял перед балконом, спиной ко мне. Он распахнул ставни и впустил в комнату теплый весенний воздух. Его белокурая голова и широкие, мускулистые плечи, обтянутые бледно-зеленой парчой, вырисовывались на фоне темноты. Альфонсо выглядел сильным, решительным и непобедимым, но, внимательно приглядевшись, я различила беспокойство и напряжение, которых не было до ужина.

Альфонсо очень осторожно притворил ставни и повернулся ко мне; это движение выдало разгорающийся в нем гнев, столь необычный для него. Я знала, что его спровоцировало мое замечание, и вместе с тем понимала, что я не единственная причина его гнева.

— Это сделала не она. Она сопротивлялась разводу, сколько могла, и до сих пор стыдится его. Ее принудил отец.

— И тем не менее она делает так, как ей велят.

Альфонсо держался с несвойственной ему холодностью.

— Не будь в этом так уверена. Мы любим друг друга, Санча. Отец слишком долго дурно обращался с Лукрецией, и ее верность по отношению к нему поколеблена. Но она знает, что я никогда не причиню ей вреда и никогда не предам ее.

— Я могу лишь надеяться на то, что ты прав. Но были люди, о чьей судьбе я не смею говорить...

Я думала о Перотто, о Пантсилее и прежде всего о Хуане, которого не спасли и кровные узы.

Альфонсо вспыхнул.

— Я не желаю слушать подобных речей. Лукреция — моя жена. Она не способна ни на какую жестокость.

— Я люблю Лукрецию как сестру и подругу, — примирительно произнесла я. — И ни в чем ее не обвиняю.

Но Чезаре... — Я понизила голос. — Если он решит объединить папскую армию с французской...

Гнев Альфонсо угас, сменившись мрачностью.

— Я знаю. Отныне нам следует быть очень осторожными. Наверняка появятся соглядатаи. Нам нельзя будет говорить свободно, даже при наших собственных слугах, и придется хорошенько обдумывать все, что мы пишем. — Он помолчал. — Я встречусь частным образом с испанским и неаполитанским послами. Есть несколько кардиналов, которые тесно связаны с Испанией и с Неаполем, которым можно доверять и к которым Папа прислушивается.

Альфонсо заставил себя подбадривающе улыбнуться.

— Не волнуйся, Санча. Дело еще не окончено, и я сделаю все, что в моих силах, чтобы предотвратить этот брак. Я попрошу Лукрецию поговорить с отцом; она способна повлиять на него, как никто.

— Лукреция! — воскликнула я. — Альфонсо, не смей говорить с ней об этом!

Он посмотрел на меня со смесью боли и негодования.

— Я говорю с Лукрецией обо всем, — просто сказал он. — Она — моя жизнь, моя душа. Я ничего не могу скрывать от нее.

Отчаяние окутало меня, словно тьма.

— Братик, пойми же! Лукреция всегда будет предана прежде всего своей семье. — Альфонсо открыл было рот, собираясь возразить, но я вскинула руку, призывая к молчанию. — Это совсем не говорит о слабости ее характера, даже напротив — говорит о силе. Признайся, Альфонсо, кому ты предан прежде всего: дому Борджа или Арагонскому дому?

Альфонсо вздохнул.

— Ты права, сестра. Я буду осторожен в разговорах с женой. Ну а пока что поверь: я употреблю все свое влияние, чтобы помешать этому французскому браку.

Я пыталась верить. Альфонсо сделал все, что обещал, и представители испанского и неаполитанского королевств предупредили Папу об ужасных последствиях, к которым должен был привести брак Чезаре с родственницей Людовика. Казалось, что Александр прислушался к ним.

Но как-то утром в середине мая, когда мы с Лукрецией сидели на наших бархатных подушках, церемониймейстер объявил о появлении посетителя. Посланец Чезаре, дон Гарсия, только что соскочил с коня, за четыре дня прискакав в Рим из Блуа.

Он привез вести для его святейшества, счастливые вести, как сообщил паж, однако он просит Папу о снисхождении, ибо буквально засыпает на ходу и едва держится на ногах. Если ему дозволят, он передохнет несколько часов и все расскажет.

Но Александр, вне себя от возбуждения, не желал и слышать об отсрочке. Он отослал просителей, вызвал Джофре и Альфонсо и велел, чтобы изможденного гонца провели в тронный зал. Джофре и Альфонсо прибыли, а следом за ними — и дон Гарсия; он тяжело опирался на слугу, поскольку не мог идти без посторонней помощи.

— Ваше святейшество, прошу меня простить, — произнес Гарсия. — Я должен сообщить вам, что ваш сын, Чезаре Борджа, герцог Валенсийский, четыре дня как женат на Шарлотте д'Альбре, принцессе Наваррской. Их брак был засвидетельствован самим королем Людовиком.

Я слушала его, окаменев. Александр в восторге захлопал в ладоши. Позднее я узнала, что он еще несколько месяцев назад помог решить судьбу этого брака, даровав брату Шарлотты кардинальскую шапку, хотя и делал вид, будто прислушивается к испанцам и неаполитанцам.

— Наконец-то! — Папа посмотрел на усталого, шатающегося гонца и приказал: — Принесите кресло! Дон Гарсия, я дарую вам дозволение сидеть в моем присутствии — на все то время, что вы будете рассказывать мне о свадьбе. И не пропускайте ни одной подробности!

Кресло принесли. Гарсия неохотно опустился в него и, подгоняемый вопросами Папы, монотонно вел рассказ в течение полных семи часов. Через несколько часов для рассказчика и слушателей принесли еду и питье. Я сидела и слушала, и чем сильнее сиял Александр, тем больший ужас охватывал меня.

Я узнала, как Чезаре и его невеста — «очень красивая, белокожая и светловолосая», если верить Гарсия, — обменялись кольцами во время торжественной церемонии. Чезаре, стремясь продемонстрировать свою мужественность, осуществил брачные отношения шесть раз в присутствии короля Людовика, который восхитился и назвал Чезаре лучшим мужчиной, чем он сам. На последовавшем за этим празднестве присутствовало столько высокопоставленных гостей, включая короля Людовика со свитой, что для всех не хватило места и пришлось переносить празднество на луг.

Папа просто-таки упивался союзом, заключенным Чезаре. Он потчевал каждого посетителя, являющегося в Ватикан, рассказом о свадьбе Чезаре, заставлял рассматривать груды драгоценностей, которые он намеревался послать в дар своей новой невестке, и подносил каждый камень к свету, чтобы посетитель мог им полюбоваться.

Нам с Альфонсо оставалось лишь пытаться уменьшить нанесенный ущерб. Асканио Сфорца, один из кардиналов, чьей помощью заручился Альфонсо, попытался осторожно прозондировать почву во время беседы о церковных делах. Кардинал Сфорца сказал его святейшеству, что ему не верится, что Людовик действительно намеревается напасть на Неаполь, ведь королева Анна и ее родня против этого. Кроме того, Франция уже получила урок, когда король Карл потерпел поражение и вынужден был отступить.

Папа рассмеялся прямо в лицо кардиналу. Пусть король Федерико побережется, сказал он с ухмылкой, а то как бы с ним не случилось то же самое, что с моим отцом, который верил, что французы никогда до него не доберутся, а потом удрал, едва лишь их армия появилась под воротами Неаполя.

Услышав об этом, я потеряла всякую надежду, хотя Альфонсо продолжал втайне предпринимать какие-то усилия. Я позлорадствовала, узнав, что парижские студенты устроили комическое представление, пародирующее свадьбу Чезаре: римские представления о пышности французы считали пошлыми и вульгарными. Подкованный серебряными подковами конь Чезаре стал для них настоящим посмешищем.

Джофре наконец-то осознал, что я больше не пользуюсь благорасположением его святейшества, и решил, что для него лучше всего будет засвидетельствовать, что он — настоящий Борджа, и вести себя подобно братьям. Напившись пьян, он шлялся по ночным улицам в компании испанских солдат и размахивал мечом, пытаясь подражать Хуану, — но из Джофре с его мягким характером так и не вышло настоящего драчуна.

Он продолжал эти выходки, хотя я и умоляла его остановиться. Наверное, мое беспокойство придавало ему мужественности в собственных глазах. Я не могу его обвинять, ведь он хотел помочь мне; и, возможно, если бы он завоевал такую же репутацию, как братья, отец и вправду стал бы прислушиваться к нему. Но ему этого не удалось, а потому он и не мог расположить его святейшество ко мне.

Но он мог, по крайней мере, вести себя как Борджа. Несомненно, именно это он и собирался предпринять в ту ночь, когда я проснулась от крика под дверью спальни.

— Донна Санча! Донна Санча!

Я села на кровати и схватилась за бешено бьющееся сердце; какой-то мужской голос вырвал меня из глубокого сна. Рядом со мной тут же проснулась донна Эсмеральда. Послышались испуганные возгласы других фрейлин.

— Кто там? — властно спросила я, выпутываясь из одеяла, пока одна из дам поспешно зажигала свечу.

— Это Федерико, сержант испанской гвардии, один из людей вашего мужа. Дон Джофре серьезно ранен. Мы отнесли его к нему в спальню и послали за врачом. Мы подумали, что надо сообщить вам об этом.

— Серьезно? Насколько серьезно? — спросила я, не сдержав страха.

Набросив бархатный плащ, я выбежала в прихожую, где стоял Федерико с фонарем в руках. Это был молодой гвардеец лет восемнадцати, смуглый, словно мавр, одетый сейчас в гражданское; волосы прилипли к вспотевшему лбу. Нижняя половина его камзола свисала, распоротая ударом меча, который лишь по счастливой случайности не добрался до тела. Сквозь зияющую дыру виднелся живот и верх штанов. Черные глаза блестели от избытка вина.

Но в голосе и осанке Федерико не осталось и следа опьянения: он напугался настолько, что протрезвел.

— Он ранен стрелой в бедро, мадонна.

Такая рана вполне могла оказаться смертельной. Не дожидаясь фрейлин и даже не обувшись, я вылетела в коридор. Не помню, как я пересекла дворец и поднялась по лестнице, ведущей к покоям Джофре; помню лишь кланяющихся людей и открывающуюся дверь — и вот я очутилась рядом с мужем.

Он лежал бледный, весь в поту; карие глаза были широко распахнуты от боли. Его люди срезали штаны и чулки, открыв рану, и из бедра торчала глубоко засевшая стрела со сломанным древком. Нога вокруг стрелы была фиолетово-красной и распухшей; из раны обильно шла кровь, ручейками стекая с обеих сторон ноги. Под рану была подложена свернутая в несколько раз простыня. Она уже успела промокнуть.

Джофре был в сознании. Я взяла его за руку. Он ответил мне пожатием, слабым, но благодарным, и попытался улыбнуться, но у него получилась лишь болезненная гримаса.

— Дорогой! — только и смогла сказать я.

— Не сердись, Санча, — прошептал он.

Изо рта и от одежды Джофре пахло спиртным — я поняла, что его люди, должно быть, промывали рану вином. К тому же и он, и его спутники были изрядно пьяны, что, несомненно, послужило одной из причин нынешнего критического состояния.

— Ну что ты, — сказала я ему. — Не буду.

Джофре ни в чем не был виноват. Если он и совершил какую-то ошибку, то лишь в надежде помочь мне.

— Кто это сделал?

Джофре был слишком слаб, чтобы отвечать. Но сзади раздался голос Федерико. Молодой солдат пришел следом за мной в покои своего господина, а я была настолько не в себе, что даже не заметила этого.

— Один из солдат шерифа, мадонна Санча. Мы шли по мосту у замка Сант-Анджело, когда шериф потребовал, чтобы мы остановились для проверки. Дон Джофре сказал, что он — принц Сквиллаче, но шериф предпочел ему не поверить, мадонна, и... — Федерико ненадолго умолк, явно подправляя эту историю для моих ушей. — Они обменялись некоторыми словами. Видимо, один из солдат решил, что принц оскорбил шерифа, и пустил стрелу. Результат вы видите.

Я была потрясена.

— Шерифа арестовали? А солдата, который стрелял?

— Нет, мадонна. Мы были слишком обеспокоены состоянием принца. Мы немедленно понесли его домой.

— Необходимо что-то предпринять. Виновные должны быть наказаны.

— Да, мадонна. К сожалению, мы не располагаем для этого нужной властью.

— А кто располагает?

Федерико задумался.

— Скорее всего, его святейшество.

Тут появился личный врач Папы, пожилой грузный мужчина, разодетый не хуже любого Борджа; он явно никак не мог прийти в себя от этой ночной побудки. Завидев меня, врач нахмурился так сильно, что его густые черные брови сошлись на переносице.

— Никаких женщин. Я буду извлекать стрелу, и мне не нужны обмороки.

Я ответила ему не менее яростным взглядом. Я не привыкла, чтобы меня так бесцеремонно выставляли за дверь, и, что более важно, я не собиралась допустить, чтобы меня прогнали от Джофре.

— Я не какая-нибудь трепетная барышня, — возразила я. — Делайте свое дело, а я буду присматривать за раненым.

На этот раз Джофре даже удалось слабо улыбнуться.

Так и держа его за руку, я вытерла холодный пот ему со лба. Врач тем временем осмотрел рану, прозондировал ее и принялся расширять разрез. Принесли крепленого вина. Я поднесла серебряный кубок к дрожащим губам Джофре и уговорила его выпить.

Когда его страдания продлились достаточно долго, чтобы удовлетворить врача, началась самая тяжелая часть операции. Врач ухватился за древко обеими руками и дернул. Джофре заскрипел зубами и застонал, а потом принялся скулить и тужиться, словно роженица.

После нескольких попыток стрела была извлечена, и Джофре без сил упал на кровать, все еще страдая от боли. Со стрелой вышло много крови — врач заявил, что это хорошо, поскольку кровь должна была вымыть опасную ржавчину и уменьшить риск воспаления. Рану еще раз промыли крепленым вином и перевязали.

Я осталась с Джофре до утра и не сомкнула глаз, даже когда он наконец-то задремал, невзирая на страдания.

ВЕСНА — ЛЕТО 1499 ГОДА

ГЛАВА 27

Поутру я оставила спящего мужа, переоделась и отправилась в покои его святейшества, пока тот не принялся за государственные дела.

Папа принял меня в своем кабинете, восседая за огромным позолоченным столом. Я присела в реверансе, потом настойчивым тоном произнесла:

— Ваше святейшество, ваш сын Джофре был ранен прошлой ночью во время ссоры с шерифом.

— Ранен? — Папа встал, мгновенно обеспокоившись. — Серьезно?

— Это случилось поздно ночью, ваше святейшество. Джофре в бедро вонзилась ржавая стрела. Милостью Господней он пережил ночь. Лихорадки пока нет; врач надеется, что он поправится. Но положение по-прежнему остается серьезным.

Папа слегка расслабился.

— Как это произошло?

— Джофре с несколькими своими людьми поздно ночью шел через мост Сант-Анджело, когда шериф остановил их и потребовал объяснить, кто они такие.

— Как ему и надлежало, — сказал Александр. — Я уже говорил Джофре про эти его ночные гулянки. Он все бродил по городу со своими испанцами, искал драки. И, похоже, наконец ее нашел.

Судя по его тону, он считал дело решенным. Я не выдержала:

— Ваше святейшество, люди, повинные в ранении Джофре, должны предстать перед судом!

Александр уселся, явно перестав интересоваться этим делом. Он уставился на меня своими большими карими глазами; на первый взгляд они казались доброжелательными, но за ними скрывалась жестокая душа.

— По-моему, они всего лишь выполняли свой долг. Я не могу «наказать» их за это, как вы просите. Джофре получил по заслугам.

И он принялся просматривать лежащие на столе бумаги, не обращая на меня внимания.

— Но он же ваш сын! — воскликнула я, более не пытаясь скрыть свой гнев.

Александр холодно взглянул на меня.

— В этом вопросе вас ввели в заблуждение, мадонна.

Во мне взыграла вспыльчивость, и рассудок не успел вмешаться.

— Вы перед всеми признали обратное, — парировала я, — что делает вас одновременно и лжецом, и рогоносцем.

Тут Папа снова поднялся, разгневанный не менее меня, но прежде, чем он успел что-либо ответить, я развернулась и, намеренно не попросив разрешения удалиться, вылетела из кабинета, хлопнув на прощание дверью.

Потом мне стало казаться, что я значительно ухудшила наше с Альфонсо положение. К середине дня я настолько переволновалась из-за своего проступка, что послала за братом, но мне пришлось ждать несколько часов, пока он не вернулся с охоты.

Мы встретились, как всегда, словно заговорщики: во внутренней комнате покоев Альфонсо, заперев все двери. Мой брат слушал, устроившись в кресле, — он настолько утомился после дня скачки, что даже не снял плащ, — а я расхаживала взад-вперед. Я созналась в своей идиотской выходке и гложущем меня чувстве вины.

Альфонсо снисходительно покачал головой и вздохнул.

— Санча, пойми: твоя вспышка могла изрядно разозлить Александра, но в конце концов он понял, что ты просто защищала мужа. Никакого вреда от этой стычки не будет.

Пытаться доказать ему обратное не было никакого смысла: Альфонсо слишком привык видеть в людях хорошее. Сколько бы он ни прожил в Риме, ему не понять способности Борджа к вероломству.

Я испустила вздох. Но Альфонсо добавил:

— Ты не ухудшила наше положение. Его вряд ли есть куда ухудшать.

И он наконец-то рассказал мне о том, что скрывал от меня уже несколько дней: действия Александра окончательно разгневали представителей испанского короля Фердинанда. Сегодня поутру они отплыли в Испанию, намереваясь встретиться с Фердинандом лично. Их отъезд был рассчитан на то, чтобы нанести преднамеренное оскорбление Александру, и перед тем, как отбыть, они сообщили его святейшеству, что, по их убеждению, папская армия получала военное снаряжение из Франции, и провозили его контрабандой, в бочках с вином.

Альфонсо рассказывал об этом с подавленным видом, порожденным отнюдь не одним лишь физическим изнеможением. Подперев голову рукой, он устало произнес:

— Папа настолько взбесил испанцев своей непрестанной лестью в адрес короля Людовика, что послы в открытую оскорбили и самого Александра. На самом деле Гарсиласо де Вега хватило мужества заявить прямо в лицо его святейшеству: «Я надеюсь, что вскоре вы будете вынуждены отправиться следом за мной в Испанию — как беглец, на каком-нибудь баркасе, а не на таком прекрасном корабле, как мой».

У меня вырвался радостный возглас, когда я представила, как де Вега поставил Александра на место; но в то же время я знала, что подобная прямота не могла остаться неотомщенной.

— И что же сказал Папа?

— Он взбеленился, — сказал Альфонсо. — Он сказал, что дон де Вега оскорбил его, обвинив в соглашении с Францией. Он сказал, что его верность Испании неизменна.

Я промолчала, внимательно глядя на брата. Я боялась, что Лукреция по-прежнему имеет на него настолько сильное влияние, что он может счесть отъезд испанских послов излишне резким поступком; но этого не произошло. Лицо Альфонсо оставалось мрачным и обеспокоенным.

Помолчав некоторое время, Альфонсо заговорил снова, тоном человека, потерявшего всякую надежду.

— Я постоянно общаюсь с Асканио Сфорцей, — сказал он. — Он заметил, что Лукреция может любить меня, но ее мнение ничего не значит для Папы в подобных вопросах. Она изо всех сил возражала против развода с Джованни Сфорцей, но все ее возражения ни к чему не привели.

Мне хватило снисходительности не указывать, что я говорила то же самое еще несколько недель назад, но тогда он не пожелал меня слушать. Вместо этого я сказала:

— Александр прислушивается к одному-единственному человеку, и этот человек — Чезаре. Он — главная опасность, угрожающая нам.

Альфонсо некоторое время мрачно размышлял над этим, потом продолжил:

— Сфорца подумывает об отъезде из Рима. Он подозревает, что через некоторое время сторонникам Арагонского дома станет небезопасно находиться здесь.

Я окаменела. Я понимала, что политические заигрывания Чезаре с Францией ставят нас с братом в скверное положение. Но прямая физическая угроза — тот факт, что Борджа могут попытаться убить Альфонсо, — до сих пор не казалась мне реальной. Теперь же я взглянула на брата и осознала, что натворил Чезаре: над Арагонским домом нависла страшная угроза.

Быть может, утверждение Чезаре о том, что он хочет жениться на Шарлотте Арагонской, было лишь уловкой? Может, он изначально намеревался жениться на невесте, которую ему подберет король Людовик, и заключить союз со злейшим врагом моей страны? Если Чезаре желал отомстить мне, он не смог бы придумать ничего лучше, как грозить Альфонсо: я ценила жизнь брата куда выше собственной.

Если же Чезаре получит возможность распоряжаться французской армией, он сможет не только отнять у меня Альфонсо — он сможет захватить Неаполь.

Я вдруг перенеслась в далекое прошлое. Я сидела в темной пещере стреги неподалеку от Везувия, видела, как смягчается ее красивое лицо под черной вуалью, слышала ее мелодичный голос: «Будь осторожна, или твое сердце погубит все, что ты любишь».

«Чезаре, — подумала я. Меня на миг охватил безумный страх, и я инстинктивно коснулась стилета, спрятанного в моем корсаже. — Чезаре, мое сердце... Мое черное, злое сердце. Я не могу позволить тебе погубить моего брата».

Джофре полностью поправился и возобновил свои дурацкие ночные похождения. Мы с Альфонсо оставались в Риме даже в июле, после того как Антонио Сфорца уехал в Милан, поддержать своего брата, герцога Лодовико Сфорцу. Французская армия уже перешла через Альпы и подтягивалась для нападения на этот северный город.

Я беспокоилась лишь за Альфонсо: он был мужчиной, а значит, имел политическое влияние. Я была всего лишь женщиной, и потому на меня смотрели как на неудобную супругу, но не как на прямую угрозу. Мы оба пытались уверить себя, что нам ничего не грозит, особенно теперь, когда Лукреция находится на четвертом месяце беременности и Александр с восторгом ожидает рождения первого законного внука — наследника Арагонского дома и дома Борджа.

Папа постоянно повторял, что король Людовик никогда не нападет на Неаполь; он утверждал, что французский король заинтересован лишь в Милане, и ни в чем более. Как только Людовик установит свою власть над Миланом, он уведет армию.

Нам очень хотелось верить утверждениям Папы.

Но Альфонсо смог им верить лишь до определенного предела. Он скрывал от меня один секрет, и я до сих пор не могу простить ему этого, хотя и знаю, что он поступил так лишь из стремления защитить меня.

Король Людовик с легкостью заполучил власть над Миланом; горожане, беспокоясь за свои шеи, высыпали на улицы, чтобы поприветствовать его. Что же до герцога Лодовико и его кузена, кардинала Сфорцы, то они не сумели заручиться достаточной поддержкой, чтобы отразить нападение. Осознав это, они бежали еще до того, как город открыл ворота французской армии.

Вместе с королем в город въехал Чезаре Борджа.

Август лишь начался, и по утрам стояла приятная прохлада. Лукреция пригласила меня позавтракать вместе с ней в крытой галерее дворца. Мы радостно беседовали о том, о чем обычно говорят женщины, когда одна из них ждет ребенка, но тут наш разговор прервало появление папских придворных, а затем и его святейшества.

Он прошел по галерее с несвойственной ему быстротой, ссутулив широкие плечи. Мне невольно вспомнился родовой герб Борджа, потому что больше всего Александр в этот момент напоминал обозленного, готового напасть быка.

Он приблизился; белизна атласной рясы подчеркивала красноту его круглого лица и темноту прищуренных глаз. Он смерил сначала меня, потом Лукрецию острым, словно нож, взглядом. Очевидно, мы обе сделали нечто такое, что вызвало его ярость и презрение.

ДЖИНН КАЛОГРИДИС

Мы встали, Лукреция — с трудом, из-за своего положения; но Александр тут же жестом велел нам сесть обратно.

— Нет! — воскликнул он. — Сидите! Вам это потребуется!

Голос его был резок, а лицо наводило страх. Он подошел к нашему столу и швырнул к тарелке Лукреции какое-то послание. Я сидела, окаменев, не смея и вздохнуть.

Лукреция побледнела — возможно, она уже подозревала то, о чем я лишь начала догадываться, — схватила письмо и начала читать. Она ахнула, а потом рассмеялась странным, недоверчивым смехом.

— Что случилось? — спросила я негромко, чтобы не злить его святейшество еще сильнее.

Лукреция потрясенно взглянула на меня. Мне показалось, что она вот-вот упадет в обморок. Но она взяла себя в руки и произнесла, сдерживая подступающие слезы:

— Альфонсо. Он говорит, что для него стало опасно оставаться в Риме. Он уехал в Неаполь.

— И просит тебя присоединиться к нему! — рявкнул Александр, протянув свою ручищу к письму.

Лукреция съежилась, как будто опасаясь, что он может ударить ее.

— И тебе лучше поклясться перед Богом, что ты ничего об этом не знала!

Лукреция моргнула и прошептала:

— Я ничего не знала, клянусь.

Александр разразился новой тирадой:

— Каким вероломным человеком надо быть, чтобы обвинить собственную семью — обвинить меня! — в неверности, а потом бросить несчастную жену, ожидающую ребенка? Мало того: каким псом надо быть, чтобы поставить свою жену в подобное положение — попросить ее бросить родню, зная о политической и семейственной ответственности, которая лежит на ней?

Мне захотелось ударить его. Я была в ярости: да как он смеет оскорблять моего брата, куда более порядочного человека, чем Александр вообще в состоянии представить? И в то же время меня взбесило, что Альфонсо бежал из Рима, ничего мне не сказав.

Но при этом я понимала, почему он хранил молчание: подобная тайна ставила под угрозу и мою жизнь. А так, оставив меня здесь ничего не знающей о его планах, Альфонсо позаботился о том, чтобы Борджа сочли меня безвредной.

— Само собой разумеется, ты не будешь отвечать на это письмо, — грубо велел Александр дочери. Слезы, текущие по ее щекам и капающие на пергамент, что лежал теперь рядом с недоеденным завтраком, нимало не тронули Папу. — С этого момента за всеми твоими передвижениями будут внимательно наблюдать, и я тебя уверяю, что ты никуда не отправишься без моего дозволения!

Он повернулся ко мне.

— Что касается вас, донна Санча, то вы можете идти укладывать свои вещи. Конечно же, король Федерико не захочет оставлять здесь ничего из своего имущества, так что вы отправитесь следом за вашим братом, в Неаполь.

Лицо мое залила краска. Я встала. Голос мой остался холоден, но дрожал от гнева.

— Я поступлю так, как мне велит мой муж.

Александр угрожающе навис надо мной.

— Ваш муж не имеет в этом доме права голоса, как вам прекрасно известно. Я желаю, чтобы вы покинули дворец не позднее завтрашнего дня и забрали с собою свой арагонский норов и заносчивость.

Он резко развернулся и двинулся прочь с энергией молодого человека. Пажи ринулись следом.

Лукреция застыла в оцепенении, глядя на письмо. Я опустилась возле нее на колени и обняла ее.

— Санча, — сказала она дрожащим голосом, — почему я не могу просто жить счастливо со своим мужем? Неужели я такая ужасная, скверная женщина, что мужчины бегут от меня? ·

— Нет, дорогая, — искренне ответила я. — Дело не в тебе, а в политике твоего отца и Чезаре. Альфонсо очень любит тебя, я это знаю.

От этого она сделалась еще печальнее.

— О, Санча, только не говори, что и ты тоже покинешь меня.

— Милая Лукреция, — пробормотала я ей в плечо. — Иногда нам приходится делать то, чего мы совсем не желаем.

Джофре пытался спорить с отцом, но мы понимали, что ни к чему хорошему это не приведет. В отличие от Альфонсо я не стала просить своего супруга последовать за мной: я не верила, что Джофре хватит решимости отказаться от единственной привилегии, которой он когда-либо пользовался, — быть Борджа, хотя бы по имени.

Тем утром я велела всем моим слугам паковать вещи.

Вечером ко мне в покои пришел Джофре и отослал Эсмеральду и слуг.

— Санча, — сказал он дрожащим от избытка чувств голосом. — Отец ужасно поступает с тобой. Я никогда не смогу простить ему этого. И я никогда не буду счастлив без тебя. Я был неважным мужем. У меня нет ни честолюбия, ни красоты, ни сильной воли, как у Чезаре, — но я люблю тебя всем сердцем.

Я вспыхнула при упоминании о Чезаре и подумала, знает ли Джофре о нашем романе. Вообще-то жить в Риме и не слышать этих сплетен было невозможно, но я надеялась, что мой муж, который всегда хотел думать о людях хорошо, не обращал на них внимания.

— Ах, Джофре! — отозвалась я. — И как тебе только удалось сохранить такую невинную душу среди всей этой лжи?

Я обняла его, и той ночью он спал со мной — ведь это могла быть наша последняя ночь.

Джофре ушел перед рассветом. К полудню следующего дня мои слуги сложили в сундуки все, что я хотела; большую часть своих украшений и пышных платьев я оставляла здесь.

Когда я, покинув покои, направлялась к ожидавшей меня карете, в коридоре появилась Лукреция; глаза ее покраснели и припухли.

— Сестра! — позвала меня она. Она была на четвертом месяце и двигалась медленно. — Не уезжай, пока я не пожелала тебе счастливого пути!

Когда она приблизилась и распахнула мне объятия, я прошептала:

— Тебе не следует этого делать! Слуги увидят и донесут отцу — он рассердится.

— Да пошел он к черту! — с пылом воскликнула она, и мы обнялись.

— Ты очень добрая и храбрая, — сказала я. — У меня сердце разрывается от необходимости прощаться с тобой.

— Я не прощаюсь. Я говорю «до свидания», — возразила Лукреция. — Клянусь: мы с тобой еще встретимся. Честное слово, я добьюсь, чтобы вы с Альфонсо вновь очутились в милости у нашей семьи. Я не допущу, чтобы вы ушли.

Я крепко прижала ее к себе.

— Милая моя Лукреция, — пробормотала я, — я всегда буду твоей верной подругой.

— А я — твоей! — торжественно пообещала она.

Мы разомкнули объятия и взглянули друг на друга; Лукреция вымученно рассмеялась.

— Ну вот. Довольно печали. Мы встретимся снова, и ты будешь рядом со мной, когда первенец твоего брата появится на свет. Думай об этом счастливом времени, и я буду делать то же самое всякий раз, когда мне будет тоскливо. Давай пообещаем это друг другу.

Я изобразила улыбку.

— Обещаю.

— Вот и хорошо, — сказала Лукреция. — Теперь я уйду, зная, что наша разлука будет недолгой.

Она ушла, и я, глядя на ее мужество и решимость, тоже расправила плечи.

Это был 1499 год. Не только в разговорах простонародья, но и в страстных проповедях с кафедр утверждалось, что Бог считает нужным устроить конец света в грядущем, 1500 году. Когда я с позором покидала дворец Святой Марии, у меня действительно было такое чувство, будто мой мир уже идет к концу. И слухи соответствовали действительности. Конец моего мира приближался, хотя он еще просуществовал до следующего года.

КОНЕЦ ЛЕТА 1499 ГОДА

ГЛАВА 28

Уезжая из Рима, я держала голову высоко поднятой. Я отказалась терзаться стыдом из-за того, что Александр так грубо изгнал меня из дворца, который я привыкла считать домом. Стыдиться следовало не мне и не моему брату, не сделавшему ничего дурного, а Чезаре и его вероломному отцу. Но все равно у меня болело сердце оттого, что мне пришлось оставить здесь Лукрецию и Джофре. Какая ирония судьбы: я, которая была так несчастлива при мысли о переезде в Рим, теперь была настолько несчастлива, покидая Рим ради моего любимого города.

На второй день пути мы увидели берег и море; оно, как всегда, тут же взбодрило меня. К тому времени, как мы добрались до Неаполя, моя печаль отчасти смягчилась и я смогла радоваться возвращению домой; но радость мою омрачала глубокая печаль Альфонсо. Я видела, как потрясена была Лукреция в тот день, когда отец сообщил ей о побеге Альфонсо. Однако как бы сильно Лукреция ни любила моего брата, Альфонсо обожал ее еще сильнее, и мне пришлось наблюдать, как с каждым днем, проведенным в Неаполе, Альфонсо все сильнее беспокоится о Лукреции и сердце его разрывается от горя.

Они поддерживали непрестанную переписку — которую читали шпионы его святейшества и короля Федерико, — заверяя друг дружку в вечной любви, и в каждом письме мой брат просил Лукрецию присоединиться к нему. На это она никогда не отвечала.

Вскоре мы узнали, что Лукреции «оказали честь» и назначили ее губернатором Сполетто — города, расположенного значительно севернее Рима, — и таким образом она оказалась намного дальше от Неаполя. Назначение женщины на пост губернатора было вещью неслыханной и нелепой; должно быть, оно взбудоражило всю папскую консисторию. Однако Александр настолько высоко ценил интеллект и рассудительность дочери и был настолько низкого мнения о Джоффре, что ему даже в голову не пришло назначить губернатором моего мужа. А возможно, Папе невыносима была сама мысль о том, чтобы обойти собственного ребенка и даровать что-то ребенку, который на самом деле не от него.

Однако же эта «честь» была со стороны Александра отнюдь не наградой, а вежливым способом держать обоих своих детей в плену, дабы они не бежали к уехавшим супругам. Джоффре написал мне высокопарное письмо, в котором повествовалось, что шесть пажей поклялись ему в дружбе и защищают его «днем и ночью, не отходя ни на шаг». Иными словами, он сообщал, что не имеет возможности бежать и присоединиться ко мне, как он того желает. Несомненно, за Лукрецией надзирали точно так же.

Я не удивилась, услыхав о мерах предосторожности, принятых Александром. Альфонсо рассказал мне, как ему пришлось скакать наперегонки с полицией Александра в то утро, когда он бежал из Рима. Они гнались за ним до самого вечера, до того момента, когда Альфонсо удалось добраться до Дженацано, поместья, принадлежащего друзьям короля Федерико, и лишь тогда папские солдаты прекратили преследование. Как сказал Альфонсо, «если бы они схватили меня, вряд ли я дожил бы до сегодняшнего дня, чтобы рассказать тебе эту историю».

Это признание привело меня в ужас, и я принялась тревожиться при мысли о том, что мой брат и Лукреция могут вновь воссоединиться в Риме. Меня терзали страхи. Сейчас, вдали от Лукреции, я начала вспоминать коварство Чезаре. Да, Лукреция будет делать все, что в ее силах, дабы защитить мужа, но как она может помешать Чезаре причинить ему вред?

А Чезаре презирал весь Арагонский дом, по личным — а теперь еще и по политическим — мотивам.

Всего через две недели после нашего возвращения в Неаполь я со своими дамами отправилась на верховую прогулку. Воздух был прохладным и влажным из-за ветра с моря, но солнце пригревало — ровно настолько, насколько нужно. Я невольно подумала об ужасной жаре, от которой сейчас страдают римляне.

Вернувшись во дворец, я обнаружила у Альфонсо высокопоставленного гостя — испанского капитана Хуана де Кервиллона, участвовавшего в свое время в церемонии венчания Альфонсо и Лукреции. Хотя должность капитана де Кервиллона требовала от него находиться в Риме, его жена и дети проживали в родовом имении здесь, в Неаполе. Я предположила, что он приехал на юг по личным делам, а к нам заглянул с визитом вежливости.

Я встретила его, когда они с Альфонсо приветствовали друг друга у входа в Большой зал. Я шла переодеться после прогулки, но тут остановилась, чтобы поздороваться с капитаном.

Это был темноволосый, подтянутый, красивый солдат, разменявший четвертый десяток. Он очень эффектно смотрелся в своем мундире, увешанном множеством медалей, которые он получил за годы службы от его святейшества, а также от других пап и королей. Завидев меня, де Кервиллон низко поклонился, так что висевший у него на поясе меч качнулся назад, и поцеловал мне руку.

— Ваше высочество, это большая честь и удовольствие для меня — снова видеть вас. Вы прекрасно выглядите.

— Неаполь мне на пользу, — откровенно заявила я. — Я тоже рада вас видеть, капитан. Какой счастливый случай привел вас сюда?

Де Кервиллон в этот момент смотрел на меня, а потому не заметил предостерегающего взгляда Альфонсо. Я была обеспокоена и заинтригована. Судя по всему, мне не полагалось знать о визите де Кервиллона. Но, осознав это, я лишь преисполнилась решимости остаться и поучаствовать в разговоре моего брата с капитаном.

— Я здесь по официальной просьбе короля Федерико, — честно ответил де Кервиллон. — Его величество переписывается с его святейшеством, который желает возвращения герцога Бишелье в Рим. Конечно же, — добавил он, чтобы не обидеть меня, — это подразумевает и ваше возвращение.

— Понятно.

Я постаралась никак внешне не проявить охватившей меня тревоги. Я повернулась к своим дамам и жестом велела им оставить меня и отправляться в мои покои, потом снова развернулась к недовольному брату и капитану де Кервиллону.

— В таком случае мне, несомненно, тоже следует принять участие в этой беседе. Прошу вас, господа. — Я жестом предложила Альфонсо и капитану пройти в приемную. — Я не хочу вас задерживать.

Альфонсо бросил на меня взгляд, одновременно и сердитый, и виноватый. Сердитый, поскольку я перешла границы, вмешавшись в то, что должно было стать частной беседой между двумя мужчинами, и виноватый, поскольку он знал, что пытаться не допустить меня на эту встречу бесполезно. Он вздохнул, велел слуге принести вина и еды для капитана де Кервиллона, а потом провел нас в приемную.

Меня беспокоило, что Папа пересмотрел свою позицию по отношению к Неаполю, и, как бы странно это ни звучало, мне не хотелось, чтобы он пригласил нас с братом обратно в Рим. Как бы ни печалился Альфонсо, я знала, что дома его жизни ничего не угрожает. Недавняя смена настроения Александра объяснялась тем, что он получил гневное послание от короля Федерико — тот пришел в ярость, узнав о бегстве Сфорцы и захвате Милана Людовиком. Наш король отправил Александру письмо, гласившее: «Если вы не защитите Неаполь, я заключу союз с турками».

Это была ошеломляющая и серьезная угроза, ибо из всех врагов Рим более всего боялся турок. Вызов Федерико произвел желаемое воздействие: Александр поспешил заверить его, что Рим был и всегда останется вернейшим из защитников Неаполя.

Мы с Альфонсо уселись, как того требовало наше общественное положение, а де Кервиллон остался стоять с чопорной сдержанностью солдата. Он приступил к докладу.

— Ваши высочества, король Федерико наконец-то достиг с его святейшеством соглашения, которое счел удовлетворительным.

По лицу Альфонсо ясно было, что он слыхал о переговорах между королем и Папой и был в курсе того, как они протекают, — но я-то ничего не знала.

— И что это за соглашение? — спросила я.

Женщине не подобало вмешиваться в подобный разговор, но и мой брат, и де Кервиллон привыкли ко мне и не усмотрели в этом ничего необычного.

— Его святейшество лично гарантирует безопасность герцога Бишелье — и вашу безопасность тоже, ваше высочество, — если тот вернется к своей жене, герцогине, в Рим.

— Да ну! — Я не удержалась от сарказма. — Всем известно, что Александр пригласил короля Людовика в собор Святого Петра на рождественскую мессу. А мы, никак, должны его сопровождать?

— Санча! — одернул меня Альфонсо. — Ты же знаешь, что его святейшество изменил свое мнение после письма короля Федерико. Он принес свои извинения и пообещал поддержать Неаполь.

— И все-таки я намерена говорить об этом откровенно, — сказала я. — Кто был инициатором переговоров? Король Федерико, его святейшество или Чезаре Борджа?

Де Кервиллон взглянул на меня с непроницаемым видом.

— Лукреция, — ответил Альфонсо, и в голосе его промелькнула нотка недовольства. — Она не переставала давить на отца с тех самых пор, как прибыла в

Сполето. А также поддерживала связь с королем Федерико через неаполитанского посла. Она никогда не оставляла надежды.

— Понятно.

Я склонила голову. Мне не хотелось показаться неблагодарной по отношению к Лукреции. Мне и самой очень хотелось снова увидеть ее и Джофре. И все же я боялась Чезаре и ни капли не верила, что мы с братом можем безопасно вернуться в Рим.

Альфонсо тоже оказался на удивление недоверчив.

— Я обдумаю предложение Папы лишь после того, как оно будет изложено в письменном виде.

Де Кервиллон запустил руку за пазуху и извлек оттуда свиток, запечатанный восковой печатью.

— Вот оно, герцог.

Альфонсо сломал печать и развернул пергамент. Когда он дочитал документ до конца, на лице его появилось удивление.

— Здесь стоит подпись его святейшества.

— Именно так, — подтвердил де Кервиллон.

Я пожелала лично взглянуть на документ, хотя и знала, что все содержащиеся в нем обещания ничего не стоили. Он гарантировал безопасность нам с Альфонсо в том случае, если мы вернемся в Рим к нашим супругам. Кроме того, Альфонсо даровалось «возмещение» за неудобства в виде пяти тысяч золотых дукатов и дополнительных земель, что прежде принадлежали церкви, а теперь присоединялись к его с Лукрецией владениям в Бишелье.

Мне, поскольку я была всего лишь женой Джофре, не предлагалось ничего.

Я вернула документ Альфонсо. Мне было страшно. Его глаза светились такой любовью, тоской и надеждой, что я поняла: он уже решил вернуться. Теперь это было лишь вопросом времени.

Брат свернул пергамент.

— Я признателен вам за то, что вы доставили сюда это послание, капитан. Пожалуйста, поблагодарите короля от нашего имени за предпринятые им усилия. Но мне требуется некоторое время, чтобы поразмыслить над предложением его святейшества.

— Конечно-конечно. — Де Кервиллон лихо щелкнул каблуками и снова поклонился. Выпрямившись, он произнес: — Мне хотелось бы заверить ваши высочества в глубочайшей моей верности и уважении. Я хочу, чтобы вы знали, что я с радостью отдал бы жизнь, чтобы защитить вас. Я не стал бы везти к вам это предложение, если бы не был полностью уверен в его искренности.

В его глазах и тоне читались такая честность и доброта, что я поняла: капитан всем сердцем верит в то, что говорит. Он был слишком хорошим человеком для того, чтобы служить Борджа.

— Благодарю вас, капитан, — ответила я.

— Вы — прекрасный человек, — сказал ему Альфонсо. — Мы всегда высоко ценили вас и будем ценить и впредь.

Он встал, давая понять, что встреча завершена.

— Я сообщу королю Федерико и его святейшеству о своем решении в ближайшие несколько дней. И не забуду упомянуть им обоим, капитан, о вашей безупречной службе.

— Благодарю вас. — Де Кервиллон снова поклонился. — Да благословит вас Господь.

— И вас, — дружно отозвались мы.

Альфонсо не вытерпел даже тех нескольких дней, о которых сказал де Кервиллону. Той же ночью он написал три письма — одно королю Федерико, другое его святейшеству и третье своей жене, — говоря, что вернется к Лукреции сразу же, как только Папа даст на то дозволение.

На следующее утро я снова поехала покататься верхом — на этот раз в одиночестве, улизнув от донны Эсмеральды, своих слуг и стражников. Мне нужно было сделать одно дело, и я была не в том настроении, чтобы терпеть чье-то общество.

Я поехала прочь от гавани и запаха моря, туда, где земля была покрыта садами. Я двигалась в сторону вырисовывающегося на фоне синего неба Везувия, ныне дремлющего вулкана, темного и огромного.

Дважды я сворачивала не туда: за прошедшие годы местность успела измениться. Но со временем внутреннее чутье вывело меня к ветхой хижине у склона холма. На этот раз вместо ревущего осла там обнаружился молчаливый мул и еще большее количество кур, которые беспрепятственно бродили туда-сюда через открытую дверь.

Я остановилась на пороге и позвала:

— Стрега! Стрега!

Никто не ответил. Я вошла внутрь, наклонив голову, чтобы не стукнуться о низкую притолоку; сквозь окна с распахнутыми ставнями в комнату лился солнечный свет. Я старалась не обращать внимания на паутину в углах и кур, вольготно расположившихся на грубо сделанном обеденном столе; куриный помет виднелся повсюду, включая соломенный тюфяк в углу.

— Стрега! — позвала я еще раз, но ответом была лишь тишина.

Я с разочарованием решила, что она, должно быть, умерла несколько лет назад, и повернулась, чтобы уйти. Но какое-то чутье заставило меня предпринять еще одну, последнюю попытку.

— Стрега, пожалуйста! Благородная дама отчаянно нуждается в твоих услугах. Я щедро заплачу тебе!

В дальней комнате, вырубленной прямо в склоне холма, послышался какой-то шорох. Я затаила дыхание и ждала, пока стрега не вышла.

Она остановилась в темном проеме, ведущем в пещеру, все так же с головы до ног одетая в черное и в вуали. В ярком солнечном свете видно было, что она исхудала. Волосы ее поседели, и хотя один глаз остался янтарным, второй теперь сделался тусклым, молочно-белым.

Женщина взглянула на меня здоровым глазом.

— Мне не нужны ваши деньги, мадонна.

В руках у нее была масляная лампа. Не колеблясь более, она повернулась и отправилась обратно, в пещеру. Я последовала за ней. Мы снова прошли мимо постели — все такой же чистой и пышной — и большого алтаря с изваянием Девы, усыпанного колючими розами.

Повинуясь знаку стреги, я уселась за стол, покрытый черным шелком. Стрега поставила лампу между нами.

— Мадонна Санча, — сказала она. — Много лет назад я сказала вам о вашей судьбе. Она исполнилась?

— Я не знаю, — ответила я.

Меня ошарашил тот факт, что стрега узнала меня; но я решила, что ей, возможно, никогда больше не приходилось принимать у себя царственных особ. Наверняка визит принцессы должен был запомниться ей не меньше, чем мне запомнилась она сама.

— И у вас имеются... заботы.

— Да, — ответила я.

Я боялась возвращаться в Рим, боялась той судьбы, которая могла поджидать там меня и моего брата.

— Я не стану читать по вашей руке, — сказала стрега. — Я узнала по ней все, что было можно, когда смотрела на нее в прошлый раз.

Вместо этого она извлекла карты и веером разложила их поверх черного шелка. Она не произнесла ни слова, лишь взглянула на меня единственным здоровым глазом из-под вуали; второй глаз, затянутый бельмом, смотрел куда-то вдаль, в будущее.

«Выбирай, Санча. Выбирай свою судьбу».

Карты за это время стали еще более потрепанными и грязными. Я затаила дыхание и постучала по самой дальней от меня карте, как будто, выбрав ее, я могла каким-то образом отстраниться от того, что должно было произойти.

Стрега быстро поймала мой взгляд и перевернула карту, не глядя на нее.

Это было сердце, пронзенное одним мечом.

Я съежилась при виде острого, смертоносно длинного клинка.

Стрега слабо улыбнулась.

— Итак, вы уже исполнили половину своей судьбы. Теперь в вашем распоряжении осталось лишь одно оружие.

— Нет, — прошептала я.

Я была потрясена. Меня захлестнули яркие, отчетливые воспоминания: стилет в моей руке, входящий в горло несостоявшегося убийцы Феррандино. Я вспомнила, как содрогнулась рукоять, когда узкий клинок перерезал хрящ, вспомнила тепло крови, хлынувшей мне на лоб и щеки. Если это было первой частью моей судьбы, какое же ужасное деяние мне предстояло совершить?

Стрега мягко взяла меня за руки; ее руки были сильными и теплыми.

— Не бойся, — сказала она. — Ты обладаешь всем необходимым, чтобы справиться со своей задачей. Но тебя терзает смятение. Тебе нужно обрести ясность ума и сердца.

Я выдернула руки, вскочила и бросила на стол золотой дукат. Стрега взглянула на него, как на какую-то странную курьезную диковинку. Она даже не прикоснулась к нему. Я же вылетела из хижины, не сказав более ни единого слова, и галопом погнала лошадь.

В тот день я была настоящей дурой. А может, я плохо соображала из-за страха. Но меня оскорбило предположение стреги, что я не беспомощна в руках Борджа. Тем вечером я рано улеглась в постель, но долгие часы смотрела во тьму; меня терзал холодный, неотступный страх.

Я закрывала глаза и видела собственное сердце, красное, пульсирующее, пронзенное теперь одним мечом. Я видела, как делаю шаг вперед и заношу меч над головой в порыве неукротимой ненависти. Ненависти к Чезаре Борджа.

— Нет... — прошептала я тихо, чтобы меня не услышали ни спящая Эсмеральда, ни другие дамы. — Я не могу, просто не должна совершать убийство, или я стану такой же, как Ферранте и как мой отец... Я сделаюсь безумной. Должен быть какой-то другой путь.

У меня была еще одна причина не желать этого преступления. Хоть мне и не хотелось признаваться в этом себе, но мое сердце до сих пор принадлежало Чезаре. Я пылко ненавидела его... и все же часть моей души по-прежнему его любила и не желала причинять ему вреда. Я была проклята, подобно моей матери: я не могла перестать любить самого жестокого на свете человека.

В конце концов я убаюкала себя, повторяя одну и ту же ложь: что у Чезаре нет причин вредить мне или моему брату и что Папа сдержит свои обещания.

ОСЕНЬ – ЗИМА 1499 ГОДА

ГЛАВА 29

В середине сентября я вернулась в Рим, а Альфонсо поехал на север, в Сполетто, где его ждала беременная Лукреция. Они провели там целый месяц, и я не могла их за это винить; там они наслаждались свободой и безопасностью, которых были лишены в Риме.

Как только я привела себя в порядок после долгого пути, ко мне в покои явился сияющий Джофре.

— Санча! Каждый раз, видя тебя, я понимаю, что позабыл, насколько ты прекрасна!

Я улыбнулась мужу, благодарная ему за то, что он так тепло, с такой любовью встретил меня даже при этих затруднительных обстоятельствах, и обняла его.

— Я соскучилась по тебе, муж мой.

— И я по тебе — ужасно. Нам нужно обсудить множество новостей, но мы прибережем их до ужина. Пойдем, я проведу тебя к отцу и Чезаре. Я знаю, что им не терпится увидеть тебя.

Я мягко улыбнулась и не стала делиться с ними моими сомнениями.

Джофре с гордостью вел меня под руку, напрочь позабыв о напряженной политической ситуации, которую я воплощала в своей особе. Когда мы вышли из дворца Святой Марии и двинулись через площадь Святого Петра, я осознала, что соскучилась по размаху и великолепию Рима. Уже близились сумерки, и свет заходящего солнца окрасил белый мрамор папского дворца и собора Святого Петра в розовый цвет; огромные здания были окружены великолепными садами, которые все еще продолжали цвести. Даже широкие излучины Тибра, отливающие ртутью, обладали определенным очарованием.

Когда мы вошли в папский дворец с его избытком позолоты и великолепными росписями, я покрепче сжала руку Джофре. На этот раз, когда я вошла в тронный зал Папы Александра и склонилась, чтобы поцеловать его атласную туфлю, он встретил меня с куда меньшим энтузиазмом — совсем не так, как во время моего первого появления в Риме. Стоявший рядом с отцом Чезаре, облаченный в мундир гонфалоньера, следил за происходящим внимательно и напряженно, словно ястреб.

— Добро пожаловать, моя дорогая, — сказал Александр с натянутой улыбкой. — Надеюсь, ваше путешествие обошлось без происшествий. Прошу меня извинить, если мы сегодня не сможем поужинать вместе: нам с Чезаре нужно обсудить важные дела. Но Джофре расскажет вам обо всех семейных новостях.

Он слегка повел пальцами, отпуская меня. Когда я отвернулась от него, Чезаре шагнул вперед, взял меня за руки и церемонно поцеловал в щеку. И при этом произнес мне на ухо:

— Из его рассказа вы узнаете, что совершили ошибку, отказавшись от моего предложения, мадонна. А время подчеркнет вашу глупость.

Я никак внешне не отреагировала на его слова, ответив лишь беглой улыбкой. Чезаре вернул ее мне.

За ужином — мы с Джофре находились в его покоях — из моего мужа просто-таки фонтанировали новости; он говорил о них так много и так возбужденно, что почти не притрагивался к еде.

— Отец с Чезаре составляют планы, — гордо объявил он. — Конечно же, все это тайна. Чезаре поведет нашу армию в Романью. Это принесет пользу не только папскому престолу, но и дому Борджа... — Он перегнулся через стол и заговорщически прошептал: — Вся Романья станет герцогством Чезаре. Отец заготовил буллу о тех правителях, которые нерегулярно платят десятину, то есть почти обо всех. Им предстоит либо уступить свои земли церкви, либо иметь дело с ее войском.

Я поставила кубок, почувствовав вдруг, что не смогу сделать ни глотка. Память вернула меня в тот момент, когда я лежала нагая на кровати Чезаре и смотрела, как он указывает на воображаемой карте на большую область, расположенную к северу от Рима.

— Имола, — внезапно произнесла я. — Фаэнца, Форли, Чезена.

Джофре с любопытством взглянул на меня.

— Да, — подтвердил он. — И Пезаро — особенно после того, как ее правитель, Джованни Сфорца, после развода выдвинул против Лукреции и отца такие гнусные обвинения.

— Несомненно, они быстро падут перед Чезаре и его армией, — сказала я, ехидно сощурившись. — Особенно теперь, когда король Людовик дал ему войска.

Мой муж поперхнулся вином и закашлялся. Я молча смотрела на него. Я привыкла полагаться на донну Эсмеральду и ее сеть слуг-осведомителей — они не раз поставляли мне важные сведения. От нее я недавно узнала пренеприятную правду: Чезаре с самого момента заключения брака с Шарлоттой д'Альбре планировал предложить свои военные услуги при захвате Милана, с тем чтобы взамен французы помогли ему осуществить захват Италии, о котором он так давно мечтал. В ту ночь, рисуя карту на потолке, он сказал, что для этого ему требуется только армия, способная победить Францию. Возможно, он осознал, что такая армия никогда не появится, и вместо этого обратился за помощью к врагам.

— Это просто сделка, — сказал наконец Джофре, вытирая глаза рукавом. — Чезаре помог им в Милане, теперь они помогут ему в Романье. Но они ясно дали понять, что более не строят никаких планов касательно Неаполя. А если бы даже и строили, Чезаре никогда этого не допустит.

— Ну разумеется, — отозвалась я, даже не стараясь изобразить, будто поверила хоть единому слову.

Это приглушило воодушевление Джофре, и до конца ужина мы беседовали, тщательно обходя вопросы политики.

К тому времени, как Альфонсо и Лукреция вернулись в Рим — это произошло в середине октября, — булла была обнародована, и Чезаре повел на Романью свою армию, в которую теперь входило почти шесть тысяч солдат, предоставленных ему королем Людовиком.

Все мы — Лукреция с Альфонсо и я с Джофре — вынуждены были каждый вечер за ужином выслушивать повествования о последних подвигах Чезаре. В отличие от своего предшественника, Хуана, Чезаре был проницательным стратегом и прекрасным командиром, и Александр непрестанно возносил хвалу своему старшему сыну. В те дни, когда новости с фронта боевых действий были хорошими, он едва сдерживал радость — и не мог скрыть раздражения, когда они были плохими.

Поначалу все шло хорошо. Первым правителем, потерпевшим поражение, стала Катерина Сфорца, француженка по происхождению, хозяйка Имолы и Форли и племянница разгромленного Лодовико. Город Имола, потрясенный численностью армии Чезаре, сдался сразу, без борьбы. Форли, в крепости которого засела Катерина, продержался три недели. В конце концов солдаты Чезаре взяли стены штурмом. Попытка Катерины покончить с собой не удалась, и ее взяли в плен.

Часть этой истории я услыхала в изложении его святейшества, а часть узнала от донны Эсмеральды.

— Она — храбрая женщина, эта графиня Форли, хоть и француженка, — тем вечером заявила Эсмеральда, когда мы остались одни в моей спальне. — Куда храбрее, чем тот ублюдок, который взял ее в плен.

При мысли о Чезаре она на миг поджала губы, потом вновь вернулась к рассказу.

— Самая храбрая во всей Романье. Когда мятежники убили ее мужа, она сама повела солдат против убийц и проследила, чтобы всех виновных перебили. И она красивая: у нее золотые волосы и кожа мягкая, словно мех горностая, — так про нее говорят. Ее мужество столь велико, что, когда к ней явился Чезаре с французами, она сама вышла на городские стены, не страшась ни дыма, ни пламени, и руководила обороной. Она пыталась покончить с собой, чтобы не попасть в плен, но люди Чезаре ее опередили. Она потребовала, чтобы ее передали королю Людовику, и французские солдаты так восхищались ею, что хотели отпустить ее. Но дон Чезаре… — Донна Эсмеральда скривилась от отвращения и строго взглянула на меня. — Разве я не предостерегала вас, мадонна, разве не говорила, что он несет одно лишь зло? Этот человек одержим дьяволом.

— Предостерегала, — негромко отозвалась я. — Ты была права, Эсмеральда. С тех пор не прошло ни единого дня, когда я не пожалела бы, что не прислушалась к твоим словам.

Смягчившись, донна Эсмеральда продолжила:

— Этот мерзавец пожелал взять ее себе. Он возит ее за собой, мадонна. Днем ее содержат как пленницу, а по ночам он забирает ее к себе в шатер. Он обращается с ней, как с обычной шлюхой, принуждает ее ко всяческим извращениям, берет ее силой всякий раз, как ему заблагорассудится. А ведь она — женщина из знатной семьи! Говорят, будто это смутило даже короля Людовика и он лично бранил Чезаре за такое обращение с пленницей.

Я отвернулась, пытаясь скрыть от Эсмеральды охватившую меня ярость и боль. Чезаре доказал, что в душе он столь же жесток и груб, как и убитый им брат. Я закрыла глаза, вспомнив тот ужасный миг беспомощного гнева, когда Хуан силой вошел в меня, — и мне захотелось заплакать над судьбой Катерины. Одновременно с этим я испытывала невыразимое презрение к Чезаре и гнев на себя — и, увы, укол ревности.

— Следующий на очереди — Пезаро, — продолжала Эсмеральда. — И его жителям не на что надеяться, потому что этот трус Джованни Сфорца давно их бросил. Чезаре без труда захватит этот город. — Она покачала головой. — Его ничто не остановит, донна. Они с французами пройдут по всей Италии. Я опасаюсь за честь каждой женщины, живущей в Романье.

Однако даже в той напряженной обстановке, что царила у нас в доме, была одна причина для счастья: Лукреция вот-вот должна была разродиться, и оба они — и она сама, и ребенок, энергично брыкающийся у нее в животе, — были совершенно здоровы. Мы с Альфонсо цеплялись за этот единственный источник надежды и радости, уповая на то, что внук, в котором будет течь одновременно и кровь Борджа, и кровь Арагонского дома, заставит Александра относиться к Неаполю более благосклонно.

Срок подошел в конце октября. Я как раз собиралась ложиться спать. Мои дамы уже сняли с меня платье и головной убор и причесывали меня, когда от входной двери меня кто-то позвал. Я сразу узнала голос донны Марии, старшей фрейлины Лукреции.

— Донна Санча! Моя госпожа рожает и зовет вас!

Эсмеральда тут же принесла мне плащ; я кое-как закуталась в него и поспешила за донной Марией.

В спальне герцогини Бишелье стояла пустая колыбель, уже заполненная подушками и ожидающая появления нового юного вельможи.

В одном углу комнаты стояло старое, украшенное искусной резьбой специальное кресло для роженицы — на нем рожала еще мать Родриго Борджа. Сейчас на этом кресле сидела Лукреция; щеки ее пылали, лоб блестел от пота. В очаге горел огонь, но на Лукреции было теплое одеяние для защиты от холода; оно было задрано до бедер, до отверстия в сиденье кресла, так, чтобы повитуха могла осматривать роженицу. Рядом с босыми ногами лежало меховое одеяло, чтобы Лукреция могла укрыться, для удобства либо из соображений приличия.

Рядом с ней сидела та самая повитуха, которая уже ухаживала за ней годом раньше, когда у Лукреции случился выкидыш. Пожилая женщина улыбалась. При виде этой улыбки меня захлестнуло облегчение.

Глаза Лукреции были полны страха, свойственного всем роженицам, но была в них и радость — она знала, что на этот раз ее страдания завершатся счастливо.

— Санча! — выдохнула она. — Санча, скоро ты станешь тетей!

— Лукреция, — весело парировала я, — скоро ты станешь матерью!

— Иди сюда, — позвала она, разжав судорожно стиснутые на подлокотниках кресла руки и протягивая их ко мне.

И снова я взяла ее за руки. На этот раз не было ни вины, ни печали — лишь ожидание чудесного конца.

Роды продолжались далеко за полночь, почти до самого рассвета. Схватки были сильными, но не жестокими. Повитуха сообщила, что ребенок лежит правильно и, поскольку Лукреция уже один раз успешно разрешилась от бремени, вторые роды пройдут легче.

Незадолго до того, как занялся рассвет первого ноябрьского дня, Лукреция пронзительно вскрикнула и поднатужилась изо всех сил — и первенец моего брата завопил, шлепнувшись на сильные, натруженные руки улыбающейся повитухи.

— Лукреция! — воскликнула я, когда она ахнула и натужилась снова, рожая послед. — Дитя здесь! Вот оно!

Лукреция в изнеможении откинула голову на спинку кресла. Она глубоко вздохнула, потом улыбнулась. Донна Мария тем временем послала за кормилицей.

А потом повитуха, уже успевшая искупать ребенка, поправила меня.

— Вот он, — провозгласила она с такой гордостью, как будто это было ее заслугой. — У вас сын, мадонна.

Мы с Лукрецией переглянулись и рассмеялись от радости.

— Альфонсо будет так горд! — сказала я.

По правде говоря, я сама была преисполнена такой гордости и восхищения, как будто это был мой собственный ребенок, — возможно, потому, что я давно уже поняла, что у меня никогда не будет детей.

Выкупав младенца, повитуха тут же туго запеленала его в мягкое шерстяное одеяло. Она подняла его, чтобы поднести к матери, но тут вмешалась я — выхватила малыша и прижала к себе.

Его личико все еще было плоским после прохождения через родовые пути; маленькие глазки были крепко зажмурены. На голове красовался влажный золотистый пушок. Конечно же, он просто не мог ни на кого походить сразу после рождения, но я взглянула на сжатые кулачки, тихо рассмеялась, когда малыш раскрыл крохотный ротик и зевнул, и увидела в нем Альфонсо. Я уже убедила себя, что сердечко, бьющееся в этой груди, будет таким же добрым.

Меня захлестнула любовь такой силы, какой я и вообразить себе не могла, и в этот миг я поняла, что люблю этого младенца сильнее собственной жизни, даже сильнее, чем моего дорогого брата. Ради него я охотно совершу все, что угодно.

«Альфонсо, — с нежностью подумала я, — маленький Альфонсо». Сыновей принято было называть в честь отцов. Я осторожно положила малыша на руки Лукреции и с радостью и гордостью стала ожидать, когда она объявит во всеуслышание его имя.

Лукреция с блаженной, любящей улыбкой посмотрела на сына. Не могло быть никаких сомнений в том, что она станет самой любящей матерью на свете. Она с безграничным удовлетворением подняла взгляд и заявила:

— Его зовут Родриго — в честь его деда.

И ее внимание снова оказалось безраздельно приковано к ребенку.

Хорошо, что так получилось, ведь иначе Лукреция увидела бы мое возмущение; у меня было такое чувство, словно она дала мне пощечину. Так я узнала, что мать моего ненаглядного племянника считает его более членом дома Борджа, чем Арагонского дома.

Мой брат был вне себя от радости и воспринял новость об имени малыша куда спокойнее, чем я.

— Санча, — сказал он мне, когда мы остались наедине, — ведь не у каждого ребенка дедушка — Папа Римский.

Казалось, будто рождение ребенка полностью восстановило наш с Альфонсо статус: появление на свет маленького Родриго было отпраздновано с пышностью, достойной принца. Александр души не чаял в младенце и рассказывал о нем каждому посетителю с тем же воодушевлением и гордостью, с какими прежде повествовал о подвигах Чезаре. Он часто навещал ребенка и нянчился с ним, как опытный отец. Не приходилось сомневаться, что его чувства совершенно искренни, и теперь мы с ним и Альфонсо подолгу радостно беседовали о том, какое чудо наш маленький Родриго. Я снова начала чувствовать себя в безопасности в Риме.

Всего через десять дней после рождения ребенка его окрестили с великой пышностью. Прием проходил во дворце Святой Марии. Лукреция с удобством расположилась на кровати, убранной красным атласом с золотой отделкой, и приветствовала множество высокопоставленных гостей, явившихся к ней, дабы засвидетельствовать свое почтение.

Затем маленький Родриго, закутанный в золотую парчу с отделкой из горностая, был внесен в Сикстинскую капеллу; он лежал на сильных руках верного капитана Хуана де Кервиллона. Я поняла, как сильно страдал мой брат в Неаполе: несомненно, он боялся, что может никогда не увидеть своего ребенка.

Теперь же благодаря де Кервиллону мы с ним смогли наблюдать за церемонией крещения, прекрасной и торжественной. Следом за капитаном шли губернатор Рима, имперский губернатор и послы Испании и Неаполя. Александр как нельзя более наглядно демонстрировал свою поддержку по отношению к Арагонскому дому.

Маленький Родриго вел себя прекрасно — он проспал всю церемонию. Все знаки были благоприятны. Нас с Альфонсо переполняли радость и облегчение; мы снова позволили себе расслабиться.

Облегчение продлилось лишь до тех пор, пока Чезаре Борджа не оставил свое войско под стенами Пезаро и не вернулся в Рим инкогнито, в сопровождении одного-единственного спутника, доверенного лица Борджа, дона Морадеса.

В течение двух дней после его прибытия я не видела ни Чезаре, ни его отца. Они засели в ватиканских покоях, обсуждая вопросы военной стратегии и политики. К ним никого не допускали: даже слуг, находившихся при Папе уже много лет, отсылали прочь из комнаты, чтобы никто не подслушал ни единого слова из их разговора.

Лукреция ничего не говорила, но я видела, что небрежность Чезаре, не потрудившегося хотя бы заглянуть к ней или поздравить ее с рождением ребенка, причиняет ей одновременно и боль, и облегчение. Несмотря на всю жестокость, проявленную по отношению к ней, она, похоже, до сих пор любила и отца, и брата, и ей хотелось, чтобы они были ею довольны. Мне казалось, что я понимаю ее. В конце концов, хоть я и презирала своего отца, в глубине души мне всегда хотелось, чтобы он любил меня.

Чезаре появился у нас лишь на третий день после приезда.

Лукреция безумно любила своего ребенка. Вместо того чтобы отослать сына в детскую, на попечение кормилицы, как делают большинство знатных матерей, она потребовала, чтобы колыбель стояла у нее в спальне и чтобы кормилица спала там же. Возможно, Лукреция боялась, что с ребенком что-нибудь случится, если она надолго выпустит его из виду, но по крайней мере отчасти это решение было продиктовано слепой любовью. Ребенок был для нее тем же, что и Альфонсо: существом, которое не желало от нее ничего, кроме возможности любить ее, в отличие от всех прочих мужчин в ее жизни.

Я проводила дни — а иногда и ночи — в покоях Лукреции, возясь с маленьким Родриго и помогая ухаживать за ним, хоть это и считалось делом слуг.

В тот день, когда к нам явился Чезаре, мы, как это случается с женщинами, ухаживающими за младенцем, устали и захотели отдохнуть. Лукреция спала, полулежа на кровати, на груде подушек. Я сидела рядом в мягком кресле, уронив голову на грудь, и дремала. Кормилица лежала на полу, на тюфяке, и похрапывала, а маленький Родриго тихо спал в своей колыбели.

Меня разбудил очень тихий, осторожный звук шагов, но даже еще не до конца проснувшись, я узнала их: это были шаги Чезаре. Я не стала ни поднимать головы, ни изменять ритма дыхания, а вместо этого принялась наблюдать сквозь ресницы.

Чезаре по-прежнему одевался в черное, только теперь это была не ряса священника, а строгий бархатный костюм, выгодно подчеркивающий его мускулистую фигуру. За время, проведенное в боях, Чезаре похудел и загорел; борода его сделалась гуще, а волосы отросли и теперь падали на плечи.

Думая, что за ним никто не следит, он неслышно прокрался в комнату — с самым естественным, непринужденным видом. Но меня поразил его холодный, безжалостный взгляд.

Все так же бесшумно Чезаре склонился над колыбелью, в которой спал малыш. Я подумала, что теперь его лицо смягчится. Даже солдат, даже убийца не может смотреть на ребенка и остаться безразличным.

Чезаре склонил голову набок и принялся рассматривать младенца.

При первой нашей встрече с Лукрецией я подумала, что никогда больше не увижу взгляда, который был бы настолько исполнен ревности и ненависти. Я ошибалась.

Во взгляде Чезаре не было ничего, кроме жажды убийства. Он наклонился над колыбелью, упершись руками в колени и жестоко искривив рот.

Мне стало страшно. Я была уверена, что в следующее мгновение он задушит ребенка или с силой накроет рукой крохотные ротик и носик. Я вскочила, схватившись за спрятанный стилет, готовая в любое мгновение выхватить его, и крикнула:

— Чезаре!

Он настолько владел собой, что даже не дернулся при этом вскрике. Вместо этого на лице его мгновенно нарисовались расположение и доброта. Он улыбнулся младенцу, как будто только этим и занимался, потом спокойно, медленно повернулся ко мне и выпрямился.

— Санча! Как я рад тебя видеть! А я вот любовался нашим племянником. Просто поразительно, до чего же он похож на Лукрецию в детстве.

— Чезаре? — сонно встрепенулась Лукреция. — Чезаре! — радостно воскликнула она.

Ни в ее голосе, ни на лице не было сомнения или обиды на пренебрежение со стороны брата. Чезаре подошел к сестре, знаком показав, чтобы она не вставала с кровати.

— Отдыхай, отдыхай, — сказал он. — Ты это заслужила.

Они обнялись, улыбаясь, потом Чезаре чуть отодвинулся от сестры, повернулся ко мне и поцеловал мне руку.

От прикосновения его губ к моей коже меня пробрала дрожь возбуждения, и вместе с тем по телу у меня побежали мурашки. Он выглядел в точности как любящий брат; чудовище, только что склонявшееся над детской колыбелью, исчезло без следа.

— У тебя чудесный сын, Лукреция, — сказал Чезаре сестре, и она просияла от гордости. — Я как раз говорил Санче, что он необыкновенно похож на тебя в детстве — это ведь было не так давно.

— Ты защищал меня уже тогда, — радостно произнесла Лукреция. — Скажи, ты побудешь с нами хоть немного?

— Увы, нет, — отозвался Чезаре. — У меня было время лишь на то, чтобы обсудить с отцом некоторые жизненно важные дела. Теперь же мне нужно немедленно возвращаться к войску. Пезаро ждет.

Лукреция слегка покраснела при упоминании города ее бывшего мужа, потом сказала:

— Ох, но ты должен остаться! Ты должен хоть немного побыть с ребенком!

Чезаре вздохнул, всем своим видом выражая сожаление.

— У меня сердце разрывается от огорчения, — сказал он. — Но я зашел сразу и поздороваться, и попрощаться. Я должен срочно вернуться к своим людям. Конечно, — заботливо произнес он, — я не мог уехать, не повидавшись с тобой и маленьким Родриго.

Он мельком взглянул на меня и добавил, как будто лишь сейчас подумал об этом:

— И с Санчей тоже.

— Ну что ж, — печально произнесла Лукреция. — Тогда поцелуй меня и малыша, прежде чем уйти. — Она помолчала. — Я буду молиться, чтобы с тобой ничего не случилось и чтобы ты добился успеха.

— Спасибо за твои молитвы, — сказал Чезаре. — Они мне пригодятся. Благослови тебя Господь, сестричка.

Он снова обнял Лукрецию и торжественно расцеловал в щеки. Лукреция ответила ему тем же, и они разомкнули объятия.

Чезаре нерешительно повернулся ко мне. Я убрала руку за спину и вместо этого кивнула ему.

— Я тоже буду молиться, — сказала я, умолчав о содержании этих молитв.

— Спасибо, — произнес Чезаре и двинулся к колыбели.

Я метнулась туда, опередив его, схватила маленького Родриго на руки и крепко прижала к себе. Его дядя наклонился и поцеловал младенца.

_____

Увы, Бог ответил на молитвы Лукреции, а не на мои.

Чезаре отправился на север и благополучно вернулся в свой лагерь; но прежде, чем он добрался до ворот Пезаро, король Людовик увел свою армию. Герцог Лодовико собрал достаточно сил, чтобы предпринять серьезную попытку вернуть Милан (несомненно, этот факт дал прекрасной пленнице Чезаре, Катерине Сфорца, повод позлорадствовать).

Лишившийся солдат и молча проклинающий французов Чезаре вынужден был отказаться от попыток взять Пезаро.

За ужином его святейшество побагровел от гнева, пересказывая эту историю и понося непостоянство французского короля.

Мне потребовалось все мое самообладание, чтобы сдержать довольную усмешку.

КОНЕЦ ЗИМЫ 1499 ГОДА

ГЛАВА 30

С театра боевых действий пришли вести о том, что Чезаре неохотно заключил перемирие с Джованни Сфорцей под Пезаро и возвращается домой вместе с папской армией — и везет с собой свою прекрасную пленницу, Катерину Сфорца, которую поместят за крепкие каменные стены замка Сант-Анджело. Мысль о его возвращении наводила на меня страх.

Донна Эсмеральда непрестанно приносила новые тревожные слухи. В Риме вошло в употребление новое выражение — «ужас Борджа». Его употребляли, говоря о душевном состоянии тех несчастных, которые имели неосторожность служить Борджа и оказаться посвященными в какие-то их тайны, ибо расплата за это становилась все более очевидна.

Все — кроме семьи, добросовестно закрывающей глаза на этот факт, — считали само собой разумеющимся, что Чезаре убил своего брата Хуана, обуянный желанием самому заполучить всю Италию. В том, что его назвали в честь императоров Древнего Рима, видели не совпадение, а знак судьбы.

Поэтому когда коннетабля испанской гвардии — человека, некогда пользовавшегося у Чезаре уважением и доверием, но впоследствии утратившего благосклонность хозяина, — нашли плавающим в Тибре, никто не удивился. Кто-то крепко связал ему руки за спиной и засунул его в мешок.

Я никогда не говорила о подобных происшествиях ни с Лукрецией, ни с Джофре, точно так же, как и его святейшество никогда не упоминал о них ни во время аудиенций, ни на совместных, ныне редко случающихся трапезах, даже когда негодовал по поводу возмутительных обвинений, возводимых на его сына. Можно было подумать, будто никакого случая с несчастным коннетаблем никогда не происходило да и сам этот несчастный никогда не существовал.

Были и другие смерти, о которых рассказывала Эсмеральда: две из них произошли в лагере у Чезаре при загадочных обстоятельствах.

Первой была странная кончина епископа Фердинандо д'Альмайды. Д'Альмайда, о котором поговаривали, что порочностью и честолюбием он не уступит никакому Борджа, тенью следовал за Чезаре с момента его свадьбы с Шарлоттой д'Альбре, отправившись за ним и в Романью. Многие считали его соглядатаем короля Людовика.

Однажды Чезаре заявил своим людям, что д'Альмайда получил смертельную рану «в ходе битвы», но никому не позволил осмотреть тело; за этим воспоследовали поспешные похороны. Слуги, обмывавшие тело, сообщили, что у епископа не было ни единой раны. Причиной же смерти была «лихорадка Борджа» — состояние, вызванное порошком голубовато-стального цвета.

Кантерелла — еще одно слово, которое вошло в моду и которое шепотом повторяли по всему Риму.

Через некоторое время скончалась еще одна жертва — кардинал Джованни Борджа, известный под прозвищем Меньший. Этот кардинал был кузеном Борджа, членом другой ветви семьи и родственником Джованни Борджа Большего, кардинала Монреальского, присутствовавшего на моей свадьбе.

Не могу сказать, знал ли молодой Джованни что-либо такое, что могло поставить его под удар. Мне известно лишь одно: этот человек был очень близок к своему более могущественному родственнику и был в долгу у него. Он отправился из Рима в Романью для личной встречи с Чезаре — якобы затем, чтобы поздравить его с захватом Имолы и Форли.

Но прежде чем Джованни добрался до лагеря Чезаре, его поразила внезапная горячка — вне всякого сомнения, «лихорадка Борджа»; известно было, что это кантерелла вызывает сильный жар и кровавый понос. Вскоре после этого кардинал умер.

Его тело отослали обратно в Рим, а там быстро предали земле в соборе Санта Мариа дель Пополо, в безымянной могиле.

Однажды вечером во время ужина Джофре выразил сожаление по поводу кончины кардинала.

Его святейшество швырнул вилку на стол с такой силой, что все вздрогнули. Я подняла голову от тарелки и увидела, что Александр нахмурился и покраснел от гнева.

— Никогда больше не упоминай при мне этого имени! — рявкнул он на сына с такой свирепостью, что на некоторое время все притихли.

— Я уже рассказывала, что сделал сегодня за завтраком маленький Родриго? — весело спросила Лукреция, нарушив неловкое молчание.

Это успокоило его святейшество; он повернулся к дочери и выжидательно улыбнулся.

— Он такой сильный — уже вовсю машет ручками и ножками, и хотя я знаю, что для этого он еще слишком мал, но сегодня он так вцепился мне в руку, что мне показалось, что сейчас он сядет сам.

Александр смягчился.

— Ты была сильным ребенком, — произнес он с отцовской гордостью. — И ты, и Чезаре. Вы оба рано начали садиться и ходить. Да что там ходить — я сажал тебя к себе на седло, когда тебе едва-едва сравнялось два года.

Лукреция улыбнулась в ответ, радуясь, что приступ гнева Александра миновал.

Когда ужин закончился, Лукреция подошла к отцу и мягко произнесла:

— Прости Джофре. Я уверена, что он совершенно не хотел расстраивать тебя.

Папа тут же снова нахмурился и сузил глаза.

— Говорить за едой о смерти, — отрезал он, — вредно для пищеварения.

Через некоторое время после крещения Родриго мы с Альфонсо получили от капитана Хуана де Кервиллона официальную просьбу об аудиенции. Я была рада исполнить просьбу человека, который был добр к нам и оказал большую услугу.

Аудиенция состоялась в покоях Альфонсо, ясным, солнечным зимним утром, и мне невольно вспомнилась наша встреча, произошедшая прошлым летом в Неаполе. Я надеялась, что де Кервиллон принес нам хорошие новости, ведь я знала, что до тех пор, пока капитан остается нам другом, он будет делать все, что сможет, для поддержания наилучших отношений между Неаполем и Папой.

Де Кервиллон был все таким же молодцеватым и подтянутым. У бедра его висела сабля; темные волосы подернулись сединой. Капитан поклонился нам.

Я улыбнулась и протянула ему руку для поцелуя.

— Капитан, сегодня вы выглядите таким радостным. Надеюсь, вы явились с хорошими новостями?

— И с хорошими, и с печальными, — отозвался он с веселостью, которую не сумел скрыть, несмотря на свою обычную сдержанность военного.

— Говорите же, дорогой друг, — сказал заинтересованный Альфонсо.

— Ваши высочества, мне хотелось официально попрощаться с вами перед отъездом в Неаполь.

— А! — воскликнул Альфонсо. — Так вы собрались навестить свою семью на Рождество?

— Не навестить, — поправил его де Кервиллон. — Его святейшество дал мне дозволение вернуться в родной город.

Меня охватили противоречивые чувства: печаль, вызванная расставанием с капитаном, и страх. Кто будет нашим поборником, когда де Кервиллон уедет?

Мой брат, судя по выражению лица, лишь грустил из-за разлуки с другом.

— Дорогой капитан, — сказал он, — я печалюсь из-за нас, ибо мы будем скучать по вам, но я радуюсь за вас. Вы и так слишком много лет провели вдали от жены и детей, на службе его святейшеству.

Де Кервиллон кивнул, соглашаясь со словами Альфонсо.

— Я подал прошение королю Федерико о приеме на службу.

— Значит, королю Неаполя повезло, — сказала я наконец. — А Папа потерял одного из лучших своих людей.

Несмотря на все старания, мне не удалось полностью скрыть своего разочарования. Де Кервиллон заметил это и произнес:

— Ах, ваше высочество, мне так жаль, что я расстроил вас.

— Я одновременно и расстраиваюсь, и радуюсь, как вы сказали, — сказала я ему, слабо улыбнувшись. — Я буду скучать по вам, но человеку не следует находиться вдали от своей семьи. Кроме того, я уверена, что мы еще встретимся; вы будете приезжать в Рим, а я как-нибудь навещу Неаполь.

— Совершенно верно, — согласился со мной де Кервиллон.

Мой брат встал. Он произнес, как во время нашей последней встречи в Неаполе:

— Да благословит вас Господь, капитан.

— И вас, ваши высочества, — отозвался де Кервиллон.

Он еще раз поклонился и ушел. Некоторое время мы молча смотрели ему вслед.

— Мы никогда больше не увидим его, — произнес Альфонсо, озвучив мои мысли.

Слова моего брата оказались пророческими, но не так, как предполагала я. Вот как рассказала эту историю Эсмеральда.

В тот самый вечер, накануне запланированного на следующее утро отъезда, капитан присутствовал на празднике, устроенном его племянником. Когда он возвращался домой, согреваемый вином и мыслями о доме, на него напали.

Если тому и были какие-то свидетели, они никогда не объявились. Окровавленное тело де Кервиллона нашли лежащим на мостовой. Капитан получил несколько ран. Нападение было быстрым. Я уверена, что де Кервиллон знал нападавшего и, более того, считал его другом: он так и не вытащил саблю из ножен.

Как и в случае с другими жертвами Борджа, тело забрали должностные лица церкви и никому не позволили его осмотреть. Да и вообще, де Кервиллона похоронили через час после того, как был обнаружен труп.

Я горевала о нем и целый день не могла ни есть, ни пить. На самом деле я горевала обо всех нас.

ЗИМА — НАЧАЛО ВЕСНЫ 1500 ГОДА

ГЛАВА 31

В канун нового, 1500 года в Зале святых был устроен большой пир; на него были приглашены члены семьи и многие влиятельные кардиналы и аристократы. Поставили огромный стол, дабы вместить всех гостей и немереное количество деликатесов; вина, приправленного пряностями, было столько, что хватило бы заполнить Тибр. Я уже привыкла к чрезмерной пышности папского дворца, но тем вечером он снова казался впечатляющим, если не сказать волшебным. Каминная полка и стол были увиты гирляндами из вечнозеленых растений и украшены оранжевыми ароматическими шариками, источавшими приятный запах; стены и притолоки украшала золотая парча. Огонь в большом камине, наряду с сотней свечей, наполнял зал теплым сиянием, и на наших золотых кубках, на позолоченных потолках, на полированном мраморном полу плясали блики пламени. Даже белокурые волосы святой Катерины, и те искрились.

Его святейшество пребывал в необыкновенно веселом расположении духа, несмотря на свое нездоровье. За последнее время он заметно постарел: белки его глаз пожелтели от печеночного недуга, волосы из серо-стальных сделались белоснежными. Складки кожи под подбородком обвисли, а нос и щеки стали красными от лопнувших сосудов. Однако он был одет в великолепное облачение из бело-золотой парчи, усыпанной алмазами, и в шапочку, сотканную из золотых нитей, — ее сделали специально для этого праздника.

Когда Папа поднял свой кубок, рука его немного дрожала.

— За тысяча пятисотый год! — воскликнул он, обращаясь к многочисленным гостям, собравшимся за столом. — За год юбилея!

Он улыбнулся, гордый патриарх, когда мы повторили его слова. Затем он сел и жестом велел остальным садиться.

Александр решил, что в честь такого знаменательного момента следует произнести речь.

— Христианский юбилей, — провозгласил он, как будто мы не знали, о чем идет речь, — был учрежден двести лет назад Папой Бонифацием Восьмым. Он происходит от древнего израильского обычая, по которому один год из пятидесяти объявлялся священным — временем, когда прощались все грехи. Этот термин, — добавил он с шутливым видом, изображая педанта, — происходит не от латинского слова jubilio, «кричать», как полагает большинство латинских ученых, а от еврейского jobel — так назывался бараний рог, которым подавали знак к началу празднества.

Папа раскинул руки.

— Бонифаций увеличил промежуток с пятидесяти лет до ста, и вот нам осталось всего несколько часов до события, которое мало кому из людей случается застать на своем веку.

В голосе его зазвучала гордость.

— Все труды, которые мы предприняли за последний год: постройка новых дорог, починка ворот и мостов, ремонт базилики Святого Петра, — все это теперь обретает особый смысл.

На этом месте Александру пришлось сделать паузу, поскольку кардиналы, многие из которых приставлены были следить за проведением этих работ, зааплодировали.

— Рим, как и все мы, готов к моменту великой радости и прощения. Я издал буллу, гласящую, что все паломники, которые посетят в этом святом году Рим и собор Святого Петра, получат полное отпущение грехов. Мы ожидаем, что это путешествие предпримут более двухсот тысяч человек.

Я сидела рядом с братом и Лукрецией, слушала Папу и улыбалась; радостное возбуждение и предвкушение, владеющее толпой, подействовало и на меня. Но мою радость подтачивало беспокойство, мое стремление прощать спорило с болью. Я не знала, что может принести с собой этот год, поскольку как раз сейчас Чезаре Борджа сражался вместе с французами в Милане. Я взглянула на Альфонсо; он взял мою руку и пожал, понимающе и успокаивающе.

Что касается Лукреции, она не заметила нашего с Альфонсо беспокойства. Она слушала отцовскую речь с восторгом и воодушевлением: теперь, когда и муж, и ребенок были рядом с ней, Лукрецию переполняло счастье. Думаю, она просто не позволяла себе думать о том, что может произойти, если ее брат вмешается в ход событий; она так долго была лишена нормальной жизни, и я не могла обвинять ее за то, что она предпочитает сохранять неведение. Тем вечером довольство

Лукреции сказалось на ее внешнем виде: я никогда не видела ее такой красивой.

К счастью, лекция Папы оказалась короткой, и вскоре мы приступили к трапезе. После того как мы поели и слуги убрали со стола, я не захотела оставаться на празднестве, а пробыла лишь столько, сколько требовали приличия.

Я вернулась к себе в спальню и обнаружила донну Эсмеральду на коленях перед ее алтарем святого Януария.

— Эсмеральда! Что случилось?

Эсмеральда подняла голову. Ее смуглое лицо, обрамленное седыми волосами под черным покрывалом, было все в потеках слез.

— Я молю Бога не насылать конец света.

Я испустила длинный вздох и успокоилась, хотя суеверность Эсмеральды вызвала у меня легкое раздражение. Многие провинциальные священники вбили себе в голову, что 1500 — дата, созданная людьми, — столь важна для Бога, что он избрал ее для Апокалипсиса. Я слыхала, как слуги со страхом шептались об этом.

— Зачем это надо Богу? — спросила я без особого сочувствия.

Я не ощущала в себе достаточно доброты, чтобы развеивать безосновательные страхи Эсмеральды.

— Это особая дата. Я это нутром чувствую, донна Санча. Бог не станет больше откладывать свое правосудие. Два года назад Александр убил Савонаролу... и теперь подошло время его кары, а вместе с ним будет страдать вся Италия.

— Италия страдает постоянно, — негромко отозвалась я. — Но страдает она от рук Чезаре, а не от Господа.

Я оставила Эсмеральду в покое, разделась самостоятельно и отправилась в постель. До меня еще долго доносились ее отчаянные молитвы.

В первый день нового года я проснулась и обнаружила, что мир не сожжен серой, как то предсказывали священники. Был обычный прохладный зимний день, и мрачная донна Эсмеральда помогла мне облачиться в мое лучшее платье, поскольку мне требовалось появиться на публике. Альфонсо, Джофре, его святейшество и я ехали в карете на некотором расстоянии от Лукреции; мы пересекли мост Сант-Анджело и въехали в город. Лукреция же верхом направилась к собору Святого Иоанна Латеранского; перед ней ехала свита из четырех дюжин всадников, расчищавших ей путь.

Лукреция была одета в расшитое жемчугом платье из белого атласа и длинный горностаевый плащ; ее золотые кудри струились по спине. Она взошла по ступеням собора и выпустила стайку белоснежных голубей. Она выглядела чудесно, когда, раскрасневшаяся от холода, с мольбой воздела руки и подняла лицо к пасмурному небу.

Лукреция прочла короткую молитву, прося Бога даровать особую милость тем, кто совершит паломничество в Рим.

Через несколько недель начали прибывать путники со стертыми ногами. Мост Сант-Анджело заполнила плотная масса движущихся тел: это паломники шли в собор Святого Петра и обратно. Те, кто не мог себе позволить воспользоваться постоялым двором, или те, кто из-за все прибывающих толп не нашел там места, расстилали свои одеяла и устраивались спать прямо на паперти. Всякий раз, когда мы пересекали площадь или шли к мессе, мы натыкались на паломников, и вскоре так привыкли к этому зрелищу, что перестали их замечать.

Папа всячески выказывал дочери свое особое расположение. Думаю, это делалось, чтобы отвлечь внимание Лукреции и заставить ее поверить, что с ее маленькой семьей все в порядке. Александр подарил Лукреции множество новых имений, и в том числе одно поместье, прежде принадлежавшее неаполитанскому семейству Каэтани — тому самому, к которому относился мой давний возлюбленный, Онорато.

Если Лукреция и испытывала какой-то страх за Альфонсо, она старалась отвлечься, затеяв платонический, куртуазный роман с поэтом Бернардо Аккольти Аретино, который заносчиво именовал себя «l'Unico» — «уникальный».

Однако в стихах Аккольти ничего уникального не было. Он кипами слал эти вирши Лукреции, провозглашая в них свою бессмертную страсть к ней, отводя Лукреции роль своей Лауры, а себе — страдающего Петрарки.

Лукреция сама показала мне эти стихи — с некоторой робостью. Когда же я не смогла скрыть своего пренебрежения по отношению к ним, она принялась смеяться вместе со мной, но я видела, что эти стихи ей льстят. Это даже вдохновило ее на написание собственных стихов, которые она тоже застенчиво показала мне.

Я сказала ей — и совершенно чистосердечно, — что она гораздо лучший поэт, чем Аккольти. По крайней мере, она куда меньше усыпала свои стихи обмороками, слезами и вздохами.

Пока Лукреция отвлекалась при помощи этого романа, произошла вторая битва за Милан. Герцог Лодовико вступил в сражение с французскими войсками и попал в плен, где ему и предстояло пробыть до конца жизни; его брату, кардиналу Асканио Сфорце, тоже не удалось бежать.

Разгромив наголову дом Сфорца, французы принялись поглядывать на юг — на Неаполь, эту морскую жемчужину, на которую они так давно зарились.

Заверения его святейшества потонули в голосах прочих итальянцев, что непрестанно теперь звучали у меня в ушах, словно безмолвный крик: французы собираются захватить Неаполь! Это было лишь вопросом времени.

Я не сомневалась, что Чезаре Борджа отправится вместе с ними.

Через месяц Чезаре вернулся домой, устроив напоказ Риму грандиозное представление. В порыве озарения он решил не давать лишний раз пищу слухам о его заносчивости и честолюбии и не стал въезжать в Рим с помпой, как победитель.

Я смотрела на эту процессию с галереи нашего дворца. Впереди ехала добрая сотня повозок, затянутых черным, запряженных лошадьми в черных попонах. Вскоре стало ясно, что это погребальная процессия, указывающая на скорбь дома Борджа по его недавно утраченному члену, кардиналу Джованни Борджа Меньшему, который столь скоропостижно и загадочно скончался, отправившись «поздравить» Чезаре.

Герольды не возвещали о возвращении гонфалоньера и полководца Церкви, и фанфары молчали. Не было ни знамен, ни торжественных церемоний, ни барабанного боя, ни пения флейт. Солдаты — сотни солдат, одетых в черное, — двигались в тишине, нарушаемой лишь громыханием колес да стуком копыт.

Следующим ехал Джофре, верхом, а за ним — Альфонсо, который вынужден был принять участие в этой мрачной пародии.

Последним двигался Чезаре, снова одетый очень просто, но изящно, в хорошо скроенный костюм из черного бархата.

Затем, после некоторого промежутка, шли менее значительные члены свиты и дворяне.

Процессия завершила свое движение у замка Сант-Анджело, куда уже упрятали Катерину Сфорца. Здесь безмолвие процессии внезапно нарушили ракеты, пущенные с верха башни.

Образовавшееся зрелище, что отразилось в водах Тибра, было поразительным. Фейерверк был настолько искусен, что разрывы ракет образовывали — при небольшом усилии воображения — голову, тело и конечности человека. Как сообщил мне позднее Джофре, Чезаре желал изобразить воина.

Фейеверк продолжался некоторое время, и каждый новый залп был грандиознее предыдущего и вызывал все больше восхищенных криков у собравшейся толпы.

Катерина наверняка видела его из своей темницы.

Затем последовал завершающий удар. Одновременно было запущено около двух дюжин ракет. Взрыв получился таким громким, что я поспешила заткнуть уши; открытые ставни так затряслись, что я испугалась, как бы они не рухнули на землю.

Чезаре Борджа вернулся домой, и он желал, чтобы весь Рим знал об этом.

Тем вечером в Зале свободных искусств было устроено празднество в честь гонфалоньера. Родственный долг вынуждал меня присутствовать на нем; к счастью, гостей было неимоверное количество, и я большую часть вечера успешно избегала Чезаре. Джофре из явственной зависти к брату быстро напился и принялся приставать к одной из женщин, нанятых для увеселения кутил. Мне это было неприятно. Я надеялась, что со временем привыкну к похождениям Джофре, но поскольку я полагала, что женщине королевской крови не подобает выказывать ревность по такому поводу, то старательно обходила эту парочку стороной.

Вместо этого я засвидетельствовала свое почтение его святейшеству и большинству кардиналов, а также всем вельможам. К моему удивлению, здесь присутствовала и Ваноцца Каттаней — я никогда прежде не встречала ее на приемах, проходивших в резиденции Папы. Мы тепло поприветствовали друг друга, словно давние подруги.

Выждав требуемое приличиями время, я попросила у Александра дозволения уйти и поспешила к двери, радуясь, что мне удалось избежать встречи с виновником сегодняшнего торжества. Я подала знак донне Эсмеральде и прочим моим дамам, веля им следовать за мной, и вызвала стражников, чтобы те провели нас домой через запруженную народом площадь.

Но как только я очутилась в коридоре, кто-то схватил меня за руку, осторожно, но настойчиво. Я подняла голову и увидела Чезаре; он жестом показал Эсмеральде и остальным, чтобы нас ненадолго оставили одних.

Сердце мое забилось быстрее. Прикосновение Чезаре больше не вызывало у меня трепета. Теперь я чувствовала лишь отвращение — и беспокойство; я боялась, что избыток эмоций подтолкнет меня к резкой вспышке, а это еще более поставит под удар Альфонсо и Неаполь.

Чезаре отвел меня подальше по коридору, прочь от шума и гостей. Когда он счел, что нас уже не услышат, то заговорил с обычным своим хладнокровием:

— Возможно, теперь вы поняли, от какой жизни отказались. — Говоря это, он внимательно наблюдал за мною. — Еще не поздно все изменить.

Я ахнула и недоверчиво рассмеялась.

— Вы делаете мне предложение?

Голос и выражение лица Чезаре мгновенно сделались более осторожными.

— А если да?

Я высвободила руку; губы мои так искривились, что я не в состоянии была ответить. Да, было такое время — давно, до убийства Хуана, — когда я была бы вне себя от радости, узнав, что Чезаре по-прежнему любит меня. Теперь же я чувствовала лишь боль.

Моя реакция не ускользнула от внимания Чезаре. Когда он заговорил снова, в голосе его звучала насмешка:

— Но, конечно же, вы по-прежнему верны Джофре. Я вижу, вы, как подобает хорошей жене, закрываете глаза на тот факт, что он уже упал в объятия куртизанки.

Я холодно улыбнулась, не желая отвечать на его колкости.

— А я слыхала, что вы чем далее, тем более идете по стопам своего брата, Хуана. Ни одна женщина в Романье не застрахована от вашего непрошеного внимания, и в особенности Катерина Сфорца.

На губах Чезаре заиграла жестокая усмешка.

— Вы завидуете, мадонна?

Часть моей души и вправду терзалась ревностью, однако куда большую часть переполняло отвращение. Я не удержалась.

— Завидую, гонфалоньер? Чему? Сифилитической сыпи, которую вы пытаетесь спрятать под бородой? Этому подарку, которым вас наградили французские шлюхи? Ваша молодая жена, несомненно, будет в восторге, когда узнает, какой дар вы ей привезли из странствий.

Я стояла достаточно близко, чтобы разглядеть рубцы и свежие воспаленные язвочки на щеках Чезаре. У нас в Неаполе это называли «французским проклятием»; французы же, естественно, пытались свалить вину на проституток, с которыми они спали в Неаполе. Меня слегка утешил тот факт, что эта болезнь неминуемо должна была сократить жизнь Чезаре, а с годами вполне могла довести его до сумасшествия.

Глаза его вспыхнули гневом — мне удалось нанести чувствительный удар. Я развернулась, довольная, и направилась к моим дамам.

Сзади до меня донеслись негромкие, но отнюдь не нежные слова:

— Это была последняя моя попытка, мадонна. Теперь я знаю, на чьей стороне стою и что мне делать.

Я не потрудилась ответить.

Весна сменилась летом, а с нами каким-то чудом ничего за это время не стряслось. Король Людовик не двинулся на Неаполь, а жизнь в семействе Борджа текла без происшествий.

Чезаре, отговариваясь неотложными заботами об армии и политическими делами, перестал присутствовать на наших ужинах у Папы. После того вечера мы с ним не разговаривали и практически не виделись, разве что мимоходом; и взгляды, которыми мы обменивались, были холодны. Донна Эсмеральда сообщила, что, когда Чезаре не совещается с отцом либо с французскими представителями, он проводит ночи в обществе куртизанок или многострадальной Катерины Сфорца, которую тайком проводят из камеры в замке Сант-Анджело к нему в покои. Охраняющие Катерину стражники говорят, что она очень красива — так шепотом рассказывала мне Эсмеральда, — у нее волосы цвета светлой соломы и такая белоснежная кожа, что в темноте она сияет, словно опал. До плена она была полненькой, но от жестокого обращения Чезаре сильно исхудала.

Я никогда не видела эту женщину, но иногда мне казалось, будто ее исполненное скорби и гнева присутствие ощущается в тех самых коридорах, по которым я когда-то ходила, пробираясь в покои Чезаре. Да, правда, я испытывала по отношению к ней некоторую ревность, но основным моим чувством было чувство родства. Я знала, каково подвергаться насилию, каково быть беспомощной и ожесточенной.

Чезаре ни на публике, ни в семейном кругу даже не пытался изобразить хоть какие-то знаки внимания по отношению к Альфонсо или к малышу. Однако, невзирая на все презрение Чезаре к Арагонскому дому, его святейшество продолжал выказывать нам самые теплые чувства и позаботился о том, чтобы Альфонсо во время церемоний отводилось видное место. Я верила, что Александр в душе действительно поддерживает Неаполь и Испанию и терпеть не может Францию, несмотря на то что брак его старшего сына с Шарлоттой д'Альбре явно порадовал Папу. Но я помнила также, как Лукреция, носившая ребенка от родного брата, плача от ужаса, призналась мне, что даже Папа боится Чезаре. Так что вопрос был в том, хватит ли у его святейшества силы воли, чтобы и дальше играть взятую им на себя роль защитника Неаполя.

В начале лета с Александром приключился небольшой апоплексический удар, отчего он на несколько
дней оказался прикован к постели.

Впервые я задумалась над тем, какая судьба ожидает всех нас после кончины Родриго Борджа. Все за-
висело от того, удастся ли Чезаре до этого утвердить
за собою роль светского властителя Италии. Если да,
то нас с Альфонсо в лучшем случае изгонят, а в худшем
убьют. Если же нет, то все будет зависеть от того, кого конклав изберет новым Папой. Если он будет бла-
гожелательно настроен по отношению к Неаполю и
Испании — а пока что все указывало на то, что так оно
и будет, — тогда Альфонсо сможет без опаски уехать
вместе с Лукрецией в Неаполь, а мы с Джофре сможем
вернуться в наши владения, в Сквиллаче. И при ны-
нешних обстоятельствах последний вариант развития
событий представлялся мне куда более желанным.

А вот Чезаре тогда стал бы в Италии персоной нон
грата. Ему пришлось бы полагаться на любезность короля Людовика и надеяться, что тот дозволит ему вернуться к исстрадавшейся супруге.

Не стану скрывать, что во время болезни Папы я
обратилась к Богу впервые за много лет. И молитвы
мои были черны и нечисты.

«Пожалуйста, — молилась я, — если это спасет Альфонсо и малыша, забери его святейшество сейчас».

Конечно же, Александр успешно поправился.

Бог снова не оправдал моих чаяний; но вскоре он
изъявил свою волю весьма резко и совершенно неожиданным образом.

В один из последних дней июня — День святого
Петра, учрежденный в честь первого Папы, — Александр пригласил всех нас, включая своего маленького тезку Родриго, к себе в покои.

День выдался необыкновенно жаркий, и по небу быстро плыли черные тучи, вскоре затянувшие весь небосвод. Поднялся ветер. Когда мы — Лукреция, Альфонсо, Джофре и я — шли с нашими придворными через площадь от дворца к Ватикану, от внезапного порыва холодного воздуха у меня по спине и рукам побежали мурашки и тут же раздался удар грома.

Маленький Родриго — восьмимесячный малыш, рослый и крепкий, — при этом раскате заорал от испуга и принялся с такой силой брыкаться на руках у няньки, что Альфонсо забрал его. Мы прибавили шагу, но не сумели убежать от ливня. Холодный дождь с градом обрушился на нас, пока мы спешили к ступеням Ватикана. Альфонсо накрыл голову малыша руками и сгорбился, стараясь защитить сына собой.

Мокрые и растрепанные, мы проскочили мимо стражников и влетели в огромную дверь, ища спасения в вестибюле. Альфонсо держал хнычущего малыша, а мы с Лукрецией хлопотали вокруг Родриго, вытирая его рукавами и подолами платья.

Пока мы стояли неподалеку от входа, раздался такой грохот, что тяжелые двери и пол у нас под ногами содрогнулись. Все вздрогнули от испуга, а малыш пронзительно завопил.

Мы с Альфонсо встревоженно переглянулись, вспомнив тот ужас, который нам пришлось повидать в Неаполе, и одновременно прошептали:

— Пушки.

На миг я перепугалась, что французы напали на город; но это было безумие. Нас бы предупредили. О подходе их армии непременно стало бы известно.

А потом мы услышали в глубине здания неистовые крики. Я не могла разобрать слов, но в них звучала несомненная истерия.

Лукреция обернулась на шум, и внезапно глаза ее расширились.

— Отец! — вскрикнула она, подхватила юбки и помчалась туда.

Я кинулась следом, а за мной Джофре и Альфонсо; Альфонсо лишь на миг притормозил, чтобы сунуть ребенка няньке. Мы во весь дух взбежали по лестнице; мужчины, которым не мешали длинные платья, обогнали нас с Лукрецией.

В коридоре, ведущем к покоям Папы, нас встретила темная дымка, от которой защипало в глазах и в груди. Нагнав Альфонсо и Джофре, я, как и они, остановилась в ужасе и изумлении, глядя на сводчатый проход, ведущий в Зал таинств веры, где, как предполагалось, должен был сидеть на троне его святейшество, ожидая нас.

На месте трона громоздилась огромная груда деревянных балок, битого камня и кирпича, и над ней стояло облако пыли. Потолок зала рухнул, и вместе с ним попадали ковры и мебель с верхнего этажа.

Я узнала эти ковры и мебель, ибо не раз видела их по ночам в покоях Чезаре. Меня на миг пронзила недобрая надежда: если бы Чезаре и Папа умерли одновременно! Тогда все мои страхи за мою семью и за Неаполь оказались бы похоронены вместе с ними.

— Святой отец! Ваше святейшество!

Двое придворных Папы, камерарий Гаспар и епископ Падуанский, отчаянно звали его, нагнувшись над грудой обломков и пытаясь хоть что-нибудь разглядеть через нее. Это их крики донеслись до нас, а теперь к ним присоединились еще и голоса Лукреции и Джофре.

— Отец! Отец, отзовись! Ты цел?

Но из-под обломков не доносилось ни звука. Альфонсо отправился за помощью и вскоре вернулся с полудюжиной рабочих, вооруженных лопатами. Я обняла Лукрецию, которая в ужасе смотрела на обломки, уверенная в смерти отца. Я тоже была в этом уверена и разрывалась между чувством вины и бурной радостью.

Вскоре стало ясно, что Чезаре в его покоях не было, поскольку в этой груде его не обнаружили. Но на понтифика рухнуло не менее трех этажей. Обломков было великое множество. Мы простояли там целый час, пока рабочие трудились над ними, повинуясь указаниям Альфонсо.

В конце концов Джофре, окончательно обезумевший от беспокойства, не выдержал.

— Он мертв! — вскричал Джофре. — Надежды нет! Отец мертв!

Камерарий Гаспар, который тоже был человеком эмоциональным, услышал Джофре и принялся в отчаянии заламывать руки.

— Святой отец мертв! Папа мертв!

— Тихо! — скомандовал Альфонсо с резкостью, какой я никогда прежде в нем не замечала. — Замолчите оба, или вы сейчас ввергнете весь Рим в хаос!

И действительно, мы слышали шаги папских стражников, ринувшихся перекрывать вход в Ватикан, и слышали, как слуги и кардиналы подхватили этот крик:

— Папа мертв! Его святейшество мертв!

— Ну, полно, — принялась я уговаривать Джофре, заставив его переключить внимание с груды обломков на меня. — Джофре, Лукреция, вам следует сейчас быть сильными и не увеличивать страданий других.

— Да, верно, — отозвался Джофре, в котором пробудилась тень мужества. Он взял сестру за руку. —

Сейчас нам надо положиться на Господа и этих рабочих.

Мы взялись за руки и заставили себя спокойно ждать исхода, невзирая на неистовые крики, раздающиеся этажом ниже.

Время от времени рабочие переставали копать и принимались звать Папу, но ответа не было. Я старалась уверить себя, что он, конечно же, скончался. Мысленно я уже ехала обратно в Сквиллаче.

Через час им удалось настолько разгрести эту груду, что из-под нее выглянул край золотой мантии Александра.

— Святой отец! Ваше святейшество!

И снова ни звука в ответ.

Но Бог просто дурачил нас всех. В конце концов, оттащив в сторону балки и золотые гобелены, рабочие отыскали Александра; он сидел на своем троне, вцепившись в резные подлокотники, с прямой словно палка спиной, весь в пыли, перепуганный до потери речи.

Ссадины и ушибы были настолько незначительны, что тогда мы их даже не заметили.

Гаспар повел Папу в постель, а Лукреция тем временем вызвала врача. Александру сделали кровопускание; от возбуждения его слегка лихорадило. Он не желал видеть никого, кроме дочери и Чезаре.

Началось расследование. Сначала предположили, что какой-нибудь мятежный дворянин выстрелил из пушки, но на самом деле крыша дворца рухнула от удара молнии и неистового ветра. Чезаре же по чистой случайности за несколько мгновений до этого вышел из своих покоев.

Это было божественное предупреждение, шептались люди, знак для Борджа, призывающий их раскаяться в своих грехах, пока Господь не сокрушил их. Савонарола продолжал вещать даже из могилы.

Но для Чезаре это был знак, означающий, что ему пора начать грешить с удвоенной силой и обеспечить себе место в истории, пока его отец еще дышит.

ЛЕТО 1500 ГОДА

ГЛАВА 32

Благодаря крепкому телосложению Александр поправился довольно быстро. Этот гром Господень напомнил его святейшеству о смертности и заново воскресил в нем вкус к жизни; он стал проводить меньше времени с Чезаре в обсуждении завоевательных планов и больше — в обществе семьи, состоящей из быстро подрастающего Родриго, Лукреции, Альфонсо, Джофре и меня. Мы снова собирались по вечерам за столом в папских покоях, и Александр вместо политики обсуждал дела домашние. Противоречия между Александром и Чезаре по вопросам верности становились все более непримиримыми, и я лишь надеялась, что Папа достаточно могуществен, чтобы выйти победителем.

Мой личный апокалипсис начался пятнадцатого июля, через каких-нибудь две недели после зловещего обрушения потолка над папским троном. Тем вечером мы ужинали у его святейшества. Мы с Лукрецией завязали непринужденную беседу с ее отцом, и нам не хотелось ее прерывать, но тут Альфонсо встал и объявил:

— Ваше святейшество, если вы не возражаете, я хотел бы сегодня уйти пораньше — я что-то устал.

— Конечно-конечно, — небрежно, но вежливо отозвался поглощенный беседой Александр и взмахнул рукой. — Да пошлет тебе Господь спокойный отдых.

— Спасибо.

Альфонсо поклонился, поцеловал руку Лукреции и мне и вышел. Не помню уже, о чем мы тогда болтали, но мне запомнилось, как я посмотрела ему вслед и как меня взволновал его усталый вид. Рим с его мерзкими интригами состарил Альфонсо. Из глубин моей памяти вдруг всплыла картинка: я, проказливая одиннадцатилетняя девчонка, поддразниваю брата, уговаривая сходить со мной в музей мертвецов, устроенный нашим дедом Ферранте.

«Как ты можешь утерпеть, Альфонсо? Неужели тебе не хочется узнать, правда ли это?»

«Нет. Потому что это может быть правдой».

С тех пор произошло много такого, чего я предпочла бы никогда не знать, много такого, от чего мне хотелось бы защитить моего брата, позволив ему жить в блаженном неведении. Но это было невозможно.

В тот момент меня охватило странное желание прервать разговор с Лукрецией и проводить Альфонсо домой — но это было бы невежливо. Впоследствии я не раз задумывалась над тем, как могла бы измениться наша жизнь, если бы я все-таки сопровождала его. Но тогда я вместо этого лишь улыбнулась брату, когда он запечатлел поцелуй на моей руке. Когда же он удалился, я отмахнулась от этих мыслей, как от напрасного беспокойства.

Пару часов спустя мы с Лукрецией и Папой перебрались беседовать в Зал святых; наши голоса эхом отдавались от стен просторного, почти пустого помещения. Я устала и начала уже подумывать об уходе, как до нас донесся приближающийся громкий топот и встревоженные голоса. И прежде чем я успела сообразить, что же происходит, в зал вошли солдаты.

Я быстро подняла взгляд.

Облаченный в мундир папский стражник и с ним еще пятеро из его отряда подошли к Александру. Стражник был молод, не старше восемнадцати лет; он был потрясен и мертвенно-бледен от испуга. Согласно этикету, он должен был поклониться и испросить дозволения обратиться к его светлости; юноша открыл рот, но не смог выдавить из себя ни звука.

На руках он держал бессильно обвисшее тело моего брата, бледного как смерть. Мне тотчас же вспомнилось изображение Девы, прижимающей к себе пронзенного копьем Христа.

По лбу Альфонсо текла кровь, окрашивая его золотые кудри алым; она уже залила половину лица. Накидка, которая была на нем сегодня вечером, исчезла — ее сорвали, а рубаха в тех местах, где она от крови не прилипла к телу, была изрезана. Одна штанина брюк была влажно-алой.

Глаза Альфонсо были закрыты, голова запрокинулась назад. Я подумала, что он мертв. Я не могла ни говорить, ни дышать. Мои наихудшие страхи сбылись. Мой брат умер раньше меня. Мне больше незачем было жить, незачем действовать в соответствии с моралью добропорядочных людей.

И в то же самое время я в мгновенной вспышке озарения осознала всю меру своей глупости: ведь в глубине сердца я всегда знала, что Чезаре попытается убить моего брата! Это был самый верный способ отомстить мне за то, что я его отвергла, — уж конечно, для меня это было куда страшнее, чем потерять собственную жизнь.

Как там он пригрозил мне во время нашей последней встречи наедине?

«Это была последняя моя попытка, мадонна. Теперь я знаю, на чьей стороне стою и что мне делать».

Лукреция вскочила, а потом, не издав ни звука, упала без сознания.

Я оставила ее лежать на полу и кинулась к брату. Я прижалась ухом к его раскрытому рту и сама едва не рухнула от мучительной благодарности, заслышав дыхание. «Господи, — безмолвно поклялась я, — я сделаю все, что Ты от меня потребуешь. Я больше не стану уклоняться от своей участи».

Альфонсо был жив — жив, но тяжело, если не смертельно, ранен.

У меня за спиной Александр спустился с трона и теперь пытался привести дочь в чувство.

Я уверена, что Лукреция почти сразу же пришла в себя благодаря решимости и тому, что она понимала, насколько она сейчас нужна.

— Со мной все в порядке! — воскликнула она, гневаясь на себя за то, что в подобный момент поддалась слабости. — Пустите меня к мужу! Пустите!

Она вырвалась из отцовских объятий и встала рядом со мной; мы вместе осмотрели раны Альфонсо. Мне хотелось закричать или упасть в обморок, как Лукреция. Но больше всего мне хотелось удушить его святейшество, который стоял тут, изображая полнейшую невинность, хотя я не сомневалась, что он был прекрасно осведомлен о готовящемся нападении.

Я смотрела на бессильно обмякшее прекрасное тело Альфонсо; подобно его жене, я силой вынудила себя к сверхъестественному спокойствию. В сознании моем прозвучал голос деда: «Мы, сильные, должны заботиться о слабых».

— Его нельзя переносить, — сказала Лукреция.

Я кивнула.

— Нам нужна комната здесь, в этих покоях.

Лукреция взглянула на отца — не с ее обычным обожанием и вниманием, а с нехарактерным для нее нажимом. В серых глазах явственно читалось, что, если ее приказ не будет выполнен, тут всем не поздоровится. Александр сразу же энергично принялся за дело.

— Сюда, — распорядился он и жестом велел солдату, держащему Альфонсо, следовать за ним.

Он отвел нас в соседний Зал сивилл; там стражник осторожно положил Альфонсо на скамью, накрытую парчовым покрывалом. Мы с Лукрецией шли по бокам от солдата, не отставая ни на шаг.

— Я вызову своего врача, — сказал Александр, но на его слова никто не обратил внимания, потому что Альфонсо вдруг закашлялся.

Веки брата дрогнули, потом приподнялись. Он взглянул на нас с Лукрецией, нависавших над ним, и прошептал:

— Я видел нападавших. Я видел, кто ими руководил.

— Кто? — требовательно спросила Лукреция. — Я убью этого ублюдка собственными руками!

— Чезаре, — ответил Альфонсо и снова потерял сознание.

Я выругалась.

Лицо Лукреции исказилось. Она схватилась за живот и согнулась, как будто ее ударили кинжалом; я поддержала ее за локоть, испугавшись, что она сейчас упадет.

Но она не упала. Напротив — она собралась с силами и, не выказывая никакого удивления по поводу этого ужасающего разоблачения, обратилась к отцу ровным, деловым тоном, словно к слуге.

— Можешь звать своего врача. Но я сейчас же пошлю за врачом короля неаполитанского. И пусть немедленно пригласят послов Испании и Неаполя.

— Пошлите за водой, — добавила я, — и за бинтами. Нужно сделать все, что в наших силах, пока не прибудут врачи.

Поскольку из ран Альфонсо все еще текла кровь, я отвязала рукава и сняла их, а потом прижала тяжелый бархат к зияющей ране у брата на лбу. Я вспомнила о холодности моего отца, о его неумении испытывать чувства, и впервые обрадовалась, обнаружив это в себе.

Лукреция последовала моему примеру. Она тоже сняла один из рукавов и прижала к ране на бедре Альфонсо.

— Пошлите за слугами Альфонсо и за моими дамами! — потребовала я.

Внезапно мне отчаянно захотелось ощутить рядом успокаивающее присутствие донны Эсмеральды и очутиться в обществе надежных людей, приехавших с нами из Неаполя.

Поглощенные отчаянием, мы с Лукрецией даже не сообразили, что Папа самолично выслушал наши требования и побежал передавать их слугам. Двое папских стражников попытались было отправиться исполнять приказы, но я резко окликнула их:

— Оставайтесь на месте! Мы не можем обойтись без вашей защиты. Жизнь этого человека под угрозой, и у него есть враги в собственном доме!

Лукреция не стала оспаривать мои слова. Когда ее отец вернулся, запыхавшись, она сказала:

— Мне нужно как минимум шестнадцать человек при оружии, чтобы они непрестанно охраняли двери этих покоев.

— Но ведь не думаешь же ты... — начал ее отец.

Лукреция холодно взглянула на него, и по лицу ее было ясно, что именно это она и думает.

— Мне нужны эти люди!

— Хорошо-хорошо, — произнес Александр странно успокаивающим тоном.

Возможно, при виде горя, которое причинил Чезаре Лукреции при его попустительстве, он ощутил некоторую вину. Впервые Папа при людях продемонстрировал, что на самом-то деле он трус: его непостоянство было не столько результатом хитроумного политического расчета, сколько тем, что советники и дети тянули его в разные стороны.

Вскоре в нашем убежище собрались неаполитанский и испанский послы, папские врач и хирург, мои слуги и слуги Альфонсо и вооруженные стражники. Я настояла на том, чтобы сюда принесли тюфяки: я не собиралась ни на миг отходить от Альфонсо, равно как и Лукреция. Кроме того, я потребовала, чтобы принесли кухонную печку для очага. Я не забыла о существовании кантереллы и хотела собственноручно готовить еду для брата.

Несколько часов спустя Альфонсо пришел в себя на достаточное время для того, чтобы назвать имена людей, сопровождавших его в момент нападения; это были его оруженосец Мигуэлито и придворный Томазо Альбанезе.

Лукреция тут же вызвала к себе обоих.

Альбанезе до сих пор занимался врач, и его нельзя было трогать, но оруженосец Мигуэлито явился почти сразу.

Любимый оруженосец Альфонсо был молод, но высок и мускулист. У него было перебинтовано плечо, а правая рука висела на перевязи. Мигуэлито попросил прощения за то, что раньше не пришел узнать о здоровье своего господина, но его бледность и слабость явственно показывали, что он и сам серьезно ранен. На самом деле он настолько нетвердо держался на ногах, что мы потребовали, чтобы он сел; Мигуэлито с благодарным вздохом опустился в кресло и откинул голову на спинку.

Лукреция принесла ему бокал вина; оруженосец принялся рассказывать, время от времени прикладываясь к этому бокалу.

— Мы втроем — герцог, дон Томазо и я — шли от Ватикана ко дворцу Святой Марии. Само собой, для этого нам требовалось пройти мимо собора Святого Петра, а на его ступенях уже спало много паломников. Мы даже и не подумали о них, мадонна. Возможно, мне следовало быть более бдительным...

На его простодушном, энергичном лице появилось виноватое выражение.

— Мы прошли мимо людей, которых приняли за группку обычных бедняков; по-моему, их было шестеро, все в лохмотьях. Я подумал, что они, должно быть, дали обет бедности. Как я уже сказал, мы не обратили на них внимания. Герцог и дон Томазо были поглощены беседой, а я, вынужден признаться, тоже не был начеку. Внезапно бедняки на ступенях повскакивали и принялись угрожающе размахивать мечами. Они лежали там, поджидая герцога: я слышал, как один из них окликнул остальных, когда мы подошли. Они мгновенно окружили нас. Видно было, что это хорошо обученные солдаты. К счастью, как вам известно, донна Санча, мы тоже были обучены неаполитанской манере фехтования. Ваш брат — ваш супруг, донна Лукреция, — был самым умелым и самым храбрым из нас. Несмотря на то что противник превосходил нас численностью, дон Альфонсо сражался так хорошо, что некоторое время ему удавалось сдерживать врагов. Дон Томазо тоже сражался искусно и упорно и выказал достойное восхищения мужество, защищая герцога. Что же до меня, я делал все, что мог, но теперь, когда я вижу герцога таким бледным и недвижным, у меня разрывается сердце. Несмотря на все наши усилия защитить его, герцог был ранен. Однако он продолжал драться, даже когда из ран на ноге и плече уже вовсю лила кровь. И так продолжалось, пока он в конце концов не получил удар в голову и не упал. Нападающие тут же устремились к нему. Другие люди — они были одеты в черное, и я никого из них не узнал — привели лошадей, и нападающие попытались утащить дона Альфонсо к ним. Мы с доном Томазо принялись сражаться с новой силой, ибо поняли, что если нашего господина сейчас заберут, то ему наверняка несдобровать. Мы начали кричать и звать на помощь; сначала мы пытались дозваться стражников, охраняющих дворец Святой Марии. Я подхватил господина на руки, а дон Томазо тем временем доблестно отбивался от нападающих — к этому моменту их осталось трое. Тут я заметил еще двоих людей, которые стояли перед дворцом, перекрывая проход стражникам. Один из них был пеший, с мечом наголо, а второй сидел на лошади...

На этом месте Мигуэлито понизил голос до шепота, а после этих слов и вовсе умолк. Сначала я подумала, что его от усталости и потери крови одолела слабость, особенно после такого долгого рассказа. Я велела ему выпить еще вина.

Но затем я поймала взгляд оруженосца. Нет, не изнеможение, а страх сковал его уста.

Я бросила взгляд на Лукрецию, потом снова повернулась к Мигуэлито.

— Его конь был белым? — медленно произнесла я.

Мигуэлито потрясенно посмотрел на меня, потом перевел взгляд на Лукрецию.

— Твой господин уже назвал Чезаре виновником нападения, — сказала она с восхитившим меня спокойствием. — Ты здесь среди друзей Неаполя, и я в неоплатном долгу перед тобой за то, что ты спас жизнь моего мужа. Я клянусь, что тебе не причинят никакого вреда, если ты повторишь правду.

Молодой оруженосец неохотно кивнул, потом хрипло признался:

— Да. Это был дон Чезаре, герцог Валенсийский, верхом на коне. Я испугался за своего господина, потому направился в противоположную сторону, обратно к Ватикану, пока дон Томазо отбивался от наседающих убийц. Мы с ним кричали, пока папские стражники не открыли ворота и не впустили нас; тогда убийцы пустились наутек.

— Спасибо, — произнесла Лукреция резким, глухим голосом; я никогда прежде не слыхала, чтобы она говорила с таким равнодушием и бесстрашием. — Спасибо тебе, Мигуэлито, за то, что ты сказал правду.

На следующие несколько дней эти покои в апартаментах Борджа — их постоянно охраняли солдаты и самые доверенные из людей Альфонсо — превратились в своего рода преисподнюю. Мы установили ширмы, разделив великолепно расписанный Зал сивилл на внутренние и внешние покои, чтобы обеспечить себе немного уединения. Сюда доставили мебель, и мы вместе с нашими придворными — в том числе с донной Эсмеральдой — устроили в этом роскошном зале примитивный лагерь, словно бы находились на войне.

Через час после того, как за ним послали, явился врач Папы. Он осмотрел Альфонсо и, к нашему с Лукрецией облегчению, объявил, что с учетом молодости и крепкого сложения моего брата он будет жить, «если только за его ранами будут как следует ухаживать».

Что за ними будут ухаживать как следует, сомневаться не приходилось, ибо во всем свете не нашлось бы более ревностных сиделок, чем мы с Лукрецией. Мы собственноручно промыли и перевязали раны. Руководствуясь наставлениями Эсмеральды, я сама готовила кушанья, которые Альфонсо особенно любил в детстве, а Лукреция кормила его с ложечки. Наша преданность Альфонсо настолько сплотила нас, что мы начали понимать друг друга без слов.

Альфонсо быстро поправлялся, хотя раны его были серьезны и менее крепкого человека они свели бы в могилу. Вечером того ужасного дня он очнулся и внятно спросил о здоровье своего оруженосца, Мигуэлито, и Томазо Альбанезе. Услышав, что оба они живы, Альфонсо благодарно вздохнул.

— Лукреция, Санча, — произнес он с внезапной настойчивостью (при этом он был настолько слаб, что не мог даже сидеть), — вам не следует оставаться здесь со мной. Это опасно. Я — человек конченый.

Лукреция вспыхнула и со страстностью, захватившей нас врасплох, произнесла:

— Я клянусь Господом, здесь тебе ничего не грозит со стороны Чезаре! Я не допущу, чтобы мой брат причинил тебе какой-то вред, даже если для этого мне придется удавить его собственными руками!

И она, ради Альфонсо, попыталась сдержать поток слез.

Я обняла Лукрецию и, покачивая ее и поглаживая по спине, словно маленькую, рассказала Альфонсо, какие меры предосторожности приняла его жена: что здесь сейчас, в эту самую минуту находятся испанский и неаполитанский послы и что двери охраняют две с лишним дюжины солдат.

В ответ Альфонсо, хоть он и был очень слаб, взял руку Лукреции и поцеловал, а потом заставил себя улыбнуться. Она же, в свою очередь, высвободилась из моих объятий и с трудом улыбнулась. Больно было смотреть, как каждый из них старается быть храбрым ради другого.

Оба они терзались страхом. Оба знали, что самодельная спальня в Зале сивилл — единственное светлое место во всем темном и мрачном Риме, в котором притаился Чезаре Борджа, поджидая удобного случая, чтобы снова нанести удар.

На второй день Альфонсо уже смог немного поесть, а на третий он чувствовал себя достаточно хорошо, чтобы сесть и довольно подолгу говорить. На четвертый день прибыли врачи из Неаполя: дон Клементе Гактула, личный врач короля, и дон Галеано да Анна, королевский хирург. Я тепло поприветствовала их, поскольку знала обоих с детства: они служили моему деду Ферранте. Лукреция выяснила у них, когда, по их мнению, Альфонсо сможет ходить, когда он сможет сесть верхом и когда сможет выдержать путешествие. Кроме этого, она ничего не сказала, но мы все поняли. Чем скорее Альфонсо будет в состоянии путешествовать и сможет бежать из Рима в безопасный Неаполь, тем лучше. А по тому, какое отношение Лукреция сейчас демонстрировала к отцу и брату, мне было ясно, что на этот раз она не позволит мужу уехать без нее.

Альфонсо продолжал выздоравливать; к счастью, обошлось без лихорадки. Либо я, либо Лукреция — а чаще мы обе — постоянно находились в его комнате. Мы спали на полу рядом с кроватью Альфонсо и втроем ели.

И я каждое мгновение была начеку, ожидая очередного покушения на жизнь моего брата.

Однажды днем, когда я возилась у очага, словно кухарка, с тремя жарящимися фазанами, из прихожей донеслись резкие голоса.

Лукреция сидела у кровати, читая мужу стихи; мы все взглянули в ту сторону, откуда доносился шум, и увидели, как в спальню входит Чезаре Борджа в сопровождении двух наших доверенных стражников.

Лукреция швырнула переплетенный в кожу томик на пол и вскочила; лицо ее исказилось от гнева.

— Как ты мог! — выкрикнула она. Мне сначала показалось, что она обращается к брату, но тут Лукреция продолжила: — Как ты мог позволить ему войти сюда!

— Но он попросил, — смиренно отозвался один из стражников. — Мы обыскали его. При нем нет никакого оружия.

— Это не имеет значения! — Голос Лукреции дрожал от гнева. — Никогда больше не впускай его сюда!

Чезаре выслушал яростную тираду сестры с полнейшей невозмутимостью; даже ненависть, отразившаяся на лице Альфонсо, не поколебала его спокойствия. Я поднялась и встала между Чезаре и моим братом.

— Лукреция, — успокаивающе произнес Чезаре, — я понимаю твой гнев. Поверь мне: я разделяю его. Заслышав о покушении на вашу жизнь, дон Альфонсо, я лишился покоя. Но против меня выдвинул злонамеренное и несправедливое обвинение ваш оруженосец, Мигуэлито Эррера — кажется, так его зовут? Уверяю вас, я полностью в этом неповинен. Меня до глубины души уязвило предположение, что я причинил вред своему родственнику. Мне хотелось бы провести расследование, чтобы я смог обелить свое имя и вновь приобрести ваше доверие.

Когда Чезаре завершил свою вкрадчивую речь, в комнате воцарилась многозначительная тишина.

— Ты глупец, — прошептал Альфонсо.

Я обернулась. Глаза моего брата сверкали ненавистью.

— Ты глупец, — повторил Альфонсо. С каждым словом голос его становился все громче. — Ты думаешь, раз я упал тогда, то и не узнал тебя, как ты сидел там на своем прекрасном белом жеребце с серебряными подковами?

Лицо Чезаре опасно потемнело.

— Я видел тебя, — яростно произнес Альфонсо, — и дон Томазо тоже — а он сейчас находится в безопасном месте, под надежной охраной. Так что тебе нет никакого смысла убивать Мигуэлито. Мы все видели тебя — и все здесь присутствующие знают об этом.

— Я пытался заключить мир, — негромко произнес Чезаре и развернулся, чтобы уйти.

Стражники повели его к выходу, а Лукреция воскликнула голосом, исполненным яда:

— Да, уходи отсюда, убийца!

Но Альфонсо еще не закончил своей речи, обращенной к шурину, хоть тот уже и шел по прихожей.

— Так что теперь тебе придется убить всех нас! — крикнул ему вслед Альфонсо. — Послов, врачей, слуг, стражников — всех!

Я последовала за Чезаре до самых дверей; ненависть притягивала меня к нему, словно магнит.

За миг до того, как стражники расступились, давая ему дорогу, я окликнула его.

Он повернулся ко мне, выжидательно и неуверенно.

На миг я задумалась, не выхватить ли стилет и не убить ли его прямо тут, — но я знала, что у меня это не получится. Либо он сам, либо кто-нибудь из стражников остановит меня, прежде чем я сумею нанести ему сколько-нибудь серьезную рану, а потом заявят, что я действовала по наущению моего брата. Сейчас это не пойдет на пользу ни Альфонсо, ни Неаполю.

И вместо этого я плюнула Чезаре в лицо. Плевок попал на край его бороды и стек на прекрасный черный шелк его облегающего камзола.

Чезаре рванулся ко мне, так резко, что двое стражников выхватили мечи. Его темные глаза горели жаждой убийства. Будь мы здесь одни, он убил бы меня и получил от этого наслаждение.

А так он просто наклонился и, пригладив выбившуюся прядь волос, прошептал мне на ухо:

— Что не удалось за обедом, удастся к ужину.

Он отодвинулся от меня и зловеще улыбнулся, завидев, какой отклик вызвали во мне его слова.

Потом он резко развернулся и вышел, уверенно пройдя между рядами расступившихся стражников.

ГЛАВА 33

После ухода Чезаре я осталась стоять в прихожей; его угроза настолько ошеломила и оскорбила меня, что я не могла сдвинуться с места. Но хотя тело мое застыло, ум мой работал энергично, как никогда прежде. Я была абсолютно уверена, что, если не принять самые серьезные меры, Чезаре убьет моего брата. Я не могла долее закрывать глаза на истину и слепо надеяться на благополучный исход.

Кроме того, слова Чезаре встряхнули все мои чувства; я увидела окружающую обстановку с необычайной ясностью и впервые осознала ее значение.

Мы находились в Зале сивилл. На стенах, расписанных кармазином, ляпис-лазурью и золотом, были изображены пророки Ветхого Завета, белобородые, с лицами, воздетыми к небу, потрясающие руками и твердящие о каре Божьей, что вот-вот поразит людей. За ними стояли сивиллы с неистовыми взглядами и смотрели на тот же приближающийся рок.

Я подумала о Савонароле, поносящем с амвона Папу Александра и именующем его Антихристом. Я подумала о донне Эсмеральде, стоящей на коленях перед святым Януарием и плачущей, потому что пришел год Апокалипсиса.

Внимание мое привлекло лицо одной из сивилл; она была не темноволосой, а златокудрой, очень красивой, и без вуали. В этот миг мне вспомнилось каждое слово пророчества стреги, как будто она прошептала его заново, устами сивиллы.

«В твоих руках судьба людей и целых народов. С оружием, заключенным в тебе, — с добром и злом — нужно уметь обращаться, и каждое из них следует применить в должный срок, ибо они изменят ход событий».

А я воскликнула: «Я никогда не прибегну ко злу!» Некогда я пыталась убедить себя, что худшее зло, с которым мне пришлось столкнуться и которое я отвергла, — это брак с Чезаре Борджа.

А стрега спокойно ответила: «Тогда ты обречешь на смерть тех, кого любишь сильнее всего».

И снова она показала мне мою судьбу с такой ясностью, когда я во второй раз пришла повидаться с ней. Она сказала, что я уже освоила одно оружие; теперь мне надо научиться обращаться со вторым. Я всегда понимала, что это означает. Просто не хотела сознаваться в этом себе.

Стоя здесь, в Зале сивилл, я поняла, что у меня есть выбор. Я могу положиться на дипломатию, на благоволение Папы, на удачу, на слабую надежду, что угроза Чезаре — не более чем пустые слова, что он не нанесет нового удара.

И Альфонсо умрет.

Или я могу принять тот факт, что провидение вложило в мои жилы холодную, расчетливую кровь моего отца и старого Ферранте, что я сильна и способна справиться с делами, которые не под силу более мягким сердцам.

И тогда я сделала выбор. Из любви к брату я решила убить Чезаре Борджа.

Весь этот день я пребывала в состоянии холодной отрешенности. Я исполняла свои обязанности сиделки, улыбалась и разговаривала с братом и с Лукрецией, а сама втайне обдумывала, как лучше всего одолеть гонфалоньера.

Несомненно, все варианты, при которых следы приведут к нам, неаполитанцам, неприемлемы. Кроме того, нельзя ничего предпринимать, пока не пройдет некоторое время после покушения на Альфонсо, иначе Папа поспешит обвинить моего брата и воспользоваться этим поводом, чтобы казнить его. А если моя попытка провалится, то это проделает и сам Чезаре. И потому, как мне ни хотелось проделать это собственноручно, пустив в ход стилет, как мне ни хотелось поскорее свершить возмездие, здесь необходимы были ловкость и коварство. Нам придется подождать. Лучше нанести удар, когда Альфонсо уже достаточно поправится, чтобы бежать в безопасное место.

Я решила, что наилучшим выходом будет наемный убийца — один из тех, с кем связываются через цепочку посредников и потому добраться до заказчика становится трудно.

Я даже поразмыслила, не попросить ли Джофре о помощи. Но нет, как бы он ни завидовал старшему брату, ему не хватит ни духу, ни умения держать язык за зубами. Точно так же я не могла обратиться с этой просьбой и к Лукреции, хотя у нее-то наверняка были подобные связи: одно дело — защищать мужа, и совсем другое — просить ее убить собственного брата. Я не хотела подвергать ее верность слишком суровому испытанию.

Но была одна персона, знающая больше людей, чем все мы, и с их помощью способная добыть самые сокровенные сведения о любом событии или человеке, — и на эту персону я могла положиться столь же уверенно, как на Альфонсо. Я решила, что она и станет первым звеном в моей цепи.

В ту ночь, пока Альфонсо и Лукреция спали бок о бок, я осторожно перекатилась на бок, встала и тихо подошла к маленькому тюфяку, на котором дремала донна Эсмеральда.

Я опустилась на колени и шепотом позвала ее, прижавшись губами к самому уху. Глаза Эсмеральды тут же распахнулись; она вздрогнула и ахнула. Я закрыла ей рот ладонью.

— Нам нужно поговорить снаружи, — тихо сказала я и указала на дверь, ведущую на маленький балкончик.

Сонная и сбитая с толку Эсмеральда повиновалась, вышла на балкон и подождала, пока я осторожно притворила за нами застекленную створчатую дверь.

— В чем дело, мадонна? — прошипела она.

Я придвинулась поближе и зашептала ей на ухо, понизив голос настолько, что сама едва могла расслышать собственные слова.

— Ты была права, когда говорила, что Чезаре — это зло. Пришло время остановить его. Сегодня он в открытую сказал мне, что собирается довести свое преступление до конца — убить Альфонсо.

Эсмеральда отшатнулась и охнула. Я прижала палец к губам, призывая к молчанию.

— Нам необходимо принять меры. Я уверена, что ты знаешь слуг, через которых можно связаться с кем-нибудь... с человеком, услуги которого мы смогли бы купить.

Глаза Эсмеральды расширились. Она перекрестилась.

— Я не могу участвовать в убийстве. Это смертный грех.

— Вина будет лежать на мне одной. Я приказываю тебе сделать это. Господь видит, что ты ни в чем не виновата. — Я на миг умолкла. — Эсмеральда, разве ты не понимаешь? В конце концов, мы исполняем дело Савонаролы. Мы останавливаем зло. Мы — карающая десница Господня, обращенная против Борджа.

Эсмеральда застыла, размышляя над моими словами.

Я выждала несколько мгновений, потом возобновила нажим.

— Я клянусь перед Господом. Я умоляю его. Эта кровь падет лишь на меня одну, и ни на кого более. Подумай о грехах, совершенных Чезаре: как он убил родного брата, как изнасиловал Катерину Сфорца и бессчетное множество других женщин, как он прошелся огнем и мечом по Италии и предал Неаполь... Мы — не преступники. Мы — орудие правосудия.

Эсмеральда все молчала. Наконец лицо ее посуровело. Она приняла решение.

— Как скоро это нужно проделать, мадонна?

Я улыбнулась во тьме.

— Когда Альфонсо достаточно поправится, чтобы бежать. Скажем, через месяц, считая с сегодняшнего дня. Не позже.

Я знала, что Чезаре связан теми же ограничениями, что и я: если он нападет на моего брата слишком быстро — даже тайком, исподтишка, — все будут знать, кто виновник. А Неаполь и Испания поднимут такой крик, что Александр не сможет пропустить его мимо ушей.

— Значит, через месяц, — подытожила Эсмеральда. — Да сохранит Господь нас всех на это время.

Прошло две недели. На смену июлю пришел август. За это время донна Эсмеральда сговорилась с кем следовало, хотя не делилась со мной подробностями, оберегая меня. Надежная служанка сходила ко мне в покои и принесла оттуда драгоценности. Они должны были пойти в уплату нашему неведомому убийце.

Вопреки влажной жаре Рима раны Альфонсо не воспалились — благодаря заботливому уходу, моему и Лукреции. К этому времени резаная рана на бедре у него затянулась настолько, что он мог понемногу ходить; теперь Альфонсо часто добирался до балкона и любовался оттуда на пышный ватиканский сад. В конечном итоге мы перенесли на балкон кресла и пуфик, чтобы Альфонсо было куда положить раненую ногу; он часто сидел там и загорал.

Как-то днем мы с ним сидели там и беседовали. Лукрецию одолела усталость и постоянное напряжение, и она уснула в спальне, на своем небольшом тюфячке. Клонившееся к закату солнце постепенно погружалось в полосу облаков, рдевших кораллово-алым.

— Я свалял дурака, что вообще вернулся в Рим, — с горечью признал Альфонсо. Его природная веселость ушла в прошлое. Теперь в его голосе появилась жесткость и ощущение поражения. — Ты была права, Санча. Мне следовало остаться в Неаполе и настоять, чтобы Лукреция приехала ко мне туда. А теперь всем нам грозит опасность — из-за меня.

— Не всем, — устало возразила я. — Лукреции и маленькому Родриго не грозит. Папа никогда не позволит причинить вред своим кровным родственникам.

Альфонсо взглянул на меня с холодным осознанием действительности.

— Папа больше не контролирует Чезаре. Ты забыла, что он не смог помешать ему убить Хуана.

Я промолчала. Я не стала говорить ему, что замыслила покушение на жизнь Чезаре. Альфонсо никогда бы этого не одобрил. Это была наша с Эсмеральдой тайна.

Один из стражников тихонько, поскольку Лукреция спала, прошел на балкон и поклонился нам.

— Донна Санча, — сказал он. — Ваш супруг, принц Сквиллаче, просит разрешения нанести вам визит. Он ждет у входа в покои.

Я заколебалась и бросила взгляд на Альфонсо.

За все это время мой муж ни разу не попытался связаться со мной. Я знала, что он не участвовал в затее Чезаре — несомненно, он горько сожалеет о ней. Но я также знала, что Джофре в силу своего характера не склонен гневаться на старшего брата.

— Обыщите его, — приказал Альфонсо.

— Мы уже взяли на себя такую смелость, герцог, — сообщил солдат. — При нем нет оружия. Он говорит, что просто просит дозволения зайти сюда, чтобы переговорить с женой.

Я оставила Альфонсо на балконе и бесшумно прошла через спальню в прихожую. Здесь было уже не так многолюдно, как в первые дни после покушения на Альфонсо. Испанский и неаполитанский послы ушли, оставив вместо себя своих представителей; но неаполитанские врачи остались здесь, чтобы всегда быть под рукой.

Когда я подошла к уже открытой двери, стражники расступились и я увидела Джофре.

— Санча, — с жалким видом произнес он, — можно мне немного поговорить с тобой?

— Мне выйти? — спросила я.

За себя я не боялась. Мишенью был Альфонсо. Мой вопрос явно заставил Джофре занервничать.

— Нет, — сказал он. — Нам удобнее будет внутри.

Он кивнул в сторону прихожей.

Я задумалась. На краткий миг мне пришла в голову мысль: уж не решил ли Чезаре использовать своего младшего брата в качестве убийцы? Ведь на него никто бы никогда не подумал. Но я тут же отмахнулась от этой идеи. Я знала Джофре. Да, он слаб по природе своей, но на злодеяние он неспособен.

— Пропустите его, — велела я стражникам.

Джофре вошел и тотчас же обнял меня с неподдельной страстью и печалью. Он прошептал мне на ухо:

— Прости меня. Прости, что не пришел раньше. Чезаре пригрозил убить меня, если я пойду, и даже отец запретил мне приходить. Я пытался и раньше, но безуспешно. Но я твердо решил повидаться с тобой.

Я отступила на шаг и внимательно оглядела его. В его голосе, лице, в каждом жесте читалась искренность, и я поверила ему.

Но верить и доверять — не одно и то же. Джофре желал лишь добра, но он был недостаточно силен, чтобы посвящать его в тайны. Я решила ничего не рассказывать ему о нашем намерении как можно быстрее вывезти Альфонсо в Неаполь или о нашей тайной переписке с королем Федерико. И уж конечно же, я никогда не поведала бы ему о моем ужасном заговоре против Чезаре. Но беспокойство, которым светились глаза Джофре, заставило меня потянуть его в глубь покоев, подальше от ушей и глаз стражников и послов, мимо спящей Лукреции — на балкон, где сидел Альфонсо.

— Дон Альфонсо, — произнес Джофре, завидев его. — Дорогой брат, простите меня за грехи моего родича. Вокруг часто шепчутся, что я — не настоящий Борджа. Нет-нет, Санча, не пытайся возражать, все эти слухи доходят и до меня. Ни один из моих братьев не прославился добротой и мягкосердечием, и они безжалостно насмехались надо мной по этому поводу. Возможно, это даже и правда. Во всяком случае, я совершенно не желал бы, чтобы в моих жилах текла кровь, способная на такое преступление.

Пока Джофре не заговорил, Альфонсо смотрел на него с недоверием. Но когда он услышал слова Джофре, лицо его смягчилось и он протянул ему руку. Джофре схватил ее и крепко пожал, потом повернулся ко мне.

— Санча, я так скучаю по тебе! Мне не нравится быть в разлуке с тобой. У меня нет сил смотреть, как ты и твой брат превратились в пленников в собственном доме.

Я печально покачала головой.

— А что мы можем сделать?

— Чезаре, конечно же, не слушает ничьих советов. Он по-прежнему не испытывает ко мне никаких чувств, кроме презрения. Я пытался говорить с отцом, но из этого ничего не вышло. На самом деле... — Джофре понизил голос. — Я пришел, чтобы предупредить вас.

Альфонсо саркастически хмыкнул.

— Мы вполне осознаем нависшую над нами опасность.

— Подожди смеяться, — сказала я. — Давай послушаем, с чем к нам пришел мой муж.

— Я не хочу знать ваших планов и не хочу ничего о них слышать, — сказал нам Джофре. — Я пришел лишь затем, чтобы сказать моей Санче, что я люблю ее и готов сделать для нее все, что угодно. И еще я пришел рассказать вам, Альфонсо, о том, что мой отец сказал венецианскому послу. Я сам это слышал.

Альфонсо мгновенно посерьезнел.

— И что же вы слышали?

Венеция была другом Неаполя и врагом Франции.

— Во время аудиенции у его святейшества посол упомянул, что до него доходили слухи, будто за нападением на вас стоит Чезаре, — сказал Джофре. — «Конечно, — сказал отец. — Мы ведь Борджа. Люди всегда сплетничают на наш счет». На это венецианский посол сказал: «Это правда, ваше святейшество. Но мне хотелось бы знать, как думаете вы сами: это обычный слух или факт?» Тут отец побагровел и возмутился: «Вы что, обвиняете моего сына в нападении на Альфонсо?» — «Нет, — сказал венецианец. — Я спрашиваю у вас, нападал ли на него гонфалоньер или нет». В конце концов отец раздраженно воскликнул: «Если Чезаре напал на Альфонсо, значит, несомненно, Альфонсо это заслужил!»

Мы умолкли, обдумывая сказанное.

Наконец мой брат негромко произнес:

— Итак, теперь нам известно, на чьей стороне его святейшество.

Меня от страха пробрала дрожь. Если Папа втайне поддерживает Чезаре и лишь притворяется, будто помогает Лукреции, дабы легче было манипулировать ею, тогда мы не можем позволить себе ждать и откладывать убийство Чезаре. Однако же если мы убьем его сейчас, Папа может нанести ответный удар по моему брату... Положение казалось безвыходным.

— Я хотел, чтобы вы знали об этом, — сказал Джофре.

Несмотря на терзавший меня страх, верность Джофре глубоко тронула меня.

— Ты поступил очень мужественно, — сказала я ему и здесь же, на балконе, поцеловала его — из благодарности.

Ему нельзя было тут задерживаться. Я понимала, что его жизнь тоже может оказаться под угрозой. Я взяла мужа за руку и провела обратно к выходу. Там мы шепотом попрощались.

— Я хочу лишь одного: снова быть с тобой, — сказал Джофре.

Я не стала причинять ему боль и открывать правду: что я тоскую, но не по нему, а по Неаполю, и что я смогу вздохнуть спокойно лишь тогда, когда Чезаре будет мертв, а мы с Альфонсо вернемся домой, в наш истинный дом у моря.

Альфонсо неохотно пересказал жене то, что поведал нам Джофре. Поначалу эта новость сильно обеспокоила Лукрецию, но потом она признала, что не удивлена непостоянством Александра.

Вскоре мы заключили тайный договор с королем Федерико: перед рассветом отряд наших солдат выведет Альфонсо и Лукрецию через один из редко используемых боковых выходов, выводящих в переулок. Правда, у этого выхода дежурили папские стражники — люди, которые находились на службе у Папы и могли бы поднять тревогу, — но Лукреция уже тайком зазвала их в наши покои и показала им свои драгоценности несметной стоимости, пообещав отдать их взамен за помощь и молчание. Няньке, которая ухаживала за маленьким Родриго — он ночевал в детской, а не рядом с родителями, — предложено было самой выбрать что-либо из драгоценностей Лукреции, и она выбрала самый дорогой рубин. Взамен она должна была в условленную ночь принести ребенка к родителям.

Как только Альфонсо, Лукреция и малыш выберутся из Ватикана, их уже будут ждать две дюжины неаполитанцев с лошадьми и каретой и вывезут их из Рима прежде, чем Чезаре или Папа обнаружат их отсутствие.

Я решила отправиться с ними и прихватить с собой донну Эсмеральду, но не стала говорить об этом Джофре.

Бегство должно было произойти через неделю: мы рассчитывали, что за это время Альфонсо достаточно поправится.

Как бы скверно я себя ни чувствовала, сидя в заточении в этих ватиканских покоях, постоянно находясь под охраной и страшась за жизнь брата, мысль о том, что вскоре наш плен закончится, помогала мне не падать духом. По мере того как назначенный час приближался, настроение Лукреции тоже стало улучшаться, особенно когда стало ясно, что Альфонсо уже вполне способен перенести дорогу.

Я часто смотрела на изображения сивилл, особенно на ту, с волосами цвета сияющего золота. Она хмурилась, и ее мрачный, грозный взгляд был устремлен куда-то в далекое, внушающее ужас будущее.

За это время нас посетил венецианский посол и подтвердил достоверность истории, рассказанной Джофре. Он любезно предложил нам свою помощь. Мы поблагодарили и сказали, что непременно обратимся к нему, если возникнет такая необходимость. Несомненно, появление венецианца в наших покоях обеспокоило его святейшество, ибо Лукрецию вскоре вызвали на аудиенцию к отцу.

Она вернулась оттуда потрясенная, но преисполненная решимости. Альфонсо взглядом спросил ее, что произошло.

— Отец рассказал мне о разговоре с послом, — сказала Лукреция. — Он заявил, что вспылил из-за агрессивного, раздраженного тона посла и неверно выразился.

Это заявление ничуть меня не удивило: ведь Папа знал о визите венецианца.

— Он сожалеет о том, что сказал, будто Альфонсо заслужил нападение со стороны Чезаре. На самом деле он попросил меня передать тебе свои извинения.

— Если его святейшество желает извиниться передо мной, — холодно возразил Альфонсо, — почему бы ему не сделать это лично?

Лукреция взглянула на мужа, и я заметила, как в ее глазах на миг вспыхнул гнев. Несмотря на негодование, которое внушало ей покушение на мужа, какая-то часть ее души — та часть, которая страстно тосковала по нормальной родительской любви, — упорно хотела верить отцу. Меня пронзило отчаяние.

— Возможно, ему стыдно за Чезаре, — предположила Лукреция. — А возможно, он не приходит потому, что неловко себя чувствует.

— Лукреция… — начал было Альфонсо, но жена поспешно перебила его:

— Он также указал на то, что нас охраняют не чьи-нибудь, а его солдаты и за все это время нам не было причинено никакого вреда. Ему больно думать, будто мы верим, что он поддерживал нападение на тебя. Он предлагает нам любую помощь, какую мы пожелаем.

— Ты не можешь доверять ему, Лукреция, — мягко произнес Альфонсо.

Она кивнула, но на лице ее отразились внутренние терзания.

Через день — как будто он услышал слова Альфонсо — к нам явился Папа. Солдаты расступились, ни о чем не спрашивая нашего посетителя и не объявляя о его приходе. В конце концов, они находились у него на службе.

К нашему удивлению, Александр пришел совершенно один, и когда Лукреция, Альфонсо и я — мы сидели в прихожей вместе с неаполитанскими врачами, Галеано и Клементе, — поднялись, он взмахнул большой шишковатой рукой, веля нам не вставать. Врачи все же встали из уважения, поклонились и попросили дозволения выйти.

— Я пришел сюда не как Папа, — сказал Александр, как только врачи удалились, — а как отец.

И, тяжело вздохнув и испустив легкий стон, ибо возраст чем дальше, тем больше сказывался на нем, он уселся напротив нас и подался вперед, положив руки на обтянутые атласом колени.

— Альфонсо, сын мой, — произнес он, — я просил Лукрецию передать тебе мои извинения и объяснить, чем были вызваны те необдуманные слова, которые я бросил венецианскому послу. Впоследствии я осознал, что их можно неверно истолковать. Мне хотелось бы объяснить, что, поскольку Чезаре — мой сын, но одновременно с этим и гонфалоньер моего войска, между нами часто возникают противоречия. Я строго выбранил его за причастность к этому нападению на тебя, хотя он по-прежнему все отрицает. Чезаре — солдат, и он очень черствый, в отличие от меня. — Папа внимательно взглянул на моего брата и сказал: — Пойми: я никогда не подниму руку на свою кровь. Для меня это противоестественно. И точно так же я никогда не стану поддерживать подобное деяние. Когда я услыхал, что Чезаре замышляет против тебя, я был ранен в самое сердце — снова.

Этой своей последней фразой Папа косвенно признал, что Чезаре виновен в смерти Хуана. Я знала, что старик искренне горевал о Хуане, и мне впервые пришло в голову, что, быть может, Александр говорит правду. Возможно, он ничего не знал о готовящемся покушении на моего брата. В конце концов, он ведь действительно сделал все, чего потребовали мы с Лукрецией.

Если бы он поддерживал Чезаре, ему требовалось бы лишь отказаться послать за врачом и не дать Лукреции солдат для охраны наших покоев. Он мог бы вынудить нас смотреть, как Альфонсо умирает от потери крови.

«Нет, — сказала я себе, испугавшись, как бы и вправду не поддаться на доводы Александра. — Нет, он делает это лишь потому, что боится потерять свою дочь, и скажет все, что угодно, лишь бы удержать ее в Риме».

Александр умолк. Никто из нас не произнес ни слова, поскольку откровенность Папы потрясла нас.

— Я каждую ночь молю Бога простить моего сына за его деяния, — с печалью продолжал Александр. — И молю Бога смиловаться надо мной за то, что я, старый дурак, не нашел способа предотвратить эти ужасные происшествия. Я надеюсь, Альфонсо, что когданибудь ты сможешь простить меня за мой недосмотр. Пока же знай, что я с радостью предоставлю тебе любую защиту и помощь, какие только могут потребоваться тебе под моей крышей.

Он встал с негромким стоном. Альфонсо тоже поднялся со своего места, но его святейшество тут же жестом велел ему сесть.

— Нет-нет, — настойчиво произнес Александр. — Сиди. Отдыхай.

Но Альфонсо упорно остался стоять.

— Благодарю вас, ваше святейшество, за ваш визит и эти слова. Да благословит вас Господь.

Тон Альфонсо был безукоризненно любезен, но я знала своего брата. Он не поверил ни единому слову Папы.

— И тебя.

Александр перекрестил нас и вышел.

После визита отца Лукреция заметно погрустнела. Возможно, она в конце концов осознала, что ей придется навсегда порвать с семьей, если она уедет в Неаполь. Мне было жаль ее, но в то же самое время я не могла не радоваться при мысли о том, что вскоре окажусь свободна от вероломства Борджа. На самом деле я с нетерпением ждала вестей о смерти Чезаре.

Мы должны были бежать двадцатого августа, перед рассветом.

За два дня до этого, восемнадцатого августа, утро выдалось спокойным, что меня вполне устраивало. Мысленно я уже оставила позади все свое имущество, которым обзавелась в Риме. Я не смела рисковать и просить Джофре принести мне что-нибудь, что я могла бы забрать в Неаполь. Он будет страдать из-за того, что я покинула его. Но если он и вправду любит меня и хочет быть со мной, он найдет способ воссоединиться с женой.

Ну а так я вполне готова была уехать в Неаполь, не имея с собой ничего, кроме двух платьев. Мне даже было все равно, увижу ли я когда-нибудь свои драгоценности.

Так что тем утром я была веселой, Альфонсо — встревоженным, а Лукреция — мрачной. Я думала, что она уже начала скучать по своей семье и Риму. Мы старались вести себя как можно естественнее, чтобы никакой посетитель не заподозрил, что наше пребывание в Зале сивилл подходит к концу. Лукреция попросила принести в наши покои маленького Родриго, и мы все утро играли с ним; малыш дал нам прекрасную возможность отвлечься: он уже начал ползать, и мы гонялись за ним по всем покоям, чтоб не дать ему чего-нибудь натворить. В конце концов малыш уснул у отца на руках, а Лукреция некоторое время смотрела на них с такой любовью, что я была тронута.

Однако к обеду она отослала маленького Родриго в детскую, чтобы его там покормили, и нам снова оказалось нечем заняться, кроме наших мыслей.

После обеда мы с Лукрецией отправились в спальню и рухнули на свои тюфяки; после бессонной ночи, заполненной мыслями о Неаполе, меня клонило в сон. Я почти сразу же уснула, а вот Лукреция — вряд ли; помнится, перед тем как погрузиться в сон, я слышала, как она беспокойно ворочается.

Меня разбудил грохот шагов и голос какого-то человека, отдававшего приказы, а потом снова шаги, на этот раз — уходящих солдат. Этот шум так встревожил меня, еще даже до того, как я полностью проснулась, что сердце заколотилось у меня в груди. Я вскочила с постели и бросилась в прихожую.

Папские стражники, охранявшие нас, исчезли. На их месте обнаружился отряд незнакомых солдат и темноволосый офицер в красной шляпе; его горделивая выправка напомнила мне покойного Хуана де Кервиллона.

Большинство солдат стояли с клинками наголо. У меня на глазах двое из них подошли к дону Клементе и дону Галеано и сковали им руки за спиной.

— Мадонна Санча, — вежливо произнес офицер и поклонился. — Могу я узнать, где находится ваш брат, герцог?

— Я здесь, — отозвался Альфонсо.

Я обернулась. Мой брат стоял в дверном проеме, держась рукой за стену. В другой руке у него был кинжал, а взгляд его был взглядом человека, готового сражаться насмерть.

Лукреция выбежала в прихожую и встала рядом с мужем.

— Дон Микелетто, — произнесла она с нескрываемым презрением. — Вы не имели никакого права отсылать нашу стражу — они находятся здесь по приказу его святейшества. Немедленно верните их и уведите своих людей.

Хоть я не узнала этого человека в лицо, но его имя было мне знакомо: Микелетто Корелла был правой рукой Чезаре.

— Донна Лукреция, — произнес он все с той же спокойной учтивостью, как будто в руках у его людей были принесенные в дар цветы и фрукты, а вовсе не мечи, — боюсь, я не могу вас послушаться. Я получил приказ от моего господина, гонфалоньера, и обязан исполнить его. Я пришел арестовать всех этих людей, включая герцога, по обвинению в заговоре против дома Борджа.

Меня объяло тошнотворное ощущение, леденящее и жгучее. Очевидно, заговор против Чезаре раскрыт — и приписан моему брату.

— Это ложь, — сказал Альфонсо, — и вы сами прекрасно это осознаете, дон Микелетто.

Микелетто не стал оправдываться.

— Я просто выполняю свой долг, дон Альфонсо. Мне сказали, что вы вместе с прочими заговорщиками задумали убить дона Чезаре и святого отца. Я обязан препроводить вас в тюрьму.

— Мой отец никогда этого не дозволит! — возразила Лукреция. — Он обещал дону Альфонсо свою защиту! Более того, он уже заявил, что не поддерживает Чезаре в этом вопросе, и он будет в ярости, когда узнает, что вы тут пытаетесь арестовать моего мужа! Попробуйте только прикоснуться к нему — и вы заплатите за это жизнью! Я сама об этом позабочусь!

Микелетто всерьез задумался, и на лице его появилась некая неуверенность.

— Я нисколько не желаю выказать неповиновение его святейшеству, ведь он — мое высшее начальство. Я с радостью подожду, если вы пожелаете посоветоваться с ним.

Эта мысль была вполне разумна: ведь Александр находился сейчас в двух залах отсюда.

— Если его святейшество отошлет нас, я охотно уйду без арестованных.

Лукреция направилась к распахнутым дверям, оставленным без охраны. Проходя мимо меня, она ухватила меня за руку.

— Пойдем! — велела она. — Вдвоем мы убедим отца. Я уверена, что он придет сюда и сам поговорит с доном Микелетто.

Я выдернула руку, пораженная ее наивностью. Неужто она, умница Лукреция, вправду верит, что безопасно оставлять Альфонсо без присмотра, с одним кинжалом и несколькими безоружными слугами обороняться против отряда людей Чезаре?

— Я останусь, — твердо заявила я.

— Нет, пойдем! — не унималась Лукреция. — Вдвоем мы скорее уговорим его.

И она снова попыталась схватить меня за руку.

«Она сошла с ума, — подумала я. — Или она обезумела, или она куда глупее, чем я всегда считала». Я отступила назад и сказала:

— Лукреция, если кто-нибудь из нас не останется с моим братом, он погиб.

— Пойдем! — повторила Лукреция, и на этот раз ее голос прозвучал как-то глухо и странно.

Она снова протянула руку, и, внезапно уразумев, что столкнулась с неописуемым предательством, я в ярости потянулась за стилетом.

И тут меня охватила паника: оружие, некогда подаренное мне Альфонсо, исчезло. Кто-то — когда я спала или была чем-то отвлечена — украл его у меня, кто-то, заранее знавший о приходе Кореллы и о том, что должно произойти.

Но о существовании стилета знали всего три человека: Альфонсо, давший его мне, Эсмеральда, одевавшая меня… и Чезаре, спасший меня в ту ночь, когда я пустила кинжал в ход против его пьяного отца.

Я взглянула на Лукрецию с невыразимой яростью, взбешенная ее предательством. Она отвела взгляд.

Я кинулась между Микелетто и моим братом. Мне не оставалось ничего иного, кроме как заслонить Альфонсо собственным телом.

И тут же двое солдат оказались рядом со мной. Они вытолкнули меня в коридор, мимо дона Микелетто и его людей. Я зашаталась и упала на холодный мрамор, сильно ударившись.

Я пыталась подняться, но запуталась в юбках; мне удалось встать лишь тогда, когда Лукреция вышла из наших покоев.

Дверь захлопнулась за ней, и этот стук эхом пронесся по длинному ватиканскому коридору.

А Лукреция медленно опустилась на колени. Из-за двери донесся звук задвигаемого засова.

Я с ненавистью смотрела на Лукрецию. Чудовищность ее деяния просто не помещалась у меня в голове. Но Лукреция не смотрела на меня. Ее взгляд был устремлен куда-то вдаль, и глаза ее были мертвыми — в них не было ни капли надежды.

Я закричала на нее с такой силой и яростью, что у меня заболело в груди и засаднило в горле:

— Почему?!!

Я метнулась вперед и опустилась на пол, чтобы быть на одном уровне с Лукрецией. Если бы стилет был при мне, я сейчас убила бы ее. А так я набросилась на нее с кулаками — но без особого успеха, потому что горе поглотило все мои силы и ослабевшие руки не слушались меня.

Лукреция вяло пошатнулась, словно труп; она даже не пыталась защищаться.

— Почему?! — снова закричала я.

Она на миг вернулась из неведомой дали и прошептала:

— Родриго.

И, произнеся это единственное слово, она заплакала — безмолвно, с застывшим лицом, как будто лед таял.

Сначала мне подумалось, будто она имеет в виду Папу, и я преисполнилась отвращения: так значит, этот заговор замыслили они с ее отцом-любовником?

Но потом, увидев неподдельность ее горя, я с внезапным ужасом осознала, что Лукреция имеет в виду свое дитя.

Ребенок. Должно быть, Чезаре нашел ту угрозу, которая могла заставить Лукрецию предать своего мужа, ибо малыш был единственным на всем свете, кого Лукреция любила больше, чем Альфонсо.

В этот момент я ненавидела ее сильнее всего — и лучше всего понимала.

Выкрикивая имя брата, я билась о тяжелую дверь, пока руки мои не покрылись синяками, а Лукреция тихо плакала.

ГЛАВА 34

В запертых покоях царила жуткая тишина, нарушаемая лишь моими криками и тихими всхлипываниями Лукреции.

Наконец дверь отворилась, и вышел дон Микелетто.

Я встала и попыталась пройти мимо него, чтобы собственными глазами увидеть, к чему в конце концов привело возвращение моего брата в Рим, но солдаты загородили вход, не давая мне ни пройти, ни заглянуть внутрь.

— Донна Лукреция, — скорбно произнес дон Микелетто, — произошел несчастный случай. Ваш муж упал, и у него открылась рана. Я глубоко скорблю о том, что вынужден сообщить вам столь печальную весть, но герцог Бишелье скончался от внезапного кровотечения.

У него за спиной сивиллы безмолвно взирали с фресок Пинтуриккьо на ужаснейшее преступление.

— Лжец! — пронзительно закричала я, потеряв всякое самообладание. — Убийца! Ты — такое же чудовище, как и твой хозяин!

Микелетто владел собою не хуже Чезаре. Он пропустил мои слова мимо ушей, как будто я ничего не сказала, и полностью сосредоточил свое внимание на Лукреции.

Она не ответила и не пошевелилась, словно бы не заметив поднявшегося вокруг шума. Она так и осталась сидеть на полу, спиной к Микелетто, и по щекам ее струились безмолвные слезы.

— Какой ужас, — пробормотал офицер. — Несчастная не в себе.

Он наклонился было, чтобы взять Лукрецию за руку и поднять ее. Я кинулась вперед и отвесила ему пощечину.

Это ошеломило его, но он был слишком хладнокровен, чтобы краснеть, и тут же взял себя в руки.

— Не прикасайтесь к ней! — крикнула я. — Вы не имеете на это права, негодяй. На ваших руках кровь ее мужа!

Микелетто просто пожал плечами и принялся невозмутимо наблюдать, как я помогаю Лукреции встать. Она двигалась, словно марионетка, лишенная собственной воли; в конце концов, ее дергали за ниточки брат и отец.

Тем временем солдаты вывели арестованных врачей, Клементе и Галеано, и придворных Альфонсо. Представителей послов решительно выпроводили. Неаполитанец сначала отказался уходить, но к его горлу приставили клинок, и он сдался.

Затем из покоев вышел значительный отряд папских стражников; те, кто шел снаружи, старались заслонить от наших взглядов ношу, которую несли их товарищи в середине, — тело моего брата.

Лукреция отвернулась, но я придвинулась поближе, пытаясь в последний раз взглянуть на Альфонсо. Мне удалось разглядеть лишь блеск золотых кудрей, запятнанных кровью, и бессильно повисшую руку. Когда отряд прошел, я хотела было последовать за ними, но двое солдат преградили мне путь. Они оттеснили меня назад и встали по бокам от нас с Лукрецией. Им явно было велено охранять нас.

— Король Неаполя узнает об этом! — в бешенстве выкрикнула я. — Вам это так не сойдет!

Я почти не осознавала, что говорю. Я понимала лишь, что нет таких слов, чтобы оценить содеянное. Дон Микелетто даже не потрудился изобразить, будто мои угрозы беспокоят его. Один из солдат рассмеялся.

К нам присоединились донна Эсмеральда и донна Мария. Стражники подождали, пока тело Альфонсо не унесут подальше, потом подтолкнули нас, чтобы мы шли вперед.

Тогда, поначалу, мой рассудок отказывался воспринимать произошедшее. Я оцепенела и не пролила ни единой слезинки, пока нас вели прочь. Когда мы покинули апартаменты Борджа и очутились в коридоре, ведущем прочь из Ватикана, я заметила на полу комнатную туфлю из темно-синего бархата, одну из той пары, которую носил Альфонсо, находясь в Ватикане. Она свалилась с его ноги, когда солдаты проносили здесь тело. Я наклонилась и подобрала туфлю, а потом прижала к груди, словно священную реликвию, — для меня это и была священная реликвия, ибо у моего брата было сердце святого.

Стражникам хватило благоразумия не отнимать туфлю у меня.

Так, крепко сжимая туфлю Альфонсо и пошатываясь, я вышла из Ватикана; горе сделало все вокруг незнакомым и бессмысленным. Голоса паломников, заполонивших площадь Святого Петра, слились в резкий, невразумительный гомон, а их движение по площади — в неясный, расплывчатый круговорот. Сады, зеленые и пышные по влажной и жаркой летней поре, казались насмешкой, равно как и ослепительно прекрасный мраморный вход во дворец Святой Марии. Я была оскорблена: да как смеет мир выставлять напоказ свою красоту, когда только что произошло наихудшее?

Я спотыкалась и несколько раз едва не упала. Кажется, меня подхватывала донна Эсмеральда. Я осознавала лишь соседство полного тела в черном одеянии и прикосновение знакомых, мягких рук.

Солдаты что-то говорили, но я не понимала их. В какой-то момент я обнаружила, что сижу, но не в своих покоях, а в покоях Лукреции, куда более роскошных. Плачущая Лукреция тоже находилась там вместе с донной Марией. Донна Эсмеральда сидела рядом со мной и время от времени задавала вопросы, на которые я не отвечала.

Если бы тогда, в эти первые, жуткие часы, стилет был при мне, я бы перерезала себе горло. Мне было наплевать, что я поступила бы так же трусливо, как мой отец; мне тогда на все было наплевать. Я погрузилась во тьму, куда более непроглядную, чем та, что царила в покоях моего отца в Мессине.

Мысленно я снова превратилась в своевольную одиннадцатилетнюю девчонку, упрекающую отца за то, что он в наказание разлучил меня с Альфонсо. Это нечестно, сказала я ему, ведь моему брату тоже будет плохо.

Отец жестоко усмехнулся — так же жестоко, как Чезаре Борджа, — и ядовито поинтересовался: «Ну и каково это, Санча? Каково это — знать, что из-за тебя будет плохо тому, кого ты любишь больше всего на свете?»

Мои старания спасти Альфонсо от угрозы со стороны Чезаре привели к гибели моего брата.

«Я убила его, — с горечью сказала себе я. — Я и Чезаре». Если бы я не позволила себе влюбиться в Чезаре или не отвергла его сватовство, может, мой брат и сейчас был бы жив?

— Ты солгала, — сказала я стреге, уж не знаю, вслух или про себя. — Ты солгала... Ты сказала, что, если я научусь обращаться со вторым мечом, он будет в безопасности. Я лишь пыталась исполнить свою судьбу...

И стрега появилась передо мной — в моем воображении, высокая, горделивая, в черной вуали. Подобно сивиллам в пышных апартаментах Борджа, она хранила сводящее с ума молчание.

— Почему? — прошептала я с той же не думающей о справедливости яростью, с которой перед этим накинулась на Лукрецию. — Почему?! Я лишь пыталась спасти лучшего и благороднейшего из людей.

Наконец первоначальное потрясение стало сглаживаться, и на меня обрушилась чудовищная реальность. В моем сознании Чезаре и отец слились в единый образ жестокого темноволосого человека, отнявшего у меня Альфонсо, — жестокого человека, которого я любила, не в силах ничего с собою поделать, и которого вынуждена была возненавидеть.

В детстве я плакала, когда отец разлучил меня с братом. Впоследствии я поклялась, что никогда больше не позволю ни одному человеку довести меня до слез. Я не плакала, когда мой отец повесился, когда Хуан изнасиловал меня, когда Чезаре отверг меня. Но горе, охватившее меня при осознании того, что теперь мы с Альфонсо разлучены навеки, было слишком огромным, слишком глубоким, слишком острым, чтобы сдерживаться. Меня трясло от рыданий; я уткнулась лицом в колени и плакала безудержно, до боли. На несколько часов я дала волю слезам, которые большую часть моей жизни пребывали под замком. Юбка моя насквозь промокла, но я все продолжала плакать. Эсмеральда осторожно приподняла меня и вытерла мне лицо прохладной тканью, а потом положила мне на колени полотенце, чтобы то впитало влагу.

Мои слезы принадлежали Альфонсо, одному лишь моему ненаглядному Альфонсо.

Со временем я изнемогла, и слезы мои иссякли; лишь после этого я осознала, что рядом раздаются громкие причитания Лукреции. Я посмотрела на нее со смесью жалости и смертельной ненависти. Она была такой же слабой, как и Джофре. Уж несомненно, куда слабее, чем мне казалось. Я бы на ее месте боролась, пыталась найти какой-то выход, чтобы спасти и ребенка, и мужа...

Но возможно, она на самом деле не очень-то этого и хотела. Возможно, ее любовь к Чезаре была даже сильнее моей.

Как бы то ни было, в результате у меня отняли все, что придавало моей жизни смысл. У меня больше не было ни желания, ни сил думать о проблемах Лукреции. А когда Лукреция приблизилась ко мне, рыдая самым жалким образом, и попыталась обнять меня, умоляя о прощении, я решительно, хоть и не грубо, оттолкнула ее. С меня было довольно дома Борджа с его двуличием.

Уже спустились сумерки, когда я наконец осознала, что донна Эсмеральда стоит у дверей прихожей и уговаривает стражников.

— Пожалуйста, — произнесла она. — Донна Санча только что потеряла брата, а донна Лукреция — мужа. Не лишайте их возможности взглянуть на тело и присутствовать при погребении.

Стражники были молоды. Они поклялись повиноваться своим хозяевам, но им не нравилась несправедливость происходящего. Одному из них явно было сильно не по себе от нашего горя.

— Прошу прощения, — отозвался он, — но об этом не может быть и речи. Нам строго-настрого приказали никого не выпускать из этих покоев. Никому из домашних не дозволено видеть ни тела, ни похорон.

Тут стражник покраснел, осознав, что он, похоже, открыл нам больше, чем хотелось бы его командиру, — и умолк.

— Ну пожалуйста! — продолжала умолять донна Эсмеральда.

Она не унималась до тех пор, пока стражник не смягчился.

— Ну хорошо, пускай они быстренько пройдут на галерею. Если они выйдут на балкон, то смогут увидеть процессию, когда та будет идти мимо.

Заслышав это, Лукреция встала. Я устало последовала ее примеру и вышла следом за солдатами в теплую летнюю ночь.

Тени — вот и все, что я помню. Штук двадцать трепещущих факелов вокруг гроба, который несли на плечах несколько человек, и силуэты двух священников. Я знала, что с телом моего брата поступят так же, как и с прочими жертвами Борджа: поспешно омоют и засунут в деревянный ящик.

Альфонсо заслуживал пышных похорон с сотнями скорбящих; его доброта давала ему право на прекраснейшие молитвы и надгробные речи; за его гробом должны были бы идти папы, императоры и кардиналы. Но его поспешно похоронят во мраке люди, которые даже его не знали.

Тогда я решила, что Бог, даже если он и существует, жесток, как никто на свете, и более вероломен, чем мой отец, чем Папа Александр, чем Чезаре, — ибо он оказался способен создать человека, исполненного лишь любви и доброты, а потом погубить его самым бессердечным и бессмысленным образом. В этой жизни не было справедливого воздаяния ни для злых, ни для добрых.

Мы с Лукрецией смотрели, как маленькая процессия прошествовала не в собор Святого Петра, где подобало бы хоронить моего брата, а в маленькую, скромную соседнюю церквушку Санта Мариа делле Феббри. Там, как я впоследствии узнала, Альфонсо без всяких церемоний опустили в землю, и место его погребения отметил лишь небольшой камень.

Донна Эсмеральда принесла мне пергамент и перо и мягко уговорила меня написать дяде Федерико об убийстве Альфонсо. Что с этим письмом сталось дальше, я не обратила внимания, поскольку снова позволила себе погрузиться во тьму. Я не спала, не ела и не пила, не плакала; я просто сидела. Я была не в силах что-либо делать, кроме как сидеть и смотреть с балкона в сад.

Лукреция была так же беспомощна. В лучах любви моего брата она цвела. Когда он был ранен, она нашла в себе волю и силу, которых никто в ней не подозревал. Теперь же все это умерло, и у нее не было силы духа, чтобы отомстить. Она плакала днями и ночами напролет. Она даже не могла заботиться о маленьком Родриго. Настало утро, и на пороге появилась нянька; она держала за руку начинающего ходить малыша.

— Он плачет, мадонна, и зовет вас, — обратилась она к Лукреции, но мать ребенка лежала на кровати, отвернувшись лицом к стене, и даже не взглянула на мальчика. — Он целый день не видел ни вас, ни отца, и он беспокоится.

Негромкие всхлипывания малыша пробудили меня от забытья, что было глубже и сильнее сна. Я моргнула и встала, а потом опустилась на колени и распахнула объятия, впервые выпустив из рук туфлю Альфонсо.

— Родриго, милый… Твоя мама очень устала, и ей нужно отдохнуть. Но тиа Санча здесь, и я очень рада видеть тебя.

По какой-то неизъяснимой милости мне удалось улыбнуться. Развеселившись, малыш заковылял ко мне, и я прижала его к груди. И, уткнувшись лицом в его волосики, я чуть лучше поняла Лукрецию: в тот миг я пожертвовала бы ради этого ребенка всем на свете.

Но ведь наверняка должен был существовать способ не жертвовать другим человеком, не менее драгоценным, — Альфонсо!

На глаза мне навернулись слезы: малыш с его голубыми глазами и золотыми кудрями был так похож на моего брата! Но ради Родриго я заставила себя успокоиться и продолжать улыбаться.

— Может, пойдем погуляем? Пойдем поиграем?

Родриго очень любил бегать наперегонки — в точности, как его тетя и мама, — и особенно любил бегать со мной, потому что я всегда позволяла ему выигрывать.

Стражники были добры: они разрешили нам выйти, и один из них сопровождал нас, держась в отдалении. Я повела мальчика в сад, и мы принялись играть с ним в прятки среди кустов; в присутствии племянника я ненадолго обрела передышку. Но когда малышу пришло время возвращаться в детскую, я вернулась во дворец, к своему безутешному горю. Я обнаружила туфлю моего брата там, где я ее выронила, и снова с отчаянием прижала ее к груди.

Два дня я оставалась вместе с Лукрецией в ее покоях; за нами обеими непрестанно наблюдали. За все это время его святейшество не явился утешить дочь и не потрудился прислать свои соболезнования. Точно так же не было никаких вестей от Джофре.

На второй день после смерти Альфонсо Лукрецию вызвали в Ватикан на встречу с ее братом Чезаре.

Это не было обычным семейным советом. Чезаре принял сестру, восседая за столом в большом зале, а вокруг стояло не менее сотни вооруженных солдат гонфалоньера.

Вот и все, что рассказала мне Лукреция об этой встрече, да и это сказала лишь через несколько часов. Она вернулась в таком глубоком потрясении, что даже не смела плакать. Но сразу же после возвращения она забрала маленького Родриго из детской к себе в спальню и больше не отпускала от себя. Я не сомневалась, что Чезаре еще раз пригрозил убить ребенка, если Лукреция во всеуслышание скажет об убийстве либо обратится к отцу с какими-то просьбами, которые заставили бы Александра симпатизировать Неаполю, а не выбранной Чезаре Франции.

Через день после мучительной встречи с Чезаре к Лукреции вновь вернулась способность плакать. Она отказалась идти ужинать с отцом, затем отказалась присутствовать на аудиенции — Александр хотел, чтобы она снова, как раньше, сидела на подушке на ступенях трона.

Лукреция не стала ничего этого делать. Она подчинилась Чезаре, чтобы спасти ребенка, но ее горе и гнев были слишком сильны, чтобы делать вид, будто никакого убийства не было. Она лежала на постели и пропускала мимо ушей все просьбы отца.

Александр вскоре рассердился настолько, что прислал Лукреции письмо, в котором говорилось, что он больше не любит ее.

Лукреция и глазом не моргнула. Неудовольствие отца больше не будило в ней отчаянного желания заслужить его одобрение. В ответ она заявила, что намерена удалиться вместе с ребенком в принадлежащее ей поместье в Непи, к северу от Рима, и вести там жизнь затворницы.

Лукреция говорила так, словно собиралась остаться там навсегда. Никто не посмел сказать ей о том, о чем знал весь Рим, — что Папа и Чезаре уже строят планы касательно ее следующего брака, решая, какой союз принесет наибольшую политическую выгоду дому Борджа. Тем временем донна Мария успела упаковать большую часть вещей Лукреции — кроме прекрасных, расшитых золотом и драгоценностями платьев, которые она носила в более счастливые времена. В Непи, где не будет ни церемоний, ни празднеств, ей понадобится лишь черное.

Лукреция постоянно стремилась к моему обществу, уж не знаю почему, ведь после смерти брата я перестала относиться к ней с теплотой. Точно так же я не могла дать ей утешения: я сама была поглощена горем, и лишь племянник вырывал меня из его пучины. Возможно, Лукреции просто хотелось, чтобы рядом был кто-то, напоминающий об Альфонсо. А может, это в ней говорило чувство вины.

Но каковы бы ни были движущие ею мотивы, Лукреция пригласила меня отправиться с ней в Непи. Я согласилась — лишь потому, что туда должен был отправиться маленький Родриго. Донна Эсмеральда позаботилась о том, чтобы собрать вещи, которые понадобятся мне на время длительного отъезда из Рима.

У открытых дверей моей прихожей стояли вооруженные стражники (после смерти Альфонсо меня, не таясь, держали под охраной; за Лукрецией присматривали более тонко), а я тем временем сидела в спальне и наблюдала за хлопотами Эсмеральды. Я больше месяца не появлялась в этих покоях, столь долго бывших мне домом. За время моего отсутствия отсюда ис-

чезли многие вещи: красивые шторы, серебряные подсвечники, меховые ковры и золотое парчовое покрывало с кровати.

Но я снова ничего не хотела от Рима. Мне не нужны были роскошные наряды — лишь простые черные
платья, которые я привезла с собой из Неаполя; они
куда лучше подходили для траура. Я хотела забрать
лишь мой потрепанный томик Петрарки, туфлю, упав-
шую с ноги мертвого брата, да еще кое-какие мелочи.

Пока Эсмеральда возилась с моей одеждой, я отправилась к тайнику с драгоценностями, устроенному
в платяном шкафу; мне подумалось, что, может, стоит
прихватить с собой самые ценные — не потому, что мне
хотелось украшать себя, а потому, что я уже начала
обдумывать побег из Непи — если мне удастся уговорить Лукрецию отпустить мальчика со мной в Неаполь.
Мне понадобятся ценности, чтобы подкупить охрану,
и деньги, чтобы добраться до дома.

С этой мыслью я тайком осмотрела содержимое тай-
ника и спрятала самые ценные вещи себе в корсаж.

А потом мне на глаза попался изящный стеклянный
флакончик самого безобидного вида, маленький, зеленый и невзрачный по сравнению со сверкающими драгоценностями.

Кантерелла.

Мое сердце пропустило удар. Я все еще была охва-
чена беспросветным горем, и я знала, что до сих пор
остаюсь при Лукреции лишь благодаря снисходитель-
ному отношению его святейшества к дочери. Как только Чезаре переубедит Александра, меня либо бросят
в темницу, либо убьют. Я совершенно не желала жить
в плену у Борджа — и не хотела доставить Чезаре удовольствие, допустив, чтобы он отнял у меня жизнь. Лучше уж я проведу вечность в аду за самоубийство.

Я спрятала флакончик в специальный кармашек, устроенный для моего ныне отнятого стилета. Он прекрасно там поместился.

Не иначе, как сам Господь подтолкнул меня к этому шагу. Едва лишь я спрятала флакон, как из коридора донеслись тяжелые шаги.

Я встала и спокойно встретила солдат Чезаре; ими командовал не кто иной, как сконфуженный дон Микелетто.

— Итак, — сказала я, — вы наконец-то пришли за мной.

ГЛАВА 35

Меня препроводили в замок Сант-Анджело. Дон Микелетто шагал рядом со мной, а солдаты шли впереди и позади, держась на почтительном расстоянии, как будто они находились здесь исключительно ради моей безопасности.

Во всем происходящем присутствовал некий налет нереальности, словно это был сон. Все казалось фальшивым и иллюзорным, кроме одного-единственного факта: Альфонсо мертв.

И тем не менее я напомнила себе, что я — принцесса Арагонского дома, и шла в окружении своих тюремщиков с изяществом и достоинством. Стражники оттеснили изумленно глазеющих на нас паломников, отталкивая самых любопытных, и мы прошли через площадь Святого Петра, а потом — по большому мосту, ведущему в грозную каменную цитадель Сант-Анджело.

Я не обернулась, чтобы бросить взгляд на дворец Святой Марии. Моя тамошняя жизнь ускользала от меня вместе с рассудком, как перчатка, снимаемая с руки. Я лишилась всего: Альфонсо, маленького Родриго, доверия, которое я питала к Лукреции. Даже мой муж, не так давно поразивший меня своей несомненной верностью, и тот меня покинул.

Мы прошли по мосту над излучиной Тибра; под его свинцовыми водами разлагались трупы жертв Борджа. Я молилась о том, чтобы поскорее присоединиться к ним.

Шедший рядом со мной Микелетто заговорил любезно и почтительно:

— Его святейшество подумал, что перемена обстановки может помочь вам легче перенести горе, ваше высочество. Мы приготовили для вас новые покои — надеюсь, они вам понравятся.

Лицо мое исказилось от ненависти.

— Скажите-ка, сударь, что это за пятно у вас на руке? Уж не кровь ли?

Микелетто непроизвольно поднял руки и растопырил пальцы, чтобы осмотреть их. Лишь мгновение спустя, заметив появившееся на моем лице мрачное злорадство, он опустил руки и попытался скрыть свое замешательство.

— Думаю, так оно и есть, — сказала я. — Ведь Чезаре поручил вам убить моего брата лично, дабы все было сделано наверняка?

Улыбка сошла с лица дона Микелетто. Он больше не делал попыток заговорить и помалкивал до тех самых пор, пока мы не добрались до места назначения.

Я никогда прежде не бывала в замке Сант-Анджело и знала лишь, что он пользуется дурной славой тюрьмы. Я подозревала, что меня поместят в грязную тесную камеру с охапкой соломы вместо постели, цепями на стенах и ржавой железной решеткой вместо дверей.

Мы с доном Микелетто прошли через ухоженный сад к боковому входу. Там он знаком велел всем стражникам, кроме двоих, оставаться на месте. Меня провели по коридорам, напоминающим дворец, в котором я так долго прожила.

Наконец мой проводник отворил деревянную дверь, покрытую красивой резьбой. За ней обнаружилась моя «камера». В прихожей я увидела стул, перенесенный сюда из моих покоев во дворце Святой Марии; пол укрывали меховые ковры. В спальне на кровати лежало мое парчовое покрывало, на окнах висели мои шторы, а на стенах — серебряные подсвечники. Маленький балкон выходил в сад.

Я смотрела на все это в оцепенении, ничего не говоря. Я предпочла бы более грубую обстановку, соответствующую моему горю. Эта роскошь и знакомые вещи нисколько меня не утешали.

Я повернулась и обнаружила, что Микелетто улыбается мне.

— Конечно же, донна Эсмеральда присоединится к вам, — сказал он. — Она сейчас собирает ваши вещи. Если вам что-либо потребуется — спрашивайте, не стесняйтесь. Только, пожалуйста, если вы захотите погулять в саду или навестить своего супруга во дворце Святой Марии, зовите охрану — не стоит забывать о недавних прискорбных событиях.

— Кто все это устроил? — требовательно спросила я.

Уголок рта дона Микелетто поднялся еще выше.

— Скажу вам по секрету, ваше высочество: дон Чезаре. Он глубоко сожалеет о политической необходимости и тех печалях, которые она вам причинила. Он совершенно не желает усугублять ваши страдания.

«Будь добр к Санче», — сказала тогда Лукреция. Она утверждала, что Чезаре до сих пор любит меня.

Но мне не нужна была его доброта. Я желала лишь одного — мести. И забытья, если у меня хватит мужества искать его.

Вскоре, как и было обещано, появилась донна Эсмеральда и другие слуги, несшие мои вещи. Я перенесла эту суматоху молча. Я уже решила сегодня же ночью покончить с собой, приняв кантереллу в знак протеста против смерти моего брата, хотя и знала, что тогда мы с ним разлучимся навеки, если только рассказы о загробной жизни верны: ведь он, несомненно, пребывает в раю, а я, самоубийца, попаду в ад.

Я не знала, сколько яду нужно и сколько человек может отправить на тот свет мой флакончик, и потому решила проглотить все. Может, тогда я умру быстро, без страданий, вызываемых этой отравой. Нужно будет подождать, пока донна Эсмеральда на что-нибудь отвлечется, и тогда я скроюсь и от нее, и от стражников, выйдя на балкон.

Весь остаток дня я просидела в кресле в прихожей, а слуги тем временем приводили мои комнаты в порядок.

В сумерках нам доставили прекрасный ужин. Я не могла есть, невзирая на все увещевания Эсмеральды. Тогда она съела, что ей понравилось, и из своей, и из моей порции, и слуги унесли тарелки.

Но я попросила вина и поставила кувшин и кубок рядом с собой. Эсмеральда, как это происходило каждый вечер после смерти Альфонсо, принялась уговаривать меня отправиться в постель. Как всегда, я отказывалась, говоря, что лягу, когда устану. К счастью, Эсмеральда утомилась после сегодняшних хлопот и рано уснула. Услышав ее ровное дыхание, я поняла, что мой час настал.

Я наполнила кубок и небрежно поднялась, памятуя о стражниках у двери, потом проскользнула через спальню, где спала Эсмеральда. Она оставила для меня зажженную свечу; я прихватила свечу с собой на балкон и поставила там на перила, чтобы при ее свете справиться с последней стоящей передо мной задачей.

Потом я поставила кубок и дрожащими пальцами нащупала спрятанный в корсаже флакон с кантереллой. Я извлекла его и поднесла к свету.

Флакон сверкал зеленым, словно изумруд; несколько мгновений я, оцепенев, смотрела на него, ошеломленная серьезностью того шага, который собралась предпринять.

И у меня на глазах в стекле возникла картинка, крохотная, но безукоризненная и очень детальная.

Это был труп моего отца, покачивающийся в петле.

Я закричала и отшвырнула флакон. Он упал на пол, но не разбился, а просто откатился в сторону. Все вокруг закружилось. Раскинув руки, я рухнула на пол и попутно сшибла свечку с перил, оказавшись в результате в полной темноте.

И в этой темноте труп моего отца вдруг сделался больше, чем в реальности. Он раскачивался надо мной — здесь, на балконе; его холодные окоченевшие ноги скользнули по моим плечам и лицу, и я, всхлипывая, на четвереньках отползла прочь.

Очутившись за углом, я съежилась и попыталась обхватить себя руками.

— Обещай мне, Альфонсо! — пронзительно вскрикнула я. — Давай дадим друг другу клятву, что нас никогда больше не разлучат, потому что без тебя я сойду с ума!

Передо мной стоял мой брат, такой, каким он был в тот день, когда приехал в Рим, чтобы жениться на

Лукреции, — молодой, красивый, улыбающийся, одетый в светло-голубой атлас.

— Но, Санча, у тебя совершенно здравый рассудок, — сказал он как о чем-то само собой разумеющемся. — Со мной или без меня, но тебе нечего опасаться безумия. Ты просто попыталась убить не того человека.

Я снова закричала и, спотыкаясь, кинулась обратно в темную спальню; меня перехватил кто-то дородный. Я вырывалась, пока не осознала, что это донна Эсмеральда и что она зовет меня по имени.

Обмякнув, я прижалась к ней и расплакалась. Она обняла меня с неистовой нежностью.

— Я попыталась стать убийцей, — выдохнула я, уткнувшись в ее мягкое, сильное плечо, — а вместо этого убила собственного брата!

— Ну, будет, — велела донна Эсмеральда. — Будет. Ты не совершила никакого преступления.

— Бог наказывает меня...

— Что за глупость! — возмутилась донна Эсмеральда. Я не видела ее лица в темноте, но прижималась щекой к ее ключице и ощущала отзвук уверенного голоса в ее груди и глубину ее убежденности. — Господь любил Альфонсо. Он знает, что это несправедливо, чтобы ваш брат умер, а Чезаре остался жить. Справедливость еще доберется до Борджа, донна. Не плачьте.

Эти слова успокоили меня. Эсмеральда помолчала, потом высказалась начистоту:

— Савонарола был прав: этот Папа и в самом деле Антихрист. Александр всегда собирался дозволить Чезаре убить Альфонсо; он всегда об этом знал — даже тогда, когда пришел в Зал сивилл и клялся в обратном. Он точно так же виновен, как и его сын, а может, даже больше, поскольку он мог в любой момент остановить это злодеяние.

Эсмеральда отвела меня в постель, уложила как есть, одетой, укрыла и сама примостилась рядом.

— Вот. Я не отойду от вас ни на шаг. Если вам станет страшно, просто протяните руку и дотроньтесь — я буду тут. Господь с нами, донна. Он нас не покинул.

Когда она уснула, я в страхе села на кровати; мне померещилось, будто я снова стала девочкой и нахожусь в Неаполе, а вокруг в темноте стоят мумии из музея моего деда. Я задрожала под одеялами, когда мне представился хитро глядящий на меня Роберт с выдубленным лицом; его раскрашенные мраморные глаза блестели, редкая прядь каштановых волос свисала с морщинистого черепа. Он приветствовал меня широким жестом.

«Добро пожаловать, ваше высочество…»

Я заплакала. Я не хотела туда идти. Мне не хотелось попасть в созданное Ферранте мрачное королевство безумия и смерти.

Перед рассветом, когда небо посерело, я прокралась на балкон и отыскала флакон с кантереллой, а потом спрятала его среди своих драгоценностей, пока Эсмеральда не проснулась. Скоро, сказала я себе. Скоро я буду достаточно сильной, чтобы пустить ее в ход.

Я впала в какое-то сумеречное состояние сознания. Днем я без конца бродила по запутанным дорожкам сада — за мной в почтительном отдалении следовал стражник — до тех пор, пока не выбивалась из сил. По ночам я сидела на балконе и упорно вглядывалась в темноту, время от времени впадая в панику из-за того, что я не вижу Везувия. Я говорила Эсмеральде, что дремлю, сидя в кресле на балконе, — но я совсем не спала, и мой рассудок достиг пугающей ясности и быстроты безумия.

Однажды, неистово меряя шагами дорожки сада, я услышала колокола собора Святого Петра... и в этот миг в моем воспаленном сознании всплыли слова донны Эсмеральды, да так и не пожелали уходить. В этот момент меня посетило божественное откровение: мне стало ясно, как свершить правосудие над Борджа. Но для этого требовалось прибегнуть к хитрости. Я остановилась и подождала, пока запыхавшийся стражник догонит меня.

— Я пойду на балкон, — любезно сказала я ему. — Мне хочется посмотреть на город.

Я быстро вернулась в замок и по лестнице добралась до большого балкона. Широкая улица под ним была заполнена паломниками и торговцами; они находились так близко от меня, что я с легкостью могла бы что-нибудь добросить до них. И уж конечно, они находились в пределах слышимости.

— Жители Рима! — крикнула я, перегнувшись через перила балкона. — Паломники, приехавшие в Священный город! Слушайте меня! Я — Санча Арагонская. Моего брата Альфонсо умертвили по приказу его святейшества, Папы Александра Шестого, руками гонфалоньера Чезаре Борджа! Этот Папа — Антихрист, как называл его Савонарола: он закоренелый прелюбодей и убийца! Он убил родного брата, чтобы завладеть тиарой, дозволил убить родного сына, Хуана, а теперь убил Альфонсо, герцога Бишелье, мужа Лукреции...

Стражник схватил меня за руку и попытался утащить прочь. Я расхохоталась и вырвалась с силой, порожденной безумием.

— Паломники! Римляне! Бог призвал вас, дабы свергнуть Александра! Не медлите! Сколько еще людей должно умереть? Скольких еще должны убить, прежде чем он поплатится за свои преступления?

Внизу, на улице, начали собираться люди; они в изумлении смотрели на меня. Какая-то старая монахиня в белом одеянии перекрестилась и забормотала молитву. Молодой священник в черной рясе замахал руками, подзывая своих спутников, и указал на меня. Прохожие останавливались и принимались слушать. Одни из них хмурились, другие смеялись.

Почему они бездействуют? Почему они до сих пор еще не кинулись во дворец понтифика и не выволокли Александра на улицу? Я же ясно им все сказала...

Я вещала еще некоторое время. Наконец двоим солдатам удалось скрутить меня. Я посмотрела им в глаза, уязвленная и недоумевающая.

— Разве вы не слышали, что я говорю? Разве вы не видите зла? У вас есть оружие — так воспользуйтесь же им!

Но они не подняли оружия против Папы. Вместо этого они, ругаясь и пинаясь, оттащили меня в покои. Дальше я смутно помню лишь встревоженное лицо донны Эсмеральды и какого-то врача; он заставил меня выпить лекарство, от которого я впала в оцепенение. В конце концов я уснула.

Когда я проснулась, появился Джофре. С этого дня он навещал меня каждый вечер — куда чаще, чем в те времена, когда я была в Ватикане желанной гостьей. Он приносил мне маленькие подарки: украшения, безделушки. Однажды вечером он тайком принес миниатюрный портрет Альфонсо, принадлежавший Лукреции, — ей не позволили взять этот портрет с собой в Непи.

Донна Эсмеральда не отходила от меня ни на шаг. Она больше не позволяла мне сидеть на балконе целыми ночами, а поила по вечерам горьким снотворным и укладывала в постель. Еще она заставляла меня съедать хотя бы по кусочку всякий раз, когда нам приносили еду, потому ко мне отчасти вернулось самообладание. Я научилась мило общаться с Эсмеральдой и Джофре, когда это требовалось, и сохранять в их присутствии видимость здравого рассудка.

Так я проводила дни в праздности, бродя по саду в сопровождении часового. Лишь там, вдали от моего мужа и Эсмеральды, я давала волю своему безумию: я непрестанно бормотала себе под нос, ведя долгие беседы с Альфонсо, с моим отцом, а чаще всего со лживой стрегой.

«Сердце, пронзенное одним мечом». Теперь я обладала им, но моя попытка применить этот меч против Чезаре провалилась. Я чувствовала этот меч в себе, как чувствуют занозу; он непрестанно колол и терзал меня. «Почему мне не дозволено было убить его?» — спрашивала я у стреги, но раз за разом получала один и тот же ответ: «В должный срок...»

По ночам, несмотря на лекарства врача, мне снились сны; в них хохочущие солдаты уносили прочь от меня белое, изрубленное тело Альфонсо.

Месяц шел за месяцем. Злосчастное лето сменилось осенью, а затем и зимой. Джофре прислал мне несколько моих лучших платьев, на выбор, и я отправилась вместе с ним на рождественскую мессу в соборе Святого Петра, как будто я не была пленницей Борджа. Я прошла мимо Папы и Чезаре, но ни один из них не встретил моего обвиняющего взгляда и вообще никак не показал, что заметил мое присутствие. После мессы меня не пригласили на семейный обед, хотя Джофре обязали пойти на него, а вместо этого отправили обратно в мои покои.

Я как будто не была ни живой, ни мертвой, а пребывала в своего рода чистилище: поскольку я принадлежала к Арагонскому дому, меня считали слишком опасной, чтобы позволить мне жить среди Борджа и иметь доступ к их тайнам; но в то же самое время, поскольку я была женой Джофре, практически не посвященного в их тайны, во мне не видели угрозы, из-за которой меня стоило бы убивать.

Пришла весна. Я жила в оцепенении, без всякого смысла; тоску развеивали лишь разговоры с мертвыми да визиты моего мужа. Джофре изо всех сил старался приободрить меня, но те моменты, когда его присутствие не отвлекало меня, были воистину мрачными.

Я продолжала часами бродить по саду, пытаясь посильнее утомить себя, чтобы побыстрее пришел сон, а с ним и забвение. Однажды днем, шагая по песчаной дорожке — ее с обеих сторон окружали розовые кусты, усыпанные благоухающими цветами, — я заметила, что навстречу мне идет еще одна благородная дама, сопровождаемая стражником.

Я хотела было развернуться и удалиться побыстрее. Я не желала ни с кем общаться, равно как и выслушивать веселую болтовню. Но прежде, чем я успела убежать, женщина приблизилась, кивнула мне и улыбнулась. Потом она обернулась к своему сопровождающему и сказала:

— Мы немного прогуляемся вместе.

Шедший за ней молодой солдат кивнул, а моему, похоже, было все равно: эти двое, судя по всему, были знакомы и ничуть не возражали против того, чтобы идти за нами, тихо переговариваясь.

Женщина поклонилась. На вид ей было лет двадцать пять; у нее были блестящие черные волосы и прекрасное, классическое лицо римской статуи.

— Я — графиня Доротея де ла Крема.

— А я — сумасшедшая Санча Арагонская.

Моя собеседница ни капли не удивилась; ее улыбка сделалась ироничной.

— Мы все здесь — сумасшедшие женщины Чезаре. Я тоже одна из его пленниц. — Голос ее смягчился, сделавшись печальным. — Проходя со своей армией между Кервией и Равенной, он убил моего мужа и захватил наше поместье. — Она устремила на меня взгляд своих темных глаз. — Говорят, вы были его любовницей.

После стольких лет, проведенных в доме Борджа, я оценила ее прямоту по достоинству.

— Когда-то была, — ответила я. — Но я не смогла любить человека, который оказался убийцей. Теперь я презираю его всем сердцем.

Графиня одобрительно кивнула.

— Тогда у нас с вами есть нечто общее. После того как он убил моего мужа, он взял меня в плен. Он содержал меня в роскоши, как и Катерину Сфорца, которая находилась там же, но каждую ночь насиловал меня. Думаю, если б я отдавалась ему добровольно, это доставило бы ему куда меньше удовольствия. — Она перевела взгляд на мутные воды Тибра. — И вот я здесь. Я наскучила ему, и он оставил меня в покое, чему я только рада. Но до тех пор, пока Чезаре не потерпит поражение — или пока Папа не умрет, — мне отсюда не выйти.

— Как и мне, — мягко сказала я. — Мне очень жаль вашего мужа.

— А мне — вашего брата, — отозвалась графиня.

Очевидно, Доротея была в курсе всех новостей, касающихся меня.

В тот первый день мы гуляли недолго. Шло время, и постепенно мы начали больше доверять друг другу.

Донну Доротею, женщину прямую и искреннюю, довели, как и меня, до грани безумия совершенными против нее злодеяниями, и теперь ей была безразлична ее дальнейшая судьба. Мы откровенно говорили о преступлениях Борджа и о своей жизни. Какое это было облегчение — поделиться гнетущими меня ужасными тайнами! К моему изумлению, оказалось, что Доротея уже знала почти все, что я ей открыла.

В ней я нашла спасение от своего одинокого безумия. Но вдали от ее общества, особенно по ночам, призраки возвращались: мумифицированный Роберт, Альфонсо, мой отец, таинственная стрега. Каждый день я пыталась найти в себе силы, чтобы пустить в ход кантереллу, и каждую ночь мне их не хватало.

В это время мне пришло письмо из Непи, от Лукреции. Восковая печать на письме была сломана. Я долго сидела в прихожей, положив письмо на колени, и размышляла, не сжечь ли его на ближайшей свечке.

В конце концов я развернула его и прочла:

«Дорогая Санча!

Прежде всего я должна попросить у тебя прощения за то, что так долго не писала. Признаюсь: в первые, самые мрачные дни пребывания здесь у меня просто не было душевных сил взяться за перо. Но время понемногу оказывает свое целительное воздействие, и мне, как только я оказалась в состоянии, захотелось сказать тебе, как сильно мне не хватает твоего общества. Без твоей верной дружбы и доброго сердца дни кажутся длинными и унылыми.

Маленький Родриго тоже скучает по тебе; он постоянно спрашивает про свою тиа Санчу. Ты бы его не узнала — он так вырос! Он с каждым днем становится все больше похож на своего отца.

Новостей у меня особенных нет: здесь каждый день похож на другой. Хотелось только упомянуть, что вскоре после моего приезда здесь на ночь встал лагерем Чезаре со своей армией. Мне пришлось принять его у себя вместе с самыми примечательными из его спутников.

Сейчас вместе с ним путешествует художник и изобретатель Леонардо да Винчи. Тем вечером дон Леонардо пришел ко мне на ужин. Это добродушный пожилой человек, чудаковатый на вид, с крючковатым носом, большими, поразительными глазами и длинными, нечесаными седыми волосами и бородой. Несмотря на возраст, у него очень острый и живой ум. Чезаре говорит, что дон Леонардо — инженерный гений и что он уже оказался чрезвычайно полезен, придумав, как использовать взрывчатые вещества для разрушения мостов. Я же могу сказать, что он очень добрый человек и отличается прекрасным чувством юмора. Во время ужина он попросил принести пергамент и достал перо и чернила, с которыми он не разлучается; пока Чезаре рассказывал про ход кампании, дон Леонардо рисовал. Появился Родриго и очень им заинтересовался. Я уже хотела было отправить малыша обратно в детскую и пожурить его за то, что он докучает гостю, но дон Леонардо был очень добр; он позволил Родриго сидеть у него на коленях и смотреть, как он рисует.

Кстати, о Чезаре и его кампании. Не могу не упомянуть еще об одном его спутнике, некоем Никколо Макиавелли, неприятном, скрытном человеке; он почти не притронулся к ужину, поскольку постоянно строчил у себя в дневнике, стоило лишь Чезаре что-

то сказать, — как будто мой брат изрекал нечто не-обыкновенно ценное.

Чезаре рассказал, что без труда захватил земли вокруг Болоньи и Флоренции; эти великие города передали ему в собственность крепости и поместья, устрашившись его армии, поскольку та благодаря щедрости короля Людовика увеличилась на десять тысяч человек. Чезаре говорит, что теперь он непобедим и сможет пройти через всю Италию и завладеть всеми землями, какими только пожелает.

Когда мой брат закончил говорить, в конце ужина дон Леонардо подарил мне законченный набросок. Я была весьма польщена, ибо на этом наброске была изображена я сама, сидящая за столом; однако я поразилась, увидев, сколь печально мое лицо, ведь я изо всех сил старалась держаться при гостях весело и оживленно.

Под моим портретом дон Леонардо написал строчку из стихотворения поэта Санназаро: "Per pianto la mia carne si distilla". "Плоть моя тает и стекает слезами".

Он очень мудрый, дон Леонардо. Он способен заглянуть в самую душу человека, а его волшебный талант позволяет при помощи обычного пергамента и чернил запечатлеть, что у человека на душе. Я много еще чего могла бы рассказать тебе, но письмо — не лучший способ выразить то, что мне хотелось бы сказать. Придется подождать до тех пор, пока я не смогу повидаться с тобой.

Я каждый вечер молюсь за тебя, сестра, и думаю о тебе с большой нежностью. У меня никогда не было лучшей и более верной подруги. Да сохранит тебя Господь!

С любовью, Лукреция».

Я сложила письмо и спрятала в свой томик Петрарки. Я поняла, что Лукреция не могла откровенно поделиться со мной своими мыслями; я поняла намеки на терзающую ее печаль и чувство вины, поняла, что она хотела сказать, упомянув, что ей «пришлось» принять у себя Чезаре, — это означало, что Лукреция сделала это не по своей воле. И еще она намекала, что молит меня о прощении.

Я не могла — и не стала — отвечать. О чем мне было писать? Что я сошла с ума от горя, причиненного отчасти и ее предательством? Что единственное, что доставляет мне радость, — это мысли о мести Чезаре?

Позднее я показала это письмо Доротее де ла Крема. Читая, она поджала губы, потом кивнула.

— Чезаре завладеет всеми землями, какими только пожелает, — подтвердила она. — И всеми женщинами тоже. И каждую ночь будет унижать новую женщину по собственному выбору.

Подобные новости подогрели мою ненависть, и ночью мне приснился сон: я схватила меч, все еще торчащий в моем сердце, нанесла удар, сверкнув сталью, и одним ударом отсекла Чезаре голову. И улыбалась, глядя, как эта голова откатилась прочь от рухнувшего тела, а кровь, гнуснее которой не бывало, хлынула из жил и потекла, словно Тибр.

Странно лишь, что во сне я услышала голос моего брата. Он весело повторил: «Ты просто попыталась убить не того человека».

ЛЕТО 1501 ГОДА — НАЧАЛО ЗИМЫ 1503 ГОДА

ГЛАВА 36

«Яйцо треснуло», — сказал Альфонсо. Он был одет, как всегда, в светло-голубой атлас; на лице его застыло непривычно суровое, предостерегающее выражение. «И на этот раз его уже не починишь…»

Я проснулась, судорожно хватая ртом влажный воздух августовского утра, и услышала в прихожей плач Эсмеральды. Я кинулась туда и обнаружила ее на полу: Эсмеральда держалась за сердце, словно старалась унять острую боль.

— Эсмеральда!

Я бросилась к ней и схватила ее за полную руку — с возрастом Эсмеральда сделалась весьма дородной. Мне сразу на ум пришел апоплексический удар, поразивший Ферранте. Я помогла Эсмеральде подняться и усадила ее в кресло.

— Посиди здесь, дорогая…

Я отыскала вино, наполнила кубок и поднесла к ее губам.

— Вот, выпей. Сейчас стражник сходит за врачом.

Эсмеральда сделала глоток, закашлялась и, тяжело дыша, махнула рукой.

— Не надо врача!

Она взглянула на меня полными горя глазами и жалобно произнесла:

— Ох, донна Санча! Если бы только тут мог помочь врач. — Она судорожно вздохнула, потом добавила: — Не зовите стражника. Я только что разговаривала с ним. Он принес вести...

— Что случилось? — тут же взволновалась я.

— Наш Неаполь, — отозвалась Эсмеральда, вытирая глаза краем широкого рукава. — Ох, мадонна, у меня сердце разрывается... Ваш дядя Федерико вынужден был отправиться в изгнание. Король Фердинанд Католический и король Людовик сговорились и объединили свои армии. Теперь они совместно властвуют над Неаполем. Нынче над Кастель Нуово реют французское и испанское знамена. Фердинанд теперь правит городом.

Я испустила долгий вздох и медленно опустилась на колени рядом с Эсмеральдой. Хотя смерть Альфонсо отняла у меня рассудок и радость, я все же лелеяла робкую надежду на то, что когда-нибудь смогу вернуться домой — в королевский дворец, к Федерико и братьям, к своей семье. Теперь же все это было у меня отнято.

Королевского Арагонского дома более не существовало.

Я была так ошеломлена, что не могла сказать ни слова. Некоторое время мы с донной Эсмеральдой молчали, поглощенные горем. Потом я понимающе произнесла — уголок моих губ подергивался от ненависти:

— А Чезаре Борджа... он въехал в город вместе с армией короля Людовика.

Эсмеральда изумленно взглянула на меня.

— Да, мадонна... Но откуда вы знаете?

Я не ответила.

Я снова впала в оцепенение отчаяния, сквозь которое не могли пробиться даже Эсмеральда и лекарства, приносимые врачом. Моменты передышки случались лишь во время моих прогулок с Доротеей — теперь она почти непрестанно говорила, а я слушала, безмолвная и равнодушная.

Однажды Доротея принесла вести о Лукреции: та осенью вернулась в Рим, повинуясь непреклонному требованию Папы. Доротея рассказала о стычке между отцом и дочерью. В папском тронном зале, в присутствии фрейлин Лукреции, придворных Папы и камерария, его святейшество сообщил Лукреции, что они с Чезаре изучили претендентов, просивших ее руки, и выбрали Франческо Орсини, герцога Гравинского. Орсини уже сватался к Лукреции несколько лет назад, но тогда ему предпочли моего брата.

Теперь же, сообщил Александр дочери, она станет герцогиней Гравинской. С политической точки зрения это наилучший ход.

Нет, сказала Лукреция отцу. Она не желает иметь ничего общего с этим человеком.

Пораженный Александр спросил, почему она отказывается.

— Да потому, что все мои мужья плохо кончали! — гневно заявила Лукреция и пулей вылетела из тронного зала, не испросив у его святейшества дозволения уйти.

Слухи об этом происшествии быстро разошлись по Риму. Когда герцог Гравинский услышал об отказе Лукреции, он чрезвычайно оскорбился (или, возможно, понял правоту слов Лукреции) и сразу же отказался от сватовства.

Вскоре после этого я как-то вечером, не зная, куда себя девать, отправилась бродить по коридорам. Приближалась зима, и я, кутаясь в плащ, направилась на балкон подышать бодрящим ночным воздухом.

Не успев еще сойти с лестничной площадки на балкон, я услыхала похоронный звон колоколов собора Святого Петра.

У перил балкона стояла невысокая хрупкая женщина, бледная, как мех ее горностаевого плаща; на почтительном расстоянии от нее стояли стражники. Мое внимание было настолько поглощено колокольным звоном, что я заметила эту женщину лишь после того, как едва не натолкнулась на нее.

Я никогда не видела женщины прекраснее. Она была даже прекраснее, чем бывшая любовница Папы, нежная Джулия. У нее была молочно-белая кожа, золотые волосы и синие глаза, сверкающие ярче драгоценных камней. Она держалась с редкостным достоинством и изяществом, но взгляд ее был полон печали. Я мгновенно поняла, почему Чезаре пожелал обладать ею.

— Катерина Сфорца! — выдохнула я.

Женщина повернулась и внимательно взглянула на меня. В ее взгляде не было ни враждебности, ни снисходительности — лишь горе, граничащее с безумием.

Она слегка отодвинулась, давая мне место. Это было недвусмысленное приглашение, и я, приняв его, подошла и встала рядом с ней.

Некоторое время Катерина молчала, глядя на площадь, раскинувшуюся перед величественным зданием собора Святого Петра; на площади освещенная факелами погребальная процессия медленно двигалась от собора к улице. Судя по количеству участников, хоронили явно какую-то важную персону.

Наконец донна Катерина вздохнула.

— Несомненно, очередной кардинал, — сказала она куда более сильным и звучным голосом, чем я ожидала, — которого убили, дабы добыть денег на войны Чезаре. — Она немного помолчала. — Всякий раз, как я слышу погребальные колокола, я молюсь, чтобы это оказался святой отец.

— А я молюсь, чтобы это оказался Чезаре, — возразила я. — Он куда более заслуживает кончины.

Катерина посмотрела на меня, склонив прекрасную голову чуть набок; она не таясь оценивала меня.

— Видите ли, — произнесла она, — было бы лучше, если бы Александр умер первым. Потому что если сын опередит его, он просто найдет себе очередного Чезаре, поставит его во главе своей армии и ужас Борджа продолжится. Они ведут эту игру совместно: Папа притворяется, что он как бы не в состоянии совладать с жестокостью Чезаре, но поверьте мне, у них левая рука всегда знает, что делает правая. Конечно, если Александр умрет... — Катерина подалась ко мне и заговорщически понизила голос. — Я ведь наверняка говорила вам, что некогда сказал мне о Чезаре венецианский посол.

Я вежливо улыбнулась.

— Мы с вами никогда прежде не беседовали, мадонна.

Я не могла упрекать Катерину за эту путаницу, сама не вполне владея своими чувствами.

Она как будто не услышала моих слов.

— Это было некоторое время назад, до того, как он убил последнего мужа Лукреции. Чезаре вовсю трудился, закидывая удочки, используя Испанию против Франции, а Францию против Испании. Он хотел посмотреть, какой союз окажется самым выгодным. — Она негромко рассмеялась. — Он был так непостоянен... Однажды он даже заявился к венецианскому послу и поклялся в верности Венеции. Он заявил, что не доверяет ни Франции, ни Испании и не думает, что кто-то из них защитит его, если со святым отцом что-либо случится. А посол ответил ему откровенно: «Да, вам определенно понадобится помощь. Ведь если с его святейшеством что-либо произойдет, с вами будет покончено в три дня».

Катерина снова рассмеялась и устремила взгляд на факелы, бесшумно плывущие по темным улицам Рима.

Я последовала ее примеру и тоже принялась разглядывать блуждающие язычки пламени и темные фигурки участников похорон, что постепенно растворялись в окружающей ночи. Уж не знаю, было ли это вызвано безумием или нет, но призрак моего брата сказал правду: я попыталась убить не того человека.

Впервые за время моего заточения в замке Сант-Анджело я подумала о спрятанной у меня кантерелле не как о способе уничтожить себя, а как о выходе из бедствия, нависшего над всей Италией. Я вернулась к себе в покои и на несколько часов погрузилась в раздумья. У меня было оружие, но я не знала толком, как его использовать; кроме того, я не знала, как донести его до цели. За мной непрестанно следили. Вряд ли мне удалось бы прийти в Ватикан и поднести его святейшеству кубок вина. Эсмеральду тоже надежно охраняли. У нее больше не было возможности связаться с наемным убийцей.

— Я готова, — прошептала я в темноту, обращаясь к стреге. — Но если я правильно поняла свое предназначение, ты должна послать мне помощь. Я не справлюсь с этим делом в одиночку.

Вечером следующего дня я сидела у себя в прихожей вместе с донной Эсмеральдой и ждала, пока принесут ужин; но тут кто-то распахнул дверь без обычного учтивого стука. Мы повернулись. Двое стражников, стоящих возле двери, низко поклонились сначала донне Марии, а потом самой Лукреции.

Донна Эсмеральда встала и злобно уставилась на двух женщин, скрестив руки на груди и всем своим видом выражая неодобрение гостям.

Я ничего не сказала, просто встала и внимательно взглянула на Лукрецию. На ней было платье с иссиня-зеленой шелковой юбкой и бархатными корсажем и рукавами того же цвета; на шее у Лукреции сверкали изумруды, а золотая сеточка на волосах была усеяна алмазами. Она была одета пышно, в римском стиле, — а я продолжала носить черное неаполитанское платье без всяких украшений.

Но вся эта роскошь не могла скрыть бледности Лукреции или вернуть жизнерадостный блеск ее запавшим глазам. Печаль изнурила ее, и вся миловидность Лукреции развеялась без следа.

Завидев меня, Лукреция робко, нерешительно улыбнулась и протянула ко мне руки.

Я не сделала никакого шага навстречу. Я просто смотрела на нее, и постепенно улыбка Лукреции померкла, сменившись выражением плохо скрытого горя и вины.

— Зачем ты пришла? — спросила я.

В голосе моем не было злобы — одна лишь прямота.

Лукреция жестом велела донне Эсмеральде и донне Марии выйти в коридор. Когда те повиновались, Лукреция приказала стражникам закрыть дверь и оставить нас одних.

Удостоверившись, что теперь ее никто не услышит, Лукреция ответила:

— Я пробуду в Риме недолго. — В ее тихом голосе слышался стыд. — Пришла взглянуть, как твои дела. Я беспокоилась: говорили, что ты плохо себя чувствуешь.

— Кто бы это ни был, они говорили правду, — ровным тоном отозвалась я. — Я потеряла рассудок. Но теперь он ко мне вернулся.

— И про меня тоже говорили правду, — с легким оттенком иронии сказала Лукреция. — Меня заставили снова выйти замуж.

На это я ничего не ответила — просто не могла, ведь призрак Альфонсо стоял перед нами немым укором.

Теперь взгляд Лукреции был устремлен не на меня, а куда-то вдаль, в прошлое, как будто она сейчас извинялась не передо мной, а перед моим братом. Лицо ее было напряженным от отвращения к себе.

— Сначала я отказывалась. Но я — слишком ценный политический товар, чтобы позволить мне поступать по собственному усмотрению. Мой отец и Чезаре... Мне не нужно объяснять тебе, какой способ они изыскали для давления на меня.

На щеках Лукреции вспыхнул легкий румянец — воспоминания, оставшиеся непроизнесенными, пробудили ее гнев. Она собралась с силами и наконец взглянула мне в глаза.

— Но я заставила их позволить мне самой выбрать будущего мужа, оставив за ними право утвердить его. Они согласились. Я выбрала, и они одобрили мой выбор. — Лукреция перевела дыхание. — Я выбрала д'Эсте Феррарского.

— Д'Эсте, — прошептала я.

Мои романские родичи. Чезаре никогда не осмеливался напасть на них — у них была слишком сильная армия. Давным-давно он сказал мне, что предпочтет видеть их союзниками.

— Чезаре понравился этот вариант, потому что он думает, что сумеет таким образом заполучить больше солдат, — сообщила Лукреция. — Мне пришлось навестить их, чтобы старый герцог, мой потенциальный свекор, удостоверился, что я и вправду «мадонна с ангельским характером», как его уверяли. — На миг на губах Лукреции промелькнула ироническая улыбка. — Я прошла испытание и понравилась старому Эрколю. Но вот чего я не сказала ни отцу, ни Чезаре, так это того, что д'Эсте никогда не станут выступать на стороне папского престола. Они — добрые католики, но они мудры: они не доверяют ни Папе Александру, ни его гонфалоньеру. Герцог Эрколь настаивал на том, чтобы мы с его сыном венчались в Ферраре и жили там впоследствии, на что я охотно согласилась. Я никогда больше не вернусь в Рим. Я останусь с моим новым мужем, в окружении сильной семьи и сильной армии, не подчиняющейся воле Борджа. — Голос Лукреции дрогнул от переполнявших ее чувств. — Его зовут Альфонсо.

Мне потребовалось несколько мгновений, чтобы осознать, что она произнесла имя своего предполагаемого супруга: Альфонсо д'Эсте, кузен моего брата.

— Так что, как ты видишь, Санча, — продолжала Лукреция, — это наша последняя встреча.

Она взглянула на меня с печалью и любовью.

— Если бы только я хоть чем-то могла помочь тебе...

— Можешь, — мгновенно отозвалась я. — Ты можешь оказать мне последнюю услугу.

— Все, что хочешь.

Она нетерпеливо ждала моего ответа.

— Ты можешь сказать мне, сколько нужно кантереллы, чтобы убить человека.

В первое мгновение Лукреция была потрясена, но потом она взяла себя в руки и застыла недвижно. По ее отстраненному взгляду я поняла, что она мысленно вернулась в монастырь Сан-Систо, в то время, когда она носила ребенка Чезаре и была преисполнена такого отчаяния, что намеревалась покончить с собой.

Она явно вспомнила о пропавшем флаконе с ядом.

Потом Лукреция внимательно взглянула на меня. Наши взгляды, равно твердые, встретились. В ходе этой безмолвной беседы мы сделались соучастницами заговора, такого же прочного и недвусмысленного, как те, которые плели ее отец с братом. «Убить человека», — сказала я. По моей решительной осанке, по стиснутым зубам Лукреция не могла не понять, что я не намерена использовать содержимое флакона против себя.

Никогда еще я не была настолько уверена в ее верности и благодарности.

— Всего несколько крупинок, — отозвалась наконец она. — Яд очень сильный. Он слегка горчит, поэтому его подсыпают в еду — во что-нибудь сладкое вроде меда или варенья — или добавляют в вино. Тогда жертва не чувствует его вкуса.

Я слегка кивнула.

— Спасибо.

Мгновение спустя мы словно никогда не затрагивали эту тему. Лицо Лукреции внезапно изменилось. В ее глазах вспыхнуло страстное желание, мольба. Прежде чем она успела спросить, я быстро ответила:

— Не проси у меня прощения, Лукреция, — я никогда не смогу простить тебя.

Последние отблески надежды угасли в ее глазах, словно свеча, задутая ветром.

— Тогда я буду просить его у Господа, — серьезно произнесла она. — А тебя я лишь попрошу не забывать меня.

Тут я не выдержала. Я шагнула к Лукреции и крепко обняла ее.

— Это я могу обещать.

Лукреция обняла меня.

— До встречи, Санча.

— Нет, — сказала я. — Прощай.

Перед отъездом Лукреции в Феррару в Риме были устроены пышные празднества. Мы с Доротеей в погожие ночи смотрели с балкона, как разодетые аристократы и прелаты движутся по улицам и площадям к Ватикану, дабы выказать свое почтение невесте. Не обошлось без фейерверков и пушечной пальбы. Доротея радовалась развлечениям; что же касается меня, они лишь подогревали мою ненависть.

Как-то утром, когда я сидела у себя в прихожей и читала, дверь моих покоев отворилась. Я подняла голову от книги, раздраженная неожиданным вторжением.

На пороге стоял Чезаре Борджа.

Война вкупе с сифилисом состарили его; даже борода, в которой уже блестела ранняя седина, не могла скрыть заметных рубцов на щеках. В волосах, начавших редеть, тоже появились седые пряди, а под уставшими глазами залегли тени.

— Ты так же прекрасна, как и в тот день, когда я впервые увидел тебя, Санча, — задумчиво произнес он мягким, как бархат, голосом.

Его лесть пропала втуне. При виде его у меня сжались губы. Несомненно, Чезаре мог явиться сюда лишь с дурными вестями.

Но потом я заметила, что за его руку держится очень серьезный маленький мальчик, и у меня вырвалось нечто среднее между смехом и рыданием.

— Родриго!

Я отшвырнула книгу и кинулась к малышу.

Я не видала своего племянника больше года, но мгновенно узнала его: у него были золотые кудри и голубые глаза моего брата. Малыш был одет в приличествующий принцу темно-синий бархатный камзольчик.

Я опустилась перед ним на колени и распахнула объятия.

— Родриго, милый! Это же я, тиа Санча! Ты помнишь меня? Ты знаешь, как сильно я люблю тебя?

Мальчик — ему было уже почти два года — сначала смущенно отвернулся и потер глаза кулачками.

— Иди к ней, — подбадривающе произнес Чезаре и подтолкнул мальчика ко мне. — Это твоя тетя, сестра твоего отца… Они с твоей матерью очень любили друг друга. Она присутствовала при твоем рождении.

Наконец Родриго взглянул на меня с внезапной приязнью. Я заключила его в объятия. Я не понимала, почему Чезаре даровал мне этот драгоценный визит, но в тот момент меня это и не волновало. Я была на вершине блаженства. Я прижалась щекой к мягким волосикам малыша. Тут Чезаре произнес с несвойственной ему неловкостью:

— Лукреция не смогла взять ребенка с собой в Феррару. — Действительно, не было принято, чтобы ребенок от предыдущего брака воспитывался при доме другого мужчины. — Она попросила, чтобы ты вырастила его как своего сына. Я решил, что от этого не будет никакого вреда, и привел его к тебе.

Несмотря на переполняющую меня радость, я не смогла удержаться от колкости:

— Ребенок не должен расти в тюрьме!

— Для него это будет не тюрьма, а дом, — с поразительной мягкостью отозвался Чезаре. — Он будет наделен всеми привилегиями; он сможет приходить и уходить, навещать своего деда и дядей, когда только пожелает. Он будет обеспечен всем, что ему потребуется. Я уже договорился о том, чтобы в надлежащее время у него были лучшие наставники. — Он умолк, а потом к нему вновь вернулся столь хорошо знакомый мне холодный, высокомерный тон. — В конце концов, он ведь Борджа.

— Он — принц Арагонского дома! — с жаром произнесла я, ни на миг не выпуская малыша из объятий.

Чезаре ответил на это легкой улыбкой, но в ней не было злорадства, один лишь юмор.

— Скоро слуги принесут его вещи, — сказал он и удалился, оставив меня размышлять над тем, как такое чудовище может временами вести себя настолько человечно.

Я позвала донну Эсмеральду, чтобы показать ей мою новую, самую ценную драгоценность. Мы осыпали сбитого с толку малыша поцелуями.

Лукреция предала меня, а Альфонсо умер, но они оставили мне величайший из даров — их сына.

С этого момента все следы моего безумия исчезли. Маленький Родриго вернул мне надежду и цель. Я поняла, что уничтожила не все, что любила. И я начала обдумывать замысел побега с малышом в Неаполь, которым теперь правил Фердинанд, король Испании. Я не смогу более вернуться в Кастель Нуово, но я не стану незваной гостьей в любимом городе. Там по-прежнему живут моя мать, мои тетки и даже королева Хуана. Там я окажусь среди родных. Женщины, знавшие моего брата, смогут теперь узнать его сына.

У меня было оружие, способное помочь мне в достижении моей цели; благодаря Лукреции я знала, как им пользоваться. Оставалось лишь одно: найти способ пустить его в ход. Теперь, когда ко мне вернулся рассудок, я терпеливо ждала подходящего момента и размышляла, как мне исполнить предначертание, предсказанное стрегой.

Я целыми днями возилась с Родриго. Ему понадобилось некоторое время, чтобы смириться с тем, что он больше не увидит свою мать. Но больше всего он скучал по своей няньке, которая уехала в Феррару в составе свиты Лукреции. Он долго плакал по ночам, не давая спать нам с донной Эсмеральдой; но, по правде говоря, с появлением малыша я стала спать куда лучше, чем прежде. К счастью, Джофре тоже наслаждался обществом своего племянника; он любил играть с малышом, и в те вечера, когда мой муж приходил поужинать с нами, он сам относил Родриго в постель.

Так прошел год. Лето пролетело быстро, и снова — слишком скоро — пришла зима. Мальчик рос. Чезаре, к счастью, неотлучно находился при войске. Я изо всех сил старалась хранить терпение.

Прошло Рождество, за ним — Новый год. Как-то вечером в начале января Джофре пришел к нам на ужин. Но на этот раз он задержался в дверях — бледный, дрожащий, без своей обычной улыбки. Даже когда Родриго подбежал поздороваться с ним, Джофре не наклонился и не взял ребенка на руки, как всегда делал, а лишь рассеянно погладил разочарованного мальчика по головке.

— Муж мой, тебе нездоровится? — обеспокоенно спросила я.

— Со мной все нормально, — без особой уверенности отозвался Джофре. — Мне нужно поговорить с тобой наедине.

Я кивнула и быстро все устроила: донна Эсмеральда отправилась пораньше уложить малыша спать, а прочие слуги, обычно прислуживавшие за столом и убиравшие посуду, принесли нам еду и вино и удалились.

Как только все ушли, Джофре открыл дверь и отослал стражников, а потом некоторое время смотрел им вслед, пока коридор не опустел. Вернувшись, он заглянул на балкон, дабы удостовериться, что мы и вправду одни. Лишь после этого он подошел к столу и тяжело опустился в кресло. Свет свечей поблескивал на его короткой медно-золотистой бородке, которой, впрочем, так и не удалось замаскировать его слабый подбородок.

Джофре протянул кубок; рука его дрожала, и, когда я налила в кубок рубинового вина, оно пролилось через край. Джофре жадно глотнул вина, потом поставил кубок на стол и простонал:

— Мой брат — это сам дьявол!

— Что он натворил на этот раз?

— Им с отцом уже недостаточно одной Романьи. Чезаре двинулся на Марке и занял Сенигаллию.

Я никогда не бывала в Сенигаллии, но слыхала о ней — это был красивый город, расположенный к югу от Пезаро, на восточном побережье Италии; он славился своими песчаными берегами, такими мягкими, что их именовали бархатными.

— А что тебя удивляет? — язвительно перебила его я. — Ты же всегда знал, что честолюбие твоего брата не имеет границ. Он ни за что не удовольствовался бы одной лишь Романьей.

Джофре мрачно уставился на свою тарелку, так и не прикоснувшись ни к золотистой, поджаристой куриной ножке, ни к каштанам.

— Значит, ты не слышала, как именно он взял этот город.

Я покачала головой.

— Он созвал и взял с собой всех кондотьеров из городов Романьи.

Кондотьеры — это были главы благородных семейств, потерпевших поражение; их вынудили стать офицерами в армии Чезаре и вести своих людей туда, куда пожелают Борджа. Всех их заставили присягнуть на верность — с мечом у горла.

— Они двинулись к Сенигаллии, — продолжал Джофре. — Папская армия была настолько сильной, что город открыл ворота и сдался без боя. Тут-то и началось самое страшное... — Джофре передернуло. — Мне просто не верится, что у нас с этим человеком одна мать. Он вероломнее турок и кровожаднее того типа в Валахии, которого прозвали Пронзателем. Чезаре не удовольствовался городом в качестве добычи. Он пригласил внутрь всех кондотьеров, сказав, что хочет, чтобы они осмотрели замок и поужинали с ним, дабы отпраздновать победу. Офицеры повиновались. У них не было причин ожидать чего-либо, кроме награды за верность. Но мой брат... Он приказал своим людям окружить их. А городские ворота заперли, и кондотьеры оказались отрезаны от своих людей. К утру Чезаре перебил их всех до единого. Одних удушили, других закололи...

Джофре уронил руки на стол и уткнулся в них лицом.

Я сидела напротив с каменным лицом, пытаясь осознать рассказанную мне ужасную историю. Гордые, знатные семейства, правившие на протяжении столетий, внезапно сделались бессильными, сокрушенными. Теперь Борджа на самом деле полностью контролировали Романью.

Джофре пробормотал, не поднимая головы:

— Отец с Чезаре уже выбрали новых правителей; те лишь ждут распоряжения, чтобы принять власть в этих городах. — Он приподнял голову и с жалким видом добавил: — В Риме чуть ли не каждый день умирают кардиналы. Их богатства идут в церковную казну, а оттуда — на оплату войны. Отец ни о чем другом и не говорит. Он гордится Чезаре, гордится его победами... Я не в силах больше выносить это.

Джофре затрясло — так сильно, что стоящая перед ним тарелка задребезжала.

— Теперь они оба сделались настолько заносчивы! Их ничто не остановит. Поскольку Лукреция уехала в Феррару, ею уже нельзя манипулировать... и они перенесли внимание на меня. Вчера отец заявил, что кое-что из нашего состояния требуется для военных целей. Он говорил про Сквиллаче и другие мои имения в Неаполе, про мои драгоценности и золото — как они могут пригодиться Чезаре и церкви. И звучало это все весьма угрожающе. Я начинаю бояться за свою жизнь... Я ведь бесполезен для них — если не считать денег. Что помешает им сделать меня следующей жертвой?

При виде его трусости я не смогла больше сдерживаться.

— А почему ты так дрожишь, Джофре? Отчего ты так удивлен? Ты ведь никогда не был дураком, однако все эти годы предпочитал оставаться слепым и глухим, не замечая, что происходит вокруг тебя! Ты не хуже меня знаешь, что Перотто и Пантсилея были ни в чем не повинны, а убили их просто потому, что они слишком много знали. Ты промолчал, когда при тебе повесили дона Антонио, гостя кардинала Сфорцы. Ты знал, что Тибр давно готов выйти из берегов, потому что его переполняют трупы жертв твоего отца и брата. И хуже того, ты позволил Чезаре убить твоего брата Хуана и моего Альфонсо и даже не попытался протестовать! Так что не жалуйся мне, своей жене: я живу за тюремными стенами, с женщинами, которых изнасиловал Чезаре!

Джофре испустил жалобный стон.

— Я очень, очень сожалею о том, что все это произошло... но что я могу сделать?

— Был бы ты мужчиной, ты бы освободил меня отсюда, — негромко, но резко произнесла я. — Был бы ты мужчиной, ты давно бы перерезал глотку своим злобным родственникам.

Джофре беспокойно нахмурился, но глаза его вспыхнули яростным огнем. Понизив голос, он признался:

— Тогда я хочу стать мужчиной, Санча. Я хочу получить свободу, уехать в Сквиллаче и до конца своих дней жить там в мире и покое.

Он выразился столь недвусмысленно и столь решительно, что я на некоторое время онемела. Это был тот самый случай, которого я ждала. Но мне нужно было увериться в непреклонности Джофре. Возможно, мне следовало бы выбрать более волевого соучастника. Однако чем дольше я смотрела в преисполненные решимости глаза мужа, тем больше убеждалась, что это и есть моя счастливая возможность.

Наконец я негромко сказала:

— Я могу помочь тебе, муж. Я знаю способ остановить ужас. Но ты должен отречься от Борджа и поклясться в верности мне одной — до самой смерти.

Джофре встал, подошел ко мне, преклонил колени и поцеловал мою туфлю.

— До самой смерти, — сказал он.

ЛЕТО 1503 ГОДА

ГЛАВА 37

Мы с Джофре сошлись на том, что ему следует собраться с силами и подождать, пока Чезаре вернется с войны. Иначе Чезаре, услыхав о смерти отца, примчится в Рим и назначит собственного Папу, который будет уступать его требованиям еще быстрее, чем родной отец. Нельзя наносить удар по одному лишь Александру.

Наше ожидание казалось бесконечным, а Чезаре неспешно продолжал вести кампанию в Марке.

Однако же настал наконец день, принесший нам надежду. Меня разбудил далекий раскат грома, но когда я встала и распахнула ставни, то увидела безоблачное ясное небо.

Гром повторился. Тогда я поняла, что это не отзвук приближающейся грозы, а далекая канонада. Я оставила донну Эсмеральду мирно спать — в последнее время она стала немного глуховата — и оделась сама. Потом я подняла Родриго с кроватки.

Держась за руки, мы вышли в прихожую, и я открыла дверь. Теперь меня охранял всего один стражник — новобранец Джакомо, солдат, которому едва-

едва исполнилось семнадцать; он любил поболтать и посплетничать не меньше донны Доротеи и знал, что мне можно доверять.

Джакомо стоял не у моих дверей, а в конце коридора и смотрел через балкон куда-то вдаль. Он был высоким и худым, и вся его долговязая фигура — юноша стоял спиной ко мне — выражала легкую тревогу.

— Джакомо! — позвала я. — Я слышу пушки!

Солдат развернулся, смущенный тем, что его поймали в тот момент, когда он покинул свой пост. Он немедленно вернулся к двери.

— Прошу прощения, мадонна. Это Джулио Орсини и его люди. Святой отец посадил в тюрьму родственников Орсини, потому дон Джулио поднял мятеж. Но вы не бойтесь. Папа вызовет гонфалоньера с его войском. — Джакомо понизил голос и, лукаво сощурившись, добавил: — Если, конечно, тот согласится прийти.

На протяжении нескольких месяцев Чезаре именно что не соглашался оставить войну, которую вел; Папе пришлось обходиться теми немногочисленными солдатами, которых не увел с собой гонфалоньер и полководец Церкви. На поддержку романской знати Александр полагаться уже не мог: все дворянство преисполнилось горечи и недоверия после того, что Чезаре учинил с кондотьерами в Сенигаллии. С чего бы вдруг им было сражаться за Папу, вполне способного впоследствии убить их?

Силы и ряды сторонников Джулио Орсини стремительно росли. Однажды вечером, когда мы сидели за столом и донна Эсмеральда разливала вино, Джофре многозначительно взглянул на меня.

Он нервно откашлялся, потом с нарочитой небрежностью сказал:

— Его святейшество все более отчаянно нуждается в помощи в этом деле с Орсини. На самом деле я сегодня услыхал от кардинала Монреальского, что Александр пригрозил дону Чезаре отлучением, если тот не выполнит папский приказ и не вернется в Рим. Чезаре не особенно этого хотелось — если верить кардиналу, он был просто взбешен, — но сегодня отец получил сообщение, что Чезаре со своими людьми движется сюда.

Я схватила мужа за руку; пожатие Джофре оказалось на удивление решительным и крепким. Если Эсмеральде и показалось странным, что мы с мужем переглянулись, словно соучастники, то она ничего не сказала по этому поводу.

В разгар летней жары, несколько месяцев спустя после первого призыва Папы, Чезаре наконец-то привел свое войско в Рим. На протяжении двух недель он оставался недосягаем, поскольку встал лагерем в сельской местности. Но маленькая армия Орсини не могла тягаться с огромным папским воинством; мятежных римских дворян быстро перебили. Ликующий Александр велел звонить во все колокола.

После этой победы мой муж явился к нам на вечернюю трапезу. Заслышав шаги дяди, Родриго подбежал к двери. Джофре подхватил Родриго и подбросил его в воздух — тот заверещал от удовольствия, — а потом внезапно поцеловал мальчика и поставил на пол. Невзирая на непрестанные просьбы Родриго, тем вечером Джофре ни в какую не соглашался с ним играть, и я попросила Эсмеральду пораньше уложить малыша.

На балкон был вынесен маленький столик, чтобы мы могли ужинать, наслаждаясь летним вечером. Пока двое служанок расставляли тарелки, Джофре попросил вина. Один из слуг подал ему кубок, и Джофре осушил большую часть одним глотком.

Я встала со своего кресла в прихожей и подошла к Джофре. Взгляд его был отстраненным и блуждающим. В тот день Джофре подправлял бороду, и, видимо, рука его дрогнула — на щеке красовался свежий подсохший порез.

— Ты принес какие-то новости, муж, — заметила я, понизив голос настолько, чтобы возившиеся на балконе женщины не могли меня расслышать.

Мы продолжали внимательно следить за слугами, но я жадно слушала ответ Джофре.

— Чезаре не терпится как можно быстрее покинуть Рим и вернуться в Марке. Но отец уговорил его остаться на празднество по случаю победы: завтра у кардинала Адриано Кастелли будет дан обед в честь Чезаре. Он будет проходить на свежем воздухе, в винограднике.

— Устрой так, чтобы ты сидел между Папой и Чезаре, — тихо сказала я. — Тогда тебе понадобится лишь попросить у виночерпия, чтобы ты лично отнес им полные кубки — в знак твоего глубочайшего уважения. — Помолчав, я добавила: — Когда слуги уйдут, я принесу все, что нужно.

Слуги раздражающе долго возились с ужином, но в конце концов они все же удалились. Я прошла в спальню; донна Эсмеральда шила, маленький Родриго спал.

— Мне нужно кое-что взять из шкафа, — прошептала я.

Донна Эсмеральда кивнула и вновь склонилась над шитьем. Я открыла свой гардероб.

Открытая дверь заслонила меня от Эсмеральды, так что я без помех отворила потайное отделение в полу гардероба и достала оттуда шкатулку. В ней лежали мои драгоценности, унесенные из дворца Святой Марии, и флакон с кантереллой. Я заблаговременно опустошила маленькую прозрачную склянку, в которой содержалось драгоценное розовое масло из Турции — много лет назад мне подарил его Джофре.

Я взяла рубин и два флакона, потом вернула шкатулку в тайник, бесшумно прикрыла двери гардероба и удалилась. За все это время донна Эсмеральда даже не подняла головы.

Джофре расхаживал по прихожей. Он успел налить себе еще вина и уже выпил большую его часть.

— Тебе надо лучше держать себя в руках, — упрекнула я его, — иначе мы никогда не добьемся успеха.

— Я буду сдерживаться, — пообещал Джофре, запрокинул голову и допил кубок.

Я с сомнением взглянула на него, но промолчала. Вместо этого я вручила ему рубин.

— Это на тот случай, если понадобится кого-нибудь подкупить.

Потом я подошла к масляной лампе и поднесла оба флакона, прозрачный и изумрудный, к огню.

«В должное время», — сказала стрега. Сейчас я была полностью уверена, что это время наконец-то настало.

Зеленый флакон сверкал в свете огня. Я подумала о солнечных бликах, танцующих на водах Неаполитанского залива; я подумала о свободе.

Внутри флакона лежал тусклый, серебристо-голубой порошок. «Прекрасная, прекрасная кантерелла, —

мысленно обратилась я к ней. — Кантерелла, спаси меня...»

В тот момент мне вспомнилось, как я убила молодого солдата, напавшего на Феррандино. Тогда я не испытывала ни малейшей вины. Не испытывала я ее и сейчас — лишь холодную, жестокую радость.

Недрогнувшей рукой я открыла сначала первый флакон, потом, действуя как можно осторожнее, флакон с ядом. Джофре заглянул мне через плечо, судорожно охнул и вытянул шею.

— Лучше отойди, — предупредила я. — Вдруг я рассыплю порошок — а я не знаю, можно ли умереть, если вдохнешь его.

Джофре подчинился и лишь молча смотрел, как я пересыпаю порошок из большего флакона в меньший. «Всего несколько крупинок», — сказала Лукреция. Я не стала спрашивать, откуда у нее подобные познания. Я отсыпала Джофре сотни, тысячи смертей — добрую треть флакона; этого хватило бы, чтобы истребить папскую армию.

Потом я закрыла оба флакона и вручила Джофре тот, что поменьше, — теперь он сделался наполовину прозрачным, а наполовину серовато-голубым. Джофре спрятал его в потайной карман за пазухой камзола.

— Почему бы не отдать мне все целиком?

В его голосе промелькнули уязвленные и раздраженные нотки.

— Потому что, если нас разоблачат, — ровным тоном отозвалась я, — нам понадобится что-то и для себя.

При этих словах Джофре побледнел, но взял себя в руки и кивнул.

Я спрятала изумрудный флакон в корсаж.

— Я буду постоянно держать его при себе, так что если нас схватят...

Джофре снова кивнул, на этот раз решительно, показывая, что мне нет необходимости договаривать.

Мы дружно посмотрели в сторону балкона, где ждал нас ужин.

— Мне сейчас еда в горло не полезет, — сказал Джофре.

— Мне тоже. Я позову слуг и велю им все унести.

Джофре уже повернулся было уходить, но я поймала его за руку и сказала:

— Я не очень-то верю в Бога. Но я буду молиться за тебя.

Джофре слабо улыбнулся, а потом вдруг привлек меня к себе и поцеловал. Это был не дежурный, привычный поцелуй мужа, давно уже состоящего в браке; так юноша целует женщину, в которую он страстно влюблен.

Я отстранилась, ошеломленная, но не стала высвобождаться из его объятий; во взгляде Джофре я узнала того робкого, виноватого юношу, каким он был в нашу брачную ночь.

— Мне очень жаль, что я часто разочаровывал тебя, Санча, — прошептал он. — Но больше этого не повторится.

На этом мы расстались. Я сдержала свое обещание. Я молилась за него всю эту бессонную ночь, прижав руку к сердцу.

Следующий день — тот самый, на который был назначен обед в честь Чезаре, — тянулся мучительно медленно. Тем вечером я не получила никаких вестей от Джофре; да, собственно, я их и не ожидала: кантерелле нужно некоторое время, чтобы подействовать.

Но на второй вечер, когда Джофре так и не появился и ни о чем не сообщил, меня охватило смятение. На третий вечер меня уже трясло. Может, Джофре предал меня? Может, его засекли и схватили?

Я всю ночь просидела в прихожей, размышляя, не пора ли пустить в ход содержимое зеленого флакона, крепко зажатого у меня в кулаке.

Перед рассветом меня все-таки одолело изнеможение; я доковыляла до кровати и заснула тревожным сном.

Пробудившись, я увидела совершенно невероятное зрелище: сначала я вообще решила, что еще сплю. Рядом со мной крепко спала донна Эсмеральда. Родриго тихо посапывал в своей кроватке.

А надо мной склонились Доротея де ла Крема и Катерина Сфорца, обе — в ночных рубашках.

Я моргнула, но видение не исчезло.

— Папу отравили, — прошипела Доротея. — Чезаре тоже.

Заулыбавшись, я села на кровати. Волна ликования вернула меня к жизни.

— Они умерли?

— Нет, — сказала Катерина.

Ее бледное лицо сияло от радости. У меня чуть не остановилось сердце, когда она произнесла это коротокое слово. Катерина же продолжала:

— Но они очень серьезно больны, и врачи опасаются дальнейших приступов. Наши стражники ушли.

— Джакомо ушел?

Я заставила себя успокоиться. Слухи гласили, что кантерелле иногда требуется несколько дней для достижения результата. Если стражники ушли, это превосходный знак, свидетельствующий, что они не надеются на выздоровление его святейшества.

— Ушел, — торжествующе сообщила Доротея.

Я кинулась к шкафу и вытащила оттуда накидку.

— Они устроили празднество, — радостно произнесла Доротея. — На следующий вечер у Александра началась лихорадка. Никто ничего такого не подумал — в конце концов, сейчас самое жаркое время года, и многие страдают от лихорадки, — но на следующее утро у него появились все признаки отравления кантереллой. И Чезаре тоже слег. Мой стражник сказал, что это было отравленное варенье. Но пока что никто из гостей больше не заболел. Так что, возможно, это вовсе и не отравление.

— Пойдем посмотрим, — потребовала Катерина, радостная, словно дитя, и схватила меня за руку.

Она повела меня вниз по лестнице, на балкон — замок опустел, и мы не встретили ни одного тюремщика; оттуда мы стали смотреть на площадь и на Ватикан.

Ворота Ватикана были закрыты, и под ними выстроился ряд вооруженных солдат.

Катерина так сильно перегнулась через перила балкона, что я испугалась, как бы она сейчас не упала, и поймала ее за руку. Она нетерпеливо оттолкнула меня.

— Пусти!

— Что ты делаешь? — сердито спросила я, и Катерина со сладчайшей, чистейшей улыбкой отозвалась:

— Слушаю, не зазвонят ли колокола.

На следующий день, когда донна Эсмеральда возилась с Родриго, а я в спальне собирала вещи, пытаясь отвлечься и успокоиться за этим внушающим надежду занятием, на пороге появился Джофре. Плечи его согнулись под незримой тяжестью, лицо сделалось изможденным. Он явно не принес хороших вестей. Я стиснула в руках сложенный бархатный плащ, который как раз собиралась уложить в сундук.

— Донна Эсмеральда, — сказал Джофре, — мне нужно поговорить с моей женой наедине.

Голос его был хриплым, словно у пьяницы, но слова звучали неразборчиво не из-за вина, а из-за страха. У него настолько пересохло во рту, что язык прилип к нёбу и зубам.

Эсмеральда кивнула и взяла маленького Родриго за руку. Проходя мимо нас, она бросила взгляд в мою сторону. Моя старая нянька была не дура: на ее круглом морщинистом лице отразилось полнейшее понимание. Несомненно, она заметила и страх Джофре, и мое беспокойство и связала их с отравлениями в Ватикане.

Но в ее проницательном взгляде не было ни следа укоризны — одно только одобрение.

Едва лишь донна Эсмеральда с ребенком вышли, как я шагнула к Джофре и провела ладонями по его плечам и рукам. Камзол Джофре был влажным от пота; сам он слегка дрожал. Карие глаза покраснели от недосыпания и сделались слегка безумными; на верхней губе над усами поблескивали капельки пота.

— Говори, муж.

В смятении Джофре провел рукой по волосам.

— Они не умерли. Я боюсь, что они поправляются.

— Что произошло?

— Нервы, — пристыженно отозвался Джофре, не смея поднять на меня глаза. — Я... я рассыпал порошок. Почти весь. Я отнес бокалы с вином за дерево, но не справился, и флакон... Осталось совсем чуть-чуть.

— Насколько тяжело они больны? — коротко спросила я.

Мне сейчас было не до того, чтобы тратить время, утешая Джофре.

— Отцу гораздо хуже. Иногда он вообще не осознает, где он находится и кто рядом с ним. Но рвота и кровавый понос прекратились, и сегодня утром он смог выпить немного бульона. На празднике я поднес ему неразбавленное вино — требийское, очень крепкое, но потом Чезаре часть отлил и смешал с водой. Чезаре тоже болен, он настолько слаб, что не встает с постели, но не так плох, как отец. Он просил меня посидеть с ним. Я знаю, он поправится... В конце концов я извинился и ушел, сказав, что мне надо отдохнуть.

Он вдруг схватился за мои руки в поисках опоры — у него подогнулись ноги. Я бросила бархатный плащ и помогла Джофре добраться до кровати, где он и сел.

Джофре спрятал лицо в ладонях.

— Я подвел тебя, Санча. Теперь нам придется самим принять яд.

Мне следовало бы обозлиться при виде его слабости, но вместо этого меня охватило неестественное спокойствие. Я почувствовала уверенность, такую же неразумную и загадочную, как вера. Я твердо знала, что Джофре лишь помог мне сделать первые шаги к исполнению моего предназначения. А я должна завершить его.

— Нет, — с нажимом произнесла я. — С нами ничего плохого не случится. Только помоги мне еще немного. Опиши мне обстановку. Их охраняют?

Джофре покачал головой.

— Все стражники, какие еще остались, сейчас стоят вокруг Ватикана. Остальные разбежались, как и большая часть слуг... Но если они услышат, что отец и Чезаре идут на поправку, они могут вернуться.

— Тогда мы должны поторопиться, — сказала я. — Кто сейчас при них?

— С Чезаре сидит дон Микелетто Корелла... — Лицо Джофре исказилось от ненависти. — Не из верности. Он выжидает, словно ястреб, чтобы не пропустить момента, когда Александр умрет или Чезаре станет хуже... а тогда он украдет столько сокровищ и власти, сколько сумеет. С отцом сейчас никого, не считая его камерария Гаспара — тот и вправду горюет по нему.

На миг меня охватила растерянность. Судьба требовала, чтобы последний удар нанесла я, но Джофре вряд ли сможет провести меня мимо стражников в апартаменты Борджа, не вызвав подозрений.

Я взглянула сквозь открытые окна на крохотные фигурки, движущиеся по площади Святого Петра, на темные волны жара, поднимающиеся от брусчатки. Стояло лето, время карнавала, и я вдруг словно бы перенеслась в виноградник, на другое празднество, где я сидела между Хуаном и Чезаре и меня интриговал гость в маскарадном костюме.

Я подошла к бархатному плащу, который так и валялся на мраморном полу, и подняла его. Плащ был с капюшоном; он спрячет мои волосы. Я повернулась к мужу и сказала:

— Мне нужна маска. Такая, чтобы полностью закрывала лицо. И платье куртизанки. Чем вульгарнее, тем лучше.

Джофре непонимающе уставился на меня.

В моем голосе прорезалось нетерпение.

— Ты знаком с такими женщинами. Ты можешь найти эти вещи. Поспеши: нам надо управиться до захода солнца.

Маска, принесенная Джофре, была прекрасна: кожа была вырезана в виде крыльев бабочки, укреплена по краям и раскрашена в насыщенные фиолетовый и сине-зеленый цвета. Она закрывала лишь половину лица, оставляя открытыми губы и подбородок, и потому мой находчивый муж прихватил подходящий к ней веер из павлиньих перьев. Платье с нескромно низким вырезом было сшито из кричаще-яркого алого атласа — я никогда не носила ничего подобного. Я попросила Эсмеральду срезать немного ткани с подола и сшить маленький карман — такой, какой у меня был для стилета. Она все сделала без лишних вопросов; точно так же не сказав ни слова, она помогла мне облачиться в наряд куртизанки, закрепила маску и набросила мне на плечи черный плащ. Спрятав волосы под капюшоном и прикрыв низ лица веером, я сделалась окончательно неузнаваемой. Теперь оставалось лишь одно: я опустила в потайной карман флакон с остатком кантереллы.

Джофре смотрел на меня с нескрываемым вожделением. Я одновременно была польщена и ощутила укол ревности: его реакция напомнила мне обо всех тех шлюхах, с которыми он спал за время нашего брака. Но я подавила разгорающийся гнев и протянула ему руку.

— Давайте прогуляемся вместе, дон Джофре, — жеманно произнесла я. — Я сейчас не против подышать вечерним воздухом на площади Святого Петра.

Джофре попытался улыбнуться, но он слишком терзался страхом. Я заметила, что сегодня вечером он прицепил к поясу кинжал — на тот случай, если наше предприятие снова потерпит неудачу. Я крепко, подбадривающе сжала его руку, и мы вышли из безмолвного, никем не охраняемого замка Сант-Анджело.

Из-за серьезности того, что я вознамерилась совершить, все мои чувства приобрели ту особую остроту, какую я испытывала в период безумия. На мосту было мало прохожих: несомненно, потому, что большинство горожан уже сидели по домам, опасаясь беспорядков, вызванных смертью Папы. Я смотрела на тусклые огоньки дворцов и лодок, отражающиеся в темных водах Тибра; никогда еще от реки так не несло зловонием болота и разлагающейся плоти.

Перейдя мост, мы вступили на площадь Святого Петра. В том году, когда я очутилась в замке Сант-Анджело — в год юбилея, — площадь была переполнена паломниками; нынче же на ней не было никого, кроме нескольких прохожих.

Когда мы добрались до ворот Ватикана, мое сердце забилось быстрее. Усталые, угрюмые молодые солдаты встретили меня настороженными взглядами; сейчас их уже было меньше, чем поутру. Я крепче сжала веер и прикрыла лицо. Но, узнав Джофре, стражники тут же поклонились и отворили ворота, ни о чем его не спрашивая.

Так я в последний раз взошла по ступеням папского дворца.

Мне больно было идти по этим знакомым залам: сам воздух здесь был тяжелым от предательства и горя. Когда я вступила в апартаменты Борджа, избыток позолоты и украшений показался мне не восхитительным или великолепным, а зловещим.

Я прошла через Зал сивилл — за то время, что меня здесь не было, его отмыли от крови и придали ему прежний роскошный вид. Я опустила глаза и заставила свое сердце ожесточиться.

— Сюда, — сказал Джофре и провел меня в Зал святых, где состоялось столько празднеств.

Теперь зал был превращен в своего рода лечебницу. Здесь появилась большая кровать с балдахином; на столах стояли тазы с водой, бутыли с водой и вином, кубок, какие-то лекарства; тут же лежали полотенца. Джофре сказал правду: Александра бросили все, кроме Гаспара, который спал в кресле рядом с кроватью понтифика.

Посреди кровати, прямо под яркой фреской, изображающей Лукрецию в виде проницательной святой Катерины, лежал Папа. Шапочка была снята, обнажая лысую макушку и пряди растрепанных седых волос, пушистых и нежных, словно у младенца. На нем была лишь льняная ночная сорочка; простыня накрывала тощие ноги и круглый, выпирающий живот. Папа тоже дремал, хотя глаза его были приоткрыты; веки опухли и почернели; лицо приобрело сероватый оттенок, а щеки запали, придавая Александру сходство со скелетом.

Я выпустила руку Джофре. Он подошел к Гаспару, осторожно встряхнул его за плечо, чтобы разбудить, и что-то прошептал испуганному камерарию. Уж не знаю, что именно он ему сказал. Мне было достаточно того, что ложь моего мужа сработала: Гаспар встал и вышел из зала.

Я повернулась к Джофре.

— Муж, — сказала я. — Возможно, тебе тоже лучше было бы выйти.

— Нет, — твердо ответил он. — Я прослежу, чтобы тебе здесь ничего не угрожало.

Я прошла к столу, положила на него веер, потом налила в кубок немного вина. Пока Джофре наблюдал за входом, я извлекла зеленый флакон, высыпала в вино половину его содержимого и размешала. Этой дозы хватило бы на пятьдесят человек, но, достаточно хладнокровная для совершения убийства, я все-таки не была жестокой. Я хотела, чтобы Александр умер быстро, без страданий.

Удостоверившись, что все готово, я кивнула мужу.

Джофре отошел от двери, присел на край кровати и осторожно коснулся руки старика.

— Отец, — позвал он.

Веки Александра дрогнули; он в замешательстве взглянул на своего мнимого сына.

— Хуан?

— Нет, отец. Это я, Джофре.

На глаза моего мужа навернулись слезы, лицо вдруг исказилось от горя. Я подошла к нему, держа кубок.

Александр сразу же узнал меня, невзирая на всю маскировку.

— Санча? — Голос его был слабым и пронзительным, но в нем проскользнула нотка веселья. Кажется, он рад был видеть меня. — Санча, ты пришла меня навестить... А что, уже карнавал?

Александр словно позабыл об убийстве моего брата и о том, что меня заточили в тюрьму. Он говорил со мной, как мог бы говорить с Лукрецией в поисках тепла и утешения.

— Санча, а где Хуан?

Я обошла мужа и выступила вперед.

— Он спит, ваше святейшество. И вам тоже нужно поспать. Вот. Это вам поможет.

Я поднесла кубок к его губам; Александр пригубил, закашлялся, но потом отдышался и сделал несколько глотков. Когда я отставила кубок, он скривился:

— Оно горькое.

— Самые действенные лекарства всегда горькие, — отозвалась я. — А теперь отдохните, ваше святейшество.

— Скажи Джофре, чтобы он перестал реветь, — брюзгливо произнес он, потом вздохнул и опустил почерневшие веки.

Я коснулась его щеки тыльной стороной ладони; кожа была мягкой и тонкой, словно пергамент.

Я тоже вздохнула, и с этим вздохом меня покинула боль, давно терзавшая мою грудь, — как будто кто-то извлек оттуда меч. Я осознала, что от меня ничего больше не требуется: мы с кантереллой сослужили свою службу.

— Готово, — шепотом сказала я Джофре. — Без него Чезаре лишится силы. Мы можем идти.

Но Джофре взял уснувшего понтифика за руку и сказал:

— Я побуду с ним.

В ответ я поцеловала его в голову и вышла. Я намеревалась сразу же вернуться в замок Сант-Анджело, но ноги понесли меня вверх по лестнице — по знакомому пути, по которому я много лет назад тайком ходила по ночам в покои Чезаре.

Все двери в его покоях были не заперты. Я прикрыла лицо веером. Полагая, что встречу здесь Микелетто Кореллу, я приготовила отговорку: я собиралась назваться куртизанкой, подругой Чезаре, и притвориться, будто я настолько влюблена в него, что явилась удостовериться в его выздоровлении.

Но в покоях не было никого, кроме человека, лежащего на кровати. Корелла бросил своего хозяина, что и неудивительно.

Чезаре стонал; из-под сбившейся простыни выглядывало нагое тело. Ноги у него были темно-фиолетовыми, распухшими почти вдвое. На столике горела единственная свеча, но даже ее тусклый свет причинял Чезаре боль: он зажмурился и схватился за голову.

Я бесшумно вошла и встала около кровати; я сама толком не понимала, зачем пришла. Никогда я не видела этого человека настолько беспомощным и всеми покинутым. Кто-то — то ли слуги, то ли Корелла — воспользовался его состоянием: гобелены, меховые ковры и золотые канделябры исчезли. Точнее говоря, исчезло все, что представляло собой какую-либо ценность, остались лишь позолоченные потолки да фрески. И все же я не чувствовала жалости, лишь удивление: как я могла любить такого злобного человека? Как я могла быть такой дурой?

Наконец измученный взгляд черных запавших глаз на призрачно-белом лице, обрамленном влажными спутанными прядями, упал на меня. Чезаре попытался прикрыться, вернуть себе некое достоинство, невзирая на слабость; он хотел поднять голову, но потерпел неудачу. Я поняла, что нет никакой необходимости убивать его: выжить и лишиться власти для него будет гораздо мучительнее. Когда у него за спиной не будет Папы, его никто не станет поддерживать. Чезаре сам выкопал себе яму своей жестокостью, своим вероломством по отношению к собственным людям — точно так же, как сам покончил с собою король Альфонсо II, повесившись на железном подсвечнике там, на Сицилии.

— Кто вы? — хрипло спросил Чезаре.

— С тобой покончено, — произнесла я из-за веера, приглушив голос. — Твой отец мертв.

Чезаре застонал — не от горя, а от беспокойства.

— Кто это? — снова спросил он. — Кто говорит?

Я опустила веер, откинула капюшон и сняла маску, полностью открыв лицо. Я продемонстрировала ему царственную надменность, достойную моего отца в день его коронации. Без сторонников он оказался всего лишь хнычущим трусом.

— Зови меня Справедливостью, — сказала я.

ГЛАВА 38

Я быстро спустилась по лестнице и вернулась к Джофре. Он сидел, сгорбившись от вины и горя, рядом с недвижным телом Папы. Я взглянула на Александра: его полуоткрытые глаза, тусклые и незрячие, были устремлены в какую-то далекую точку за стенами; исчерна-фиолетовый, распухший язык уже не помещался во рту. Широкая грудь наконец-то застыла и перестала вздыматься.

Рядом двое слуг, мужчина и женщина, хлопотливо запихивали златотканые гобелены в мешок. Я знала, что вскоре к ним присоединятся и другие и что покои Александра сделаются такими же голыми и пустыми, как у Чезаре. Однако ни я, ни мой муж даже не попытались помешать им.

Я взяла Джофре за руку. Рука была обмякшей и безвольной. Он не ответил на мое пожатие, и я выпустила его пальцы. Не отрывая взгляда от человека, столько лет признававшего его сыном, он бесцветным голосом произнес:

— Гаспар пошел сообщить кардиналам и все подготовить. Он пришлет кого-нибудь обмыть его и приготовить к похоронам.

Некоторое время я постояла молча, потом негромко произнесла:

— Я возвращаюсь домой.

Джофре понял, что я имела в виду, и отвернулся. По этому жесту я поняла, что он решил вернуться в Сквиллаче; с этого времени мы будем жить отдельно.

Джофре оказался недостаточно силен, чтобы жить рядом с человеком, поднесшим последнюю дозу яда к губам его отца, недостаточно силен, чтобы жить с ощущением нашей общей вины.

Я наклонилась, нежно поцеловала его и ушла.

К тому моменту, как я добралась до ворот Ватикана, большинство стражников уже разбежались; те немногие, кто остался, пропустили меня без насмешек. Завидев меня, они как-то странно умолкли, словно почувствовали мою силу.

Я вышла через ворота на мощенную булыжником площадь Святого Петра, не боясь темноты, хотя и была безоружной женщиной. У меня было легко на душе: я, как и Рим, Романья, Марке, наконец-то освободилась от проклятия Борджа. Мой брат был отомщен, и моя душа теперь могла обрести покой. По иронии судьбы Чезаре в конечном итоге дал мне то, что обещал в пылу любви: мой родной город и ребенка.

В отдалении, на другом берегу Тибра, стоял замок Сант-Анджело; над его каменной твердыней распростер крылья архангел Михаил. В некоторых окнах — в тех комнатах, где жили безумные женщины Чезаре, — теплились огоньки. Я улыбнулась, зная, что там меня ждут Родриго и донна Эсмеральда.

У меня за спиной завели свою скорбную песнь колокола собора Святого Петра.

Я взошла на мост и перешла темную реку, на этот раз ощущая запах морской свежести. Сердцем я уже была в Неаполе, там, где солнечные блики играют на чистых синих водах залива.

ПОСЛЕСЛОВИЕ

Подробности осмотра и погребения Папы Александра VI весьма страшны. После смерти его тело омыли, переодели и, следуя обычаю, выставили в соборе Святого Петра, дабы верующие могли навестить его. Но тело Папы стало издавать чудовищное зловоние и почернело, сделавшись настолько кошмарным на вид, что его пришлось накрыть. Люди принялись поговаривать, будто Александр был одержим дьяволом или, по крайней мере, продал ему душу в обмен на мирскую власть. Тело быстро унесли для погребения — в церковь Санта Мариа делле Феббри, где упокоился преданный Александром Альфонсо Арагонский.

Сами похороны были ужасны: труп Александра настолько раздулся, что не помещался в гроб, и его прямо-таки вколотили туда лопатами. На могилу положили большой камень, чтобы крышка гроба не поднималась.

Чезаре со временем выздоровел, но все бывшие сторонники его бросили. Вероломный дон Микелетто Корелла приставил папскому казначею нож к горлу и унес большую часть папских сокровищ. Король Людовик тут же отвернулся от Чезаре. Лишенный друзей, но зато имеющий бессчетное множество врагов в

Италии и оставшийся без поддержки Франции Чезаре был арестован Фердинандом, королем Испании. Этого монарха много лет подстрекала жена Хуана, во всеуслышание обвинявшая Чезаре в убийстве ее мужа. Однако через некоторое время Чезаре удалось бежать, и он нашел себе развлечение, участвуя в мелких заварушках.

Санча благополучно вернулась в Неаполь вместе со своим племянником Родриго, а Джофре уехал в Сквиллаче и стал там править. Любопытно, что в 1503 году Чезаре привез «римского инфанта» Джованни — его с Лукрецией незаконнорожденного сына — к Санче и попросил ее вырастить мальчика; это заставляет предположить, что Чезаре продолжал испытывать к ней уважение и привязанность. Санча согласилась выполнить его просьбу и стала заботиться о двух детях; она жила в окружении уцелевших женщин из ее семьи. К несчастью, вскоре после этого она скончалась от неизвестной болезни. Относительно даты историки расходятся: одни считают, что это произошло в 1504 году, а другие — что в 1506-м.

Интересно отметить, что Чезаре ненадолго пережил ее: в 1507 году в итальянском городе Виани, где он служил наемником, он безрассудно вырвался вперед, опередив свой отряд; его тут же окружили и убили. Многие считают его смерть самоубийством.

Лукреция так и осталась в Ферраре и родила Альфонсо д'Эсте четырех детей. К концу жизни она сделалась религиозной и стала носить под роскошными платьями власяницу. В 1518 году она вступила в орден святого Франциска Ассизского. Лукреция умерла в 1519 году, произведя на свет девочку, которая тоже долго не прожила.

Джофре после кончины Санчи женился на Марии де Мила и обзавелся множеством наследников. Он жил в своих владениях до самой смерти, наступившей в 1517 году.

Историки на протяжении нескольких веков спорили о том, кто же в действительности отравил Александра VI и его старшего сына. Но эта загадка так никогда и не была разгадана.

Санча Арагонская и семейство Борджа представляют собою настоящие самородки в потоке истории. В этот роман включены некоторые исторически зафиксированные факты: безумие Ферранте I и Альфонсо II, королей Неаполя; устроенный Ферранте «музей» из мумий врагов (да, он действительно с ними разговаривал); присутствие Альфонсо II в качестве свидетеля при осуществлении брака его дочери с Джофре Борджа; бегство Альфонсо II из Неаполя и похищение всех сокровищ короны; проповеди Савонаролы, в которых он называл Папу Александра VI Антихристом; распутное поведение Папы, включая привычку ронять шоколадные конфеты женщинам за корсаж, и его страсть к юной любовнице Джулии; внебрачная беременность Лукреции и ее кровосмесительная связь с отцом и братом; убийство десятков кардиналов и знатных дворян, совершенное Борджа; сотни тел, плававших в Тибре во времена «ужаса Борджа»; повешение гостя кардинала Асканио Сфорцы; убийство Чезаре его брата Хуана, герцога Гандийского; варварское поведение Чезаре во время войны и насилие по отношению к женщинам; убийство Альфонсо Арагонского доном Микелетто Кореллой в Зале сивилл; арест Санчи и ее безумная проповедь с башни замка Сант-Анджело. Значительное количество других убийств я выпустила, дабы не перегружать внимание читателя.

СОДЕРЖАНИЕ

СОДЕРЖАНИЕ

Литературно-художественное издание

Джинн Калогридис

НЕВЕСТА БОРДЖА

Ответственный редактор *Е. Гуляева*
Редактор *А. Криволапов*
Художественный редактор *С. Киселева*
Технический редактор *О. Шубик*
Компьютерная верстка *Н. Шабунина*
Корректор *В. Дроздова*

В оформлении переплета использована
иллюстрация *Екатерины Платоновой*

Оригинал-макет подготовлен ООО «Издательский дом «Домино»
191028, Санкт-Петербург, ул. Моховая, д. 32.
Тел./факс: (812) 329-55-33. E-mail: dominospb@hotbox.ru

ООО «Издательство «Эксмо»
127299, Москва, ул. Клары Цеткин, д. 18/5. Тел. 411-68-86, 956-39-21.
Home page: **www.eksmo.ru** E-mail: **info@eksmo.ru**

Подписано в печать 18.03.2008.
Формат 80х100 $^1/_{32}$. Печать офсетная. Бумага тип. Усл. печ. л. 26,64.
Тираж 5000 экз. Заказ № 7693.

Отпечатано с предоставленных диапозитивов
в ОАО «Тульская типография». 300600, г. Тула, пр. Ленина, 109.

Оптовая торговля книгами «Эксмо»:

ООО «ТД «Эксмо». 142702, Московская обл., Ленинский р-н, г. Видное,
Белокаменное ш., д. 1, многоканальный тел. 411-50-74.
E-mail: reception@eksmo-sale.ru

**По вопросам приобретения книг «Эксмо»
зарубежными оптовыми покупателями**
обращаться в ООО «Дип покет»
E-mail: foreignseller@eksmo-sale.ru

International Sales: International wholesale customers should contact
«Deep Pocket» Pvt. Ltd. for their orders. foreignseller@eksmo-sale.ru

**По вопросам заказа книг корпоративным клиентам,
в том числе в специальном оформлении,**
обращаться в ООО «Форум»: тел. 411-73-58 доб. 2598.
E-mail: vipzakaz@eksmo.ru

**Оптовая торговля бумажно-беловыми
и канцелярскими товарами для школы и офиса «Канц-Эксмо»:**
Компания «Канц-Эксмо»: 142700, Московская обл., Ленинский р-н,
г. Видное-2, Белокаменное ш., д. 1, а/я 5.
Тел./факс +7 (495) 745-28-87 (многоканальный).
e-mail: kanc@eksmo-sale.ru, сайт: www.kanc-eksmo.ru

Полный ассортимент книг издательства «Эксмо» для оптовых покупателей:
В Санкт-Петербурге: ООО СЗКО, пр-т Обуховской Обороны, д. 84Е.
Тел. (812) 365-46-03/04.
В Нижнем Новгороде: ООО ТД «Эксмо НН», ул. Маршала Воронова, д. 3.
Тел. (8312) 72-36-70.
В Казани: ООО «НКП Казань», ул. Фрезерная, д. 5. Тел. (843) 570-40-45/46.
В Самаре: ООО «РДЦ-Самара», пр-т Кирова, д. 75/1, литера «Е».
Тел. (846) 269-66-70.
В Ростове-на-Дону: ООО «РДЦ-Ростов», пр. Стачки, 243А.
Тел. (863) 268-83-59/60.
В Екатеринбурге: ООО «РДЦ-Екатеринбург», ул. Прибалтийская, д. 24а.
Тел. (343) 378-49-45.
В Киеве: ООО ДЦ «Эксмо-Украина», ул. Луговая, д. 9.
Тел./факс: (044) 501-91-19.
Во Львове: ТП ООО ДЦ «Эксмо-Украина», ул. Бузкова, д. 2.
Тел./факс: (032) 245-00-19.
В Симферополе: ООО «Эксмо-Крым» ул. Киевская, д. 153.
Тел./факс (0652) 22-90-03, 54-32-99.

Мелкооптовая торговля книгами «Эксмо» и канцтоварами «Канц-Эксмо»:
117192, Москва, Мичуринский пр-т, д. 12/1. Тел./факс: (495) 411-50-76.
127254, Москва, ул. Добролюбова, д. 2. Тел.: (495) 780-58-34.

Полный ассортимент продукции издательства «Эксмо»:
В Москве в сети магазинов «Новый книжный»:
Центральный магазин — Москва, Сухаревская пл., 12.
Тел.: 937-85-81, 780-58-81.
Волгоградский пр-т, д. 78, тел. 177-22-11; ул. Братиславская, д. 12.
Тел. 346-99-95.
В Санкт-Петербурге в сети магазинов «Буквоед»:
«Магазин на Невском», д. 13. Тел. (812) 310-22-44.